ISBN 978-1-333-22313-7
PIBN 10484528

1 MONTH OF
FREE
READING

at

www.ForgottenBooks.com

By purchasing this book you are eligible for one month membership to ForgottenBooks.com, giving you unlimited access to our entire collection of over 700,000 titles via our web site and mobile apps.

To claim your free month visit:

www.forgottenbooks.com/free484528

English
Français
Deutsche
Italiano
Español
Português

www.forgottenbooks.com

Mythology Photography **Fiction**
Fishing Christianity **Art** Cooking
Essays Buddhism Freemasonry
Medicine **Biology** Music **Ancient
Egypt** Evolution Carpentry Physics
Dance Geology **Mathematics** Fitness
Shakespeare **Folklore** Yoga Marketing
Confidence Immortality Biographies
Poetry **Psychology** Witchcraft
Electronics Chemistry History **Law**
Accounting **Philosophy** Anthropology
Alchemy Drama Quantum Mechanics
Atheism Sexual Health **Ancient History**
Entrepreneurship Languages Sport
Paleontology Needlework Islam
Metaphysics Investment Archaeology
Parenting Statistics Criminology
Motivational

Goethes
Sämtliche Werke

Jubiläums-Ausgabe

Sechsunddreißigster Band

———

Schriften zur Literatur

Mit Einleitung und Anmerkungen von Oskar Walzel

Erster Teil

Stuttgart und Berlin
J. G. Cotta'sche Buchhandlung Nachfolger

Druck der Union Deutsche Verlagsgesellschaft in Stuttgart

Einleitung
in Goethes Schriften zur Literatur

Kein Wort Goethes ist so häufig von schaffenden
Künstlern und ihren Anhängern gegen Kritik ausgespielt
worden wie die epigrammatische Schlußpointe eines
übermütigen Jugendgedichtes (Bd. 2, S. 135): „Schlagt
ihn tot, den Hund! Es ist ein Rezensent." Der Bann-
spruch entstammt einer Zeit, da Goethe selbst soeben in
den Frankfurter gelehrten Anzeigen schneidig genug des
literarischen Richteramtes gewaltet hatte. In Goethes
Alter gewinnt vollends seine kritische Tätigkeit einen gewaltigen Umfang. Doch gerade die Methode der Kritik,
die sich in dem reifenden und in dem reifen Goethe
allmählich herausgebildet hat, gibt dem Jugendgedichte
im Innersten Recht.

In urwüchsiger Sturm- und Drangzeit wettert Goethe
gegen den „Kerl", der sich an seinem Tische „pumpsatt
gefressen" und dann über das Essen räsoniert: „Die
Supp' hätt' können gewürzter sein, Der Braten brauner,
firner der Wein." Auf der Höhe seines Schaffens geißelt
er in den „Xenien" die Wirte der „Geschmacksherbergen",
die Wortführer der großen Rezensieranstalten; zur Zeit
bedächtiger Rückschau auf sein tatenreiches Wirken lehnt
er ruhiger, aber nicht weniger energisch jede verneinende
Kritik ab. Sein bejahender, wirklichkeitsfroher Sinn
widersprach „allem Widergeist, allem Mißwollen, Miß-

reden", allem, „was nur verneinen kann", „denn dabei
kommt nichts heraus". Der echte Göttersohn erfreute
sich hier wie sonst der lebendig reichen Schöne. Auch
als Kritiker verzichtete er darauf, mephistophelisch zu verneinen. Feind allem widrig bitterscharfen Wesen, hat
Goethe, wenn er die Schöpfungen anderer musterte, in
ihnen das Werdende gesucht, das ewig wirkt und lebt.

Bewußt, daß er „von jeher die Vorzüge der Menschen
und ihrer Produktionen willig anerkannt, geschätzt und
bewundert, auch sich daran dankbar auferbaut habe"
(Bd. 37, S. 101, 24 ff.), scheidet Goethe zwischen „zerstörender" und „produktiver" Kritik (ebenda S. 179, 37 ff.).
Leicht sei jene, diese um ein gutes Teil schwerer. Und
da zerstörende Kritik von aller Dankbarkeit gegen den
Künstler befreie, hat der produktive Kritiker Goethe stets
Künstler, die er schätzte, vor solcher Undankbarkeit zu
schützen gesucht. Liebevoll beschaut er die Schöpfungen,
die sein Interesse erregen. Indem er ihr Wesen zu ergründen trachtet, meidet er gern, ein scharfumschriebenes
Urteil abzugeben, das dann von Mund zu Mund wandern und die Aufnahme einer Dichtung einseitig beeinflussen könnte. Solche Kritik greift selten zu starken
Worten des Lobes, findet aber selbst da billigende Prädikate, wo von mächtiger und neugestaltender künstlerischer
Kraft keine Rede ist. Immer von neuem ist darum
gegen Goethe der Vorwurf erhoben worden, er habe
Mittelmäßigkeiten gelobt und das wahrhaft Große in
der Dichtung seiner Zeitgenossen nicht gebührend geschätzt.
Wer vollends den Hauptberuf des Kritikers in der Sich-
tung und Bewertung der Produktion des Tages erblickt,
der wird mit Heinrich Voß, dem Sohne des Dichters
und Übersetzers, zu dem Schlusse kommen, daß Goethe
„zum eigentlichen Rezensenten nicht geschaffen" sei (an
Boie, 9. April 1804).

Der kleine Aufsatz „Bildungsstufen", der sich in
Schillers Nachlaß gefunden hat (Säkular=Ausgabe Bd. 12,
S. 326 f.), klingt wie ein Programm zu Goethes kritischer
Tätigkeit: „Wer reich ist und innere Fülle besitzt, kann
auch andern geben, ohne daß er sich dadurch arm macht.
Wer aber selbst arm ist, der fühlt sich einen Augenblick
reich, wenn er andern nimmt." Darum finde sich „bei
Meistern und Kennern immer eine gewisse Großmut
und Liberalität des Urteils", während „Halbkenner und
unreife Köpfe viel schwerer zu befriedigen" seien. Der
rechte Meister freue sich über die kleinste Spur des Guten,
er suche sie auf, während der Klügling nur das Fehlerhafte suche und finde.

Auf einen so hohen und freien Standpunkt kann
sich nur stellen, wer nicht nötig hat, seiner Kunst den
Weg freizumachen und die Hindernisse wegzuräumen,
die ihr die Bahn versperren. Darum hat Goethe zweimal, in jungen Jahren als Mitarbeiter der Frankfurter
gelehrten Anzeigen und als Verfasser herzerfrischender
literarischer Scherzspiele, am Ende des 18. Jahrhunderts
in den „Xenien", mit Absicht „zerstört" und seine Gabe,
das Sinnen und Bilden andrer zu erfühlen, nicht allein
walten lassen. Doch da wie dort galt es weniger, Schaffenden ein Bein zu stellen, als antikritisch sich gegen
die Zaunhüter des Geschmacks zu wehren und ein unbe-
fangeneres Begreifen da anzubahnen, wo eine erbgeses-
sene Kritiker=Oligarchie das Neue, Junge und Lebens-
berechtigte im Keime hatte zerstören wollen. Bejahend
kämpft Goethe auch hier gegen Verneiner, und wenn er
negiert, so umschließt die herbe Schale der Negation meist
den süßen Kern einer Rettung. Vergreift er sich einmal
(um es gleich zu bereuen) an einem großen Künstler, so
geschieht es nur, um einen noch größeren zu schützen.
Götter und Helden stellt er Wieland gegenüber, nicht

um Wieland schlecht zu machen, sondern um Wielands kritische Angriffe auf Euripides abzuweisen. Eben darum war es verfehlt, in den „Vögeln" einen Angriff auf Klopstock zu erblicken; auch diesmal sicht Goethe nicht gegen einen schaffenden Künstler, sondern gegen Negation und negative Kritik: gegen Bodmer, der rettungslos dem Verneinen alles Lebensfähigen verfallen war (vgl. Bd. 7, S. 385 f.).

Bemüht, das Gute und Fruchtbare herauszufühlen, wußte Goethe selbst sehr wohl, daß er, „anstatt über Bücher zu urteilen", mehr und mehr „den Einfluß aussspreche, den sie auf ihn haben mochten" (Bd. 37, S. 279, 28 ff.). Lebensgewinn suchte er einzuheimsen, Fremdes sich zu assimilieren, um dem Ausbau seiner Individualität immer neues Material zuzuführen. Weitab liegt solches Treiben von dem Anspruch des Tagesrezensenten, der sich berufen fühlt, Dichter und Publikum durch energisches Opponieren zu erziehen, weitab vor allem auch von der Kritik, die, durch Börne inauguriert, im 19. Jahrhundert beinah zur herrschenden Tonart geworden ist, von dieser Manier, den Geist des Rezensenten durch Aufspüren und Aufdecken künstlerischer Schwächen und Mißgriffe auf Kosten der Schaffenden leuchten zu lassen. Kunstwerke polemischer Art zu liefern, hat Goethe niemals zur Hauptaufgabe seiner Rezensententätigkeit gemacht.

Allerdings steht der Rezensent Goethe auch in gewissem Gegensatz zu den größten Vorbildern und Meistern deutscher Kritik: zu Lessing und zu den Brüdern Schlegel. Auch sie verneinen, wo Goethe bejaht; auch sie fühlen sich berufen, Dichter und Publikum zu belehren. Denn sie mußten sich Raum schaffen, Veraltetes und Entwertetes beseitigen, um Neuem und Triebkräftigem den Boden zu bereiten. Allein ihnen schwebten, wo immer sie zerstörend auftraten, positive Ziele vor; sie haben nicht, wie so viele ihrer Nachfolger, nur widersprochen, um widersprechen zu können.

In den Einleitungen zum 1. und 2. Bande seiner Sammlung „Lessings Gedanken und Meinungen" hat Friedrich Schlegel 1804 die Methode von Lessings Kritik zu umschreiben und von ihr zu romantischer kritischer Art eine Brücke zu schlagen versucht. Verwertet Goethe den Begriff „produktiver" Kritik und stellt ihn zu „zerstörender" in Gegensatz, so spricht Schlegel in ganz anderem Sinne von „produzierender" Kritik; er gebraucht auch die Ausdrücke: konstituierend, organisierend. Sie ist ihm „nicht sowohl der Kommentar einer schon vorhandenen, vollendeten, verblühten, sondern vielmehr das Organon einer noch zu vollendenden, zu bildenden, ja anzufangenden Literatur". Wohl macht er auch Lessing zum Vertreter dieser Richtung. Lessing war ja gewiß wie Friedrich Schlegel bestrebt, „das Unechte zu vertilgen" und „die produzierende Kraft zu erregen, zu prüfen, zu nähren". Seine Methode und sein nächstes Ziel wich indes von frühromantischer Denkweise wesentlich ab. An antiken Vorbildern geschult, sucht er das Wesen der einzelnen Gattungen und Arten der Kunst scharf zu erfassen, indem er ihre Gegensätze stark herausarbeitet, ihre spezifischen Energien zu erkennen strebt. Das Wesentliche einer Kunst, ihre eigenste Kraft, wird getrennt von den Wirkungen, die lediglich auf Umwegen von ihr erreicht werden können. Lessing will nicht, daß man mit einer Axt eine Tür öffne und mit einem Schlüssel Holz spalte; daß man der bildenden Kunst Effekte der Poesie oder dem Drama Aufgaben des Epos zuweise. Hat er einmal die Stelle ergründet, an der künstlerisches Schaffen über die Grenzen seines eigentlichen Berufes hinausschreitet, dann wagt er mutig und kühn „Gesetze" auf-

zustellen, an denen der Künstler festzuhalten habe. Er
ist sich bewußt, daß diese Gesetze in der Natur der ein=
zelnen Kunstgattungen und Dichtarten wurzeln. Und
seinen Standpunkt vertritt er um so energischer, da er
sich mit antiker Theorie in Übereinstimmung weiß.

Den hohen Wert dieser kritischen Methode hat
Friedrich Schlegel wohl erkannt. Ausdrücklich bezeugt
er, die Sonderung der Gattungen führe „wenigstens auf
den rechten Weg", sie leite „früher oder später zu einer
historischen Konstruktion des Ganzen der Kunst und der
Dichtkunst". „Diese Konstruktion und Erkenntnis des
Ganzen aber ist ... die eine und wesentlichste Grund=
bedingung einer Kritik, welche ihre hohe Bestimmung
wirklich erfüllen soll."

Indes hier bleibt der Romantiker nicht stehn. Er
steigt empor zu einem evolutionistischen Standpunkte, zu
dem Lessing sich nicht aufgeschwungen hat. Lessings Ästhetik
verharrt im wesentlichen auf dem Boden der Aufklärung
und nimmt an, daß Erkenntnis des Richtigen auch seine
Verwirklichung verbürge. Deutsche Kunst, zunächst deut=
sches Dichten ins rechte Fahrwasser zu führen, brauche
es nur eine rechte Theorie. Daß historische Faktoren
nicht ohne weiteres verstandesmäßig sich bestimmen lassen,
hat er kaum bedacht. Nur der Hinweis auf die Ver=
wandtschaft deutschen und englischen Wesens, deutscher
Volkskunst und Shakespearescher Dramatik deutet an,
daß auch Lessing die Macht historischer Verknüpfung ge=
ahnt habe. Herber spielte dann als erster dieses Mo=
ment gegen Lessings theoretische Erwägungen aus. Was
Herber über die Nachahmung der Alten und Shake=
speares in jungen Jahren und später gesagt hat, ist ge=
tragen von der Überzeugung, daß historische Evolutionen
ihre eigenen Gesetze haben, daß die Entwicklung der
Kunst eines Volkes nicht willkürlich und ohne Berücksich=

tigung der durch seine Geschichte gegebenen Bedingungen
gelenkt werden könne. Die Romantiker schritten von
Herders Erkenntnis der Gesetzlichkeit historischer Evolution weiter zu einer Ergründung und Bestimmung dieser
Evolution und ihrer Normen. Was immer Friedrich
Schlegel zur Erforschung der Literatur aller Völker getan hat, es gipfelt in dem Wunsche, die Entwicklungslinie zu erkennen, auf der sich die Evolution von Weltanschauung und Kunst innerhalb der Kulturmenschheit
bewegt hat, und ist getragen von der Überzeugung, daß
ein Gesetz, notwendig wie ein Naturgesetz, dieser Evolution ihre Bahn vorgezeichnet habe. Jeder Versuch, kritisch die weitere Entwicklung der Literatur zu beeinflussen,
müsse mithin den durch jene Evolution gegebenen Bedingungen, den historischen Faktoren im weitesten Sinne,
gerecht werden. Nicht stückweise dürfe man die Aufgabe
in Angriff nehmen, sondern nur aus der Erkenntnis des
„Ganzen", das hervorgebracht werden solle. Dieses Ganze
einer künftigen Literatur, durchaus zusammenhängend und
gleichmäßig organisiert, sei nicht nach Prinzipien zu bestimmen, die bei irgend einem auch noch so gebildeten
Volke des Altertums herrschend waren. Es zu erkennen,
sei nur einem enzyklopädischen Kopfe möglich.

Die kritische Tätigkeit der Frühromantiker ist von
diesem Gedanken getragen; mindestens liegt er den Rezensionen, Charakteristiken, Kritiken der beiden Schlegel
ausgesprochen und unausgesprochen, angedeutet oder geahnt zu Grunde. Bemüht, als Kritiker die deutsche Literatur zu organisieren, sind sie nicht mit den strengen formalen Maßstäben Lessings, wohl aber mit der Frage an
Dichtungen ihrer Zeit herangetreten, ob hier neues Leben
im Keime sich zeige oder ob Lebensunfähiges sich dar-
biete. Sie wirkten wie Gärtner, die, um Gesundes freier
gedeihen zu lassen, das Kranke ausreuten. Sie schafften

das Unechte beiseite und „organisierten" das Rechte.
Ihren Maßstab aber holten sie sich aus der Gesamt=
ansicht vergangner Literatur und aus ihrer Anschauung
des Ganzen, das als künftige Literatur erstehen sollte.
Vergangenheit und Zukunft erschienen ihnen dabei als
Elemente einer Entwicklungslinie, deren Evolution ge=
setzlich sich vollziehe. Wie die Arbeit des Gärtners den
Naturgesetzen sich anpassen müsse, so dürften sie selber
als produzierende Kritiker nur „organisieren", nicht einen
bestehenden Organismus einer ihm fremden Gesetzlichkeit
unterwerfen.

Wo mithin Lessing oder die Schlegel als Kritiker
negativ und „zerstörend" auftraten, da geschah es bei
jenem aus dem Wunsche, die künstlerischen Formen zu
ihrem eigentümlichen, ihnen gemäßesten Zwecke verwertet
zu sehen, bei diesen im Bewußtsein entwicklungsgeschicht=
licher Gesetzlichkeit der künstlerischen Arbeit. Dort waltete
Formsystematik, hier Biologie. Lessing betonte das Ge=
setz der einzelnen Form, die Schlegel huldigten dem Ge=
setz der alle Formen bedingenden Evolution. Bloße Nega=
tion um der Negation willen kann neben Programmen,
die solche Absichten verfolgen, nicht bestehen. Sicher nicht
bei Lessing, dem Schiller nachrühmt, er habe über das,
was Kunst betrifft, „am schärfsten und zugleich am libe=
ralsten" gedacht. Wie Friedrich Schlegel negative Kritik
aufgefaßt hat, bezeugt sein 88. Athenaeumfragment: „Es
gibt Menschen, deren ganze Tätigkeit darin besteht, immer
Nein zu sagen. Es wäre nichts Kleines, immer recht
Nein sagen zu können, aber wer weiter nichts kann, kann
es gewiß nicht recht. Der Geschmack dieser Neganten
ist eine tüchtige Schere, um die Extremitäten des Genies
zu säubern; ihre Aufklärung eine große Lichtputze für
die Flamme des Enthusiasmus; und ihre Vernunft ein
„gelindes Laxativ gegen unmäßige Lust und Liebe."

Verglichen mit den großgedachten kritischen Gesichts-
punkten Lessings und der Frühromantiker erscheint Goethes
kritische Praxis auf den ersten Blick einigermaßen un-
bestimmt und unsicher. Ja die Aufgaben, die er ausdrücklich der „produktiven" Kritik stellt, scheinen ganz und
gar ins Allgemeine zu verlaufen. Er legt ihr die Fragen
vor: „Was hat sich der Autor vorgesetzt? ist dieser Vorsatz vernünftig und verständig? und inwiefern ist es gelungen, ihn auszuführen?" (Bd. 37, S. 180, 10 ff.). „Ein-
sichtig und liebevoll" solle man diese Fragen beantworten.
Sicherlich liegt hier das Höchste und Letzte, das Goethe
über seine kritischen Prinzipien zu sagen hatte, nicht vor.
Angewidert durch die Anmaßungen einer zwecklos zer-
störenden Beurteilungsweise hat er wohl diesmal in wei-
testem Sinne sein Programm liebevoll sich einfühlenden
Rezensierens ausgesprochen, nicht aber die tiefen Grundlagen seines eigenen Urteils geltend gemacht. Reicher,
viel reicher ist Goethes theoretische Erkenntnis, wenn sie
auch in den Rezensionen sich nirgends vordrängt. Sie
umfaßt, was Lessing anstrebt und was den Romantikern
vorschwebt. Sie sucht Lessings Anschauungen von dem
innersten Wesen und der eigensten Wirkung der Kunstgattungen und Kunstarten zu vertiefen; und sie beherzigt
die evolutionistisch gegebenen Bedingungen künstlerischen
Schaffens. Auf Lessings Wegen schreitet Goethe erfolgreich weiter, den Romantikern aber geht er voran, um
freilich dann auch von ihnen zu nehmen. Sie lernen
durch ihn künstlerisches Schaffen vom Standpunkte der
Naturgesetzlichkeit betrachten. Alle ihre Ausführungen
über das Organische der Kunst, mithin auch die These
von der organischen Evolution der Kunst, gehen zurück
auf Goethes Anregung. Dafür ist der bei dem greisen
Dichter immer wieder auftauchende Gedanke der „Weltliteratur" ein Ergebnis romantischer Theorie und Praxis.

Romantiſchen Impulſen entſtammt, was Goethe „Welt=
literatur" nennt.

———

Das Schema „Über den ſogenannten Dilettantismus"
von 1799 (Weimariſche Ausgabe Bd. 47, S. 314, 4 f.) rech=
net zu den ſchädlichen Wirkungen dilettantiſchen Dichtens
die „Vermiſchung der Gattungen" innerhalb der „pragma=
tiſchen" Poeſie. Epos und Drama ſcharf von einander zu
trennen, iſt in den erſten Jahren ihrer Freundſchaft eine
Hauptaufgabe Goethes und Schillers. Schon die Briefe
an Kayſer vom 23. Januar und 5. Mai 1786 hatten in
„raſtloſer Handlung" den „höchſten Begriff vom Drama"
entdeckt. Im 7. Kapitel des 5. Buches der „Lehrjahre"
verſuchte Goethe dann die Grenze zwiſchen Roman und
Drama zu ziehen (Bd. 18, S. 34; vgl. S. 401): „Im Ro=
man ſollen vorzüglich Geſinnungen und Begebenheiten
vorgeſtellt werden; im Drama Charaktere und Taten."
Der Roman ſoll langſam gehen, das Drama eilen, der Ro=
manheld weſentlich leidend, der dramatiſche wirkend ſein.
Zufall dürfe nur im Roman, Schickſal nur im Drama
walten. Dieſe Beſtimmungen ſind ebenſo wie alles, was
zu ihrer näheren Darlegung vorgebracht wird, apodiktiſch
hingeſtellt und ſcheinen induktiv den bedeutenderen Wer=
ken beider Gattungen abgeſehen zu ſein. Ein weiter
Weg trennt dieſe Maximen der „Lehrjahre" von Goethes
und Schillers Aufſatz „Über epiſche und dramatiſche
Dichtung" von 1797 (Bd. 36, S. 149 ff.), dem Ergebnis
gemeinſamer brieflicher und mündlicher Erörterung der
Grenzfrage. Ganz nach Leſſings Methode ſucht der Auf=
ſatz in der Natur der beiden Gattungen das Prinzip der
Grenzſcheidung: „Wollte man das Detail der Geſetze,
wonach beide zu handeln haben, aus der Natur des
Menſchen herleiten, ſo müßte man ſich einen Rhapſoden
und einen Mimen, beide als Dichter, jenen mit ſeinem

ruhig horchenden, diesen mit seinem ungeduldig schauenden und hörenden Kreise umgeben, immer vergegenwärtigen." Unter dem Einflusse der deduktiven Denkart
Schillers ist Goethe diesmal zu einem maßgebenden
Ausgangspunkt vorgedrungen; und wenn es ihm auch
nicht glückt, die ganze Reihe der Bestimmungen, die er
für das Epos und für das Drama aufzustellen hat, lücken-
los aus dem Grundaperçu abzuleiten, so bleibt doch eine
ganze Reihe wertvoller Folgerungen übrig, die tatsächlich
auf der einwandfreien Voraussetzung des Gegensatzes
mimischer und rhapsodischer Darstellung sußen.

Mit gleicher logischer Strenge hat Goethe kaum jemals wieder das Wesen der einzelnen Dichtungsarten
erhellt.

Die Konstruktion, auf der Goethes Aufsatz „Shakespeare und kein Ende" (Bd. 37, S. 42 ff.) den Gegensatz
antiker und moderner Tragik aufbaut, ist weit weniger aus
der Natur der Sache geholt, ist weit mehr subjektive Beobachtung in der Art der Stelle der „Lehrjahre" und darum
wesentlich anfechtbarer. Tragisch nennt Goethe die Qualen,
die aus dem Mißverhältnis von Sollen und Wollen, von
Sollen und Vollbringen, von Wollen und Vollbringen
erwachsen. Und zwar müsse eine unauflösliche Verlegenheit vorliegen. In den alten Dichtungen herrsche Mißverhältnis zwischen Sollen und Vollbringen, in den neueren
zwischen Wollen und Vollbringen vor. „Durch das Sollen
wird die Tragödie groß und stark, durch das Wollen
schwach und klein." Shakespeare verbinde das Alte und
Neue. „Wollen und Sollen suchen sich durchaus in seinen
Stücken ins Gleichgewicht zu setzen; beide bekämpfen sich
mit Gewalt, doch immer so, daß das Wollen im Nach-
teile bleibt." Das „Sollen" der Helden des dichterischen
Altertums stehe immer „zu schroff da, als daß es uns,
wenn wir es auch bewundern, anmuten könne". „Eine

Notwendigkeit, die mehr oder weniger oder völlig alle
Freiheit ausschließt, verträgt sich nicht mehr mit unsern
Gesinnungen; diesen hat jedoch Shakespeare auf seinem
Wege sich genähert: denn indem er das Notwendige sitt=
lich macht, so verknüpft er die alte und neue Welt zu
unserm freudigen Erstaunen."

Selten konstruiert Goethe ein ästhetisches Problem
so abstrakt wie hier. Wenn er es tut, geschieht es fast
immer unter dem Impulse von Schillers Spekulation.
Auch diesmal dürften die Ergebnisse vorschweben, zu denen
Schiller in den Diskussionen mit Goethe vor dem Ab=
schluß des „Wallenstein", und zwar unter dem starken
Eindruck der Poetik des Aristoteles, gekommen ist. Die
Anschauung der griechischen Tragödie, die Goethes Auf=
satz vorlegt, deckt sich mit dem Bilde, das Schiller sich am
Ende des Jahrhunderts von ihr gemacht hat, steht und
fällt mit ihm (vgl. Säkular=Ausgabe Bd. 7, S. VIII ff.).
Den Fatalismus, der für Schiller in der antiken Tragik
waltet, will neuere Forschung ihr nicht zuerkennen. Sie
betont deshalb in den Werken des Aischylos und So=
phokles das Wollen stärker, das Sollen minder stark als
Goethe.

Den dauerhafteren technischen Aufstellungen der Stu=
die über epische und dramatische Dichtung kommt Goethe
näher, wenn er in bem Aufsatze „Shakespeare und kein
Ende" (Bd. 37, S. 46, 31 ff.) abermals im Hinblick auf
den Rhapsoden und den Mimen scheidet: „Epos fordert
mündliche Überlieferungen an die Menge durch einen
einzelnen; Dialog Gespräch in geschlossener Gesellschaft,
wo die Menge allenfalls zuhören mag; Drama Gespräch
in Handlungen, wenn es auch nur vor der Einbildungs=
kraft geführt würde; Theaterstück alles dreies zusam=
men, insofern es den Sinn des Auges mit beschäftigt
und unter gewissen Bedingungen örtlicher und persön=

licher Gegenwart faßlich werden kann." Verwandt ist
die Scheidung von Lyrik und pragmatischer Poesie in der
Anzeige von Manzonis Adelchi (Bd. 38, S. 66, 29 ff.):
bei epischer und dramatischer Poesie brauche der Hörer
sich „nur lebhaft aufnehmend" zu verhalten; „der lyrische
Dichter dagegen soll irgend einen Gegenstand, einen Zustand oder auch einen Hergang irgend eines bedeutenden
Ereignisses dergestalt vortragen, daß der Hörer vollkommenen Anteil daran nehme und, verstrickt durch einen
solchen Vortrag, sich wie in einem Netze gefangen unmittelbar teilnehmend fühle". Hier bezieht sich Goethe
auf eine der „Noten und Abhandlungen zum Divan"
(Bd. 5, S. 156 f.), die der lyrischen „Versetzung" der Zeit-
folge im Gegensatz zu pragmatischem Nacheinander ge-
benkt. Ebenda (S. 223 ff.) sind die „Naturformen der
Dichtung" abermals im Sinne der Studie von 1797 dargelegt; auch an dieser Stelle spielt der „Rhapsode" seine
Rolle, er kehrt wieder in dem Aufsatze über „Die heiligen drei Könige" (Bd. 37, S. 150, 9), um dem prosaischen Berichterstatter gegenüber zu treten. Viel subjek-
tiver sind die Bestimmungen über das Wesen des Romans,
die, in weiterer Entwicklung der Ansicht der „Lehrjahre",
die Rezension von Johanna Schopenhauers „Gabriele"
(Bd. 37, S. 225, 3 ff. 226, 3 ff.) vorbringt. Ebenso ge-
artet ist eine der „Maximen und Reflexionen", die ganz
aphoristisch den Roman eine „subjektive Epopee" nennt
(Bd. 38, S. 255, 18 ff.). Auch der Versuch, den Begriff
des Romanhaften, „Romanesken" zu erfassen — eine Rezension dreier verwandten Romane (Bd. 36, S. 274 ff.)
geht dem Begriffe nach — ist nur Ergebnis zufälliger Beobachtung und nicht aus dem Wesen der Dichtungsart
abgeleitet.

Den Versuchen, die Grenzen der Dichtungsgattungen
zu bestimmen, mißt Goethe indes nur einen theoretischen

Wert bei. Daß die drei Dichtweisen ebensowohl zusammen
wie abgesondert wirken können, weiß Goethe sehr gut.
„In dem kleinsten Gedicht findet man sie oft beisammen,
und sie bringen eben durch diese Vereinigung im engsten
Raume das herrlichste Gebild hervor" (Bd. 5, S. 223, 24 ff.).
Darum ist es als Lob und nicht als Vorwurf gedacht,
wenn Goethe in Arnolds „Pfingstmontag" Dramatisches,
Episches und Lyrisches verbunden findet (Bd. 37, S. 127,
5 ff.). Und in den Anmerkungen zu „Rameaus Neffen"
heißt es abschließend: „Die Absonderung der Dicht= und
Redearten liegt in der Natur der Dicht= und Redekunst
selbst; aber nur der Künstler darf und kann die Scheidung
unternehmen, die er auch unternimmt: denn er ist meist
glücklich genug, zu fühlen, was in diesen oder jenen Kreis
gehört" (Bd. 34, S. 166, 6 ff.). Immerhin maß sich
Goethe als Künstler das Recht zu, gegen die Aufstellung
einer vierten Dichtart, der didaktischen, zu protestieren
und an der Dreizahl der „Naturformen der Dichtung"
festzuhalten (Bd. 38, S. 71 f.).

Was Goethe über die drei Naturformen der Dichtung
gedacht und geschrieben hat, es bezweckt durchaus, nach
Lessings Vorgang theoretisch den Typus der einzelnen
Dichtungsgattungen möglichst scharf in seiner Reinheit
zu erfassen. Daß Epos, Drama und Lyrik zugleich einer
Entwicklung unterworfen seien, wird zwar beherzigt,
doch nicht des näheren erörtert. Der Begriff „Welt=
literatur" hingegen ist durch Goethe von Anfang an
romantisch=evolutionistisch verwertet worden. Weltlitera=
tur ist in Goethes Augen eine Aufgabe, die sich seiner
Zeit stellt, ein Ergebnis der Kulturentwicklung und der
Kulturhöhe, die am Anfang des 19. Jahrhunderts erreicht
war. Er scheidet einmal drei Stufen „geselliger Bil=
dung" (Bd. 38, S. 232 f.): die idyllische, die soziale oder
civische, die allgemeinere, und sucht in dieser Dreiteilung

ein Bild der Evolution zu geben, die von der Kultur
bislang durchlaufen worden ist. Die drei soziologisch
gedachten Epochen bedingen den Gang der Literatur.
Auf der ersten Stufe entstehen enge Kreise, die nach
außen abgeschlossen sind. In der zweiten Epoche vermehren und dehnen sie sich aus. In der dritten endlich
berühren sie sich und bereiten ein Verschmelzen vor.
Gegenwärtig sei eine vierte, universelle Epoche erreicht;
in ihr vereinigen sich die Kreise, die sich sonst nur berührt hatten. „Alle fremden Literaturen setzen sich mit
der einheimischen ins Gleiche." Den Anfang dieser Vereinigung mitzuerleben, ist dem alternden Dichter eine
hohe Freude. Den Begriff „Weltliteratur" faßt Goethe
hier wie sonst im Sinne einer kosmopolitischen Verbindung der nationalen Literaturen. Goethe meint nicht,
„die Nationen sollen überein denken, sondern sie sollen
nur einander gewahr werden, sich begreifen und, wenn
sie sich wechselseitig nicht lieben mögen, sich einander
wenigstens dulden lernen" (Bd. 38, S. 170, 26 ff.). Das
Besondere der einzelnen Menschen und Völkerschaften
lasse man auf sich beruhen, halte aber um so mehr fest,
daß das wahrhaft Verdienstliche der ganzen Menschheit
angehöre (ebenda S. 141, 32 ff.).

Auf den ersten Blick kann es befremden, daß Goethe
in einem Zeitalter, da allenthalben nationalromantische
Strömungen hervorbrachen, von kosmopolitischer Richtung
der literarischen Entwicklung sprechen konnte. Er selbst
hatte seit den letzten Jahren des 18. Jahrhunderts alle
ihm zugänglichen Erscheinungen der Heimatkunst (wie es
heute heißt) liebevoll verfolgt; Goethe gebraucht den
Ausdruck „Individualpoesie" (Bd. 36, S. 352 ff.). Im
Jahre 1798 setzt mit der Anzeige von Grübels Gedichten
(Bd. 36, S. 152 ff.; vgl. S. 244 ff.) die lange Reihe von
Studien ein, die Goethe einer im engsten Kreise wirkenden

und blühenden Literatur gewidmet hat. Hebel und Arnold
(Bd. 36, S. 236 ff.; Bd. 37, S. 126 ff.) und die beiden
„Naturdichter" Hiller und Fürnstein (Bd. 36, S. 289 ff.;
Bd. 37, S. 249 ff.) reihen sich an; die Rezension der Gedichte
von J. H. Voß (Bd. 36, S. 222 ff.) gehört in denselben
Kreis. „Deutschen selber führ' ich euch zu, in die stillere
Wohnung, Wo sich, nah der Natur, menschlich der Mensch
noch erzieht," durfte Goethe auch von diesen kritischen
Versuchen sagen. Ganz nationalromantisch gesinnt, emp=
fiehlt er dann das „Wunderhorn" (Bd. 36, S. 247 ff.)
und sinnt über den Plan eines lyrischen Volksbuches
(Bd. 37, S. 3 ff.). Das Nibelungenlied (Bd. 38, S. 126 ff.)
erweckt aus gleichen Gründen seinen Anteil. Endlich
wird „nationelle Dichtkunst", d. h. nationales Volkslied,
sein Lieblingsstudium (Bd. 37, S. 230 f.; Bd. 38, S. 3 ff.
107 ff. 109 ff. 111 f. 142 ff.). In immer engere Kreise
scheint sich sein Interesse zu vertiefen.

Allein schon der Anteil, den er der Volkspoesie
der einzelnen slawischen Literaturen, dann der neugriechi=
schen und orientalischen Dichtung widmet, bezeugt den
starken kosmopolitischen Einschuß seiner Bemühungen um
nationale Heimatkunst. Nicht Reaktion gegen nationale,
ins Engere führende Romantik macht ihn zum Anwalt
der Weltliteratur. Er weiß sehr wohl, daß gerade die
Kriege, die, vom Erstarken des nationalen Gedankens
getragen, Napoleons Untergang bewirkten, die Nationen
nicht bloß „auf sich selbst einzeln zurückgeführt" haben.
Vielmehr wären die Nationen da manches Fremde gewahr
geworden, hätten es in sich aufgenommen und bisher un=
bekannte geistige Bedürfnisse empfunden. „Daraus ent=
stand das Gefühl nachbarlicher Verhältnisse, und anstatt
daß man sich bisher zugeschlossen hatte, kam der Geist
nach und nach zu dem Verlangen, auch in den mehr
oder weniger freien geistigen Handelsverkehr mit auf-

genommen zu werden" (Bd. 38, S. 212, 29 ff.). Diese
wunderbare Verbindung stark nationalen Bewußtseins
und kosmopolitischen Interesses für die Kunst aller Zeiten
und Völker, die dem Zeitalter der deutschen Romantik
zum Ruhm gereicht, erklärt den scheinbaren Gegensatz in
Goethes kritischem Wirken für Heimatkunst und Weltliteratur.

War doch schon die Frühromantik, ehe sie zu einem
politisch und literarisch nationalen Programm gelangte,
bemüht gewesen, die Literaturen der Welt im weitesten
Sinn zu umfassen. Friedrich Schlegels Sinn, wie immer
auch auf diesem Felde aufs Ganze gerichtet, wollte die
Wiedergeburt der deutschen Literatur auf weit ausgreifende
historische Erkenntnis der gesamten antiken und romantischen Poesie aufbauen; in dem Augenblicke, da er
sich anschickte, der Literatur seiner Zeit einen national-
deutschen Anstrich zu leihen, hatte er zur antiken und
romantischen Dichtung noch die orientalische hinzugewonnen.
Sein großgedachtes Programm einer alle Völker um-
schließenden Literaturforschung fand in dem unvergleich-
lichen Übersetzertalent seines Bruders Wilhelm eine unentbehrliche Stütze.

Stärker als das 18. Jahrhundert wurden die Frühromantiker sich bei solch zusammenfassender Literaturforschung bewußt, wieviel die deutsche Dichtung dem
Ausland schulde — eine Tatsache, die mehrfach in Goethes
späteren Äußerungen gestreift wird. Wenn Goethe den
ganz national gedachten Plan eines lyrischen Volksbuches
erwägt, gesteht er doch offen ein, daß der Deutsche seine
Bildung von außen erhalten und „besonders, was Poesie
betrifft, Gehalt und Form von Fremden genommen" hat
(Bd. 37, S. 5, 23 ff.). Ein Aufsatz über deutsche Sprache
vergißt nicht, was der Deutsche „seit einem halben Jahrhundert fremden Völkern schuldig geworden und ihnen

noch täglich verdankt" (ebenda S. 94, 18 ff.). Ganz allgemein heißt es ein andermal: „Wie der einzelne Mensch,
so auch die Nation ruht auf dem Altvorhandenen, Aus-
ländischen oft mehr als auf dem Eigenen, Ererbten und
Selbstgeleisteten" (ebenda S. 99, 5 ff.). Allein das Bewußtsein, von anderen gelernt zu haben, ließ in den
Romantikern wie in Goethe den Anspruch erwachen,
deutsche Literatur nunmehr, da sie selbst ein großes
Ganze geworden war, auch von anderen Völkern berücksichtigt zu sehen. Wirklich haben die Schlegel und
ihre Schüler den Franzosen, Engländern, Italienern, ja
sogar den Slawen erfolgreich die Größe deutschen Geistes-
lebens verkündigt. Wer näher zusieht, erkennt sofort,
daß Goethe diese Würdigung deutscher Literatur durch
das Ausland zur Vorbedingung der „Weltliteratur" macht,
ja wenn er von Weltliteratur spricht, so ist ihm vor
allem die „ehrenvolle Rolle" wichtig, die den Deutschen
im Rahmen der Weltliteratur zufällt. „Alle Nationen
schauen sich nach uns um, sie loben, sie tadeln, nehmen
auf und verwerfen, ahmen nach und entstellen, verstehen
oder mißverstehen uns, eröffnen oder verschließen ihre
Herzen: dies alles müssen wir gleichmütig aufnehmen,
indem uns das Ganze von großem Wert ist" (Bd. 38,
S. 97, 16 ff.). Darum bucht er, was in Frankreich, England, Italien über deutsche Literatur geschrieben wird,
und ist glücklich, wenn er vorurteilsloses Verständnis für
deutsche Art und Kunst im Ausland entdeckt.

Zugleich ist er sich bewußt, daß der Deutsche, nachdem er so lange vom Ausland genommen hat, fortan nur
zu geben habe. Der Deutsche war reich geworden, da
er von anderen gern gelernt hatte; da jetzt die anderen
von ihm zu lernen begannen, konnten nur sie — nicht
er — reicher werden. Darum durfte Goethe sagen:
„Jetzt, da sich eine Weltliteratur einleitet, hat genau be-

sehen der Deutsche am meisten zu verlieren; er wird
wohltun, dieser Warnung nachzudenken" (Bd. 38, S. 278,
25 ff.).

———

Der Begriff „Weltliteratur", biologisch als notwendige
nächste Stufe einer Evolution gedacht, im romantischen
Sinne der Gesetzlichkeit der Entwicklung eines organischen
Ganzen entsprechend, wurzelt in letzter Linie in der Anschauung, daß dem Reiche der Kunst eine Analogie mit
dem Reiche der Natur innewohne. Dieser Analogie ist
Goethe dauernd nachgegangen. In seinem Denken verbinden sich alle Anregungen zu einer organischen Ästhetik,
die während des 18. Jahrhunderts zu Tage getreten sind.
Als fertige Theorie tritt das Resultat den jungen Früh-
romantikern entgegen. Sie errichten auf dieser Theorie
ihre neuen Gedankenbauten.

In erster Linie teilt Goethe mit den Romantikern die
Grundanschauung, das Kunstwerk sei ein Organismus;
wie dieser besitze es sein eigenes Gesetz, das im Ganzen
wie in den Teilen seine Form bedinge. An dieser Stelle
ist nicht im einzelnen der Nachweis zu erbringen, wie
weit die Romantiker mittelbar, wie weit sie unmittelbar
die Anschauung Goethe verdanken, auch nicht zu zeigen,
wie sie unter ihren Händen sich weiterbildete, vielmehr
lediglich, wie Goethe sie sich selbst verschafft hat.

Vergeblich suchte man in den folgenden Bänden nach
Fingerzeigen, die zur Lösung des Problems Entscheiden-
des ergäben. Nur wer fest im Auge behält, daß Goethe
ein Kunstwerk wie ein Naturprodukt betrachtet hat, wird
an Wendungen nicht achtlos vorbeigehen wie: „ein echtes
Kunstwerk" solle „so wie ein gesundes Naturprodukt aus
sich selbst beurteilt werden" (Bd. 37, S. 159, 8 f.). Nicht ein
einziges Mal ist die Grundanschauung in den Rezensionen
so unzweideutig ausgesprochen wie in der „Italienischen

Reise" (Bd. 27, S. 108, 4 ff.; 6. September 1787): „Die
alten Künstler haben eben so große Kenntnis der Natur
und einen eben so sichern Begriff von dem, was sich vorstellen läßt und wie es vorgestellt werden muß, gehabt
wie Homer ... Diese hohen Kunstwerke sind zugleich als
die höchsten Naturwerke von Menschen nach wahren und
natürlichen Gesetzen hervorgebracht worden. Alles Willkürliche, Eingebildete fällt zusammen: da ist die Notwendigkeit, da ist Gott." In gleichem Sinne spricht eine
Glosse zur Übersetzung von Diderots „Versuch über die
Malerei" von den „Kunstgesetzen, die eben so wahr in
der Natur des bildenden Genies liegen, als die große
allgemeine Natur die organischen Gesetze ewig tätig bewahrt" (Bd. 33, S. 213, 6 ff.). In Lapidarstil verkündet
das Gedicht „Typus" (Bd. 2, S. 112; vgl. S. 306) die
organische Gesetzlichkeit der Kunst:

> Was freut denn jeden? Blühen zu sehn,
> Das von innen schon gut gestaltet.
> Außen mag's in Glätte, mag in Farben gehn:
> Es ist ihm schon voran gewaltet.

Goethes Schriften über bildende Kunst und über
Naturwissenschaft liefern das brauchbarste Material zur
Beantwortung der aufgeworfenen Frage. Ist ihm doch
das ganze Problem zu einer Zeit klar geworden, da
sich ihm besseres Verständnis von Plastik und Malerei und
tiefere Erkenntnis der Natur erschloß: in Italien und
unmittelbar vorher und nachher. Vor allem war eine
neue Anschauung der Natur wichtigste Voraussetzung für
fruchtbare Verwertung der Analogie künstlerischen und
natürlichen Schaffens und Werdens. Und diese neue Anschauung ergab sich in den ersten weimarischen Jahren.
Epoche bildete in Goethes Naturforschung und damit notwendigerweise in seiner Begründung des Wesens
der Kunst die Zeit, da er den sentimentalen Naturbegriff

des Sturm und Drangs überwand. Rousseau hatte die
Natur als den Inbegriff alles Glücks, aller Gesundheit
und Kraft gegen die sieche, entnervte Überkultur des Frank=
reich seiner Tage ausgespielt. Herders Auge, durch
Hamann auf die Schönheit primitiver Dichtung gelenkt,
erschaute in solcher „Naturpoesie" — ganz rousseauisch —
farbechte Frische und Lebendigkeit, ungebrochene Kraft und
unverfälschte Reinheit; und — wiederum ganz rousseauisch
— spielte er diese Naturpoesie gegen die verblichene, saft=
und marklose Poesie seiner Zeit aus.   Dort Sicherheit
und Festigkeit des Ausdrucks, Würde, Wohlklang, Schön=
heit, hier Falschheit, Schwäche, Künstelei; dort alles sinn=
lich, klar, lebendig, anschaulich, hier „Schattenbegriffe"
und „Halbideen".

Noch ganz im Sinne Herders ruft Goethe im Auf=
satz „Zum Schäkespears Tag" (Bd. 36, S. 6, 15 ff.):
„Natur, Natur! nichts so Natur als Schäkespears
Menschen!" und fragt: „Und was will sich unser Jahr=
hundert unterstehen, von Natur zu urteilen? Wo sollten
wir sie her kennen, die wir von Jugend auf alles ge=
schnürt und geziert an uns fühlen und an andern sehen."
Aus Shakespeare „weissagt die Natur", seine Menschen
sind nicht „Seifenblasen, von Romanengrillen ausge=
trieben".

Das ist die Natur, für deren „unaussprechliche
Schönheit" Werther schwärmt. Wohl dämmert in Goethe
schon die Ahnung einer tieferen, alles durchdringenden
und beherrschenden Gesetzlichkeit; als „großartiger Zu=
sammenhang von einander verstärkenden, kreuzenden, ver=
nichtenden Wirkungen" (Morris in Bd. 39, S. VII) ent=
hüllt sich die Natur vor seinem Auge 1772 in der Re=
zension von Sulzers Buch „Die schönen Künste" (Bd. 33,
S. 16, 18 ff.), in den Worten des Erdgeists im „Faust"
(V. 501 ff.; Bd. 13, S. 24), im Schöpfungsgesang des Saty=

ros (V. 288 ff.; Bd. 7, S. 115 f.). Allein noch weiß Goethe
nichts von einer einheitlich formenden Kraft der
Natur zu sagen. Und so denkt er, ganz wie die Ästhetik
des Sturm und Drangs, nicht an eine innere Gesetzlichkeit der äußeren Gestaltung des Kunstwerks, wenn er
das Wirken des Dichters mit dem Wirken der Natur
vergleicht. Denn wie oft auch von Herber und von seinen
Anhängern um 1770 eine Parallele zwischen dem Schaffen
des Künstlers und dem Schaffen der Natur gezogen wird,
ihnen schwebt zumeist nur der Gedanke eines mächtigen,
unbegreiflichen und doch notwendigen Wachstums aus
eigener Kraft vor. Aus geheimnisvoller Quelle strömt
ein rätselvoller Saft und belebt wunderbar die Gebilde
der Natur wie die Schöpfungen des Dichters.

So vergleicht Herber die Gebilde der Urpoesie mit
heiligen Eichen und Bäumen des Waldes, so sucht
F. H. Jacobi das unvergleichliche Phänomen von Goethes
Entwicklung durch die Umschreibung zu deuten: „wie die
Blume sich entfaltet, wie die Saat reift, wie der Baum
in die Höhe wächst und sich krönt." Die charakteristische
Note all dieser Parallelen ist, daß sie das Unerklärliche
unerklärt lassen wollen. Ein Rätsel bleibt künstlerisches
Wirken ebenso wie die Natur selbst. Unbewußt wie der
Baum emporwächst, gestaltet sich im Dichter das Kunst-
werk. Mit heiliger Scheu meidet der Stürmer und
Dränger den Schleier zu lüften, überzeugt, daß dies ge-
heimnisvolle Walten nie in Worte zu fassen, nie be-
grifflich zu ergründen ist.

Um so merkwürdiger berührt den Leser eine Wendung
in Goethes Aufsatz „Von deutscher Baukunst". Goethe
spricht von den „großen harmonischen Massen" des Straßburger Münsters, „zu unzählig kleinen Teilen belebt, wie
in Werken der ewigen Natur, bis aufs geringste Fäserchen,
alles Gestalt, und alles zweckend zum Ganzen" (Bd. 33,

S. 9, 10 ff.). Da ist ja mit einem Schlage die innere
Gesetzlichkeit eines Kunstwerks, die bis ins Kleinste die
äußere Form bestimmt, nicht nur an sich festgestellt, auch
sofort mit der Natur in Parallele gesetzt. Gewiß eine
aus intuitiver Offenbarung keimende Vorwegnahme
späterer Erkenntnis! Allein bezeichnend genug erscheint
sie nicht bei Gelegenheit eines dichterischen, sondern eines
architektonischen Problems. Winckelmann hatte bei der
Betrachtung bildender Kunst mehrfach die innige Verknüpfung des ideellen Gehalts, der künstlerischen Idee,
und der äußeren Formung dargetan. Herder wiederum
war ihm sofort auf gleichem Wege nachgeschritten. Allein
noch in der „Plastik" (1778) weiß Herder den inneren Zusammenhang von Form und Gehalt nur in zerfließenden
Wendungen, nicht in knapper und klarer Formulierung
anzugeben: „Der Künstler hat das Vorbild von Geist,
Charakter, Seele in sich und schafft diesem Fleisch und
Gebein. ... Verhältnis ist ihm nur das Nichtohne, die
Bedingung, nie aber das Wesen seiner Kunst oder die
Ursache ihrer Wirkung. Dies ist Seele, die sich Form
schafft" (Suphan Bd. 8, S. 79).

Wie wenig es Herder in den ersten Siebzigerjahren
gegeben war, das analoge Problem auf dem Felde der
Dichtung genau zum Ausdruck zu bringen, beweist die
in neuerer Zeit oft angerufene Stelle des Aufsatzes
„Shakespear" in den Blättern „Von deutscher Art und
Kunst" (1773). Galt es doch diesmal, Shakespeares Form
gegen eine revolutionäre Ästhetik zu schützen, die ihm alle
Form absprach. Die Folgen dieses Vorgehens hatte
Herder soeben in Goethes erstem „Götz" mit Schrecken er-
blickt. Und dennoch spricht er nur von einer „einzelnen
Hauptempfindung, die ... jedes Stück beherrscht, und
wie eine Weltseele durchströmt" (Suphan Bd. 5, S. 224).
Nur in abgerissenen Worten konnte er das „Individuelle

jedes Stücks" andeuten: er meint die Form, die jedem
Stücke dank seiner künstlerischen Idee eigen ist.

Da mußte selbst Lenz in seinen vielgescholtenen
„Anmerkungen übers Theater" (1774) das Wesentliche
stärker herauszuarbeiten; er verwirft energischer noch als
andere die drei Einheiten, aber nicht, um vollständige
Formlosigkeit an ihre Stelle treten zu lassen: „Und was
heißen nun drei Einheiten ...? Ist es nicht die eine,
die wir bei allen Gegenständen der Erkenntnis suchen,
die eine, die uns den Gesichtspunkt gibt, aus dem wir
das Ganze umfangen und überschauen können? ... Hundert Einheiten will ich euch angeben, die alle doch die
eine bleiben. ... Der Dichter und das Publikum müssen
die eine Einheit fühlen, aber nicht klassifizieren. Gott
ist nur eins in allen seinen Werken, und der Dichter muß
es auch sein, wie groß oder klein sein Wirkungskreis auch
immer sein mag. ... Ha, wenn Maß, Ziel und Verhältnis nicht in der Seele des Dichters sind, die drei Einheiten werden es nicht hineinbringen. Hier eben ruhen
die Geheimnisse der Kunst, die zu entscheiden keine ver-
wegene Kunstlehrerhand vermögend ist. Der große Schlag
der Haupthandlung, zu dem alle übrigen nur untergeordnet wirken, er entsteht in der Seele des Dichters wie
ein Donnerschlag am Himmel; wer will dem Gang und
Weg vorzeichnen?" Freilich spricht auch hier ein Stürmer und Dränger nur mystisch andeutend von einem
Kunstgeheimnis. Dennoch offenbart sich dem aufmerksamen
Beschauer ein Versuch, die äußere Formung der Tragödie, „Maß, Ziel und Verhältnis" aus einem einheit-
lichen geistigen Prinzip, aus einem alles beherrschenden
künstlerischen Gedanken abzuleiten.

Ganz ähnlich wehrt sich Goethe im Anhang zu
Mercier-Wagners „Neuem Versuch über die Schauspielkunst" (1775) gegen das völlige „Zusammenwerfen der

Regeln" und sieht für eine „Form", die sich freilich von
der durch jene Regeln bedingten „unterscheidet, wie der
innere Sinn vom äußern". Diese „innere Form"
begreife alle Formen in sich; allerdings könne sie nicht
mit Händen gegriffen, nur gefühlt werden. „Sie ist ein
für allemal das Glas, wodurch wir die heiligen Strahlen
der verbreiteten Natur an das Herz der Menschen zum
Feuerblick sammeln" (Bd. 36, S. 115 f.). Zum erstenmal
auf unserem Wege begegnen wir an dieser Stelle der
Forderung einer strengen inneren Beziehung zwischen
Gehalt und Form, und zwar ist sie auf die Dichtkunst
angewendet; ferner erscheint das geformte Dichtwerk als
ein verkleinertes Abbild der Natur. Ernst genug meint
Goethe es mit diesem Begriff der inneren Form; das
beweist seine Behauptung: „Wenn mehrere das Gefühl
dieser innern Form hätten..., man würde sich nicht
einfallen lassen, jede tragische Begebenheit zum Drama
zu strecken, nicht jeden Roman zum Schauspiel zerstückeln."
Das dem Stoffe eingeborne Formgesetz ist hier als die
erste und wichtigste der Relationen zwischen Gehalt und
Form aufgedeckt.

Wie fruchtbar der Begriff der „inneren Form" geworden ist, bezeugt zunächst die spätere Verwertung, die er
bei Goethe findet (Bd. 36, S. 261, 17 ff. 272, 27 ff.), beweist
ferner seine Nachgeschichte in der Ästhetik des 19. Jahrhunderts. Zugleich offenbart der technische Ausdruck die
Quelle, aus der Goethe ebenso geschöpft hat wie alle
anderen, die im 18. Jahrhundert dem Zusammenhange
künstlerischer Idee und ihrer Formung nachgeforscht
haben: Winckelmann, Herder, Lenz und so viel andere,
sie haben ebenso wie Goethe von Shaftesbury sich
inspirieren lassen.

Der feinsinnige englische Platoniker hat, wie Dilthey
bezeugt, auf dies ganze ästhetische Zeitalter, auf Wieland,

Herder, Goethe, Schiller, einen Einfluß ausgeübt, der
dem von Spinoza ganz gleichwertig gewesen ist. Im
18. Jahrhundert ist seine Wirkung überall da zu beobachten,
wo der geistige und seelische Gehalt des Schönen gesucht
und aufgespürt wird. Die ganze Lehre von der schönen
Seele, insbesondere die Fassung, die Schiller ihr geliehen
hat, wurzelt in Shaftesbury (vgl. Säkular = Ausgabe
Bd. 11, S. XI ff. XLIII ff.). In Shaftesbury war Platons Weisheit zu neuem starken Leben erwacht. Daß das
Universum und seine Teile analoge Bildungsgesetze haben
wie Seele und Körper des Menschen, der Gedanke, der
ausgesprochen und unausgesprochen den Schriften Platons
zu Grunde liegt, trägt Shaftesburys Denken. Doch
auch dieser Platoniker ist eigentlich Neuplatoniker: er
sieht Platon mit Plotins Augen und sucht hinter der
materiellen Welt nicht die immateriellen Substanzen der
Platonischen Metaphysik, sondern eine Welt des Geistes,
die Voraussetzung und Bedingung der materiellen Welt
ist. Wie Plotin erfaßt Shaftesbury dann aber auch den
Begriff Schönheit schärfer als Platon und spricht von
Schönheit, wenn ideale Wesenhaftigkeit durch die sinn=
liche Erscheinung durchleuchtet.

Shaftesburys Abhängigkeit von Platon und Plotin
bedingt, daß im folgenden mehrfach Ideen dieser beiden
unter seiner Marke erscheinen. Allein die deutschen
Denker vor Friedrich Schlegel und Schleiermacher haben
Shaftesbury unvergleichlich besser gekannt als die beiden
antiken Philosophen. Shaftesbury hatte ihnen diese antike Ideenwelt begreiflich gemacht. Und darum darf
und soll hier die Entwicklungslinie von Shaftesbury
ab gezeichnet werden und, was vor ihm liegt, unbe-
rührt bleiben. Litte doch die Reinlichkeit der Zeichnung
schwer, wenn in diesem engen Rahmen noch Schritt
für Schritt erwogen würde, was der Engländer aus

Platon, was er aus Plotin, was er aus sich selbst ge=
schöpft hat.

Das Prinzip der Schönheit ist nach Shaftesbury
der Geist. Das Schöne liegt für ihn niemals im Stoff,
sondern in der Kunst und Absicht; nicht im Körper, son=
dern in der Form oder vielmehr in der formenden Kraft.
Drei Stufen der Schönheit unterscheidet demnach sein
Dialog The Moralists: die toten Formen, die ihre Bildung
entweder dem Menschen oder der Natur bauen; die
Formen, die, selbst andre bildend, Geist und Tätigkeit
haben; die Formen, die nicht nur tote, sondern auch
bildende Formen hervorbringen. Zu den dead forms
zählt Shaftesbury auch noch die Werke der Musik, Malerei,
Baukunst u. s. w. Der zweiten Stufe weist er die geist=
beseelte Schönheit des Menschen zu. Der britten gehört
die „allerhöchste und unvergleichliche Originalschönheit"
an, sie ist das Prinzip, der Urgrund und die Quelle
aller Schönheit: der höchste Werkmeister, der die Hand
des Menschen leitet, Schönheiten der ersten Art hervor=
zubringen.

Zwischen der ersten und zweiten Stufe zieht Shaftes=
bury eine bedeutsame Grenze: auf der zweiten Stufe
verbindet sich Geist und Form. „Die erste Klasse ist
schlecht und verächtlich in Vergleichung mit dieser andern,
von welcher die Schönheit der toten Form erst Glanz,
Leben und Wirkung empfängt. Denn was ist ein bloßer
Körper, wär's auch ein menschlicher, wär' er auch noch
so regelmäßig gebildet, wenn die innere Form ihm
fehlt, wenn der Geist ungestalt oder unvollkommen ist,
wie bei einem Idioten oder Wilden?"

Erscheint an dieser Stelle die innere Form (tho
inward form) nur als unerläßliche Bedingung der Schön=
heit des Menschen, so offenbart sich die Verwendbarkeit
des Begriffs für künstlerisches Schaffen in A notion of

the historical draught or tablature of the judgement of Hercules. Da heißt es: „Wo ein wahrer Charakter bestimmt angegeben, und die innere Form richtig und genau geschildert ist, da muß notwendig die äußere Form sich nach ihr bequemen." Diesmal geht das Wort aus= drücklich auf künstlerische Gestaltung; und es bezeichnet ganz wie bei Goethe das Moment des Ideellen, das die äußere Formung bedingt. Ein in dem Kunstwerk waltendes geistiges Formprinzip bestimmt die äußere Ge= staltung. Innere und äußere Form stehen im echten Kunstwerk in gesetzmäßiger Relation.

Wirklich wird auch die ganze Sinbie über The judgement of Hercules von dem Gedanken einer solchen gesetzlichen Relation von Idee und äußerer Gestaltung ge= tragen. Nach Xenophons bekannter Erzählung (Sokratische Denkwürdigkeiten, Buch 2) entwirft Shaftesbury den Plan eines Gemäldes und gelangt zu folgenden Bestimmungen: es müsse „ein einziges Stück" sein, „in einem Gesichts= punkte zusammengefaßt, und nach einer einzelnen Idee... gearbeitet", so daß es „vermöge der wechselseitigen und notwendigen Beziehung seiner Teile, ebenso wie unter den Gliedern eines natürlichen Körpers, ein wahres Ganzes ausmache". Strebe doch schon der Blumenmaler nach einer gewissen „proportionierten Zusammensetzung oder har= monischen Gruppierung". Nur sie mache das Werk des Namens einer „Komposition" würdig. Auf Harmonie und Übereinstimmung müsse der wahre Künstler achten. Alle äußerlichen Zieraten sollen verschwinden oder der Haupt= idee unterworfen werden. Die Forderung einheitlicher Stilisierung bildet den Abschluß dieser Bestimmungen: nichts sei häßlicher als ein Gewirr mehrerer Schönheiten.

Durchaus waltet der Grundgedanke, daß eine strenge formale Gesetzlichkeit, bedingt durch ein zugrundeliegen= des geistiges Element, zu herrschen habe. Wie weit diese

geiſtgeborne Form über eine rein äußerliche Form hin=
ausgreife, wird durch den Hinweis auf die Dichtkunſt
zuletzt dargetan: „Es iſt bekannt, daß jeder Gattung
von Poeſie ihre natürlichen Verhältniſſe und Grenzen
angewieſen ſind. Und es würde in der Tat eine grobe
Ungereimtheit ſein, wenn man ſich einbildete, in einem
Gedichte finde ſich außer den Verſen nichts, was man
Maß oder Numerus nennen köune. Eine Elegie und
ein Epigramm haben jede ihr Maß und ihre Proportion,
ſo gut als ein Trauerſpiel und ein Heldengedicht.“
Gerade dieſer Hinweis klingt in Goethes Worten nach.

Alle Forderungen indes, die Shaftesbury dem Kunſt=
werk gegenüber erhebt, ruhen auf der Analogie von
künſtleriſchem Wirken und Wirken der Natur. Für
Shaftesbury wie für Goethe iſt das Kunſtwerk ein ver=
kleinertes Abbild der Natur. Und dieſe Analogie iſt für
Goethes Kunſt= und Naturerkenntnis von fruchtbarſter
Bedeutung, eben weil Shaftesbury ihn gelehrt hatte, die
formale Seite der Kunſt auf ihre geiſtige Begründung
hin zu betrachten. Denn Shaftesbury hat die alle
ſtarr ſchematiſche Formel, Schönheit ſei Einheit in der
Mannigfaltigkeit, mit neuem Leben erfüllt. Einer Theſe,
die lediglich formale Kriterien in die Hand gab, lieh er
tiefere Begründung, indem er nach der Kraft fragte, die
jene formalen Verhältniſſe hervorrief. Schönheit offen=
barte ſich ihm als Ausdruck einer inneren geiſtigen Größe,
die bildend und bedingend ihre notwendige Erſcheinungs=
form ſuchte und ſand. Von der Idee zur Form, vom
Gehalte zu ſeiner äußeren Erſcheinung war ſo ein Weg
gefunden. Als immanentes Formprinzip war die Idee
erfaßt: Etwas Ideelles bedingt die Form im Ganzen
wie in ihren einzelnen Teilen.

Denſelben geſetzlichen Zuſammenhang ſand aber
Shaftesbury auch im Univerſum. „Die urſprüngliche

allverbreitete, alles belebende Seele des Universums, das
unermeßliche Wesen, das durch ungeheure Räume eine
unendliche Menge von Körpern ausgestreut hat, wirkt in
ihnen als eine künstlerisch bildende Kraft" (Dilthey). Die
Natur erscheint personifiziert; eine Künstlerin, leiht sie
jeder ihrer Erscheinungen eine Form, deren Bedingung
nicht Willkür, sondern innere Gesetzmäßigkeit ist.

In der Behauptung einer einheitlich formenden
Technik der Natur ist Shaftesbury original. Nur in der
Astronomie fand er sie nachgewiesen vor. Er selbst
wandte Newtons Gravitationslehre (1687) auf die ganze
Natur an und erbaute auf ihrer Grundlage seine Dar=
legung von Einheit und Gleichartigkeit in der Technik
der Natur. Noch mußte er nichts von einem vergleichen=
den Studium der Organismen. Doch er ahnte es vor.
Schon in seiner Auffassung liegt die Erkenntnis umschlossen,
daß wie das Weltall auch jeder einzelne Organismus
ein System ist, in dem die Teile zum Ganzen durch die
Einheit des Zweckes geordnet sind. Die Analogie zwischen
dieser Betrachtung der Natur und seiner Ansicht von
künstlerischem Schaffen liegt auf der Hand: gesetzmäßige
Relation besteht da wie dort zwischen den kleinsten Teilen
und der aus einheitlichem Prinzip formenden Kraft.

Seiner Theorie hat Shaftesbury den prägnantesten
Ausdruck im Soliloquy geliehen: „Der Mann, der den
Namen des Dichters wahrhaftig und in eigentlichem Ver=
stande verdient und der, als ein wirklicher Baumeister
in seiner Art, Menschen und Sitten schildern und einer
Handlung ihren wahren Körper, ihre richtigen Verhält=
nisse geben kann, ist, wenn ich mich nicht irre, ein ganz
anderes Geschöpf [als ein gewandter Verseschmied]. Ein
solcher Dichter ist in der Tat ein zweiter Schöpfer; ein
Prometheus unter einem Jupiter. Gleich dem obersten
Werkmeister oder gleich der allgemeinen bildenden Natur

schafft er ein Ganzes, wo alles mit einander im Zu=
sammenhange, in richtigen Verhältnissen steht und wo sich
die Bestandteile gehörig untergeordnet sind."

Von diesen Worten ist früh eine mächtige Wirkung
ausgegangen. Der Dichter, der Künstler überhaupt, der
höchste Künstler, das Genie, ist ein gottähnlicher Schöpfer:
bei den Schweizern wirkte diese Lehre sofort nach; selbst
Lessing hat sich ihr nicht entzogen. Im 34. und 79. Stück
der „Hamburgischen Dramaturgie" erscheint sie, freilich
ebenso ins Leibnizische hinübergespielt wie bei Breitinger.
Herder huldigt ihr von früh an, kann indes auch dem
Leibnizischen teleologischen Zusatze sich zunächst nicht ent=
ziehen. Unverkennbar unter dem unmittelbaren Eindruck
der Lektüre Shaftesburys schreibt er 1771 an Gersten=
berg über Shakespeares Helden: „Alle ganze individuelle
Wesen, jeder aus seinem Charakter und von seiner Seite
historisch teilnehmend, mitwirkend, handelnd; jeder gleich=
sam für sich Absicht und Zweck, und nur durch die
schöpferische Kraft des Dichters als Zweck zugleich Mittel;
als Absicht zugleich Mitwirker des Ganzen! So spielt
im großen Weltlauf vielleicht ein höheres, unsichtbares
Wesen mit einer niedern Klasse von Geschöpfen: jeder
läuft zu seinem Zweck und schafft und wirket; und siehe!
unwissend werden sie eben damit blinde Werkzeuge zu
einem höhern Plan, zu dem Ganzen eines unsichtbaren
Dichters!" (Suphan Bd. 5, S. 238.)

Nie vielleicht ist in den ersten Siebzigerjahren Herder
dem Wesen von Shaftesburys Theorie näher gekommen;
sicher nicht im Shakespeare-Aufsatze der Blätter „Von
deutscher Art und Kunst", der viel unbestimmter, ver=
schleierter und unverständlicher von einer „Welt dra=
matischer Geschichte, so groß und so tief wie die Natur"
schwärmt; „aber der Schöpfer gibt uns Auge und Gesichts=
punkt, so groß und tief zu sehen" (Suphan Bd. 5, S. 221).

Oder noch dunkler: „Die ganze Welt ift zu diefem großen Geifte allein Körper: alle Auftritte der Natur an diefem Körper Glieder, wie alle Charaktere und Denkarten zu diefem Geifte Züge" (ebenda S. 225). Indes auch in dem Briefe an Gerftenberg denkt Herder weniger an den Künftler, der gottähnlich fchafft, als an das gottbegnadete Genie, das fich eine eigene Welt erbaut, deren Endzwecke fie ebenfo gut kennt wie der teleologifch gedachte Gott Leibnizens. Nicht die künftlerifche Geftaltung einer Form, fondern die geiftige Ergründung des genialen Menfchen nimmt Herders ganzes Intereffe in Anfpruch.

Sicher behält Lenz an der (S. XXVIII) zitierten Stelle feiner „Anmerkungen" das Künftlerifch=Formale fefter im Auge als Herder. Daß Lenz auf Shaftesbury, mittelbar oder unmittelbar, zurückgeht, ift ganz ficher. Denn auch er verwertet die Zufammenftellung von Gott und Dichter. Goethe wiederum ift von Shaftesburys Worten über das Prometheifche des Dichters fo ftark getroffen worden, daß er fie in der Rede „Zum Schäkespears Tag" (Bd. 36, S. 6, 19 ff.) aufnimmt, in der Schrift „Von deutfcher Baukunft" (Bd. 33, S. 13, 5 f.) auf fie anfpielt und wahrfcheinlich auch das Fragment des „Prometheus" (Bd. 15, S. 11 ff.) durch fie ideell hat beftimmen laffen. Sehr charakteriftifch indes bleibt, daß die Rede „Zum Schäkespears Tag", die noch ganz unter Herders Einfluß fteht, aus Shaftesbury das Moment künftlerifcher Formung nicht geholt hat, fondern bei dem gottähnlich Schöpferifchen des Dichters allein ftehen bleibt. Neues, felbftändiges Studium Shaftesburys muß ihm 1775 den Begriff der „inneren Form" gefchenkt haben. Da fchreitet er alsbald über Herder hinaus. Und ebenfo hat felbftändiges Studium Shaftesburys ihn tiefer in das Wefen der Natur eingeführt und die Parallele des

Schaffens der Natur und der Kunst besser verstehen gelehrt, als er dies von Herber lernen konnte.

Geht er doch in Weimar sofort aus eigenem Impuls
an das Studium der Natur heran. Zunächst, ohne Herber
an seinen neuen Erkenntnissen teilnehmen zu lassen.
Führer ist ihm jetzt Shaftesbury und zwar vor allem
durch die Auffassung der Natur als einer Künstlerin.

Schwungvoll feiern Shaftesburys Moralists diese
Künstlerin Natur: „Können wir aus dem, was uns sichtbar ist, anders schließen, als daß alles, wie in einem
harmonischen Kunstwerke, zusammenhange?" Eine höchst
vollkommene Kunst offenbare sich in allen Werken der
Natur. „Unsere Augen ... entdecken in diesen Werken
eine verborgene Szene von Wundern, Welten in Welten,
unendlich klein und doch an Kunst den größten gleich, und
schwanger von Wundern." Ihr kleinstes Werk „stellt
eine reichere Szene, ein edleres Schauspiel dar als alles,
was je die Kunst erfand".

Enthusiastisch klingt in Goethes Fragment über die
Natur (1781/82) nach, was Shaftesburys Enthusiasmus
verkündet hatte: „Sie ist die einzige Künstlerin: aus dem
simpelsten Stoff zu den größten Kontrasten; ohne Schein
der Anstrengung zu der größten Vollendung ·— zur ge-
nausten Bestimmtheit ... Sie spielt ein Schauspiel ...
Ihr Schauspiel ist immer neu, weil sie immer neue
Zuschauer schafft" (Bd. 39, S. 3, 19 ff. 4, 1. 5, 1 f.).

Dilthey hat im einzelnen nachgewiesen, daß ebenso
wie für die vorweimarischen Gedankenbauten Goethes,
so auch für das Fragment nicht Spinoza in Anspruch
genommen werden darf. Anreger des Fragments war
vielmehr Shaftesbury. Unbedenklich darf ferner das
Fragment über die Natur als Zeugnis für die von
Goethe zu Anfang der Achtzigerjahre erreichte Einsicht
an dieser Stelle in Anspruch genommen werden. Auch

wer nicht überzeugt ist, Goethe habe ein Versteckspiel ge=
trieben, als er die Autorschaft des Fragments bestritt
(vgl. Bd. 39, S. 348 f.), wird doch zugeben, daß es An=
schauungen Goethes vorträgt, Anschauungen mindestens,
zu denen er sich sofort voll bekannt hat.

Aus dem mystischen Dunkel der Moralists und des
Fragments heraus leuchtet dem Beschauer bei Shaftes=
bury wie in Goethes Hymnus die entscheidende Idee
einer gesetzmäßigen Relation des Ganzen und der Teile
entgegen: die Natur ist als Ganzes von einem einheit=
lichen Prinzip beseelt, und in allen ihren Individuen
herrscht Einheit. Ist für Shaftesbury die Natur der
„höchste allbeseelte, allregierende Genius", sucht er in
ihr das vereinigende geistige Prinzip, so verkündet Goethe:
„Jedes ihrer Werke hat ein eigenes Wesen, jebe ihrer
Erscheinungen den isoliertesten Begriff, und doch macht
alles Eins aus" (a. a. O. S. 3, 23 ff.).

Noch gilt im Fragmente Goethes alles einer innigeren
Erfassung des Wesens der Natur. Die Analogie künstle=
rischen Schaffens und des Wirkens der Natur wird nicht
im Interesse der Ästhetik, sondern zur besseren Erhellung
der Naturvorgänge ausgebeutet. Und noch schreitet
Goethe über starkes gefühlsmäßiges Nachempfinden ber
Analogie nicht hinaus zu klarer, scharfumgrenzter Erkennt=
nis. Aber zunächst war die Analogie, die fortan sein ästhe=
tisches Credo tragen sollte, schon sein unverlierbares Be=
sitztum geworden; und je deutlicher ihm das Wesen der
„Natur" und ihrer Wirkungen wurde, desto klarer offen=
barte sich ihm auch das Wesen künstlerischen Schaffens. Eine
gegenseitige Erhellung blieb nicht aus. Die Natur lernte
er alsbald durch S p i n o z a noch besser verstehen. Spi=
noza befestigte und vertiefte ihm aber nur das aus Shaftes=
bury gewonnene Wissen. Zeugnis für diesen Fortschritt
ist die philosophische Sinbie von 1784/85 (Bd. 39, S. 6 ff.).

Während des Winters 1784/85 eroberte Goethe Spinoza im Fluge, nicht in dauernder, folgerechter Lektüre. Flüchtige Lesung gab ihm auf den ersten Schlag alles, was er benötigte und was allein sein Besitztum geworden und geblieben ist, auch nachdem er sich eingehender mit ihm beschäftigt hatte. Strenger Spinozist ist er nie geworden, auch nicht „Spinozist von Leibnizscher Observanz". Dilthey hat es unzweideutig dargetan. Goethe bleibt im wesentlichen Shaftesbury näher als Spinoza. Wo die Studie von 1784/85 von Spinoza abweicht, da nähert sie sich Herderscher Ansicht; und Herder baut seinerseits auf Shaftesbury weiter. Die Sätze der Studie, die dank Spinoza weiter fördern und klarer erfassen, was im Fragment über die Natur nur gefühlsmäßig angedeutet war, arbeiten abermals mit der Analogie von Kunst und Natur, die Goethe von Shaftesbury erlernt hatte.

„Jedes ihrer Werke hat ein eigenes Wesen, jede ihrer Erscheinungen den isoliertesten Begriff, und doch macht alles Eins aus." So hatte es im Fragment geheißen. Jetzt lautet es genauer: „Ein lebendig existierendes Ding kann durch nichts gemessen werden, was außer ihm ist, sondern wenn es ja geschehen sollte, müßte es den Maßstab selbst dazu hergeben ... In jedem lebendigen Wesen sind das, was wir Teile nennen, dergestalt unzertrennlich vom Ganzen, daß sie nur in und mit demselben begriffen werden können, und es können weder die Teile zum Maß des Ganzen noch das Ganze zum Maß der Teile angewendet werden, und so nimmt ... ein eingeschränktes lebendiges Wesen teil an der Unendlichkeit oder vielmehr es hat etwas Unendliches in sich, wenn wir nicht lieber sagen wollen, daß wir den Begriff der Existenz und der Vollkommenheit des eingeschränktesten lebendigen Wesens nicht ganz fassen können und es also eben so wie das ungeheure Ganze, in dem alle Existenzen begriffen sind, für

unendlich erklären müssen." Durch den von Spinoza ge=
botenen Unendlichkeitsbegriff vertieft und klarer geworden
ist jetzt die im Fragment nur ahnungsvoll hingeworfene
Ansicht, daß jedes Einzelding sein eigenes, nur ihm eigen=
tümliches Gesetz, seine innere geistige Einheit, eine nur
ihm angehörende Beziehung der Teile zum Ganzen habe.
Und wie sehr dies alles vom Standpunkt des Künstlers
aus gedacht ist, erhellt aus den Einwänden, die Goethe
in gleichem Zusammenhange — ganz wie Herders „Plastik"
(f. oben S. XXVII) — gegen mechanische Messung der
Proportionen des menschlichen Körpers erhebt. Dann
aber stellt der Aufsatz, spinozistische Begriffe verwertend,
in neuer Formulierung Erkenntnis der Natur und künst=
lerisches Wirken neben einander. Die ungeheure Mannig=
faltigkeit der Außenwelt wird gedanklich geordnet, man
fügt an einander, man verbindet, um zur Erkenntnis zu
gelangen und um den Eindruck des Schönen zu erwecken.
Den Eindruck, den lebendig existierende Gegenstände auf
uns machen, nennen wir wahr, wenn er „aus ihrem
vollständigen Dasein entspringt"; nennen wir schön, „wenn
dieses Dasein auf eine solche Weise beschränkt ist, daß wir
es leicht fassen können, und in einem solchen Verhältnis
zu unsrer Natur stehet, daß wir es gern ergreifen mögen".
Die von Goethe schon im Anhang zu Mercier=Wagner
verwertete Anschauung Shaftesburys, daß das Kunstwerk
ein verkleinertes Abbild der Natur sei, kehrt jetzt, durch
neuen geistigen Gewinn verstärkt und besser begründet,
wieder.

Diese ästhetische Naturbetrachtung und diese auf die
Analogie von Kunst und Natur gestützte Ästhetik bezeichnet
die Entwicklungsstufe, auf der Goethe und mit ihm Herder
vor der italienischen Reise stehen. Aus diesem Boden,
den Shaftesbury in erster, Spinoza in zweiter Linie be=
reiten geholfen haben, erwachsen Herders „Ideen zur

Philosophie der Geschichte der Menschheit" (1784—91)
und sein „Gott. Einige Gespräche" (1787). In beiden
Werken stellt Herder die einheitliche Technik der Natur
dar, wie er sie vereint mit Goethe durch Shaftesburys
Anregungen kennen gelernt hat. Noch in der „Kalligone"
(1800) kehrt die ganze Gedankenreihe wieder. Ja es
fehlen da nicht wörtliche Anklänge an Goethes Frog-
ment über die Natur.

Goethe indes ist in Italien rasch weitergegangen;
und jetzt schreitet neben immer tieferer Ergründung der
Natur das Erfassen der Kunst mächtig vor.

Wie wertvolle ästhetische Resultate sich in Italien
aus den Erwägungen des Jahres 1784/85 ergeben, beweist K. Ph. Moritz' Schrift „Über die bildende Nachahmung des Schönen" (1788), das Ergebnis der Verhandlungen, die zwischen Goethe und Moritz in Rom
stattgefunden haben. Das „schöne Kunstwerk" ist auch
für Moritz ein verkleinerter „Ausdruck des uns umgebenden großen Ganzen der Natur", es ist — wir
denken sofort an die Sinbie von 1784/85 — um so schöner,
je mehr das große uns umgebende Ganze sich darin
zusammendrängt und spiegelt. Wieweit hier Ideen
Leibnizens, von Mendelssohn aufgenommen und für die
Ästhetik verwertet, die gedankliche Formung bedingen, sei
nicht näher untersucht. Wichtiger ist die aus dem Studium
Shaftesburys und Spinozas abgeleitete Anschauung, daß
dieses schöne Kunstwerk doch wiederum ein für sich bestehendes Ganze sei, das, wie die große Natur, seinen
Endzweck in sich hat. Hinzu kommt die Forderung: wenn
das Kunstwerk ein für sich bestehendes Ganze sei, dann
müsse es auch in ihm einen Gesichtspunkt geben, von dem
aus alles Einzelne in seiner notwendigen Beziehung auf
das Ganze sich offenbare. Das Kunstwerk muß einen
Mittelpunkt besitzen.

Daß das Kunstwerk um seiner selbst willen da sei,
war von Goethe bisher nicht klipp und klar ausgesprochen
worden. Dennoch war diese Errungenschaft lediglich ein
Ergebnis des spinozistischen Zusatzes, durch den die Lehre
Shaftesburys in Goethes Bewußtsein 1784/85 sich erweitert hatte. Als selbständiger Teil des Unendlichen ist
(nach der Sinbie von 1784/85) jedes lebendige Wesen selbst
etwas Unendliches. Nunmehr wird auch jedes Kunstwerk
dieses Privilegiums teilhaftig. Spinoza hat Herder wie
Goethe die Teleologie der Leibniz-Wolffschen Philosophie
überwinden laffen. Dem Kunstwerk erwuchs aus dieser
Leugnung äußerer Endursachen eine neue Bewertung.
Shaftesburys Anschauung von der strengen Relation des
Ganzen und der Teile des Kunstwerks fand ihre Vollendung in der Annahme, daß die Kraft, die solche Gesetzmäßigkeit schafft, nur um des Kunstwerks selbst willen
wirke, daß ihr Zweck allein das Kunstwerk sei.

Herders „Ideen" und sein „Gott" hatten die Teleologie aus der Natur- und Weltbetrachtung hinausgewiesen.
Moritz und Goethe zogen die Folgerung für die Ästhetik.
Darum konnte Goethe (Italienische Reise, 6. September
1787) sagen, durch Herders „Gott" sei Moritz „wirklich
aufgebaut worden". „Es fehlte gleichsam nur an diesem
Werke, das nun als Schlußstein seine Gedanken schließt,
die immer aus einander fallen wollten." Die auf Shaftesbury hinweisende These, daß das Kunstwerk ein Ganzes
sei wie das Universum, bleibt aber die unentbehrliche
Voraussetzung der ganzen Lehre. Spinoza hat nur bei
der Ausgestaltung, nicht bei der Konzeption mitgewirkt;
ja wahrscheinlich hat Moritz in den spinozistisch gedachten Worten Herders nur eine letzte Bestätigung älterer
Ahnungen gefunden. Denn schon 1785 hat er seine Lehre,
das Schöne gewähre im Gegensatz zum Nützlichen „um
sein selbst willen Vergnügen", öffentlich vertreten.

Ganz selbständig entwickelt Moritz die Lehre vom
Mittelpunkt aus Shaftesbury. Sie stellt eine wesentliche
Weiterbildung der These von der gesetzlichen Relation
des Ganzen und der Teile dar. Karoline Herder berichtet
am 12. Dezember 1788 ihrem Gatten, Moritz habe erzählt, „wie er durch das Studium der Perspektive darauf
gekommen sei, den Mittelpunkt in einem Stück aufzusuchen; den müsse man nun nicht am Ende des Stücks,
sondern in der Mitte suchen, so wie alle Radien vom
Mittelpunkt ausgehen und sich in den Anfang und Ende
verlieren". Es folgen Bemerkungen über den Mittelpunkt des „Götz". Zunächst bezeugt die Briefstelle,
daß Moritz aus Eigenem sich die Lehre gebildet hat;
dann aber scheint sich Moritz nur ganz zuletzt des Wortes „Mittelpunkt" bedient zu haben. Denn in seinen
gedruckten Arbeiten erscheint lediglich „Gesichtspunkt",
„Brennpunkt". Von diesen Ausdrücken weist der erste
abermals auf die Lehre der Perspektive hin, während
der zweite, den die Abhandlung „Über die bildende Nachahmung des Schönen" verwertet, die Grundlage der
ganzen Theorie mindestens verhüllt. Jedenfalls bleibt
ein weiter Weg von Herders Beobachtung, eine Hauptempfindung beherrsche wie eine Weltseele jedes von
Shakespeares Werken, bis zu Moritz. Gewiß liegt Herders
wie Moritzens Ansicht auf dem Wege, den Shaftesbury
vorbereitet hat. Doch ohne Einschränkung darf auf Moritz
zurückgeführt werden, wenn Goethe und noch weit mehr
die Romantiker den Begriff des „Mittelpunkts" — und
zwar nicht bloß im ästhetischen Sinne — weiter verwerten.
An den Ausdruck „Mittelpunkt" hat sich Goethe dabei
nicht ängstlich gebunden. Wenn die „Italienische Reise"
(Bd. 26, S. 240, 22 ff., 13. März 1787) den „Moment,
da sich Orest in der Nähe der Schwester und des Freundes wiederfindet", die „Achse des Stücks" nennt, so liegt

ohne Zweifel Moritzens Theorie zu Grunde, während
doch dieser Terminus bei ihm nicht nachzuweisen ist (vgl.
zu Bd. 36, S. 180, 11).

Weniger glücklich und leicht mißzuverstehen war eine
weitere Formung, die Moritz seiner aus Shaftesbury ab=
geleiteten Theorie gab. Schon 1785 hatte er das Schöne
als das „in sich selbst Vollendete" bezeichnet. 1788 nimmt
er, um die strenge Gesetzmäßigkeit des in Teil und Ganzem
harmonischen Kunstwerks zu bezeichnen, den Ausdruck
„Vollendung in sich selbst" wieder auf und folgert im
Sinne seiner Mittelpunktlehre, daß diese Vollendung durch
den „letzten fehlenden Punkt" gestört werden könne; „denn
er verrückt alle übrigen Punkte aus der Stelle, in welche
sie gehören". Rigoristisch einseitig behauptet er: „Und
ist dieser Vollendungspunkt einmal verfehlt, so verlohnt
ein Werk der Kunst der Mühe des Anfangs und der Zeit
seines Werdens nicht; es fällt unter das Schlechte bis
zum Unnützen herab." Auch hier versäumt Moritz übrigens
nicht, die Parallele aus dem Leben der Natur zu ziehen.

Gerade diese Formulierung hat starken Widerspruch
erweckt. Gleich Schiller wehrte sich sofort gegen die Be=
hauptung, um freilich später, nachdem er den Kern der
Theorie erfaßt hatte, unbedenklich dem echten Kunstwerk
zuzubilligen, daß es in sich selbst vollendet sei (vgl. Sä=
kular=Ausgabe Bd. 11, S. XXXII f.). Goethe aber schreibt
noch am 29. März 1827 an Zelter: „Die Vollendung
des Kunstwerks in sich selbst ist die ewige unerläßliche
Forderung." Bis ins höchste Alter hat Goethe so den
Errungenschaften seines Gedankenaustausches mit Moritz
treue Erinnerung bewahrt.

Wieviel er sofort von allen diesen Ideen in sein
Credo aufgenommen hat, ist nicht leicht zu bestimmen.
„Fruchtbare Dunkelheit" nannte er rückblickend 1820 den
Zustand, bem die Schrift Moritzens entstammt (Bd. 39,

S. 29, 12 f.). Einen knappen Auszug der Abhandlung
veröffentlichte er nach der Rückkehr aus Italien (Bd. 33,
S. 60 ff.), wohl um diese „Dunkelheit" etwas zu erhellen.
Die aphoristische Skizze läßt manchen Gedanken der Ar=
beit unter den Tisch fallen. Und fraglich bleibt, ob Goethe
nur mitteilt, was ihm selbst ganz zusagt, oder ob er aus
Rücksicht für die Fassungskraft seiner Leser Feineres und
Komplizierteres streicht. Vor allem ist berücksichtigt, was
er selbst längst errungen hatte: Natur und Kunst sind
beide ein einziges großes Ganze; jedes schöne Ganze der
Kunst ist im Kleinen ein Abdruck des höchsten Schönen
im Ganzen der Natur; das Kunstwerk ist ein für sich
bestehendes Ganze. Merkwürdig, wie gerade in solchem
Auszuge der Shaftesburysche Grundton der Moritzschen
Lehre hervortritt! Das Goethische Element macht sich wohl
in keinem Satze der Anzeige so stark geltend wie in der
Wendung: „Der Horizont der tätigen Kraft muß bei dem
bildenden Genie so weit wie die Natur selber sein"
(a. a. O. S. 62, 3 f.). Da liegt eine vor allem in Italien
errungene Erkenntnis vor. Denn in Italien hat Goethe
die „große und wahrhaft heldenmäßige Idee" zuerst rein
erfaßt und zugleich ihre Verwirklichung begonnen, „die
ganze Natur zusammenzunehmen, um über das Einzelne
Licht zu bekommen, in der Allheit ihrer Erscheinungs=
arten den Erklärungsgrund für das Individuum auf=
zusuchen". Als Schiller am 23. August 1794 in diesen
unvergänglichen Worten dem neugewonnenen Genossen
sein Wesen zu deuten versuchte, hatte er den Goethe vor
Augen, der in Italien seine universelle Lebensaufgabe
begriffen hatte: „Von der einfachen Organisation steigen
Sie, Schritt vor Schritt, zu den mehr verwickelten hinauf,
um endlich die verwickeltste von allen, den Menschen,
genetisch aus den Materialien des ganzen Naturgebäudes
zu erbauen. Dadurch, daß Sie ihn der Natur gleichsam

nacherschaffen, suchen Sie in seine verborgene Technik einzudringen."

Goethe selbst verlegt den Augenblick, da er als Naturforscher zur Forderung allseitigen Studiums gelangt ist, in diese Zeit. Und es ist sehr charakteristisch, daß im selben Augenblick der gleiche Anspruch von Goethe dem Künstler gegenüber erhoben wird. Wiederum bewährt sich, was bisher sich Schritt für Schritt gezeigt hat, wie jeder Fortschritt, der der Erkenntnis der Natur in Goethe zu teil ward, sofort reichen Gewinn für sein Verständnis künstlerischer Gestaltung abwirft. Von der italienischen Zeit und der ihr unmittelbar folgenden berichtet der Aufsatz „Einwirkung der neueren Philosophie" (Bd. 39, S. 29). „Bei physischen Untersuchungen drängte sich mir die Überzeugung auf, daß, bei aller Betrachtung der Gegenstände, die höchste Pflicht sei, jede Bedingung, unter welcher ein Phänomen erscheint, genau aufzusuchen und nach möglichster Vollständigkeit der Phänomene zu trachten; weil sie doch zuletzt sich an einander zu reihen oder vielmehr über einander zu greifen genötigt werden und vor dem Anschauen des Forschers auch eine Art Organisation bilden, ihr inneres Gesamtleben manifestieren müssen." Die Forderung, die hier dem Naturforscher gegenüber erhoben wird, wurde unmittelbar nach der Rückkehr aus Italien dem Künstler entgegengehalten in dem Aufsatze „Einfache Nachahmung der Natur, Manier, Stil": „genaues und tiefes Studium der Gegenstände" erscheint als wichtigste Voraussetzung höchster künstlerischer Betätigung. Genau und immer genauer müsse der Künstler die Eigenschaften der Dinge und die Art, wie sie bestehen, kennen lernen, die Reihe der Gegenstände übersehen und die verschiedenen charakteristischen Formen neben einander zu stellen und nachzuahmen wissen. Nur so gelange er über bloße Natur-

nachahmung und über Manier, über Kopistenarbeit und
subjektives Gebaren, hinaus zum „Stil", zu jenem Grade
künstlerischer Betätigung, „wo sie sich den höchsten mensch=
lichen Bemühungen gleichstellen darf" (Bd. 33, S. 56).

Deutlich weist auch diese Forderung auf die älteste
Quelle, auf Shaftesbury, zurück. Von ihm hat Goethe
längst gelernt, aufs Ganze zu gehen und wie als Natur=
forscher so auch als Künstler nie bei der einzelnen iso=
lierten Erscheinung stehen zu bleiben. Zugleich findet
Shaftesburys These All beauty is truth jetzt durch Goethe
eine sinnige und vertiefte Deutung. Wahrheit, nicht durch
bloße Nachahmung der Natur, sondern durch Erfassen
ihres innersten Wesens erzielt, macht Shaftesbury wie
Goethe zum wesentlichen Merkmal echter Kunst. Nicht
Zufall ist es, daß im Jahre 1784, zur Zeit, da oben
starke Wirkungen von Shaftesburys Gedankenwelt auf
Goethe nachzuweisen waren, in der „Zueignung" (Bd. 1,
S. 3 ff.) Goethe sich von der „Wahrheit" zum Dichter
weihen ließ. Reiner und immer reiner hatte sich aus
Goethes naturforschender Tätigkeit der Begriff dieser
„Wahrheit" entwickelt, klarer und klarer das Gesetz offen=
bart, das — wie Shaftesbury geahnt hat — die ganze
Natur einheitlich beherrscht.

Obgleich er selbst in dem Augenblicke, da er „ein=
fache Naturnachahmung" und „Stil" einander gegen=
überstellte und dort nur Anfassen der äußeren Schale,
hier Ergründung des innersten Gesetzes annahm, auf der
höchsten Stufe seiner Kunsterkenntnis nicht angelangt
war, wurde doch der Aufsatz für die Ästhetik des klassischen
Zeitalters von epochemachender Wichtigkeit. Für Schiller
wie für die Frühromantiker war der Begriff „Stil" ein
für allemal festgelegt. In dem Kampfe, den Klassiker
und Romantiker gegen Nachahmung der äußerlichen Wirk=
lichkeit und für eine künstlerische Darstellung des inner=

lich Wahren führten, ist Goethes Vorgang von entscheiden=
der Bedeutung gewesen. Wenn er ferner „Stil" und
„Manier" wie objektives und subjektives künstlerisches
Gebaren kontrastiert, so hat gleichfalls klassische wie
romantische Ästhetik sich an dieser Antithese dauernd
orientiert.

So viel bisher auf dem Felde der Natur= und Kunst=
forschung erreicht war, noch fehlte der letzte entscheidende
Abschluß. Goethe selbst bekennt von dieser Epoche in
dem Aufsatze „Einwirkung der neueren Philosophie"
(Bd. 39, S. 29, 29 ff.): „Indes war dieser Zustand immer=
fort nur dämmernd, nirgends fand ich Aufklärung nach
meinem Sinne." Woher ihm endlich diese Aufklärung
erstand, meldet er an gleicher Stelle. Kants „Kritik
der Urteilskraft" (1790) bot ihm den Schlußstein seines
Baues: „Hier sah ich meine disparatesten Beschäftigungen
neben einander gestellt, Kunst= und Naturerzeugnisse, eins
behandelt wie das andere ... das innere Leben der
Kunst so wie der Natur, ihr beiderseitiges Wirken von
innen heraus war im Buche deutlich ausgesprochen. Die
Erzeugnisse dieser zwei unendlichen Welten sollten um
ihrer selbst willen da sein, und was neben einander
stand, wohl für einander, aber nicht absichtlich wegen
einander."

Wie hoch Goethe die Förderung schätzte, die ihm
durch Kant zu teil geworden war, bezeugt auch eine
Stelle der „Kampagne in Frankreich" (Bd. 28, S. 122),
bezeugt noch am Ende seiner Tage der Brief an Zelter
vom 29. Januar 1830: als „grenzenloses Verdienst
unsres alten Kant um die Welt, und ich darf auch sagen
um mich" erscheint da, daß er „Kunst und Natur neben
einander stellt und beiden das Recht zugesteht: aus
großen Prinzipien zwecklos zu handeln". Daß Spinoza
Goethe schon früher „in dem Haß gegen die absurden

Endursachen geglaubiget" hatte, vergißt er diesmal nicht
anzuführen.

Die „Kritik der Urteilskraft" (§ 65 und 66) konnte
Goethe endlich den Terminus leihen, der fortan immer
wieder verwertet worden ist, um das zu bezeichnen, was
Goethe, ebenso wie Shaftesbury, von Anfang an vorschwebte: „Ein organisiertes Produkt der Natur ist
das, in welchem alles Zweck und wechselseitig auch Mittel ist." Auch Chr. G. Körner hat, wie sein Brief an
Schiller vom 6. Dezember 1790 bezeugt, aus dieser Stelle
reiche Offenbarung geschöpft, ja er ist vielleicht durch sie
zum Mitbegründer „organischer" Ästhetik geworden. Daß
auch im Kunstwerk alles Zweck und wechselseitig auch
Mittel sei, war schon in K. Ph. Moritz' Schrift unzweideutig betont worden. Das Kunstwerk konnte also gleichfalls als Organismus aufgefaßt werden.

Auf langem, mühsamem Weg war endlich die Höhe
erreicht. Das Kunstwerk als Organismus von eigener
Gesetzlichkeit, ein Analogon organischer Gebilde in der
Natur, und doch wiederum einer eigenen selbständigen
Welt angehörig: es ist die Voraussetzung der Ästhetik
Goethes von den Neunzigerjahren des 18. Jahrhunderts
bis an sein Ende. In den Aufsätzen zunächst, die, in
den „Propyläen" 1797—99 hervortretend, Goethes Anschauungen über bildende Kunst vorlegen, ist der Gedanke des organischen Kunstwerks die leitende Idee: der
Dialog „Über Wahrheit und Wahrscheinlichkeit der Kunstwerke", die „Einleitung in die Propyläen", die Studie
„Über Laokoon", „Der Sammler und die Seinigen",
die Übersetzung und Kritik von „Diderots Versuch über
die Malerei" (Bd. 33, S. 84—91. 102 bis 261) bieten
die wichtigsten Kundgebungen der neu errungenen Erkenntnis:

„Ein vollkommenes Kunstwerk ist ein Werk des

menschlichen Geistes, und in diesem Sinne auch ein
Werk der Natur. Aber indem die zerstreuten Gegen=
stände in Eins gefaßt und selbst die gemeinsten in ihrer
Bedeutung und Würde aufgenommen werden, so ist es
über die Natur. Es will durch einen Geist, der harmo=
nisch entsprungen und gebildet ist, aufgefaßt sein, und
dieser findet das Fürtreffliche, das in sich Vollendete auch
seiner Natur gemäß" (Bd. 33, S. 90, 21 ff.).

„Die vornehmste Forderung, die an den Künstler
gemacht wird, bleibt immer die: daß er sich an die Natur
halten, sie studieren, sie nachbilden, etwas, das ihren Er=
scheinungen ähnlich ist, hervorbringen solle." Aber „die
Natur ist von der Kunst durch eine ungeheure Kluft ge=
trennt". Darum ist es selten, „daß ein Künstler sowohl
in die Tiefe der Gegenstände als in die Tiefe seines
eignen Gemüts zu bringen vermag, um in seinen Wer=
ken nicht bloß etwas leicht und oberflächlich Wirken=
des, sondern, wetteifernd mit der Natur, etwas Geistig=
Organisches hervorzubringen" (ebenda S. 107, 30 ff.).

„Die Natur organisiert ein lebendiges, gleichgültiges
Wesen, der Künstler ein totes, aber ein bedeutendes, die
Natur ein wirkliches, der Künstler ein scheinbares" (eben=
da S. 210, 15 ff.).

Eine eingehende Analyse der Thesen ist an dieser
Stelle ebensowenig möglich wie eine nähere Betrachtung
der erwähnten Aufsätze. Es ergäbe sich lediglich das
Resultat, daß Goethe seine bis zum Anfang der Neun=
zigerjahre gewonnene Anschauung im einzelnen auszu=
gestalten und für Kunstübung und Kunstbetrachtung zu
verwerten bemüht war. Denn er hat fortan ein wesent=
lich neues Element nicht hinzugewonnen. Den Ästhetikern,
denen er demnächst nahetrat, konnte er nur geben, kaum
von ihnen etwas lernen. Schiller und sein Kreis, voran
Wilhelm v. Humboldt und Christian Gottfried Körner,

hatten sich ganz wie die Frühromantiker von denselben Lehrern schulen lassen wie Goethe; die Entdeckungen, die Goethe und Moritz gemeinsam zu teil geworden waren, kamen sofort in ihre Hände, und auf die letzten theoretischen Arbeiten Schillers konnte Goethe persönlich noch einwirken. Goethes Anschauung von der Gesetzlichkeit der Natur schaffte in Schillers Glaubensbekenntnis sich Raum. Die Romantiker wiederum stellten ihre ganze ästhetische und ethische Theorie auf den Boden der Lehre vom Organismus, um schließlich in ihren naturphilosophischen Konstruktionen die gesamte Welterkenntnis auf diesen Grundsatz aufzubauen.

Erledigt und abgetan war durch Goethe die Lehre, die der älteren Ästhetik des 18. Jahrhunderts selbstverständlich gewesen ist: Kunst sei Nachahmung der Natur oder auch Nachahmung des Schönen der Natur. Die Franzosen vor allem hatten unter der Führung Batteux' die Ansicht vertreten, das Schöne entstehe durch Auslese und Zusammensetzung schöner Elemente. Noch in dem Briefe an Schiller vom 28. Februar 1798 schilt Goethe auf einen Franzosen, der ihm versicherte, das Ideal sei etwas aus verschiedenen schönen Teilen Zusammengesetztes. Und er hält ihm die Fragen entgegen: woher denn der Begriff von den schönen Teilen käme? und wie denn der Mensch dazu käme, ein schönes Ganze zu fordern? und ob nicht für die Operation des Genies, indem es sich der Erfahrungselemente bedient, der Ausdruck „zusammensetzen" zu niedrig sei? Die Romantiker haben von Anfang an dank Goethe und Moritz gewußt, welche Antwort diesen Fragen gebührt. Ihnen war ein sicherer Leitstern Goethes und Moritzens Lehre, daß die Natur als Ganzes von innerer Gesetzlichkeit in der Kunst ein Analogon von gleicher innerer Notwendigkeit fordere. Durch seine Berliner Vorlesungen hat August Wilhelm

Schlegel diese zentrale Lehre 1801/02 aus den engeren
romantischen Zirkeln in die Welt hinausgetragen. Ihre
stärkste und nachhaltigste öffentliche Vertretung aber hat
sie in Schellings Rede von 1807 „Über das Verhältnis
der bildenden Künste zu der Natur“ gefunden. „Werke,“
heißt es hier, „die aus einer Zusammensetzung auch
übrigens schöner Formen entstünden, wären doch ohne alle
Schönheit, indem das, wodurch nun eigentlich das Werk
oder das Ganze schön ist, nicht mehr Form sein kann.
Es ist über die Form, ist Wesen, Allgemeines, ist Blick
und Ausdruck des inwohnenden Naturgeistes.“

In Goethes Theorie wurzeln auch die Antithesen,
in die Schiller und seine Freunde ebenso wie die Frühromantiker die verschiedenen Arten künstlerischer, zunächst
dichterischer Produktion zu bannen suchten: naiv und
sentimentalisch, objektiv und subjektiv, klassisch und romantisch. Immer schwebt als Vergleichungspunkt das
Verhältnis des Künstlers zur Natur vor; die größere
oder geringere Fähigkeit, künstlerisches Gestalten dem
Schaffen der Natur anzugleichen, gibt den Ausschlag.
Wenn mithin Goethe in späteren Jahren vielfach die von
Schiller und von den Romantikern geschaffenen Begriffe
verwertet, so pflügt er nicht mit fremdem Kalbe, sondern
benutzt lediglich die terminologisch bequemen Formeln,
in die seine eigene Lehre von den jüngeren Genossen gebracht worden war.

Im Gespräch mit Eckermann hat Goethe am 21. März
1830 ausdrücklich seine Kunstanschauung die Quelle der
Terminologie Schillers und der Romantiker genannt:
„Ich hatte in der Poesie die Maxime des objektiven Ver-
fahrens und wollte nur dieses gelten lassen. Schiller
aber, der ganz subjektiv wirkte, hielt seine Art für die

rechte, und um sich gegen mich zu wehren, schrieb er
den Aufsatz über naive und sentimentale Dichtung ...
Die Schlegel ergriffen die Idee und trieben sie weiter,
so daß sie sich denn jetzt über die ganze Welt ausgedehnt
hat und nun jedermann von Klassizismus und Roman-
tizismus redet, woran vor fünfzig Jahren niemand
dachte." Ähnlich äußert er sich in dem Bekenntnis „Einwirkung der neueren Philosophie" (Bd. 39, S. 32, 16 ff.).
Diesmal schreibt er Schiller das Verdienst zu, durch
seinen Aufsatz „den ersten Grund zur ganzen neuen
Ästhetik" gelegt zu haben: „denn hellenisch und romantisch, und was sonst noch für Synonymen mochten auf-
gefunden werden, lassen sich alle dorthin zurückführen,
wo vom Übergewicht reeller oder ideeller Behandlung
zuerst die Rede war."

Vollkommen stichhaltig sind diese Behauptungen
Goethes nicht; wir wissen heute, daß die Romantiker
nicht so stark von Schiller abhängig waren, wie Goethe
annimmt. Sicher freilich hatten sie aus Goethes Kunstanschauung sich ihre Scheidungen geholt. Wichtiger ist,
daß Goethe die beiden antithetischen Synonymenreihen
fast ausschließlich im Sinne seiner Gegenüberstellung
organischer und nichtorganischer Kunst faßt, ohne sich um
die wesentlich verschiedenen Bestimmungen zu kümmern,
die Schiller und die Schlegel den Begriffen geliehen
haben. Für Goethe bleibt, ganz im Sinne seiner Theorie,
eigentlich nur e i n e Scheidung wichtig: Kunst als etwas
durch innere Gesetzlichkeit Bestimmtes und darum der
Natur Analoges, also organische oder objektive Kunst,
und im Gegensatz dazu willkürliche, von außen bestimmte,
innere Gesetzlichkeit entbehrende, subjektive Kunst. Jene
erscheint ihm gesund, diese krank.

Die auf Rousseau fußende Sturm- und Drang-
ästhetik hatte Natur- und Kulturpoesie wie Kräftig-

Urwüchsiges und Kränklich-Verkünsteltes einander gegenübergestellt. Verloren gegangen war dieser Gedanke
auch dann nicht, als an Stelle des Markig-Naturhaften
der Begriff eines durch innere Gesetzlichkeit bestimmten
Organischen getreten war. Ist doch auch für Shaftesbury (ganz platonisch) beauty und health eng verbunden.
Für Goethe bleibt das Kunstwerk ein Analogon des gesunden, unverbildeten Naturorganismus, nicht jeglicher
Erscheinung der Natur. Das „Lebendige" ist ihm entscheidend wichtig, die Frage, ob das Kunstwerk Leben
habe oder nicht. Echte und falsche Kunst faßt in diesem
Sinne schon das Epigramm von 1796, das Jean Paul
als „Chinesen in Rom" verspottet (Bd. 1, S. 253):

„Siehe, da glaubt' ich im Bilde so manchen Schwärmer zu
                                        schauen,
   Der sein lustig Gespinst mit der soliden Natur
Ewigem Teppich vergleicht, den echten reinen Gesunden
   Krank nennt, daß ja nur Er heiße, der Kranke, gesund."

Am 28. August 1808 klingt dieselbe Antithese in einer
Charakteristik des Modernen und Antiken an. Riemer
zeichnet auf: „Das antike Tragische ist das menschlich
Tragierte. Das Romantische ist kein natürliches, ur-
sprüngliches, sondern ein gemachtes, ein gesuchtes, ge-
steigertes, übertriebenes, bizarres, bis ins Fratzenhafte
und Karikaturartige ... Das Antike ist noch bedingt
(wahrscheinlich, menschlich), das Moderne willkürlich, unmöglich. Das antike Magische und Zauberische hat Stil,
das moderne nicht ... Das Antike erscheint nur ein ideali-
siertes Reales, ein mit Großheit (Stil) und Geschmack
behandeltes Reales; das Romantische ein Unwirkliches,
Unmögliches, dem durch die Phantasie nur ein Schein
des Wirklichen gegeben wird. Das Antike ist plastisch,
wahr und reell; das Romantische täuschend wie die Bilder
einer Zauberlaterne ..." Daß „romantisch" hier im

ganzen Umfange neuerer Poesie gefaßt ist, beweisen die im Verlaufe dieses Gespräches gegebenen Belege: Ariost, Cervantes, Wieland, das Nibelungenlied.

Einige Ungerechtigkeit gegen neuere Kunst läuft mit unter. Das hat Goethe selbst zugegeben, als er, das historische Moment ausschaltend, die Antithese völlig auf den Gegensatz des Gesunden und Kranken reduzierte und dabei im wesentlichen davon absah, das Gesunde nur in der Antike, das Kranke nur in der neuen Zeit zu suchen: „Das Klassische nenne ich das Gesunde, und das Romantische das Kranke. Und da sind die Nibelungen klassisch wie der Homer, denn beide sind gesund und tüchtig. Das meiste Neuere ist nicht romantisch, weil es neu, sondern weil es schwach, kränklich und krank ist; und das Alte ist nicht klassisch, weil es alt, sondern weil es stark, frisch, froh und gesund ist" (zu Eckermann, 2. April 1829; vgl. zu Bd. 38, S. 283, 30). Wenige Tage später (5. April) vertieft Goethe den neuen Begriff. Ein „pathologisches Produkt — oder auch romantisch, wenn Sie nach unserer neuen Theorie lieber wollen " entsteht, wenn die Säfte überflüssig Teilen zugeleitet sind, die sie nicht haben wollen, und andern entzogen, die sie bedurft hätten. Diese Behauptung (zugleich einer der prägnantesten Belege für die Theorie des organischen Kunstwerks überhaupt) zeigt unverhüllt die letzte Konsequenz von Goethes Kunstanschauung: ein nicht organisch gebildetes Kunstwerk ist „pathologisch", ist „krank"; es ist verbildet.

„Pathologisches", „Krankes" entdeckt Goethe nicht etwa nur in der Poesie der deutschen Romantiker und ihrer französischen, italienischen, englischen Nachahmer, auch nicht allein in der von den deutschen Romantikern gefeierten Kunst und Poesie des Mittelalters und der beginnenden Neuzeit. Pathologisch ist sogar Schiller. Die

Stellen des „Wallenstein", an denen Tieck etwas auszu-
setzen hat, bezeichnet Goethe als pathologisch (Bd. 38,
S. 23, 3 ff.): „Hätte nicht Schiller an einer langsam
tötenden Krankheit gelitten, so sähe das alles ganz anders
aus. Unsere Korrespondenz ... wird hierüber den wahrhaft Denkenden zu den würdigsten Betrachtungen ver-
anlassen und unsre Ästhetik immer inniger mit Physio-
logie, Pathologie und Physik vereinigen, um die Bedingungen zu erkennen, welchen einzelne Menschen sowohl als ganze Nationen, die allgemeinsten Weltepochen
so gut als der heutige Tag unterworfen sind."

Nur noch an e i n e r Stelle hat Goethe mit gleicher
rückhaltloser Folgerichtigkeit die Antithese des Lebendigen
und Kranken auf Geistiges angewendet:

Der Aufsatz „Naturphilosophie" (Bd. 38, S. 118,
14 ff.) erkennt dem „Wahren" im Gegensatz zum „Blend-
werk" zu, daß es immer fruchtbar wirke und den begünstige, der es besitzt und hegt; „dahingegen das Falsche
an und für sich tot und fruchtlos daliegt, ja sogar wie
eine Nekrose anzusehen ist, wo der absterbende Teil den
lebendigen hindert, die Heilung zu vollbringen". Schärfer
konnte die Lehre vom Pathologischen und Gesunden nicht
formuliert, enger nicht Physisches und Geistiges verkettet
werden.

Dieselbe Richtung schlägt indes auch Goethes oft
zitiertes Urteil über Heinrich v. Kleist ein. Es steht
im Anfang der Rezension von Tiecks „Dramaturgischen
Blättern", deren Schluß die Ausführung über das Pathologische in Schillers „Wallenstein" bildet: „Mir erregte
dieser Dichter, bei dem reinsten Vorsatz einer aufrichtigen Teilnahme, immer Schauder und Abscheu, wie ein
von der Natur schön intentionierter Körper, der von einer
unheilbaren Krankheit ergriffen wäre" (Bd. 38, S. 20,
26 ff.). Genau so deutet auf das Pathologische in Kleists

Dichtung das Wort von der „nordischen Schärfe des Hypochonders" (Gespräche Bd. 2, S. 293 f.).

Pathologisches also bei Schiller, Pathologisches bei Kleist. Die Zusammenstellung kann nur den befremden, der sich nicht bewußt ist, wie nahe Goethe auch sonst Schiller an die deutsche Romantik heranrückt. Das Schema „Epoche der forcierten Talente" (Bd. 37, S. 334 ff.) zeichnet eine zusammenhängende Linie von Schiller zu den Schlegel und weiter zur späteren Romantik in Dichtung und Kunst. Gemeinsam ist ihnen allen, daß sie — wie Goethe an anderer Stelle sagt — in der Kunst „transzendieren" (Bd. 38, S. 266, 6 ff.; vgl. Bd. 30, S. 349, 10). Der Verstand mische sich in die Erfindung und glaube, wenn er den Gegenstand klug entwickelte, er dichte wirklich. Schiller wird da immerhin lobend zuerkannt, daß er „ein wahrhaft poetisches Naturell" hatte. Doch die große Kluft, die auch in dem Aufsatz „Einwirkung der neueren Philosophie" und im Gespräch mit Eckermann vom 21. März 1830 zwischen Goethes und Schillers Kunst sich auftut, bewirkt hier wie sonst, daß Goethe im Gegensatz zu seinem eignen Brauche die Kunst Schillers der romantischen verwandt fühlte.

Alle diese Scheidungen gesunder und kranker Kunst erscheinen in Goethes theoretischen Äußerungen schärfer und härter als in seinen Betrachtungen einzelner Werke. Die Theorie ist grausamer als die Praxis. Er mußte sich gelegentlich in Dichtungen einzufühlen, selbst wenn sie — seiner Meinung nach — ins Pathologische fielen. Nur die bildende Kunst der Romantik, der Nazarenismus, bekam den Vorwurf des Ungesunden und Willkürlichen auch in praxi immer zu hören. Der Dichtung mußte es zu gute kommen, daß Goethe selbst sich ebensowenig romantischen Einflüssen entziehen konnte wie der Wirkung Schillers. Bezeichnend klingt das Eingeständnis des Aufsatzes

„Klaſſiker und Romantiker in Italien" (Bd. 37, S. 121,
20 ff.). Wer von Jugend an ſeine Bildung den Griechen
und Römern verdankt, werde — meint Goethe — nie
„ein gewiſſes antikes Herkommen verleugnen, vielmehr
jederzeit dankbar anerkennen, was er abgeſchiedenen
Lehrern ſchuldig iſt". Dann aber folgt die bedeutſame
Einſchränkung: „wenn er auch ſein ausgebildetes Talent
der lebendigen Gegenwart unaufhaltſam widmet und,
ohne es zu wiſſen, modern endigt, wenn er antik
angefangen hat."

In demſelben Aufſatz nennt er die deutſche Romantik
ein „Feuer, das wir entzündet" (S. 119, 5). Der ſtarke
Anteil, den er an der Geneſis der deutſchen Romantik
genommen hat, ließ ihn, nachdem er ſich von ſeinen
einſtigen Genoſſen losgeſagt hatte, nicht nur franzöſiſche
und italieniſche Romantiker achtſam und liebevoll ver=
folgen. Vielmehr iſt er billig genug geweſen, neben den
Abwegen, die der Romantik drohten, auch die Verirrungen
des Klaſſizismus nicht zu überſehen. Die Notiz „Mo=
derne Guelfen und Ghibellinen" (Bd. 38, S. 105, 3 ff.)
kennt die Gefahren, die beiden Parteien drohen: den
Klaſſikern, „daß die Götter zur Phraſe werden", den
Romantikern, „daß ihre Produktionen zuletzt charakterlos
erſcheinen — wodurch ſie ſich denn beide im Nichtigen
begegnen". Ähnlich äußerte ſich Goethe zu Eckermann am
16. Dezember 1829, während Soret am 14. März 1830
buchte: Goethe billige die Exkluſivität der heutigen
Romantik ebenſowenig als die beſchränkten Pedanterien
gewiſſer Klaſſiker; er ſei in dieſem unnützen und törichten
Streite völlig unparteiiſch. Er möchte nicht gern irgend
eine Form ausgeſchloſſen ſehen. „Ich habe, ſagte er,
dafür ſelbſt ein Beiſpiel gegeben, habe in ſtrenger klaſſi=
ſcher Form Gegenſtände behandelt, die nach griechiſchem
Muſter behandelt werden mußten, um wahr zu bleiben;

und wenn es auf der einen Seite eine Torheit gewesen wäre, die drei Einheiten im Götz zu beachten, so würde es andrerseits gegen alle Empfindung des Schönen verstoßen haben, hätte ich meiner Iphigenie einen romantischen Aufputz geben wollen."

Nicht nur die Tendenz seiner „produktiven" Kritik, auch die Erinnerung an sein eignes Schaffen hat solche freundlicheren Urteile über das Romantische noch in Goethes letzten Jahren zugelassen. Ganz unerträglich war ihm nur der Vampyrismus und die Dichtung E. T. A. Hoffmanns (vgl. zu Bd. 38, S. 284, 4 ff.). In diesen Erscheinungen dürfte er ein Maximum des „Pathologischen" empfunden haben.

Für die Öffentlichkeit bestimmt waren die theoretischen Konstruktionen des „Gesunden" und „Kranken" überhaupt nicht. Sie sind vielmehr wohl nur eine auf Goethes engsten Kreis beschränkte Äußerung der Reaktion gegen die „transzendierenden" Gedankenbauten der zeitgenössischen Ästhetik.

Augenscheinlich hat das Bewußtsein, daß andre in ausgiebigstem Maße seine eignen Errungenschaften verwerteten, Goethe veranlaßt, mindestens auf dem Felde der Poetik weitere öffentliche theoretische Erörterung seiner organischen Ästhetik zu unterlassen. Darum sind seine Aufsätze zur Literatur scheinbar so arm an systematischen Gedanken. Selbst der umfänglichste Plan einer größeren Arbeit theoretischen Charakters, das Schema über den Dilettantismus (1799), berührt nur flüchtig das Problem des organischen Kunstwerks. In kritischer Analyse der Dichtungen anderer meidet er ja meistens, eben weil er vor allem dem eignen Gesetz einer einzelnen poetischen Schöpfung gerecht werden wollte, alle Messung an terminologisch festgelegten Maßstäben. Dennoch fühlt der aufmerksame Beobachter sich in den folgenden Bänden

vielfach an die Gedankengänge gemahnt, die Goethe in
den Achtziger= und Neunzigerjahren zurückgelegt hat.
Insbesondere bleiben seiner Einzelkritik zwei Gesichts=
punkte dauernd wichtig: das Problem des in sich voll=
endeten, harmonischen und autonomen Kunstwerks und
die Frage nach der Distanz zwischen Natur und Kunst,
die Analogie also und der Gegensatz der beiden Welten
Natur und Kunst. (Vgl. das Sonett Bd. 9, S. 235.)

Die gesetzliche Harmonie der Form eines Kunstwerks
bildet, aus Shaftesburys Anschauung erwachsend und
von Goethe gebilligt, wenn nicht gar vorhergeahnt, die
zentrale Lehre in Moritz' Ästhetik. Wie fest Goethe an
ihr gehalten hat, bezeugte schon oben (S. XLIV) eine
Briefstelle an Zelter vom 29. März 1827: „Die Voll=
endung des Kunstwerks in sich selbst ist die ewige un=
erläßliche Forderung." Fast wörtlich anklingend heißt
es in dem Brief an Zelter vom 29. Januar 1830: „Wir
kämpfen für die Vollkommenheit eines Kunstwerks, in
und an sich selbst." Im selben Briefe folgt die gleich=
falls schon erwähnte wichtige Kundgebung über das
„grenzenlose Verdienst des alten Kant", daß er Kunst
und Natur neben einander stelle „und beiden das Recht
zugestehe, aus großen Prinzipien zwecklos zu handeln".

Anlaß zur Wiederaufnahme der alten Lieblings=
gedanken war für Goethe seine neue und originelle, aber
auch vielbestrittene Deutung des Aristotelischen Katharsis=
problems. Sie hat vor kurzem durch Heyfelder eine ver=
ständnisvolle Würdigung erfahren. Heyfelders Resultate
verwertend, will diese Darlegung lediglich dem Gesamt=
bilde von Goethes ästhetischen Anschauungen einfügen,
was in dem Aufsatze „Nachlese zu Aristoteles' Poetik"
(Bd. 38, S. 81 ff.) vorgebracht wird.

Goethe sieht völlig ab von der Wirkung, die die Tra=
gödie auf den Zuschauer haben kann. Wenn Aristoteles

behauptet, die Tragödie vollziehe durch Erregung von
Mitleid und Furcht eine Katharsis dieser pathemata, so
übersetzt Goethe: sie schließe nach einem Verlauf von
Mitleid und Furcht mit Ausgleichung solcher Leidenschaften ihr Geschäft ab. Daß Aristoteles eine im Zuschauer sich abspielende Katharsis von Mitleid und Furcht
im Auge habe, leugnet Goethe schlankweg. „Aristoteles,"
heißt es im Briefe vom 29. März 1827, „der das Voll-
kommenste vor sich hatte, soll an den Effekt gedacht
haben! welch ein Jammer!" Wer andrer Ansicht sei, der
denke — so bemerkt der Brief vom 29. Januar 1830 —
an die Wirkung eines Kunstwerks nach außen, „um
welche sich der wahre Künstler gar nicht bekümmert, so
wenig als die Natur, wenn sie einen Löwen oder einen
Kolibri hervorbringt". Seine alte stolze Lehre von der
völligen Autonomie des Kunstwerks ist es, die Goethe
gegen die Interpreten des Aristoteles ins Feld führt.

Vielmehr verstehe Aristoteles unter Katharsis die „aus-
söhnende Abrundung, welche eigentlich von allem Drama,
ja sogar von allen poetischen Werken gefordert wird".
Nur die „Konstruktion" des Trauerspiels habe er im
Auge. Für Goethe ist das Katharsisproblem eine Frage
der Form, eine Unterart der künstlerischen Hauptaufgabe,
das Kunstwerk harmonisch in sich selbst zu vollenden.
Ob Goethes Interpretation stimme oder nicht, ob Aristoteles wirklich nicht an die über die nächsten Grenzen
der Kunst hinausschreitende Wirkung auf den Zuschauer
gedacht hat, diese Zweifel zu entscheiden bleibe anderen
überlassen. Hier genügt es, Goethes Interpretation der
vieldeutigen Stelle des Aristoteles als notwendige Folgerung aus seinen ästhetischen Grundsätzen zu erfassen. Die
Wirkung auf den Zuschauer mußte ihm etwas Neben-
sächliches bleiben; er gedenkt ihrer am Schlusse des Aufsatzes: „Hat ... der Dichter ... einen Knoten bedeutend

geknüpft und würdig gelöst, so wird dann dasselbe in dem Geiste des Zuschauers vorgehen: die Verwicklung wird ihn verwirren, die Auflösung aufklären, er aber um nichts gebessert nach Hause gehen; er würde vielmehr, wenn er ascetisch aufmerksam genug wäre, sich über sich selbst verwundern, daß er eben so leichtsinnig als hart= näckig, eben so heftig als schwach, eben so liebevoll als lieblos sich wieder in seiner Wohnung findet, wie er hinausgegangen." Eine Beobachtung, gegen deren Richtig= keit nichts einzuwenden und die bei Goethes langjähriger Kenntnis der Bühne und des Publikums gewiß vollauf beachtenswert ist.

Das Interesse für die harmonische „Konstruktion" dramatischer Dichtung ließ Goethe auch Gottfried Her= manns Nachweis dankbar begrüßen, die Tri= und Tetra= logien der Griechen seien nicht durch den Stoff, sondern meist durch die Form zu einer Einheit verbunden (Bd. 37, S. 254 ff.). Nicht auf eine „Steigerung des Stoffs", sondern auf eine „Steigerung der äußeren Formen" sei es abgesehen gewesen. Fein und ohne Zwang zeigt Goethe selbst, wie der stofflichen Einheit von Schillers „Wallenstein" auch eine formale Harmonie entspreche, wie auch in dieser Trilogie die Form von Stück zu Stück sich steigere, bis ein unüberschreitbarer Höhepunkt erreicht ist. Darstellungen moderner Opern und von Stücken Goldonis dienen zu weiteren Parallelen. An ihrem Verlaufe beobachtet Goethe eine künstlerisch ge= dachte Entwicklungslinie, die in formaler Steigerung ein harmonisch gerundetes Kunstwerk zu Tage fördere.

Innere Harmonie der Komposition rühmt Goethe ebenso an Manzonis Roman I promessi sposi. Er zeigt, wie Manzoni von Angst zu Rührung und endlich zu Bewunderung seinen Leser weiterführe. „Das Gefühl der Angst", sagt er am 21. Juli 1827 zu Eckermann,

„ift ftoffartig und wird in jedem Lefer entftehen; die Bewunderung aber entfpringt aus der Einficht, wie vor= trefflich der Autor fich in jedem Falle benahm, und nur der Kenner wird mit diefer Empfindung beglückt werden." Der Eindruck ift fo ftark, daß Goethe, der fchon am 18. Juli verkündet hatte, Manzonis Roman überflügle alles, was wir in diefer Art kennen, jetzt ausruft: „Was fagen Sie zu diefer Äfthetik? Wäre ich jünger, fo würde ich nach diefer Theorie etwas fchreiben, wenn auch nicht ein Werk von folchem Umfange wie diefes von Manzoni."

Und eben weil er die fouveräne Kunft, mit der Manzoni die Form feiner Dichtung geftaltet, fo hoch einfchätzt, kann er ihm (am 23. Juli) nicht verzeihen, daß er im britten Bande „mit einemmale den Rock des Poeten auszieht und eine ganze Weile als nackter Hifto= riker dafteht".

Die Rechte des Künftlers gegenüber den Anfprüchen des Hiftorikers verficht Goethe immer wieder, und zwar befonders gern bei der Analyfe von Dichtungen Manzonis. Die Rezenfion von Manzonis Tragödie Il conte di Carmagnola erklärt: „Für den Dichter ift keine Perfon hiftorifch; es beliebt ihm, feine fittliche Welt darzuftellen, und er erweift zu diefem Zweck gewiffen Perfonen aus der Gefchichte die Ehre, ihren Namen feinen Gefchöpfen zu leihen" (Bd. 37, S. 166, 37 ff.; vgl. 184, 10 ff.). Am 31. Januar 1827 entwickelt er, wieder im Hinblick auf Manzoni, den Gedanken in ausführlicher mündlicher Aus= einanderfetzung (Gefpräche Bd. 6, S. 47 f.). Gleiche Ab= ficht verfolgt Goethes Paradoxon, daß „alle Poefie eigent= lich in Anachronismen verkehre" (Bd. 38, S. 64, 16 f.; vgl. Bd. 37, S. 40, 19); es fteht in der Anzeige von Manzonis Adelchi. In den „Maximen und Reflexionen" wird end= lich ausdrücklich erklärt, jedem, dem Hiftoriker und dem Dichter, gebühre „feine eigene Krone" (Bd. 38, S. 261, 4 f.).

Die Wahrung des Rechtes, das Goethe in allen diesen Bekenntnissen dem Dichter zuspricht, gehört als notwendiger Bestandteil in den Rahmen seiner Grundanschauung von der eigenen Gesetzlichkeit der Poesie.

Wie die Kunst überhaupt, fußend auf ihrer inneren Erkenntnis des Wesens der Dinge, das Recht hat, frei zu gestalten, so darf sie auch auf historische Treue verzichten. Nicht Schiller hat diesen Gedanken in Goethe ausgelöst. Wohl schreibt er am 20. August 1799 an Goethe, man solle „immer nur die allgemeine Situation, die Zeit und die Personen aus der Geschichte nehmen, und alles übrige poetisch frei erfinden". Doch schon faßt Goethes Antwort vom nächsten Tage das Problem tiefer an: wenn man „des Ausführlichern und Umständlichern der Geschichte" sich bediene, „wird man immer genötigt, das Besondere des Zustands mit aufzunehmen, man entfernt sich vom rein Menschlichen, und die Poesie kommt ins Gedränge". Ja schon drei Vierteljahre früher hatte Goethes Anzeige von „Wallensteins Lager" das poetische und das historische Interesse geschieden und den höheren Standpunkt, von dem aus der Dichter als „Schöpfer seines Gegenstandes" erscheine, dem niedrigeren gegenübergestellt, den Dichter nur in Bezug auf den Geschichtschreiber zu beurteilen (Bd. 36, S. 168, 22 ff.). 1805 nennt dann die Rezension von Collins „Regulus" die „historischen Stoffe mit der Wahrheit ihres Details" das „größte Hindernis" des Dichters (Bd. 36, S. 266, 1 ff.) und leitet so zu den späteren Äußerungen weiter.

Das freie Recht des Künstlers hat Goethe vielleicht nie energischer und rücksichtsloser ausgesprochen als in seiner seltsamen Deutung des Dialoges „Jon", den man zu seiner Zeit unbedenklich Plato zuschrieb: „Wir haben in Künsten mehr Fälle, wo nicht einmal der Schuster von der Sohle urteilen darf; denn der Künstler findet

für nötig, subordinierte Teile höhern Zwecken völlig
aufzuopfern. So habe ich in meinem Leben mehr als
einen Wagenlenker alte Gemmen tadeln hören, worauf
die Pferde ohne Geschirr dennoch den Wagen ziehen sollten. Freilich hatte der Wagenlenker Recht, weil er das
ganz unnatürlich fand; aber der Künstler hatte auch Recht,
die schöne Form seines Pferdekörpers nicht durch einen
unglücklichen Faden zu unterbrechen. Diese Fiktionen,
diese Hieroglyphen, deren jede Kunst bedarf, werden so
übel von allen denen verstanden, welche alles Wahre
natürlich haben wollen und dadurch die Kunst aus ihrer
Sphäre reißen" (Bd. 36, S. 147, 30 ff.).

Das Problem an sich hängt eng zusammen mit der
Scheidung von innerer Wahrheit und Wirklichkeit, einer
Scheidung, die oben als wesentlicher Bestandteil der Weltanschauung Goethes sich dargetan hat. Von den Aufsätzen über Kunst verweilt bei ihr am längsten der Dialog „Über Wahrheit und Wahrscheinlichkeit der Kunstwerke" (Bd. 33, S. 84 ff.). Gegen die Forderung voll-
ständiger Illusionierung des Zuschauers protestierte Goethe
schon viel früher. Denn sobald er den Naturalismus
des Sturm und Drangs überwunden hatte, war er auch
überzeugt, daß auf der Bühne eine künstliche Welt
sich bewege. Im Anhang zu Mercier-Wagner (Bd. 36,
S. 116, 16 ff.) heißt es schon 1775: „Wer ... für die
Bühne arbeiten will, studiere die Bühne, Wirkung der
Fernemalerei, der Lichter, Schminke, Glanzleinewand und
Flittern, lasse die Natur an ihrem Ort und bedenke ja
fleißig, nichts anzulegen, als was sich auf Brettern,
zwischen Latten, Pappendeckel und Leinewand, durch
Puppen vor Kindern ausführen läßt." In den „Triumph
der Empfindsamkeit" spielt die neue Erkenntnis hinein.

In Italien fand die Beantwortung des Illusions-
problems eine neue Stütze an der stärker und stärker her-

vortretenden Neigung, „einfache Naturnachahmung" und
echte Kunst zu trennen. Der Aufsatz „Frauenrollen auf
dem römischen Theater durch Männer gespielt" entwickelt
feinsinnig das eigentümliche Vergnügen einer „Art von
selbstbewußter Illusion", die sich aus der Darstellung weiblicher Charaktere durch Jünglinge ergebe. „Man empfand hier das Vergnügen, nicht die Sache selbst, sondern
ihre Nachahmung zu sehen, nicht durch Natur, sondern
durch Kunst unterhalten zu werden" (Bd. 36, S. 138,
16 ff.). Zur Zeit des Zusammenwirkens mit Schiller
und den Romantikern wird der Kampf gegen die Illu-
sionsforderung ein Kardinalpunkt des gemeinsamen ästhetischen Programms. Später befehdet Goethe in der
Rezension von Manzonis Carmagnola die Lehre der
drei Einheiten von gleichem Standpunkte aus (Bd. 37,
S. 170 f.). Ins Allgemeine gewendet ist das Problem in
der Studie „Über die Parodie bei den Alten": im Gegensatz zu „griechischer Art" erscheint es als Kennzeichen
„nordischer Natur" und „deutscher Gemütsart", „aus der
Hand des Poeten alles für bar Geld" zu nehmen,
„was doch eigentlich nur als Einlösungs= und Antizi-
pationsschein sollte angesehen werden" (Bd. 37, S. 290,
17 ff.). Künstlerisch geformt erscheint derselbe Gedanke
im 1. Akt des zweiten Faust=Teils (V. 5582 ff.). Der
Knabe Lenker, die Verkörperung der Poesie in der Mum-
menschanz, streut Kleinode unter die Menge. Diese greift
emsig nach ihnen. Doch die Gabe flattert davon. „Es
löst sich auf das Perlenband, Ihn' krabbeln Käser in der
Hand ... Die andern statt solider Dinge Erhaschen frevle
Schmetterlinge." Die stumpfe Menge sucht in den
Gaben der Poesie etwas Reales. Sie findet es nicht,
und darum erscheinen sie ihr als eitler Flittertand. Statt
sich — in Schillers Sprache zu reden — an dem schönen
Schein genügen zu lassen, nimmt sie „Einlösungs= und

Antizipationsscheine" für „bar Geld" und geht so des
wahren Gewinns der Poesie verlustig. „Wie doch der
Schelm so viel verheißt Und nur verleiht, was golden
gleißt!"

Je älter Goethe wurde, desto energischer vertrat er
die Rechte einer Welt der Phantasie. Der große Realist
scheint zuweilen mit Absicht ganz phantastisch den Boden
des Realen zu verlassen. Wie kühn verteidigt er die
Nänie auf Byron, die er im zweiten Teil seines „Faust"
dem Chor in den Mund legt (B. 9907 ff.). Am 5. Juli
1827 gesteht er Eckermann ausdrücklich zu, der Chor
falle bei dem Trauergesang ganz aus der Rolle; „er ist
früher und durchgehends antik gehalten oder verleugnet
doch nie seine Mädchennatur, hier aber wird er mit
einemmal ernst und hoch reflektierend und spricht Dinge
aus, woran er nie gedacht hat und auch nie hat denken
können". Sein Wagnis zu verteidigen, behauptet er,
„daß die Phantasie ihre eigenen Gesetze hat, denen der
Verstand nicht beikommen kann und soll". Und stolz
fügt er hinzu: „Wenn durch die Phantasie nicht Dinge
entständen, die für den Verstand ewig problematisch
bleiben, so wäre überhaupt zu der Phantasie nicht viel."
Im vorhinein spottet er über die Kritiker, die nicht
Freiheit und Kühnheit genug haben würden, darüber
hinwegzukommen. Er hätte auch hier an „griechische
Art" appellieren können; denn gleich Kühnes hatte Aristo-
phanes längst in den Parabasen seiner Komödien gewagt.

Daß jedoch der Phantasie und ihrem Walten auf
der Bühne Grenzen gezogen sind, mußte der Theaterleiter Goethe in dem Augenblick erkennen, da die Romantiker über alle Bedingungen der Theatermöglichkeit
hinauszuschreiten begannen. Der Groll, der sich in Goethe
über die Bühnenunmöglichkeit der romantischen Dramen
angesammelt hatte, führte endlich zu der Explosion, die

Heinrich v. Kleist aufs tiefste verletzen mußte. Goethes
Brief an Kleist vom 1. Februar 1808 donnert gegen die
„jungen Männer von Geist und Talent, die auf ein Thea=
ter warten, welches da kommen soll". Calderons Drama
wird Kleist als Muster bühnenmäßiger Technik vorgehal=
ten. Indes ebenso spielt Goethe Calderons „bretterrechte"
Stücke gegen Shakespeare aus (zu Eckermann, 26. Juli
1826). Auf Shakespeare haben sich die Romantiker immer
berufen; ihn ohne Eingriffe und Epitomierungen auf die
Bühne zu bringen, war ihr inniger Wunsch. Darum
erklärt Goethes Aufsatz „Shakespeare und kein Ende",
Shakespeare sei weit mehr „Dichter überhaupt als Thea=
terdichter" (Bd. 37, S. 48, 22); er wagt das Paradoxon:
Shakespeare gehöre „notwendig in die Geschichte der
Poesie; in der Geschichte des Theaters tritt er nur zu=
fällig auf" (ebenda S. 46, 22 ff.). Ganz in gleicher Weise
bemerkt Goethe am 26. Juli 1826 zu Eckermann, Shake=
speares Zeit und die Einrichtung seiner Bühne habe an
ihn gar keine theatralischen Anforderungen gemacht; und
er bringt zu solchem Gebaren die „theatralische Voll=
kommenheit" Calderons in Gegensatz. Er war sich be=
wußt, daß das Publikum inzwischen „durch Verbesserung
der Maschinerie, der perspektivischen Kunst und der Gar=
derobe" zu stärkerer „Natürlichkeitsforderung" gelangt
war. Wer wolle sich gegenwärtig noch ein Gerüst zu=
muten lassen, „wo man wenig sah, wo alles nur be=
deutete, wo sich das Publikum gefallen ließ, hinter
einem grünen Vorhang das Zimmer des Königs anzu=
nehmen" (Bd. 37, S. 48, 26 ff.).

Doch nur dem „theatralischen" Problem gegenüber,
wie Shakespeares und seiner Nachahmer Stücke für die
heutige Bühne taugen, hat Goethe die Grenzen der Illu=
sionsfähigkeit gezogen. Sonst hält er die Rechte frei
schaffender Phantasie dauernd den „Natürlichkeitsforde=

rungen" entgegen. Wenigstens überall, wo es sich um
reine Kunst handelt. Daß das Theater in Gegensatz zu
ihr trete, daß es von den höchsten Forderungen der Kunst
abzuweichen zwinge, diese Erkenntnis erhellt am besten
aus der Formel, Shakespeare sei mehr „Dichter überhaupt
als Theaterdichter". Sie ist als Lob gedacht; denn auch
hier waltet in letzter Linie Goethes Grundanschauung,
daß die Kunst ebenso wie die Natur das Recht hat, aus
großen Prinzipien zwecklos zu handeln.

Von Shaftesburys All beauty is truth scheint Goethe
allmählich doch einigermaßen abgekommen, mindestens
über die Anschauung der italienischen Zeit hinausge-
wachsen zu sein, daß „genaues und tiefes Studium der
Gegenstände" allein höchste Kunstübung bedinge. Das
ihm so lieb gewordene Wort zu verwerten: Goethe ist in
Italien „gegenständlicher" gesinnt gewesen als später.
Wirklich darf hier von einer Wandlung gesprochen werden,
die nach dem Studium von Kants „Kritik der Urteilskraft" in Goethes Kunst- und Naturanschauung sich vollzogen hat. Wohl ist sie durch Kant bedingt; jedoch sicher
hat Schiller ihn gelehrt, Kant ganz zu verstehen. Aus
eignem war Goethe viel zu sehr naiver Realist, um Kants
Erkenntnistheorie vollständig zu begreifen. Wie viel Subjektives in Goethes Naturbetrachtung lag, das hat er auch
nach dem ersten Studium Kants nicht geahnt. Darum war
er so betroffen, als Schiller seiner Darlegung der Meta-
morphose der Pflanzen streng kantisch das Wort gegen-
überstellte: „Das ist keine Erfahrung, das ist eine Idee"
(Bd. 30, S. 391, 19 f.). Eine gewaltige Umwälzung
mußte sich in Goethes Denksystem vollziehen, ehe er die
Subjektivität seiner Naturanschauung zugeben konnte,
Goethe, der seinen sicheren Sinnen allein all seine Naturerkenntnis zu bauen glaubte. Dann aber ist auch er
zur Überzeugung gelangt: „Wenn Künstler von Natur

sprechen, subintelligieren sie immer die Idee, ohne sich's deutlich bewußt zu sein" (Bd. 35, S. 319, 11 f.). „Eben so", fährt er fort, „geht's allen, die ausschließlich die Erfahrung anpreisen; sie bedenken nicht, daß die Er= fahrung nur die Hälfte der Erfahrung ist." Er folgert: „Gerade das, was ungebildeten Menschen am Kunstwerk als Natur auffällt, das ist nicht Natur (von außen), sondern der Mensch (Natur von innen)." „Wir wissen von keiner Welt, als in Bezug auf den Menschen; wir wollen keine Kunst, als die ein Abdruck dieses Bezugs ist" (ebenda S. 320, 7 ff.).

Als Goethe diese Bemerkungen — ganz kantisch — niederschrieb, war ihm klar geworden, daß all die Gesetz= lichkeit, die er in Natur und Kunst gefunden hatte, nur eine „Idee", keine „Erfahrung" sei. Wirklich gehört ja die ganze Lehre vom organischen Kunstwerk, wie sie oben aus Shaftesbury abgeleitet werden konnte, nicht einer Weltanschauung an, die sich in die Grenzen bloßer Sinnenerfahrung einschränkt. Sie ist ein Ergebnis idea= listischer Denkweise. Für Goethe bedeutete indes diese spät gewonnene Überzeugung sicher eine Resignation. Er mußte, um sie zu gewinnen, sich bekennen, daß er selbst weit mehr Idealist sei, als er es je geahnt hatte.

Ans Ende des 18. Jahrhunderts fällt die philo= sophische Epoche, da er zu ganz neuen erkenntnistheore= tischen Anschauungen gekommen ist. Es ist die Zeit, da er von Schiller, von Niethammer, von Friedrich Schlegel und Schelling in philosophisches Denken sich einführen ließ. Sie alle waren erkenntnistheoretisch Idealisten. Durch Friedrich Schlegel und Schelling hat dann die Lehre vom organischen Kunstwerk ihre höchste Verwertung gefunden. Sie aber waren sich von vornherein bewußt, daß ihre auf der Idee des Organismus aufgebaute Welt= anschauung eine ideelle Konstruktion sei. Goethe ist zu gleicher Überzeugung nachträglich gelangt, nachdem er mehr instinktiv als mit voller Denkschärfe das Resultat vorweggenommen hatte.

Den Augenblick, da Goethe zum ersten Male sich der in ihm sich vollziehenden erkenntnistheoretischen Wandlung bewußt wurde, hat man längst bestimmt und mit vollem Recht den wichtigen Bekenntnisbrief an Schiller vom 16. August 1797 als Zeugnis in Anspruch genommen. Er entdeckte unversehens in sich „eine Art von Sentimentalität". Es ist der Augenblick, da auch er in der Kunstbetrachtung zu „transzendieren" begonnen hat. Der Aufsatz „Einwirkung der neueren Philosophie" sagt von dieser Wandlung: „Und so gewöhn' ich mich nach und nach an eine Sprache, die mir völlig fremd gewesen und in die ich mich um desto leichter finden konnte, als ich durch die höhere Vorstellung von Kunst und Wissenschaft, welche sie begünstigte, mir selbst vornehmer und reicher dünken mochte, da wir andern vorher uns von den Popularphilosophen und von einer andern Art Philosophen, der ich keinen Namen zu geben weiß, gar unwürdig mußten behandeln lassen" (Bd. 39, S. 32, 33 ff.). Das heißt: im Gegensatz zu dem platten Rationalismus des „gesunden Menschenverstandes", den Nicolai und seine Genossen vertraten, fühlte sich Goethe jetzt mit Schiller und mit den Romantikern einig, und mit ihnen „transzendierte" er, wenn Nicolai und die Seinen „antiphilosophische Latwergen" brauten. Daß in Goethe später sich eine Rückentwicklung eingestellt hat, daß er, von Schiller und zumal von den Romantikern sich mählich entfernend, das „Transzendieren" wieder niedriger eingeschätzt hat, dafür sind oben hinreichend starke und beweiskräftige Belege angeführt.

Dennoch ist ihm aus dieser Zeit ein dauernder Gewinn erwachsen.

Mit vollem Recht nimmt man an, daß mit jener
Wandlung sich in Goethe der Begriff des Symbolischen
enthüllt hat, und bezeichnet den Brief an Schiller vom
16. August 1797 als erstes Zeugnis dieses neuen geistigen
Gewinnes. Von hier aus weiterschreitend, ist Goethe zu
dem Schlusse gelangt, daß alles Vergängliche nur ein
Gleichnis sei. Im wesentlichen ist der Gedanke, daß alle
Kunst symbolisch ist, nur eine letzte Konsequenz aus der
Grundanschauung: zwischen der äußeren Erscheinung des
Kunstwerks und der ihm zu Grunde liegenden künst=
lerischen Idee besteht eine gesetzlich strenge Relation,
ebenso wie zwischen der äußeren Gestalt der Naturgegen=
stände und der alles bedingenden „Natur". Das Gesetz
des Ganzen zu suchen, das den einzelnen Teilen ihre
Form vorschreibt, war Goethe dank Shaftesbury von
Anfang an bemüht. Die erkenntnistheoretische Wand=
lung ließ ihm das Ganze auf Kosten des Einzelnen
immer wichtiger und bedeutsamer erscheinen; oder wie
er es fortan nennt: er begann das „Allgemeine" ebenso
hoch einzuschätzen wie das „Besondere". Er näherte
sich dem Glaubensbekenntnis Schillers: „Wisset, ein
erhabner Sinn Legt das Große in das Leben, Und
er sucht es nicht darin." Dennoch blieb ein Unterschied,
dessen er sich wohl bewußt war und den er gegen den
„transzendierenden" Schiller mit aller Macht festhielt.
„Es ist ein großer Unterschied, ob der Dichter zum All=
gemeinen das Besondere sucht oder im Besondern das
Allgemeine schaut" (Bd. 38, S. 261, 22 ff.). Sein gegen=
ständliches Wesen hatte das „Besondere" liebevoll be=
trachtet; vom „Besonderen" kam der Naturbeschauer her;
und zum „Besonderen" suchte er auch als Greis das
„Allgemeine", wie er als Jüngling im „geringsten
Bäserchen" das Wirken der „ewigen Natur" erschaut
hatte. Ferner blieb der Zusammenhang zwischen dem

Allgemeinen und dem Besonderen ihm zeitlebens ein ge=
setzlich notwendiger; seine Symbolik ist organisch gedacht:
„Das ist die wahre Symbolik, wo das Besondere das
Allgemeinere repräsentiert, nicht als Traum und Schatten,
sondern als lebendig augenblickliche Offenbarung des Un=
erforschlichen" (Bd. 38, S. 266, 9 ff.).

Den Weg, den der symbolisierende Künstler geht,
umschreibt er: „Die Symbolik verwandelt die Erscheinung
in Idee, die Idee in ein Bild, und so, daß die Idee im
Bild immer unendlich wirksam und unerreichbar bleibt
und, selbst in allen Sprachen ausgesprochen, doch unaus=
sprechlich bliebe" (Bd. 35, S. 326, 3 ff.). Die Relation
der einzelnen Begriffe ist streng festgelegt, ein Abirren
ins Allegorische ausgeschlossen. Denn der Allegorie dient
das Besondere nur „als Beispiel, als Exempel des All=
gemeinen" (Bd. 38, S. 261, 25 f.), während es echter
Poesie zukommt, ein Besonderes auszusprechen, ohne auf
das Allgemeine ausdrücklich hinzuweisen.

Der echte Dichter Goethe hat sein Werk begonnen,
indem er das Besondere aussprach und nur als Natur=
forscher und als Theoretiker der Kunst das Allgemeine
ins Auge faßte. Daß dieses Allgemeine nur „Idee" sei,
hat er durch Kant und durch Kants Schüler spät gelernt.
Da ist ihm offenbar geworden, daß sein künstlerisches
Schaffen lediglich „Bilder" zenge, hinter denen die Idee
verborgen lag. Als Dichter hat er trotzdem vermieden,
aufs Allgemeine hinzuweisen, wenn er auch die sym=
bolische Bedeutung des Kunstwerks nicht mehr aus dem
Auge verlor. Je näher der Greis dann der Vollendung
kam, desto symbolischer wurde seine Dichtung, nicht weil
die Idee sich unkünstlerisch vordrängte, sondern weil er
sich bewußt war, im Bilde, gleichnisweise, das Uner=
forschliche immer fester und fester zu fassen. Und so
konnte er stolz seinen „Faust" schließen: „Das Unzu=

längliche, Hier wird's Ereignis. Das Unbeschreibliche,
Hier ist's getan."

In Goethes Kunst= und Naturforschung, des ferneren
dann überhaupt in seinem Sinnen und Denken waltet
ein Problem, das in gleicher Form keinem anderen eigen
ist. Mit ungewöhnlicher Kraft sinnlichen Beschauens aus=
gerüstet, fähig, die Erscheinung der Gegenstände bis in
ihre kleinsten Züge sich deutlich zu machen, hat er früh
ein idealistisches Element, die Frage nach dem Gesetz
dieser äußeren Gestaltung, in sein Forschen aufgenommen.
Ohne zu ahnen, wie weit er dabei über die Grenzen der
Sinnenerkenntnis hinausschritt, suchte er nach der Idee
in Kunst und Natur. Er ist sich dann der Verbindung
von Erkenntnisidealismus und Erkenntnisrealismus, die
er vertrat, bewußt geworden; an Konflikten, die sich aus
dem Gegensatze ergaben, war sein späteres Leben reich.
Gelegentlich betonte er die eine, gelegentlich die andere
Seite seines Denkens stärker. Ein mächtiges Gefühl indes
gebot ihm, die „Gegenständlichkeit" seines Wesens nicht
durch jenes idealistische Element untergraben zu lassen.
Harmonie der beiden Welten, in denen sein Geist sich
bewegte, war seine Absicht; voll erreicht hat er diese
Harmonie wohl nur in einzelnen Augenblicken und in
einzelnen künstlerischen Schöpfungen. Allein daß er diese
Harmonie überhaupt hat erreichen können, leiht seinem
universalen Wesen die höchste Verklärung.
Als er, anknüpfend an Plotin, den „Idealisten alter
und neuer Zeit" vorwarf, daß sie der „Erscheinung" durch
eine Überschätzung der „geistigen Form" nicht gerecht
würden, daß sie mit Unrecht das Gezeugte für geringer
hielten als das Zeugende (Bd. 35, S. 317, 23 bis 318, 10),
da traf er die feine Grenzlinie, die ihn dauernd von ein=
seitigem erkenntnistheoretischen Idealismus geschieden

hat. Sein Künstlerauge konnte die Schönheit der Erscheinung niemals dem ganz aufopfern, das hinter ihr verborgen lag: der Idee. „Eine geistige Form wird keineswegs verkürzt, wenn sie in der Erscheinung hervortritt,“
sagt Goethe; hinzu aber setzt er: „vorausgesetzt, daß ihr
Hervortreten eine wahre Zeugung, eine wahre Fortpflanzung sei.“ Diesem organischen Zusammenhang von
Idee und Erscheinung ist er nachgegangen, seitdem Shaftesbury ihn auf das Problem hingelenkt hat. Shaftesbury, selbst ein Schüler Plotins, hat trotz seiner fein-
fühligen Künstlernatur gelegentlich einer Unterschätzung
der „Erscheinung“ sich schuldig gemacht, da auch er zunächst ihrer Idee, ihrer „inneren Form“ nachforschte.
Aber er hat die organische Verbindung beider Welten
geahnt. Was ihm vorschwebte, was er ahnungsvoll an-
deutete, es ist durch Goethes Denken und durch sein
Schaffen Tatsache geworden: das Kunstwerk, in dem der
Natur ein Analogon organischer Gesetzlichkeit ersteht, in
dem die Idee kraft „wahrer Fortpflanzung“ zur Erscheinung wird, das aber auch zugleich den ganzen Reichtum
und die gewaltige Fülle der Erscheinungswelt in sich
aufnimmt.

Oskar Walzel.

Schriften zur Literatur

Erster Teil

———

Zum Schäkespears Tag

(1771)

Mir kommt vor, das sei die edelste von unsern
Empfindungen: die Hoffnung, auch dann zu bleiben, wenn
das Schicksal uns zur allgemeinen Nonexistenz zurückgeführt zu haben scheint. Dieses Leben, meine Herren,
5 ist für unsre Seele viel zu kurz; Zeuge, daß jeder Mensch,
der geringste wie der höchste, der unfähigste wie der
würdigste, eher alles müd wird, als zu leben; und daß
keiner sein Ziel erreicht, wornach er so sehnlich ausging;
denn wenn es einem auf seinem Gange auch noch so lang'
10 glückt, fällt er doch endlich, und oft im Angesicht des gehofften Zwecks, in eine Grube, die ihm Gott weiß wer
gegraben hat, und wird für nichts gerechnet.

Für nichts gerechnet! Ich! Da ich mir alles bin, da
ich alles nur durch mich kenne! So ruft jeder, der sich
15 fühlt, und macht große Schritte durch dieses Leben, eine
Bereitung für den unendlichen Weg drüben. Freilich jeder
nach seinem Maß. Macht der eine mit dem stärksten
Wandertrab sich auf, so hat der andre Siebenmeilen-
stiefel an, überschreitet ihn, und zwei Schritte des letzten
20 bezeichnen die Tagreise des ersten. Dem sei wie ihm
wolle, dieser embsige Wandrer bleibt unser Freund und
unser Geselle, wenn wir die gigantischen Schritte jenes
anstaunen und ehren, seinen Fußtapfen folgen, seine
Schritte mit den unsrigen abmessen.

25 Auf die Reise, meine Herren! Die Betrachtung so
eines einzigen Tapfs macht unsre Seele feuriger und
größer als das Angaffen eines tausendfüßigen königlichen
Einzugs.

Wir ehren heute das Andenken des größten Wandrers und tun uns dadurch selbst eine Ehre an. Von Verdiensten, die wir zu schätzen wissen, haben wir den Keim in uns.

Erwarten Sie nicht, daß ich viel und ordentlich schreibe. Ruhe der Seele ist kein Festtagskleid, und noch zur Zeit habe ich wenig über Schäkespearen gedacht; geahndet, empfunden wenn's hoch kam, ist das Höchste, wohin ich's habe bringen können. Die erste Seite, die ich in ihm las, machte mich auf Zeitlebens ihm eigen, und wie ich mit dem ersten Stücke fertig war, stund ich wie ein Blindgeborner, dem eine Wunderhand das Gesicht in einem Augenblicke schenkt. Ich erkannte, ich fühlte aufs lebhafteste meine Existenz um eine Unendlichkeit erweitert; alles war mir neu, unbekannt, und das ungewohnte Licht machte mir Augenschmerzen. Nach und nach lernt' ich sehen, und, Dank sei meinem erkenntlichen Genius, ich fühle noch immer lebhaft, was ich gewonnen habe.

Ich zweifelte keinen Augenblick, dem regelmäßigen Theater zu entsagen. Es schien mir die Einheit des Orts so kerkermäßig ängstlich, die Einheiten der Handlung und der Zeit lästige Fesseln unsrer Einbildungskraft. Ich sprang in die freie Luft und fühlte erst, daß ich Hände und Füße hatte. Und jetzo, da ich sahe, wie viel Unrecht mir die Herrn der Regeln in ihrem Loch angetan haben, wie viel freie Seelen noch drinne sich krümmen, so wäre mir mein Herz geborsten, wenn ich ihnen nicht Fehde angekündigt hätte und nicht täglich suchte, ihre Türne zusammenzuschlagen.

Das griechische Theater, das die Franzosen zum Muster nahmen, war nach innrer und äußerer Beschaffenheit so, daß eher ein Marquis den Alcibiades nachahmen könnte, als es Corneillen dem Sophokles zu folgen möglich wär'.

Erst Intermezzo des Gottesdiensts, dann feierlich politisch, zeigte das Trauerspiel einzelne große Handlungen der Väter dem Volk mit der reinen Einfalt der

Vollkommenheit, erregte ganze große Empfindungen in
den Seelen, denn es war selbst ganz und groß.

Und in was für Seelen!

Griechischen! Ich kann mich nicht erklären, was das
heißt, aber ich fühl's und berufe mich der Kürze halber
auf Homer und Sophokles und Theokrit, die haben's
mich fühlen gelehrt.

Nun sag' ich geschwind hinten drein: Französchen,
was willst du mit der griechischen Rüstung, sie ist dir zu
groß und zu schwer.

Drum sind auch alle französche Trauerspiele Parodien
von sich selbst.

Wie das so regelmäßig zugeht, und daß sie einander
ähnlich sind wie Schuhe, und auch langweilig mitunter,
besonders in genere im vierten Akt, das wissen die Herren
leider aus der Erfahrung, und ich sage nichts davon.

Wer eigentlich zuerst drauf gekommen ist, die Haupt-
und Staatsaktionen aufs Theater zu bringen, weiß ich
nicht; es gibt Gelegenheit für den Liebhaber zu einer
kritischen Abhandlung. Ob Schäkespearen die Ehre der
Erfindung gehört, zweifl' ich; genung, er brachte diese
Art auf den Grad, der noch immer der höchste geschienen
hat, da so wenig Augen hinauf reichen und also schwer
zu hoffen ist, einer könne ihn übersehen oder gar übersteigen.

Schäkespear, mein Freund, wenn du noch unter
uns wärest, ich könnte nirgend leben als mit dir; wie
gern wollt' ich die Nebenrolle eines Pylades spielen,
wenn du Orest wärst, lieber als die geehrwürdigte Person
eines Oberpriesters im Tempel zu Delphos.

Ich will abbrechen, meine Herren, und morgen weiter
schreiben, denn ich bin in einem Ton, der Ihnen vielleicht
nicht so erbaulich ist, als er mir von Herzen geht.

Schäkespears Theater ist ein schöner Raritäten Kasten,
in dem die Geschichte der Welt vor unsern Angen an dem
unsichtbaren Faden der Zeit vorbeiwallt. Seine Plane
sind, nach dem gemeinen Stil zu reden, keine Plane,
aber seine Stücke drehen sich alle um den geheimen Pnukt
(den noch kein Philosoph gesehen und bestimmt hat), in

dem das Eigentümliche unsres Ichs, die prätendierte
Freiheit unsres Willens mit dem notwendigen Gang
des Ganzen zusammenstößt. Unser verdorbner Geschmack
aber umnebelt dergestalt unsere Augen, daß wir fast eine
neue Schöpfung nötig haben, uns aus dieser Finsternis
zu entwickeln.

Alle Franzosen und angesteckte Deutsche, sogar Wieland, haben sich bei dieser Gelegenheit, wie bei mehreren,
wenig Ehre gemacht. Voltaire, der von jeher Profession
machte, alle Majestäten zu lästern, hat sich auch hier als
ein echter Thersit bewiesen. Wäre ich Ulysses, er sollte
seinen Rücken unter meinem Scepter verzerren.

Die meisten von diesen Herren stoßen auch besonders
an seinen Charakteren an.

Und ich rufe: Natur, Natur! nichts so Natur als
Schäkespears Menschen.

Da hab' ich sie alle überm Hals.

Laßt mir Luft, daß ich reden kann!

Er wetteiferte mit dem Prometheus, bildete ihm Zug
vor Zug seine Menschen nach, nur in kolossalischer
Größe — darin liegt's, daß wir unsre Brüder verkennen
— und dann belebte er sie alle mit dem Hauch seines
Geistes, er redet aus allen, und man erkennt ihre Ver-
wandtschaft.

Und was will sich unser Jahrhundert unterstehen,
von Natur zu urteilen? Wo sollten wir sie her kennen,
die wir von Jugend auf alles geschnürt und geziert an
uns fühlen und an andern sehen. Ich schäme mich oft
vor Schäkespearen, denn es kommt manchmal vor, daß
ich beim ersten Blick denke: das hätt' ich anders gemacht!
Hinten drein erkenn' ich, daß ich ein armer Sünder bin,
daß aus Schäkespearen die Natur weissagt und daß
meine Menschen Seifenblasen sind, von Romanengrillen
aufgetrieben.

Und nun zum Schluß, ob ich gleich noch nicht angefangen habe.

Das, was edle Philosophen von der Welt gesagt
haben, gilt auch von Schäkespearen: das, was wir bös

nennen, ist nur die andre Seite vom Guten, die so not=
wendig zu seiner Existenz und in das Ganze gehört, als
Zona torrida brennen und Lappland einfrieren muß, daß
es einen gemäßigten Himmelsstrich gebe. Er führt uns
durch die ganze Welt, aber wir verzärtelte unerfahrne
Menschen schreien bei jeder fremden Heuschrecke, die uns
begegnet: Herr, er will uns fressen.

Auf, meine Herren! trompeten Sie mir alle edle
Seelen aus dem Elysium des sogenannten guten Ge=
schmacks, wo sie schlaftrunken, in langweiliger Dämmerung
halb sind, halb nicht sind, Leidenschaften im Herzen und
kein Mark in den Knochen haben, und weil sie nicht
müde genug, zu ruhen, und doch zu faul sind, um tätig
zu sein, ihr Schattenleben zwischen Myrten und Lorbeer=
gebüschen verschlendern und vergähnen.

Rezensionen
in die
Frankfurter gelehrten Anzeigen
der Jahre 1772 und 1773.

1. **Allgemeine Theorie der schönen Künste**, in einzeln, nach alphabetischer Ordnung der Kunstwörter auf einander folgenden Artikeln abgehandelt, von Johann Georg Sulzer. Erster Teil, von A bis J. Leipzig 1771. Bei Weidmanns Erben und Reich. ₅ 4°. 568 S.

   [Vgl. Bd. 33, S. 293.]

2. **Über den Wert einiger deutscher Dichter und über andre Gegenstände, den Geschmack und die schöne Literatur betreffend. Ein Briefwechsel.** 1. Stück. Frankfurt und Leipzig 1771. 8°. 20 Bogen. ₁₀

   Es ist eine undankbare Arbeit, wenn man Ketzer retten soll, wie es diese Verfasser in Ansehung der allgemeinen Orthodoxie des Geschmacks sind, gegen die sie sich auflehnen. An Gellert, die Tugend und die Religion glauben, ist bei unserm Publiko beinahe Eins. Die sogenannten Freigeister in Sachen des Genies, worunter ₁₅ leider alle unsre jetztlebende große Dichter und Kunstrichter gehören, hegen eben die Grundsätze dieser Briefsteller, nur sind sie so klug, um der lieben Ruhe willen eine esoterische Lehre daraus zu bilden. Es tut uns leid, ₂₀ daß diese Verfasser die Regeln einer Erbauungsschrift verkannt und nicht mehr erlaubte Charlatanerie bei ihren Patienten angewendet haben. Sie wollten den lallenden,

schlafenden und blinzenden Teil des Publikums kurieren,
und sie fangen dabei an, daß sie ihm seine Puppe nehmen
— — Bilderstürmer wollen einen neuen Glauben predigen!
    Gellert ist bei ihnen ein mittelmäßiger Dichter
⁵ ohne einen Funken von Genie: Das ist zu hart!
Gellert ist gewiß kein Dichter auf der Skala, wo Ossian,
Klopstock, Shakespear und Milton stehen, nach dem Maßstab, womit Warton mißt, und wo selbst Pope zu kurz
fiele, wenn er den Brief seiner Heloisa nicht geschrieben
¹⁰ hätte. Allein hört er deswegen auf, ein angenehmer
Fabulist und Erzähler zu sein, einen wahren Einfluß auf
die erste Bildung der Nation zu haben, und hat er nicht
durch vernünftige und oft gute Kirchenlieder Gelegenheit
gegeben, den Wust der elendesten Gesänge zu verbannen
¹⁵ und wenigstens wieder einen Schritt zu einer unentbehr-
lichen Verbesserung des Kirchenrituals zu tun? Er war
nichts mehr als ein Bel Esprit, ein brauchbarer Kopf;
allein muß man ihm daraus ein Verbrechen machen und
sich wundern, wenn der gemeine Haufen nur Augen und
²⁰ Ohren für dergleichen Art von Schriftstellern hat? Nicht
allein bei uns, sondern in allen Ländern wird die Anzahl
der denkenden Menschen, der wahren Gläubigen immer
eine unsichtbare Kirche bleiben. Der Rezensent ist Zeuge,
daß der selige Mann von der Dichtkunst, die aus vollem
²⁵ Herzen und wahrer Empfindung strömt, welche die einzige
ist, keinen Begriff hatte. Denn in allen Vorlesungen
über den Geschmack hat er ihn nie die Namen Klopstock,
Kleist, Wieland, Geßner, Gleim, Lessing, Gerstenberg,
weder im Guten noch im Bösen, nennen hören. Bei
³⁰ der Ehrlichkeit seines Herzens läßt sich nicht anders
schließen, als daß sein Verstand sie nie für Dichter erkannt hat. Es war vielleicht auch natürlich, daß er bei
der gebrochenen Konstitution seines ganzen Wesens die
Stärke des Helden vor Wut des Rasenden halten mußte,
³⁵ und daß ihm die Klugheit, die Tugend, die nach Wieland die Stelle aller andern zuweilen in dieser Welt vertritt, anket, nichts von diesen Männern zu sagen. Wir
wünschten, daß die Ausfälle der Verfasser weniger heftig

wären; die Redensarten dethronisieren, aus der
Schanze verjagen und dergleichen klingen zu feindlich
oder zu niedrig. Indessen ist diese Schrift kein Gewäsche,
wie man sie unter diesem Titel dem Publiko hat aus
den Händen räsonnieren wollen. Unter der nachlässigen
Weitschweifigkeit dieser Briefe verkennt man nie die
denkenden Köpfe, und wir empfehlen die Erinnerung
über die Journalisten gleich zu Anfang, die Be=
merkung über den Unterschied der Fabel S. 142
und 148, die Rettung Miltons gegen die Ausmessungen
des Herrn Professor Kästner S. 164, über das Lehr=
gedicht S. 195 und die vortreffliche Gedanken über
Wielands Verdienst als Lehrdichter in der Musarion
S. 196, die Rangordnung Gellerts mit Dusch und
Uz S. 200, den Augenpunkt, woraus sie die Gellert=
sche Moral betrachten, S. 243 und 250, und den ganzen
Schluß unsern Lesern zur Beherzigung. Vorsatz, zu
schaden, sieht man aus dem Detail der Kritiken; allein
deswegen sind sie nicht unrichtig. Man hat unter den
Fabeln freilich nicht die besten gewählt und bei den Er=
zählungen die schwache Seite Gellerts, das ist die Malerei,
untersucht und ihn am Ende gar mit Ariosto gemessen.
Wir sind aber doch versichert, daß diese Produktion mit
allen ihren sauren Teilen ein nützliches Ferment abgibt,
um das erzeugen zu helfen, was wir dann deutschen
Geschmack, deutsches Gefühl nennen würden.

3. Schreiben über den Homer, an die Freunde der
   griechischen Literatur. Von Seybold, Professor in
   Jena. Eisenach 1772. 8⁰. 51 S.

Herbei! meine junge Freunde, herbei! die ihr euch
längst nach dem Anschauen Homers gesehnt; euch ist ein
neuer Stern aufgegangen, ein neuer Marschall, einzuführen
zum Throne des Königs, ein neuer Prophet, der sein
Handwerk meisterlich treibt. Erst Klagen über diese
letzte Zeiten, über die Wolke der Irrlehrer, die herum=
taumeln, das Volk zu verführen, und sprechen: Siehe,
Homer ist hier! Homer ist da! — „Ich aber", ruft er,

„bring' euch ins Heiligtum; nicht nur zu ihm, auf seinen
Schoß setz' ich euch, in seine Arme leg' ich euch! Herbei,
ihr Kindlein!"

Wär's nur eine Büste des Altvaters, vor die er
euch inzwischen stellte; euch deutete auf der hohen Stirne
würdige Runzeln, auf den tiefen Blick, auf das Schweben
der Honiglippe, daß der heilige Sinn der überirdischen
Gestalt über euch käme, ihr anbetetet, und Wärme und
Mut euch entzündete! Welcher ist unter euch so un-
glücklich, der neologisch kritisch fragen dürfte: warum bedeckt er den kahlen Scheitel nicht wohl anständig mit einer
Perücke?

Hinaus mit ihm! daß er Professor Seybolds
Fingerzeig folge, herumgetrieben werde, in Wüsten, wo
kein Wasser ist.

Also den Charakter Homerischer Gesänge zu bestimmen, tritt er auf, anzugeben, was und wie Homer
gedichtet hat, den Maßstab zu bezeichnen, wornach seine
Fehler und Schönheiten zu berechnen sind!

Fürs erste dann, Homers Stoff, und wie er weis-
lich den interessantesten für seine Nation wählte — den
Trojanischen Krieg zur Ilias, dessen Folgen zur
Odyssee.

Der Trojanische Krieg! Stoff zur Ilias!
Man sollte denken, er kenne nur das Gedicht aus der
Überschrift; aber der Herr Professor haben's gelesen,
schlimmer! studiert, immer schlimmer! Wer interessiert
sich einen Augenblick für Troja? Steht nicht durchaus
die Stadt nur als Coulisse da? Ist zum Anfange die Rede
von Eroberung der Stadt, oder von was anders? Erfährt man nicht gleich, Troja wird trotz aller Bemühung
der Griechen diesmal nicht eingenommen? Setzt ja kaum
einer einmal einen Fuß an die Mauer. Ist nicht das
Hauptinteresse des Kampfs bei den Schiffen? — Und
dann die Handelnden! Wessen ist das Interesse, der
Griechen oder des Achills? wann Homer seiner Nation
schmeicheln wollte, war's der Weg, das Unglück ihres
Heers durch den Eigensinn eines einzigen bestimmen zu

laffen? Wo ist Nationalzweck im ganzen Gedicht? — Der
Verdruß und die Befriedigung eines einzigen — woran
die Nation teilnehmen mußte, als Nation, ist hier und
da das Detail, nirgends das Ganze.

Nun Stoff der Odyssee! Rückkehr der Griechen!
Der Griechen? Oder eines einzigen, einzelnen, und noch
dazu des abgelegensten der Griechen? deffen Rückkehr
oder Nichtrückkehr nicht den mindesten Einfluß auf die
Nation haben konnte. Und auch hier wieder sucht der
Herr Professor das Interesse in der gänzlichen Revolution
dieser zwanzig Jahre, in der entferntesten Nebenidee.

Er kommt auf Homers Art, den Stoff zu behandeln, und fragt, nach Anlaß seiner trefflichen Prä-
missen: Wer gab Homern ein, den Trojanischen Krieg
und die Rückkehr der Griechen besonders zu behandeln?
Warum teilte er die Ilias und Odyssee? — Und mehr
solche Warums, die ihm die Ungereimtheit beantworten
mag, die sie ihm eingab. Ferner plappert er dem Horaz
nach: „Wer lehrte ihn, die Leser in die Mitte der Begebenheit reißen?" Das ist doch nur der Spezialfall der
Odyssee, um auch Geschichte der Einheit näher zu bringen.
Daraus hat man eine Regel der Epopee gemacht. Und
wo werden wir in der Ilias in medias res gerissen?
Wohl nach dem Herrn Professor, da res der Trojanische
Krieg ist. Ist und bleibt aber der Zorn des Achills
Stoff der Ilias, so fängt sie unstreitig ab ovo an, ja
noch ehe das ovum empfangen war.

Darauf, vom Einfluß des Zeitalters auf seine
Gedichte! da fängt der Herr Professor wieder von außen
an; auch ist das bißchen Außenwerk alles, was er kennt.
Von Krieg und Streitbegier, und wie das nicht so
honett und ordentlich zuging, wie bei uns, dann — einen
Federstrich, mit dem er das Religionsverhältnis umreißt.

Hier endigt sich der allgemeine Teil seiner Abhandlung, und der Herr Professor spricht: „Aus dieser Beschreibung, die ich, wie man sieht, aus dem Homer selbst
zusammen getragen habe" — wohl, zusammen gescharrt,
gestoppelt! — „läßt sich der Einfluß, den die Zeit des

Trojanischen Kriegs auf die Sittenbeschreibungen
und Sprache der Homerischen Gedichte hatte, angeben."
Da ist's uns denn auch gegangen wie Leuten, die im Hause
eines prahlenden Bettlers inventieren: durchaus die Hoffnung betrogen! Leere Kasten! leere Töpfe! und Lumpen.

Sitten! Und da, anstatt Gefühls des höchsten
Ideals menschlicher Natur, der höchsten Würde menschlicher Taten, entschuldigt er den Homer, daß seine Zeit
Tapferkeit für die höchste Tugend hielt, daß die Stärke
der Leidenschaft den übrigen Stärken gleich war; ent-
schuldigt das in dem unbedeutenden Tone professorlicher
Tugendlichkeit, den wir in Deutschland über die Sitten
griechischer Dichter schon mehr haben deräsonnieren hören.
Und wirft über das noch hier und da so sein spöttelnde
Vorwürfe an unsre Zeiten, daß man deutlich erkennt, er
habe weder jene Zeiten, noch unsre, noch irgend welche
Zeiten berechnen können.

Beschreibungen. Archäologischer Trödelkram!

Sprache. So wenig, was junge Freunde herbei-
locken könnte, als bisher. Allotria. Kritische Weitläufigkeiten. Doch dünkt ihn das der Gesichtspunkt zu sein,
aus welchem man von den wahren Flecken, und wahren
Schönheiten Homers urteilen soll.

Da es nun aber auf den Nutzen kommt, den wir
aus dem Studium des Homer schöpfen können, findet der
Herr Professor auf einmal, daß sein Schriftchen schon zu
lang sei. Uns wenigstens dünkt, das hätte der Hauptzweck des Herrn Verfassers sein sollen, und da streicht
er dran hin, und aus dem, was er so kurz hinwirft, ließ
sich auch ohne Lieblosigkeit schließen — er habe hier gar
nichts zu sagen gewußt.

"Ein junges Genie lerne von ihm, Dichter seiner
Nation werden, wie Virgil." Wann war Virgil
Dichter seiner Nation? Den Römern das, was Homer
den Griechen war? Wann konnt' er's sein? Wenn sie
sonst nichts aus ihm lernen, als was Virgil, was mehrere aus ihm gelernt haben, mit Hyacinthen, Lotos,
Violetten ihre Gedichte auszuputzen, braucht's all den

Aufwand nicht. Drum wünschen wir auch zum Besten
Homers und unsrer Literatur Herrn S. keinen Schüler
und Nachfolger. Besser unwissend als so belehrt.

4. **Franken zur griechischen Literatur.** 1. Ab=
schnitt. Würzburg 1772. 8°. 176 S.

Unter diesem mystischen Titel kommt in Würzburg
eine Art von periodischer Schrift heraus, deren Plan
von dem Verfasser S. 4 dieses Abschnitts erzählt wird.
„Er will uns das Genie und den Geist aller griechischen
Schriftsteller, Historiker, Dichter und Philosophen kennen
lehren; er will nachher einen forschenden Blick in alle
Schriften seiner Originale wagen; zuerst sie im Ganzen,
hernach in ihren einzeln Teilen betrachten; die Verbin=
dung des Plans, so wie die Ausführung desselben beurteilen; auf Schönheiten und Fehler merken; die Farbe
des Ausdrucks untersuchen; Scharfsinn, Witz, Enthusiasmus, Moral, Politik, Richtigkeit der Erzählung prüfen
und seine Leser in das Zeitalter zurückführen, in welchem
unser (d. i. jeder) Autor für seine Welt schrieb." — Uns
schwindelt! Der Himmel gebe diesem Mann Methusalems
Alter, Nestors Beredsamkeit und das Genie aller seiner
Autoren zusammen! Was wird er denn nach 960 Jahren
für ein Werk liefern! Die vorliegenden Blätter, die
einen Auszug aus der Iliade — Homerum in nuce —
ohngefähr enthalten, vermutlich für die, welche nicht Zeit
haben, den Homer zu lesen — diese Blätter, sagen wir,
werden ohne Zweifel vorausgeschickt, um das große
Werk nach 960 Jahren damit zu emballieren. Wir
müßten nicht, was wir sonst damit zu machen hätten.
O ihr große Griechen! und du, Homer! Homer!
— — doch so übersetzt, kommentiert, extrahiert, enucle-
iert, so sehr verwundet, gestoßen, zerfleischt, durch Steine,
Staub, Pfützen geschleift, getrieben, gerissen —

— οὐδέ τι οἱ χρως σηπεται, οὐδέ μιν εὐλαι
'Εσθουσ' —
'Ως του κηδονται μακαρες θεοι
Και νεκυος περ εοντος — —

(berührt nicht Verwesung sein Fleisch; nagt nicht ein Wurm an ihm; denn für ihn sorgen die seligen Götter auch nach dem Tobe).

5. **Robert Woods Versuch über das Original-**
6 **genie des Homers.** Aus dem Englischen. Frankfurt am Main. In der Andreäschen Buchhandlung. 8°. 314 S.

Außer der britischen besitzt keine der jetzigen europäischen Nationen den Enthusiasmus für die Überbleibsel
10 des Altertums, der weder Kosten noch Mühe scheut, um sie wo möglich in ihrem völligen Glanze wieder herzu-
stellen. Wenn neulich der französische Kaufmann Guys die alten und neuern Griechen verglich, so war dies nur eine spielende Unterhaltung gegen das Verdienst, das sich
15 Wood um den Homer erworben hat. In das Genie dieses Dichterpatriarchen einzudringen, können uns weder Aristoteles noch Bossu Dienste leisten. Vergeblich würde man daher hier den Regelkram suchen, den Blair zur Erläuterung des Ossian und eine Dame zur Apologie
20 des Schakspear angewendet haben. Wenn man das Originelle des Homer bewundern will, so muß man sich lebhaft überzeugen, wie er sich und der Mutter Natur alles zu danken gehabt habe. Ohne die genaueste Kenntnis aber der Zetten und des Orts, wo er gesungen, wird
25 dies nie möglich sein. Die Zeiten muß man, da uns außerdem keine Denkmale davon übrig geblieben, aus ihm selbst und den Ort durch Reisen kennen lernen. Beides hat die große Schar seiner Ausleger bisher ganz vernachläßigt. Wood studierte seinen Homer mit philo-
30 sophischen Augen und stellte hierauf mehr dann eine Reise in die Gegenden an, die durch die Jliade und Odyssee berühmt geworden und deren physikalische Lage im ganzen unverändert geblieben ist. Er war einer von der Reisegesellschaft, die sich aus den Ruinen von Balbek
35 und Palmyra ein unvergängliches Denkmal errichtet hat. Er weihte dem Studium des Homer den größten Teil seines Lebens, das leider schon geendet ist. Was wir

hier davon lesen, sind nur Bruchstücke eines allgemeinen
Kommentars, den er über den Vater der Dichter schreiben
wollte und der der einzige in seiner Art geworden wäre.
Der Mangel einer wohl überdachten Ordnung, viele Lücken
und die öftern Fingerzeige auf ein künftiges ausgear-
beiteters Werk geben der Abhandlung das Ansehn des
Unvollendeten. Indessen sind es die schätzbarsten Fragmente, die uns den Verlust des Hauptwerks bedauern
machen, wenn nicht der Erbe des Verfassers, Herr
Bryant, es unter seiner Verlassenschaft geendigt gefunden
hat. Mit den scharffichtigsten Blicken bringt er durch die
Nebel eines so fernen Abstandes bis zur eigentlichen
Kultur des Homerischen Zeitalters hindurch und lehrt
es uns aus dem philosophischen Standpunkte der Geschichte der Menschheit betrachten. Man sehe zur Probe
die Betrachtungen über die damalige Schiffahrt und über
die Bildung der griechischen Sprache nach. Die Unwissenheit in diesen Dingen hat unzählige elende Be-
urteilungen erzeugt, die leider noch vor kurzem in gewissen zu Wien herausgekommenen Anmerkungen über
die Iliade wiederholt worden sind. Woods Lokals-
einsichten haben ihn zum Beispiel in den Stand gesetzt,
über die Homerische Maschinen ein neues Licht zu verbreiten, die Fehler der Popeschen Karte aus einander zu
setzen, die berühmte Streitfrage über die Entfernung der
Insel Pharus vom Lande zu entscheiden u. s. w. Auch
Virgils Genie wird bei mehrern Gelegenheiten fürtrefflich detailliert. Selbst in so kühnen Mutmaßungen,
in die sich der geschäftige Geist des Verfassers verliert,
als die über Homers Vaterland, über die Chronologie
der Homerischen Epoche und dergleichen sind, muß man
in ihm den Denker bewundern, wenn man ihm auch nicht
ganz beipflichten kann. Aus dem Buche herausgerissen,
muß es eine stolze Behauptung scheinen, wenn er sagt,
daß selbst die Alten ihren Homer nicht so lokal und
temporell studiert haben, als es sich gehört. Liest man
aber das ganze Buch selbst, so wird man einräumen, daß
die kritischen Betrachtungen, die uns von den Alten über

den Homer übrig geblieben sind, wirklich tief unter den
Aussichten stehn, die uns Wood eröffnet. Zur Ehre des
Altertums wollen wir indessen mutmaßen, daß ihre besten
Untersuchungen über den Homer ein Raub der Zeit ge-
5 worden sind.

Wood ließ seine Schrift 1769 nur als Manuskript
für Freunde drucken. Als ein Geschenk kam sie nach
Göttingen, wo sie Herr Heyne ausführlich beurteilte,
dessen Rezension hier der Vorrede des Übersetzers ein-
10 geschaltet worden ist. Das Heynische Lob und die Selten-
heit des Werks reizte manche übersetzungsbegierige Hand,
darnach zu trachten; aber alle Versuche waren vergebens.
Herr Michaelis, der Besitzer jenes einzigen Exemplars in
Deutschland, suchte in allen seinen Schriften die Verleger
15 zu locken, um es dem Meistbietenden zu verhandeln.
Wie der gegenwärtige Übersetzer es habhaft geworben sei,
hat er nicht für gut befunden zu entdecken. — Druck
und Papier machen der Andreäschen Buchhandlung Ehre.

6. Die schönen Künste in ihrem Ursprung, ihrer
20 wahren Natur und besten Anwendung, betrachtet von
J. G. Sulzer. Leipzig 1772. 8°. 85 S.
[Vgl. Bd. 33, S. 13—19.]

7. Empfindsame Reisen durch Deutschland von
S. Zweiter Teil. Bei Zimmermann. Wittenberg
25 und Zerbst. 8°. 22 Bogen.

Alas the poor Yorick! Ich besuchte dein Grab und
fand, wie du auf dem Grabe deines Freundes Lorenzo,
eine Distel, die ich noch nicht kannte, und ich gab ihr
den Namen: Empfindsame Reisen durch Deutsch-
30 land. Alles hat er dem guten Yorick geraubt, Speer,
Helm und Lanze. Nur schade! inwendig steckt der Herr
Präzeptor S. zu Magdeburg. Wir hofften noch immer
von ihm, er würde den zweiten Ritt nicht wagen; allein
eine freundschaftliche Stimme von den Ufern der Elbe,
wie er sie nennt, hat ihm gesagt, er soll schwatzen. Wir
raten es ihm als wahre Freunde nicht, ob wir gleich zu

dem Scharfrichtergeschlecht gehören, mit dem er so viel
im ersten Kapitel seines Traums zu tun hat. Ihm
träumt, er werde aufgehängt werden neben Pennylaß.
Wir als Polizeibediente des Literaturgerichts sprechen
anders und lassen den Herrn Präzeptor noch eine Weile 5
beim Leben. Aber ins neue Arbeitshaus muß er, wo
alle unnütze und schwatzende Schriftsteller morgenländische
Radices raspeln, Varianten auslesen, Urkunden schaben,
Tironische Noten sortieren, Register zuschneiden und andre
dergleichen nützliche Handarbeiten mehr tun.   10
    Es ist alles unter der Kritik, und wir würden
diese Makulaturbogen nur mit zwei Worten angezeigt
haben, wenn es nicht Leute gäbe, die in ihren zarten
Gewissen glauben, man müsse ein solches junges Genie
nicht ersticken. Um unsern Lesern nur eine Probe zu 15
geben, welche schwere Hantierung wir treiben, dem Publiko
vorzulesen, so ziehen wir einige Stellen aus. Eine
kindische Nachahmungssucht, die der Herr Präzeptor mit
seinen Schülern in Imitationibus Ciceronianis et Curtianis
nicht lächerlicher treiben kann, gibt den Schlüssel zu allen 20
den Palliassestreichen, womit er seinem Meister Yorick
vor unsern Augen nachhinkt. Yorick empfand, und dieser
setzt sich hin, zu empfinden; Yorick wird von seiner Laune
ergriffen, weinte und lachte in einer Minute, und durch
die Magie der Sympathie lachen und weinen wir mit; 25
hier aber steht einer und überlegt: wie lache und weine
ich? was werden die Leute sagen, wenn ich lache und
weine? was werden die Rezensenten sagen? Alle seine
Geschöpfe sind aus der Luft gegriffen. Er hat nie geliebt und nie gehaßt, der gute Herr Präzeptor! Und 30
wenn er uns eins von seinen Wesen soll handeln lassen,
so greift er in die Tasche und gaukelt aus seinem Sacke
was vor. Ein Pröbchen Yoricksche Apostrophe. Bei
Gellerts Grab findet er in der Dämmerung seine Beckerin
wieder, die ihm ehemals den Dukaten geschenkt hatte. 35
Hier ruft er aus: „Komm mit! Und warum komm?
De gustibus non est disputandum, könnte ich hier füglich
antworten; aber ich will de gustibus disputieren, um

mein ganzes deutsches Vaterland — wenn es sich von einem jungen Menschen will belehren lassen — zu belehren, welch einen falschen und unrichtigen Gebrauch es von den Wörtern Du, Er, Sie, Ihr, Sie zu machen gewohnt ist. Überhaupt zu reden, ist es seltsam und lächerlich, daß man sich durch ein Sie von andern muß multiplizieren lassen, so wie man selbst andere damit multiplizieren muß; so wie es widersinnig ist, daß ich von jemanden als von einer ganz fremden Person spreche, den ich vor mir sehe, höre — — und fühlen kann, wenn ich will. — — Allein Deutschland weiß das so gut wie ich, ohne es ändern zu können — — Also muß ich davon schweigen. Um wie viel aber würde nicht das Übel vermindert werden, wenn man den Gebrauch der Wörter dergestalt festsetzte." Er führt endlich die Beckerin in sein Wirtshaus und legt si; schlafen. Er erwacht sehr früh und hört den Hofhund bellen. „Das war mir unleiblich — — bei jedem ‚Hau' fürchtete ich, meine Mutter würde aus ihrem Schlaf auffahren — — Ich suchte in dem ganzen Zimmer nach einem Stück Brot herum. Nichts war zu finden. — — Aber sollte denn ein Hundemagen nicht Biskuit verdauen können? dachte ich — — und damit eilte ich mit einem großen Stück in der Hand nach dem Hofraume — — die Bestie wollte rasend werden, sobald sie mich erblickte. — — Das ist eine Bestie xατ' ἐξοχην, sagte ich, und damit ergriff ich in vollem Eifer den Stock und bläuete ihm Stillschweigen ein — — Laß es gut sein, redete ich ihn nach einigen Minuten abbittend an — — Ich will dir deine Schläge reichlich vergütigen — — Die arme Bestie krümmte sich jämmerlich — — Ich wünschte, daß ich ihm keinen Schlag gegeben hätte oder daß mir der Hund wenigstens die Schläge zurückgeben könnte — — Aber, dachte ich bei mir selbst, vielleicht verstellt sich das listige Tier nur! Nach seiner Höhe, Länge und Dicke zu rechnen, können ihm die paar Püffe, die ich ihm gegeben habe, unmöglich so wehe tun — — Noch nie hat mein von der Wahrheit in die Enge getriebenes böses Gewissen eine so

seine Ausflucht ersonnen." (Ein schöner Pendant zu Yo=
ricks Szene mit dem Mönch!) „Der Hund fuhr fort, zu
winseln — — hätte ich gestohlen, und man ertappte mich
auf frischer Tat, so glaube ich immer, es würde mir nicht
ängstlicher zu Mute sein, als mir bei dem Lamento des
Hundes war." — — Endlich wird der Hund mit Eau de
Lavande begossen; — — denn der Herr Präzeptor sieht
Blut. — — „Der Hund ließ mit sich machen. Er roch
den lieblichen Geruch des Wassers und leckte, und wedelte
mit dem Schwanze. — — Nun konnte ich mich nicht län=
ger erhalten, ihn zu streicheln, ob ich gleich für seinem
Bisse noch nicht sicher war. — — Eine so groß=
mütige Überwindung des erlittenen Unrechts
schien mir einer kleinen Gefahr mehr als zu
würdig zu sein. Die Hundegeschichte hatte in meiner
Seele eine kleine Säure zurückgelassen, die mit den
Freuden schlechterdings inkompatibel war, die ich dem
angebrochenen Tage bereits en gros bestimmt hatte. Ich
suchte sie los zu werden, und folglich war ich sie auch schon
halb los — — Es kam darauf an, daß sich meines Wirts
Küchenmagd aus ihren Federn erhob. Sie tat es — —
Ich überraschte sie in ihrem Negligé und machte dadurch
sie und mich so beschämt, daß ich ihr geschwind ein Stück
Fleisch für den Hund abforderte" 2c. 2c. Der Mann hat
auch ein Mädchen, die er seine Naive nennt, und er tut
wohl daran, wie jener, der auf sein Schild zum Bären
schrieb: das ist ein Bär. Ein Gemälde von der schönen
Naiven! Sie fragt ihn, ob es sein Ernst sei, wenn er sagt,
daß sie ihn zum glücklichsten Sterblichen mache — —
„Sie zog mich ans Fenster — — nickte mit dem Kopfe,
daß ich mich bücken sollte — — ergriff mich mit beiden
Händen bei dem Kinne — — drehte meinen Kopf lang=
sam hin und her — — Ihre Augen fielen bald in die
Fronte, bald in die Flanke der meinigen — — diese
drehten sich allemal nach der Seite der Attaque."

Von Wendungen eine Probe! „Jedoch ut oratio
mea redeat, unde — — O küssenswürdiger Cicero, durch
dieses herrliche Kommandowort denke ich von meiner

Abschweifung eben so geschwind wieder nach Hause zu kommen, als eine Kugel in die Köpfe der Feinde durch Tann, Tapp, Feuer."

Endlich bekommt der Verfasser S. 73 ein ganzes Bataillon Kopfschmerzen, weil er was erfinden soll; und wir und unsere Leser klagen schon lange darüber.

8. Die Jägerin, ein Gedicht. Leipzig 1772.

Der Rhein, ein Eichenwald, Hertha und Gefolge, dazu der Name Wonnebald charakterisieren es zum deutschen Gedicht. Wir erwarteten hier keine markige Natur unsrer Alterväter; aber auch nicht das geringste Wildschöne, trutz Titel und Vignette nicht einmal Waidmanns Kraft, das ist zu wenig. Des Dichters Wälder sind licht wie ein Forst unsrer Kameralzeiten, und das Abenteuer verpflanzt ihr so glücklich in ein Besuchzimmer als nach Frankreich. Auch hat der Mann gefühlt, daß seine Akkorde nicht mit Bardengewalt ans Herz reißen. Die spröde Kunigunde, der er lang' sein Leidenschäftchen vorgeklimpert, schmilzt endlich und spricht: Ich liebte dich geheim schon längst! Notwendig zur Wahrscheinlichkeit der Entwicklung, nur kein Kompliment für die Harfe. Wir bedauern, daß der Dichter, wie noch mehr Deutsche, seinen Beruf verkannt hat. Er ist nicht für Wälder geboren. Und so wenig wir das Verfahren seines Herrn Vaters billigen, der in dem angehängten Traumlied, mit leibiger Grabmisanthropie, ihm die Harfe zertritt, so sehr wir fühlen, daß sie das nicht verdient: so sehr wünschten wir, er möge sie gegen eine Zither vertauschen, um uns, an einem schönen Abend, in freundlicher Watteauischer Versammlung, von Lieblichkeiten der Natur, von Niedlichkeiten der Empfindung vorzusingen. Er würde unsre Erwartung ausfüllen und wir ihn mit gesellschaftlichem Freudedank belohnen.

9. Lyrische Gedichte von Blum. Berlin 1772. 8°. 102 S.

Wir wissen fast nicht mehr, ob wir wünschen sollten, daß junge Dichter die Alten frühe lesen. Zwar unsere empfindungslose Lebensart erstickt das Genie, wenn die Sänger freier Zeiten es nicht erwärmen und ihm eine, wenigstens idealische freiere Atmosphäre eröffnen; aber, eben diese Sänger hauchen auch oft ein so fremdes Gefühl in die Seele, daß der beste Dichter, mit dem glücklichsten Genie, bald sich bloß durch seine Einbildung im Flug erhalten und keine von den glühenden Begeisterungen mehr tönen lassen kann, die doch allein wahre Poesie machen. Warum sind die Gedichte der alten Skalden und Celten und der alten Griechen, selbst der Morgenländer so stark, so feurig, so groß? — — Die Natur trieb sie zum Singen wie den Vogel in der Luft. Uns — wir können's uns nicht verbergen — uns treibt ein gemachtes Gefühl, das wir der Bewunderung und dem Wohlgefallen an den Alten zu danken haben, zu der Leier, und darum sind unsere beste Lieder, einige wenige ausgenommen, nur nachgeahmte Kopien. — — Wir sind zu dieser Beobachtung durch die lyrischen Gedichte des Herrn Blum geleitet worden. Dieser Dichter ist gewiß nicht ohne Genie; aber selten kann er sich länger erhalten, als er seinen Horaz im Gesicht hat. Dieser leuchtet ihm vor, wie die Fackel der Hero; sobald er allein gehen muß, so sinkt er! Der Raum erlaubt uns nicht, Beweise anzuführen, aber wir berufen uns auf jeden Leser, der seinen Horaz kennt, ob nicht fast immer der Dichter kalt und matt wird, wo ihm nicht Horaz und David Gedanken, Empfindungen, Wendungen, Situationen, jener selbst seine Mythologie leihet, die — wir reden nach unserm Gefühl — selten anders gebraucht wird, als wo die Imagination mit kaltem Herzen dichtet. Das bekannte Horazianische Duett: Donec gratus eram, hat Kleist weit besser übersetzt; aber das Klaglied des David und Jonathan haben wir nirgend so schön versifiziert gesehen. Wir wünschen dem Verfasser ein unverdorbenes Mädchen, geschäftenlose Tage und reinen Dichtergeist ohne Autorgeist. Der beste Dichter artet aus, wenn er

bei seiner Komposition ans Publikum denkt und mehr
von der Begierde nach Ruhm, zumal Journalisten Ruhm,
als von seinem Gegenstand erfüllt wird.

10. Brauns, H., Versuch in prosaischen Fabeln
und Erzählungen. München 1772. 8°. 187 S.

Diesen Fabeln hat der Herr Verfasser für seine
Landsleute eine kleine Theorie angehängt, weil, sagt er
nicht ohne Selbstgefälligkeit, „vielleicht etliche junge Leute
sich hervortun und ihm Fabeln nachschreiben könnten, so
wie gleich etliche Bändchen freundschaftlicher Briefe erschienen wären, seitdem er einen Versuch in freundschaftlichen Briefen geschrieben hätte; diesen jungen Leuten
nun, meint er, wären die echten Begriffe von der Fabel sehr nötig." — — Nötig sind sie freilich, sowohl
den bösen jungen Leuten, die Herrn B. Fabeln nachschreiben, als allen andern, die sich ohne Genie in dieses
Feld wagen; aber aus Herrn B. Theorie werden sie
eben nicht sehr erleuchtet werden. Er sagt: „die Fabel
wäre eine kurze erdichtete, meistenteils tierische Handlung, worunter ein gewisser Satz aus der Sittenlehre
verborgen liege." Unbestimmter kann man wohl nicht
erklären. Uns dünkt überhaupt, man hat die Theorie
von der Fabel noch nicht genug aus einander gesetzt.
Wir glauben, daß sie im Anfang nichts war als eine
Art von Induktion, welche in den glücklichen Zeiten, da
man noch nichts von dem dicto de omni et nullo wußte,
die einzige Weisheit war. Wollte man nämlich andere
belehren oder überreden, so zeigte man ihnen den Ausgang verschiedener Unternehmungen in Beispielen. Wahre
Beispiele waren nicht lange hinlänglich; man erdichtete
also andere, und weil eine Erdichtung, die nicht mehr
sagt, als vor Augen steht, immer abgeschmackt ist, so
ging man aus der menschlichen Natur hinaus und suchte
in der übrigen belebten Schöpfung andere tätige Acteurs.
Da kam man auf die Tiere, und so fabulierte man fort,
bis die Menschen mehr anfingen zu räsonnieren, als zu
leben. Nun erfand man Axiomen, Grundsätze, Systemen,

u. dgl. und mochte die Induktion nicht mehr leiden; zu=
gleich entstunde das Unding der honetten Kompanie, zu
welcher sich Dichter und Philosophen schlugen. Diese
wollten der Fabel, die mit der Induktion gefallen war,
wieder aufhelfen. Sie schminkten sie also, puderten sie, 5
behängten sie mit Bändern, und da kam das Mittelding
zwischen Fabel und Erzählung heraus, wodurch man nun
nicht mehr lehren, sondern amüsieren wollte. Endlich
merkte man, wie weit man sich von der ersten Erfindung
entfernt hatte. Man wollte zu ihr zurückkehren und 10
schnitte die Auswüchse ab; allein, man konnte doch mit
der Induktion nicht fortkommen und behalf sich also mit
dem bloßen Witz; da wurde die Fabel Epigramm. — —
So würde die Geschichte der Theorie aussehen, die wir
von der Fabel schreiben würden. Beispiele von der 15
letzten Gattung würden wir genug in Herrn B. Fabeln
antreffen. Wir würden aber schwerlich welche daraus
wählen; denn die meisten sind entweder schlecht erfunden,
oder abgenutzt, oder falsch, oder alltäglich. Herr B. ver=
spricht noch eine weitläuftigere Theorie von der Fabel. 20
Sollten wir aus diesem Versuch auf ihren Wert schließen,
so wollten wir sie verbitten; aber — — liceat perire
poetis! und warum sollte Herr B. auch nicht so viel
Recht haben, zu dichten und zu theoretisieren, als andre?

11. Gedichte von einem Polnischen Juden. Mitau 25
und Leipzig. 1772. 8°. 96 S.

Zuvörderst müssen wir versichern, daß die Aufschrift
dieser Bogen einen sehr vorteilhaften Eindruck auf uns
gemacht hat. Da tritt, dachten wir, ein feuriger Geist,
ein fühlbares Herz, bis zum selbständigen Alter unter 30
einem fremden rauhen Himmel aufgewachsen, auf ein=
mal in unsre Welt. Was für Empfindungen werden
sich in ihm regen, was für Bemerkungen wird er machen,
er, dem alles neu ist?

Auch nur das flache, bürgerliche, gesellig und gesell= 35
schaftliche Leben genommen, wie viel Dinge werden ihm
auffallen, die durch Gewohnheit auf euch ihre Wirkung

verloren haben? Da, wo ihr an langer Weile schmachtet, wird er Quellen von Vergnügen entdecken; er wird euch aus eurer wohlhergebrachten Gleichgültigkeit reißen, euch mit euern eignen Reichtümern bekannt machen, euch ihren 5 Gebrauch lehren. Dagegen werden ihm hundert Sachen, die ihr so gut sein laßt, unerträglich sein. Genug, er wird finden, was er nicht sucht, und suchen, was er nicht findet. Denn seine Gefühle, seine Gedanken in freien Liedern der Gesellschaft, Freunden, Mädchen mitteilen; 10 wenn er nichts Neues sagt, wird alles eine neue Seite haben. Das hofften wir, und griffen — in Wind.

In denen fast zu langen und zu eitlen Vorberichtsbriefen erscheint er in Selbstgefälligkeit, der seine Gedichte nicht entsprechen.

15 Es ist recht löblich, ein polnischer Jude sein, der Handelschaft entsagen, sich den Musen weihen, Deutsch lernen, Liederchen ründen; wenn man aber in allem zusammen nicht mehr leistet als ein christlicher Student en belles Lettres auch, so ist es, deucht uns, übel getan, 20 mit seiner Judenschaft ein Aufsehn zu machen.

Abstrahiert von allem, produziert sich hier wieder ein hübscher junger Mensch, gepudert und mit glattem Kinn und grünem goldbesetzten Rock (f. S. 11. 12), der die schönen Wissenschaften eine Zeitlang getrieben 25 hat und unterm Treiben fand, wie artig und leicht das sei, Melodiechen nachzutrillern. Seine Mädchen sind die allgemeinsten Gestalten, wie man sie in Sozietät und auf der Promenade kennen lernt, sein Lebenslauf unter ihnen der Gang von Tausenden; er ist an den lieben 30 Geschöpfen so hingestrichen, hat sie einmal amüsiert, einmal ennüyiert, geküßt, wo er ein Mäulchen erwischen konnte. Über diese wichtige Erfahrungen am weiblichen Geschlecht ist er denn zum petit volage geworden, und nun, wenn er mehr Zurückhaltung bei einem Mädchen 35 antrifft, beklagt er sich bitterlich, daß er nur den Handschuh ehrerbietig kosten, sie nicht beim Kopf nehmen und weiblich anschmatzen darf, und das alles so ohne Gefühl von weiblichem Wert, so ohne zu wissen, was er will.

Laß, o Genius unsers Vaterlands, bald einen
Jüngling aufblühen, der voller Jugendkraft und Munter=
keit zuerst für seinen Kreis der beste Gesellschafter wäre,
das artigste Spiel angäbe, das freudigste Liedchen sänge,
im Rundgesange den Chor belebte, dem die beste Tänzerin
freudig die Hand reichte, den neusten mannigfaltigsten
Reihen vorzutanzen, den zu fangen die Schöne, die
Witzige, die Muntre alle ihre Reize ausstellten, dessen emp=
findendes Herz sich auch wohl fangen ließe, sich aber stolz
im Augenblicke wieder losriß, wenn er aus dem dichten=
den Traum erwachend fände, daß seine Göttin nur
schön, nur witzig, nur munter sei; dessen Eitelkeit, durch
den Gleichmut einer Zurückhaltenden beleidigt, sich der
aufdrängte, sie durch erzwungne und erlogne Seufzer,
und Tränen, und Sympathien, hunderterlei Aufmerksam=
keiten des Tags, schmelzende Lieder und Musiken des
Nachts endlich auch eroberte und — auch wieder verließ,
weil sie nur zurückhaltend war; der uns dann all
seine Freuden, und Siege, und Niederlagen, all seine
Torheiten und Resipiszenzen mit dem Mut eines unbe=
zwungenen Herzens vorjauchzte, vorspottete: des Flatter=
haften würden wir uns freuen, dem gemeine, einzelne
weibliche Vorzüge nicht genug tun.

Aber dann, o Genius! daß offenbar werde, nicht
Fläche, Weichheit des Herzens sei an seiner Unbestimmt=
heit schuld: laß ihn ein Mädchen finden, seiner wert!

Wenn ihn heiligere Gefühle aus dem Geschwirre
der Gesellschaft in die Einsamkeit leiten, laß ihn auf
seiner Wallfahrt ein Mädchen entdecken, deren Seele
ganz Güte, zugleich mit einer Gestalt ganz Anmut, sich
in stillem Familienkreis häuslicher, tätiger Liebe glücklich
entfaltet hat. Die Liebling, Freundin, Beistand ihrer
Mutter, die zweite Mutter ihres Hauses ist, deren stets
liebwirkende Seele jedes Herz unwiderstehlich an sich
reißt, zu der Dichter und Weise willig in die Schule
gingen, mit Entzücken schauten eingeborne Tugend, mit=
gebornen Wohlstand und Grazie. — Ja, wenn sie in
Stunden einsamer Ruhe fühlt, daß ihr bei all dem Liebe=

verbreiten noch etwas fehlt, ein Herz, das, jung und
warm wie sie, mit ihr nach fernern, verhülltern Selig-
keiten dieser Welt ahndete, in dessen belebender Gesellschaft sie nach all den goldnen Aussichten von ewigem
Beisammensein, daurender Vereinigung, unsterblich webender Liebe fest angeschlossen hinstrebte.

Laß die beiden sich finden: beim ersten Nahen werden
sie dunkel und mächtig ahnden, was jedes für einen Inbegriff von Glückseligkeit in dem andern ergreift, werden
nimmer von einander lassen. Und dann lall' er ahndend
und hoffend und genießend:

"Was doch keiner mit Worten ausspricht, keiner mit
Tränen, und keiner mit dem verweilenden vollen
Blick, und der Seele drin."

Wahrheit wird in seinen Liedern sein und lebendige
Schönheit, nicht bunte Seifenblasenideale, wie sie in hundert deutschen Gesängen herum mallen.

Doch ob's solche Mädchen gibt? ob's solche Jünglinge geben kann? Es ist hier vom polnischen Juden
die Rede, den wir fast verloren hätten, auch haben wir
nichts von seinen Oden gesagt. Was ist da viel zu
sagen! durchgehends die, Göttern und Menschen, verhaßte
Mittelmäßigkeit. Wir wünschen, daß er uns auf denen
Wegen, wo wir unser Ideal suchen, einmal wieder, und
geistiger begegnen möge.

12. Cymbelline, ein Trauerspiel, nach einem von
Schäckespear erfundnen Stoffe. Danzig.

Der Verfasser, da er sich, laut dem Vorbericht, nach
einer schweren Krankheit aller ermüdenden Arbeiten
enthalten mußte, beschäftigte sich mit Schäckespears
Werken. Das, hätten wir ihm nun gleich sagen wollen,
war für einen Rekonvaleszenten keine Lektüre. Wer
an dem Leben, das durch Schäckespears Stücke glüht,
teilnehmen will, muß an Leib und Seele gesund sein.
Da bedauerten nun der Herr Verfasser aus innigem Gefühl einer kühlen, schwächlichen, kritischen Sittigkeit
die viele incongruités, durch die (wie der treffliche John-

son ad hoc drama gleichfalls bemerkt hat) many just
sentiments und einige Schönheiten zu teuer erkauft
werden. Er beschloß also: das Gold von Schlacken
zu scheiden (denn das ist ja seit undenklichen Jahren
vox populi critici über Schäkespear), wenigstens einen
Versuch zu machen, nichts weniger dem ehrsamen Publiko
vorzulegen, als: wie ohngefähr Sophokles, wenn er
diesen Stoff zu bearbeiten gehabt hätte, die Sachen
würde eingerichtet haben. Nun travestierten sie also —
nicht travestierten! dann bleibt wenigstens Gestalt des
Originals — parodierten! — auch nicht! da läßt sich
wenigstens aus dem Gegensatz ahnden — also denn? —
welches Wort druckt die Armut hier gegen Schäkespears
Reichtum aus!

Schäkespear, der den Wert einiger Jahrhunderte
in seiner Brust fühlte, dem das Leben ganzer Jahrhunderte
durch die Seele webte! — und hier — Komödianten in
Zendel und Glanzleinewand, gesudelte Coulissen. Der
Schauplatz ein Wald, vorn ein dichtes Gebüsch, wodurch
man in eine Grotte geht, im Fond ein großer Stein
von Pappe, auf dem die Herren und Damen sitzen,
liegen, erstochen werden 2c.

So würde Sophokles die Sachen behandelt
haben! Es ist schon ein ganz ungenialisches Unternehmen,
das Schäkespears Stücke, deren Wesen Leben der
Geschichte ist, auf die Einheit der Sophokleischen, die uns
nur Tat vorstellen, reduzieren will; nun aber gar so, nach
der Abhandlung vom Trauerspiel in dem ersten
Teil der älteren Leipziger Bibliothek zu modeln!
Wir sind gewiß, daß es jeder — auch nur Leser Schäkespears mit Verachtung aus der Hand werfen wird.

13. Neue Schauspiele, aufgeführt in den Kaiserl.
Königl. Theatern zu Wien. Preßburg. Erster Band.
8°. 1 Alph. 2 Bogen.

Diese Sammlung enthält fünf Drame, oder Schauspiele, oder Lustspiele, oder Trauerspiele — — die Verfasser
wissen so wenig als wir, was sie daraus machen sollen,

aus der Wiener Manufaktur. In allen hat tragikomische
Tugend, Großmut und Zärtlichkeit so viel zu schwatzen,
daß der gesunde Menschenverstand und die Natur nicht
zum Wort kommen können. Hier ist der Inhalt der
Stücke; denn wir wollen sie nicht umsonst gelesen haben.

Die Kriegsgefangnen. Wenn nicht die Festung
gerade in dem letzten Auftritt der letzten Handlung glücklich an die Freunde der Kriegsgefangnen übergegangen
wäre, so hätte ein entlaufner Feldwebel einen Haufen
sehr moralisch sententiöser Leute, wider seinen Willen und
wider alle Theatergerechtigkeit, an den Galgen gebracht.

Gräfin Tarnow. Zwei entsetzlich Verliebte wären
nimmermehr ein Paar geworben, wenn nicht durch eine
gewisse Exzellenz ein Wnuber geschehen wäre, dergleichen
nur auf der Wiener Nationalschaubühne erhört
worden sind. Schade, daß die Exzellenz einen Schuß
bekommt! Doch nicht Schade, sie wäre sonst am Ende der
Welt gewesen, ehe das Wunder zu Stand gekommen wäre,
und dann weiß der Himmel, wie die Verliebten geheult
haben würden.

Hannchen. Ein Herzog, ein Graf und ein Kammerdiener reißen sich um ein Mädchen. Der Kammerdiener
wird vom Herzog erstochen; der Herzog, der dazu schon
eine Frau Herzogin hat und des Mädchens Quele ist,
doch ohne es zu wissen, versteht sich wegen des decorum,
der Herzog läßt sich unter einem falschen Namen von
einem Betrüger mit dem Mädchen trauen, wird aber
durch hundert tausend Dinge gehindert, die Decke zu be-
schreiten; und da also das Mädchen nach deutschen Rechten
noch immer eine Jungfer bleibt, so heuratet sie den
Grafen. Man schließt, sticht, heult, zankt, fällt in Ohn-
macht und auf die Knie, spricht Sentenzen, versöhnt
sich, und, wie am Schluß versichert wird, alle bezeugen
ihre Freude, daß der Vorhang zufällt.

Der ungegründete Verdacht. Ein Lord wird
durch einen halben Brief ein Narr, und durch die andere
Hälfte wieder gescheit.

Der Tuchmacher von London. Einen Angen-

blick später, und Lord Falkland und Wilson lagen in der
Themse; dann gute Nacht Fauny, Sonbridge, Julie,
Henrich, Betsi, David und den ehrlichen Tuchmachern!

Von dieser Sammlung soll nächstens der zweite
Teil nachfolgen; denn seitdem Thalia und Melpomene
durch Vermittelung einer französischen Kupplerin mit
dem Nonsense Unzucht treiben, hat sich ihr Geschlecht
vermehrt wie die Frösche!

**14. Zwei schöne neue Märlein: als 1) von der schö-
nen Melusinen, einer Meerfey. 2) von einer untreuen
Braut, die der Teufel holen solle. Der lieben Jugend
und dem Frauenzimmer zu beliebiger Kurzweil in
Reime verfasset. Leipzig in der Jubilatemesse 1772.**

Allerdings wäre in den Märlein und Liedern, die
unter Handwerkspurschen, Soldaten und Mägden herumgehen, oft eine neue Melodie, oft der wahre Romanzen-
ton zu holen. Dann die Verfasser dieser Lieder und
Märlein schrieben doch wenigstens nicht fürs Publikum,
und so ist schon zehn gegen eins zu wetten, daß sie
weit weniger verunglücken müssen als unsre neuere zier-
liche Versuche. Meistens ist's ein munterer Geselle,
der den andern vorsingt oder den Reihen anführt, und
also ist wenigstens die Munterkeit keine Prätension und
Affektation. — Der Herr Student, der diese Märlein
versifiziert hat, versifiziert sehr rein, soll aber dem ohn-
geachtet keine Märlein mehr versifizieren, denn ihm fehlt
der Bänkelsängersblick, der in der Welt nichts als Abenteuer, Strafgericht, Liebe, Mord und Totschlag sieht, just
wie alles in den Quadraten seiner gemalten Leinwand
steht. Weder naive Freude noch naive Wehklage der Menschen, aus Ritter- und Feenzeiten, deren Seele eine Bilder-
tafel ist, die mit ihrem Körper lieben, mit ihren Augen
denken und mit ihren Fäusten zuschlagen — bei denen alles
Merkwürdige ihres Lebens, wie in Schackespears
Haupt- und Staatsaktionen, innerhalb 24 Stunden unserem Auge vorrückt — sondern das alles könnte mit
allen Ehren in Halberstadt gemacht und gedruckt sein.

15. Geſchichte des Fräulein von Sternheim. Von
einer Freundin derselben aus Originalpapieren und
andern zuverläſſigen Quellen gezogen. Herausgegeben
von C. M. Wieland. Zweiter Teil, bei Weidmanns Erben und Reich. Leipzig 1771. 8°. 301 S.

Es haben ſich bei der Erſcheinung des guten Fräu-
leins von Sternheim ſehr viele ungebetne Beurteiler eingefunden. Der Mann von der großen Welt, deſſen ganze
Seele aus Verſtand gebaut iſt, kann und darf das nicht
verzeihen, was er eine Sottise du coeur nennt. Er über-
ließ alſo ſchon lange das gute Kind ihrem Schickſal und
gedachte ihrer ſo wenig als ein Kammerherr ſeiner
Schweſter, die einen Prieſter geheuratet hat. Der Schön-
künſtler fand in ihr eine ſchwache Nachahmung der
Clariſſa, und der Kritiker ſchleppte alle die Solöcismen
und baute ſie zu Hauſen, wie das Tier Kallban bei
unſerm Freund Shakespeare. Endlich kam auch der
fromme Eiferer und fand in dem Geiſt der Wohltätigkeit dieſes liebenswürdigen Mädchens einen gar zu großen
Hang zu guten Werken. Allein alle die Herren irren
ſich, wenn ſie glauben, ſie beurteilen ein Buch — — es
iſt eine Menſchenſeele; und wir wiſſen nicht, ob dieſe
vor das Forum der großen Welt, des Äſthetikers, des
Zeloten und des Kritikers gehört. Wir getrauen uns,
den Schritt zu entſchuldigen, durch den ſie ſich Derbyn
in die Arme warf, wann wir den Glauben an die Tugend
in dem Gemälde Alexanders betrachten, da er ſeinem
Leibarzt den Giftbecher abnahm. Zu dem Glaubenseifer
kommt oft Bekehrungsſucht; und miſchten wir dazu ein
wenig Liebe zum Ausländiſchen, zum Außerordentlichen,
in der Seele eines guten Kindes von 20 Jahren, die
ſich in einer drückenden Situation befindet, ſo hätten
wir ohngefähr den Schlüſſel zu der ſogenannten Sottise.
Die Szene bei der Toilette zeigt deutlich, daß das
Werk keine Kompoſition für das Publikum iſt, und Wieland hat es ſo ſehr gefühlt, daß er es in ſeinen Anmerkungen der großen Welt vorempfunden hat. Das
Ganze iſt gewiß ein Selbſtgeſpräch, eine Familienunter-

redung, ein Aufsatz für den engeren Zirkel der Freund=
schaft: denn bei Lord Rich müssen die individuellen
Züge beweisen, daß dieser Charakter zur Ehre der Mensch=
heit existiert. Das Journal im Bleigebürge ist
vor uns die Ergießung des edelsten Herzens in den
Tagen des Kummers; und es scheint uns der Angen=
punkt zu sein, woraus die Verfasserin ihr ganzes System
der Tätigkeit und des Wohlwollens wünscht betrachtet
zu sehen. Auch der Mut hat uns gefallen, mit dem sie
dem Lord Rich einzelne Blicke in ihr Herz tun und ihn
das niederschreiben läßt, was ihr innerer Richter bewährt
gefunden hat. Es war ihr wahrscheinlich darum zu tun,
sich selbst Rechenschaft zu geben, wie sie sich in der
Situation ihrer Heldin würde betragen haben; und also
betrachtet sie den Plan der Begebenheiten wie ein Ge=
rüste zu ihren Sentiments. Will der Herr Kritiker
uns ins Ohr sagen, daß die Fugen des Gerüstes grob
in einander gepaßt, alles nicht gehörig behauen und ver=
klebt sei, so antworten wir dem Herrn: Es ist ein
Gerüste. Denn wäre der Machiniste Derby so sein
ausgezeichnet, wie Richardsons Lovelace, so wäre das
Ganze vielleicht ein Spinnengewebe von Charakter, zu
sein, um dem ungeübteren Auge die Hand der Natur
darin zu entdecken, und der Schrifttext wäre Allegorie
geworden.

16. Der goldne Spiegel oder die Könige von Scheschian,
    eine wahre Geschichte. Aus dem Scheschianischen über=
    setzt. Leipzig, Weidmanns Erben und Reich. 1. 2. 3.
    4. Teil in 8°.

Man kann in dem Pfad, den die Wielandische Muse
gewandelt, drei Ruhepunkte geben, wo sie stille gestanden,
zurückgesehen und ihre Richtung geändert. Der Grund=
stoff der ältesten Manier war Platonisches System, in
dichtrischer Diktion dargestellt, die Charaktere, die sie in
Handlung setzte, einzelne Ausflüsse aus der ersten Urquell
des Guten und Schönen, und der Sitz ihres Landes
Empyreum. Sie stieg herunter zu den Menschen, viel-

leicht in dem Alter, wo der Dichter, nachdem er die moralische Welt als ein Paradies im Anschauen durchwandelt
hatte, anfing, den Baum des Erkenntnisses selbst zu
kosten. Nun wurden die dramatis personae gute ehrliche
Menschenkinder, wie sie vor unsern Augen herumgehen,
weder ganz gut noch ganz böse; der Umriß der Charaktere
ward so schwebend und leicht gehalten, als es die Inkonsequenz der meisten und die Form der Sozietät, die
ihn eindrückt, erfordert. Der Aufwand der Dichtungs-
kraft war groß und der Plan des Gebäudes reich und
glänzend. Die Weltkenntnis blieb, der Dichter mag sie
nun halb durchs Anschauen und halb durch eigne Ahndung erhalten haben, allzeit bewundernswürdig. Es
waren Sitten des achtzehnten Jahrhunderts, nur ins
Griechen- oder Feenland versetzt. Dies war das männliche Alter, wohin die Geburt des Agathon und der Musarion fällt. Die Enkratiten sahen ihn als einen abge-
fallnen Engel an, weil er nicht mehr in den Wolken
schwebte, sondern herabgekommen war,

        die Schafe des Admets zu weiden.

Die Weltleute warfen ihm vor, die Wahrheit erliege
unter dem Putz, und die ekle Moralisten, die nichts als
gute und böse Gespenster sehen, verschlossen die Bücher
ihren Töchtern. Dies, glauben wir, mag den Dichter
bewogen haben, sich näher und deutlicher zu erklären
und sein Leben in dem l e h r e n d e n C h a r a k t e r zu be-
schließen. Zu dieser letzten Klasse rechnen wir den g o l d-
n e n S p i e g e l, und aus der weisen Art, womit er die
Speise austeilt und zubereitet, scheint er sein Auditorium
genau angesehen und kurz gegriffen zu haben. Unsre
Leser kennen das Buch, und unsre Anzeige kommt auch
zur Bekanntmachung zu spät.

    Man erlaube uns also, über die Komposition des
Ganzen und das Besondre einiger Teile eine kleine Unterredung. Der Plan ist ohngefähr folgender: Schach Gebal,
ein König von Scheschian, regierte bald so übel und bald
so gut, daß weder die Guten noch die Bösen mit ihm zufrieden waren. Zu gesunder Einschläferung seiner Ma-

jestät wird jemand im Königreich aufgesucht, ihm die Ge=
schichte des Landes vorzutragen, und dieser findet sich in
der Person des Danischmende. Die Szene ist am Bette
des Königs, in Beisein der Sultanin Nurmahal, und so
bald der Philosoph in eine gewisse Wärme gerät und die
edelste und größte Wahrheiten mit Überzeugung vorträgt,
so schläft der König, wie sich's gebühret, ein. Der Dichter
scheint bei dieser Vorkehrung sein Auditorium besser ge=
kannt zu haben als Danischmende; denn er hat vor seine
Leser, damit sie sich beim Aufwachen wieder finden könnten,
keine einzige Wahrheit stehen lassen, die nicht mit Schwa=
bacher Schrift gedruckt wäre. In dem ersten Teil geht
die Absicht des Verfassers dahin, den Großen und Reichen
einen Weg anzugeben, wie sie für ihre eigne Per=
son glücklich sein könnten, in dem Beispiel eines Völk=
chens, das er durch Psammis, einen Philosophen seiner
Schöpfung, kultivieren läßt.

In Vergleichung seines Vorbildes des Ah quel Conte
verliert dieses Werk etwas in Ansehung der Schöpfung=
und Einbildungskraft. So karikaturartig als die Crebillo=
nischen Figuren sein mögen, so sind sie doch rund, es
geht doch hier und da ein Arm, ein Fuß heraus — Hier
aber ist alles Inschrift, Satz, Lehre, Moral, mit goldnen
Buchstaben an die Wand geschrieben, und die Figuren
sind herumgemalt. Wir wollen den Verfasser nicht jour=
nalistenmäßig darüber schikanieren. Es scheint nun ein=
mal, er hat in dieser Manier arbeiten wollen, und
wenn man für einen reichen Mann bekannt ist, so steht
es einem frei, seinen Aufwand einzurichten, wie man
will. Lord Clive spielt ja auch gerne kleines Spiel. —
Auch das Ideal des Völkchens im ersten Teil steht nur
wegen der Moral des Psammis da; und von einer Ver=
zierung, von Eisen gezeichnet und von Gravelot gestochen,
verlangt niemand die Wahrheit eines Julius oder le Brun.
Der Verfasser lacht mit Recht über die schiefen Ausleger
dieses Ideals, wir machen in Ansehung seiner Moralität
keine üble Vorbedeutungen. Nur erlaube man uns die
einzige Anmerkung: daß man im Gemälde menschlicher

Geschichte nie Licht ohne Schatten gedenken kann; daß
die Zeit sich ewig in Nacht und Tag einteilen, die Szene
immer Mischung von Tugend und Laster, Glück und Unglück bleiben werde. Man verberge uns also nicht die
5 eine Seite. Die marmornen Nymphen, die Binmen,
Vasen, die buntgestickte Leinwand auf den Tischen dieses
Völkchens, welchen hohen Grad der Verfeinerung setzen
sie nicht voraus? welche Ungleichheit der Stände, welchen
Mangel, wo so viel Genuß; welche Armut, wo so viel
10 Eigentum ist!

Wir danken dem Verfasser für die Moral des Psammis,
die ganz aus unserm Herzen ist, und für die gute Art,
womit er zu Ende des ersten Bandes eine Gattung
moralischer Giftmischer, nämlich die gravitätischen
15 Zwitter von Schwärmerei und Heuchelei, hat
brandmarken wollen. Da die Sozietät diesen Heuchlern
keine eigne Farben und Kragen gegeben hat, woran man
sie von weitem erkennen konnte, so sind sie doppelt gefährlich.

20 Der zweite Teil zeigt in dem Exempel Azors, wie
viel Böses unter einem gutherzigen Regenten geschehen könne.

Die Vorrede des britten Teils kündigt den Verfasser
immer noch voll von seinem edlen Enthusiasmus an, der ihn
25 allzeit bezeichnet hat, für Welt und Nachwelt zu arbeiten,
das Herz der Könige zu bilden und dadurch das Wohl
der Menschengattung auch auf ferne Jahrhunderte zu
befördern. Wie verehrungswürdig ist der Mann, der
bei seiner so großen Weltkenntnis noch immer so viel
30 an Einfluß glaubt und von seinen Nebenbürgern und
dem Lauf der Dinge keine schlimmere Meinung hat!

Den britten Teil ziehen wir den selben ersten wegen
der meisterhaften Pinselstriche vor, womit er den Despo-
tismus geschildert hat. Selbst der sokratische Faun in
35 Königsberg kann nicht mit dieser Wahrheit und bittern
Wärme gegen die Unterdrückung reden und sie häßlicher
darstellen, als sie hier in des Eblis Gestalt erscheint.
Sich und sein System scheint der Verfasser unter dem

Namen Kador abgebildet zu haben. Denn alle schiefe
Urteile, die wir je von Heuchlern aller Stände haben
von seinen Grundsätzen fällen hören, sind hier in dem=
jenigen vereinigt, was die Zeitverwandten Kadors von
ihm behaupten. Der Despote Isfandiar geht endlich so ⁵
weit, daß er alle seine Verwandten ausrotten will. Es
gelingt ihm bis auf den letzten Sohn seines Bruders,
Tifan, den ihm sein Wessir Dschengis entzieht und da=
für seinen eignen Sohn den abgeschickten Mördern preis=
gibt. Die Erziehung des jungen Tifan geschieht, wie ¹⁰
man mutmaßen kann, auf dem Lande. Er wird ein
guter Mensch und lernt gute Menschen kennen, ehe er
in das Getümmel der großen Welt tritt. Die Grund=
sätze dieser Erziehung sind vortrefflich. Nicht so leicht
war es, wenn der Dichter einige von den Umständen ¹⁵
hätte angeben wollen, die in der Erziehung aller Großen
zusammentreffen, die beinahe unvermeidlich sind und die
am Ende das hervorbringen, was wir das allgemeine
Gepräge nennen würden. Vielleicht wäre dies die größte
Schutzschrift für sie gegen alle Deklamationen der Dichter ²⁰
und Philosophen gewesen. Tifan wird im vierten Teil
Regent von Scheschian, und wir lassen uns nicht in die
Grundsätze seiner Regierung ein. Sie sind so allgemein gut
und anerkannt, als sie jemals auf dem Papier gestanden
haben, und wir freuen uns abermalen, daß ein Mann ²⁵
von Wielands Talenten und Herablassung sich mit einer
neuen Ausgabe hat beschäftigen wollen. Wir würden
uns und unsern Lesern ein schlechtes Kompliment machen,
wenn wir ihnen sagten, was sie schon lange wissen, daß
in der Ausbildung der einzelnen Teile und des lichten ³⁰
und geordneten Kolorits hier nichts zu wünschen übrig
bleibt.

17. **Musen Almanach.** Göttingen 1773, in 12⁰. Bei
Dietrich. Ohne das Register, die in Musik gesetzte
Lieder und Kupfer 234 S. ³⁵

Herr Boie hat uns mit seinem Musenalmanach aufs
künftige Jahr ein sehr angenehmes und frühes Geschenke

gemacht. Der Sammler hat sich nun einmal, durch seine
gewissenhafte Wahl, das Zutrauen der besten Köpfe
Deutschlands erworben, und da ein Mann von wahren
Talenten sich nicht fürchten darf, hier in einer Art von
allgemeinem Ausruf unter unschicklicher Gesellschaft bekannt zu werden, so wird es Herrn Boie niemals an
trefflichen Beiträgen fehlen. Es erscheinen dieses Jahr
einige Namen von Dichtern, die nächstens allgemeiner
bekannt zu werden verdienen; dahin gehören Herr (Klamer
Eberhard Karl) Schmidt zu Halberstadt, dessen Pe-
trarchische Versuche unsre Leser schon kennen, Herr Bürger in Göttingen und Herr Hölty, der unter den
neuern Klopstockischen Nachahmern vielleicht am meisten
Sprache und Rhythmus in seiner Gewalt hat. Das Gedicht auf Selmars Tod in dieser Sammlung, von
Herrn Schmidt, ist ein Meisterstück in Tonfall, Sprache,
Harmonie und wahrer Empfindung. Das Minnelied
von Herrn Bürger ist besserer Zeiten wert, und wenn
er mehr solche glückliche Stunden hat, sich dahin zurück-
zuzaubern, so sehen wir diese Bemühungen als eins der
kräftigsten Fermente an, unsre empfindsame Dichterlinge
mit ihren goldpapiernen Amors und Grazien und ihrem
Elysium der Wohltätigkeit und Menschenliebe vergessen
zu machen.

Nur wünschten wir, als Freunde des wahren Gefühls, daß diese Minnesprache nicht für uns werbe, was
das Bardenwesen war, bloße Dekoration und Mythologie, sondern daß sich der Dichter wieder in jene Zeiten
versetze, wo das Auge und nicht die Seele des Liebhabers auf dem Mädchen haftete, — und wann er die
Gesänge Kaiser Heinrichs und Markgraf Heinrichs von
Meißen nachempfunden hat, so bilde er sich durch die
Liebe einer Miranda, einer Juliet u. s. w. bei Shake-
spearn. Das andre Stück, die Minne betitelt, scheint
uns schon den Fehler zu haben, neuen Geist mit
alter Sprache zu bebrämen. Von Herrn Claudius
finden sich wieder einige ganz vortreffliche Stücke. Von
Herrn Gottern ist eine Epistel an Madam Henseln

eingerückt, die stückweise gut geraten ist und die wir
in dem drolligten Ton, womit sie anfängt, fortgeführt
wünschten, ohne die ernsthafte moralische Betrach=
tungen am Ende. Unter dem Zeichen O. und Y.
liest man dieses Jahr von neuem sehr schöne Gedichte,
die ungemein viel wahres Genie verraten. Man wähle
z. B. S. 47 Der schönste Gürtel und die allerliebste
Jdylle S. 33. Aus den Neuen Hamburger Zeitungen
hat Herr Boie die sogenannte Verse wieder abdrucken
lassen, für die wir ihm aufrichtig Dank sagen. Die
Winke, die der Dichter hier unserm lieben deutschen
Vater= und Dichterlande in der wahren Inschriftsprache
gibt, sind so wichtig, daß sie als Mottos vor künftige
Dunciaden und kritische Wälder gesetzt zu werden ver=
dienen. Von Herrn Wieland hat diese Sammlung ein
merkwürdiges Fragment erhalten, Endymions Traum
betitelt, wo der Dichter in der ihm eignen Laune über
alle Systeme lacht, doch aber das seinige oder Aristippische
von neuem als etwas empfiehlet, das nicht ganz und
gar Endymions Traum sei. Wir dächten, weil's einmal
so ist, daß die liebe Natur den Stoff selber wirkt und
das System nichts als der Schnitt des Stoffs bleibt,
so gibt es doch wohl keinen Rock, der für alle Taillen
gerecht ist, es müßte denn der Rock des Herrn Christi
sein, der zu E. hängt, der aber zum Unglück ein Schlaf=
rock ist und also die Taille gewaltig versteckt. Herr
Kretschmann erscheint hier in einem ganz unvermu=
teten Lichte des Patrons, er steht nämlich mit der Gold=
sichel unter dem heiligen Eichenstamm und initiiert als
ein alter Barde den Ankömmling Telynhard. Er
gibt ihm in der vierten Strophe S. 44 förmlich seinen
Segen. Wer doch den Mann kennte, der ihn als Rhin=
gulph eingeweiht hat, damit man's ihm ein klein wenig
von Klopstocks und Gerstenbergs wegen ver=
weisen könnte. Die Stücke unter O. verraten einen
Mann, der der Sprache als Meister und Schöpfer zu
gebieten weiß.

Die Arbeit des Herrn Unzers ist eingelegte

Arbeit, mit ihrem chinesischen Schnickschnack auf Tee-
bretten und Toilettekästchen wohl zu gebrauchen. Dem
jungen Herrn Cramer sieht man gleichfalls an, daß er
unter der Wolke hervorleuchen möchte, die Klopstocks
Glorie säumt. Von Vater Gleim, Michaelis, Gerstenberg, Freth. v. N. sind schöne Stücke da. Die übrigen
Herrn samt und sonders figurieren als Figuranten, wie
sich's gebührt. Hinten sind einige Lieder, worunter Klopstocks Wir und Sie, in Musik gesetzt, das auch von
neuem hier abgedruckt ist. Die Materie zu den Kupfern
ist aus dem Agathon genommen; allein sie sind, wir wissen
nicht aus welcher Ursache, da sie Meilen zum Verfasser
haben, sehr schlecht geraten.

Im ganzen bleiben wir Herrn Bote allzeit ungemein für seine Bemühungen um die deutsche Antho-
logie verbunden.

18. Luftspiele ohne Heuraten, von dem Verfasser der
empfindsamen Reisen durch Deutschland. Bei S. G.
Zimmermann. Wittenberg und Zerbst 1773. 8°.

Der gute Herr Präzeptor, dem wir im abgewichenen
Jahr eine ganz andere Beschäftigung auftrugen, als
empfindsame Reisen zu schreiben, hat wirklich sein Thema
geändert. Aber statt Handlanger zu sein, will er doch
noch immer mitmeistern. Da steht er nun vor dem
Theater und seufzt nach der Ehre, seine Rolle zu spielen;
aber zum Unglück fehlt es ihm an Kenntnis, an Geschmack und Anstand. Ohne die Inckel des Hymen hat
er drei Luftspiele verfertigt. Das erste heißt: Die un-
schuldige Frau oder viel Lärmen um Nichts. Gut-
herzige Weiber mögen sich diesen Dialog zum Troste
vorlesen lassen. Die Herrn Raufbolde finden in dem
Duell in drei Aufzügen, welcher das zweite Luftspiel
ohne Heurat ist, alle Regeln der Schlägerei in einem
treuen Auszug. Das dritte Theatralstückchen ohne Heurat heißt: Der Würzkrämer und sein Sohn, und
soll eine Schulkomödie sein. Nun, da heuratet man sich
ohne das nicht. Vielleicht hat ein wahres Geschichtchen

dem Herrn Verfasser den S**toff** zu diesem Auftritt ge=
geben, der aber **so** ohne alles Gewürz da angerichtet
stehet, daß man schon beim ersten Anblick desselben
genug hat.

19. Beiträge zur deutschen Lektüre für Leser und
Leserinnen. Leipzig, bei Büscheln. 8°. 298 S.

Nachdem uns die geschäftigen Müßiggänger, die für
geschäftige Müßiggänger arbeiten, bald aufs Kanapee,
bald auf den Großvaterstuhl, bald in den Abendstunden,
bald bei der Mittagsruhe verfolgt haben, nachdem wir
Land= und Stadtbibliotheken, Jahrszeitreisen, Tagreisen,
Brunnenreisen genug bekommen haben, so war kein Rat
mehr übrig, als gegenwärtige Sammlung unter dem all=
gemeinen Vorwande der Lektüre unterzubringen. Sollten
wir eine Stellung vorschlagen, in welcher man diese Bei=
träge lesen könnte, **so** wäre es stehend, und zwar auf
einem Beine. Denn **so** würde man mit eben der Ge=
schwindigkeit lesen, mit welcher der Verfasser gearbeitet
hat. Das Modewort Lektüre heißt ohnedem weiter
nichts, als eben **so** gedankenlos blättern, wie die Tag=
löhner der Buchhändler fabrizieren. Der größte Teil
dieser Beiträge sind, wie gewöhnlich, Übersetzungen, und
zwar aus allen Zungen. Vornehmlich hat sich Prior
se**hr** oft müssen mißhandeln lassen. Den Herrn Verleger
und übrige Freunde des Herrn Verfassers ersuchen wir,
bloß die Übersetzung der Kirchhofselegie mit denen
beiden prosaischen Übersetzungen, die man schon davon
hatte, zu vergleichen. Und wozu eine neue prosaische, da
wir die vortreffliche poetische von Gotter haben? Am
Chaucer (S. 129) hätte sich der Verfasser auch nicht
versündigen sollen, da Schiebeler schon dies Stück
übersetzt hatte. Seine eigenen prosaischen Zusammen=
schmierungen haben wir nicht auslesen können; nur
so viel erinnern wir uns davon, daß er gelegentlich
die vermoderte Wochenschrift von Mylius, den Frei=
geist, erhebt. Die Verse sind ungefähr von folgendem
Kaliber:

Holde Nacht,
Unbewacht
Laß mich deinen Vorteil kennen;
Stelle mir
Lebhaft für,
Was die Liebe macht.
Laß mich frei mit Phillis scherzen
Und sie alsdann feurig herzen,
Eh' der Neid erwacht.

10   Sehr fleißig sind Gedichte aus Müllers Versuchen eingerückt, der einmal über das andere ein großer Mann gescholten wird. Endlich macht uns die Vorrede die angenehme Hoffnung zu einem zweiten Teile.

15   20. Theatralalmanach für das Jahr 1773, verfasset von einigen Liebhabern der deutschen Schaubühne, zu finden in dem Kaiserl. Königl. priv. Realzeitungs-comptoir. Wien. Zweiter Teil. 12°. 195 S.

    So lang' der Philosoph kein Lampeduse findet, wo ihn die unverfälschte Natur in Schauspielen und Schau-
20 spielern ergötzt, so lang' wird er sich begnügen, das rohe Possenspiel des täglichen Lebens zu betrachten, und aus dem Theater bleiben. So lange insbesondere die deutsche Bühne dem Eigensinne eines tausendköpfigten und un-gebildeten Publikums und dem Mutwillen der Schreiber-
25 und Übersetzerzunft ausgesetzt bleibt; so long' in ganz Deutschland nur ein tragischer Schauspieler, nur eine tragische Schauspielerin existiert, so lange die Gebler, die Stephanie schreiben dürfen und gelobt werden — wer wird es dem Philosophen verdenken, wenn er lieber
30 wie manche Bramine den ganzen Tag in einer Positur untätig säße, als sich in den Schauplatz erhübe? Aber um der Philosophen willen allein Bühnen zu unterhalten, die nur Stücke von Schakespear, Ugolinos und Hermanns-schlachten und von Schauspielern aufgeführt wissen wollen,
35 wie sie sich die griechischen und britischen denken, möchte vor dem Jahr 2440 untunlich sein. Also laßt uns zu-frieden sein, daß wir noch ein Theater haben, daß wir

wenigstens nicht rückwärts gehen, wenn wir (wie in allen
menschlichen Künsten) nur unmerklich vorwärts gegangen
sind; laßt uns jede, auch die unerheblichste Nachricht vom
Zustande der deutschen Bühne (über den sogar ein Uni-
versalalmanach zu wünschen wäre) aus Patriotismus nicht
verachten; laßt uns zufrieden sein, daß an einem Orte,
wo vor kurzem noch Barbarei herrschte, itzt jährlich zwei
Theatralkalender erscheinen können. Den einen, welcher
den Titel genauer Nachrichten führt, haben wir dieses
Jahr schon angezeigt. Der Verfasser derselben, Herr
Müller, der sich auch die Ehre des ersten Gedankens
anmaßt, hat vieles vor den Almanachsverfassern voraus.
Beide sind für Auswärtige gute historische Quellen, wenn
sie schon zu einer eigentlichen Geschichte nicht hinreichen.
Sie geben uns bloß summarische Anzeigen (die seichten
Räsonnements im Theatralalmanach sollten ganz wegbleiben), und man darf daher keine pragmatische Entwickelung der Ursachen, keine philosophische Charakterisierung suchen, sondern sich begnügen, die Sachen in
einer gewissen Ordnung übersehen zu können. — Der
diesmalige erste Artikel im Almanach ist aus dem guten
Gedanken entstanden, die zerstreuten Bemerkungen über
die dramatische Kunst zu sammeln. Wenn die Sammlung eine Quintessenz aus der Menge dramatischer
Blätter wäre, die seit vier Jahren in Deutschland
herumfliegen, oder aus Büchern gezogen wäre, wo man
dergleichen Bemerkungen nicht suchte, so wäre sie löblich.
Aber aus einem so bekannten Buche wie Sulzers
Theorie fast fünf Bogen abdrucken zu lassen, das heißt
den Käufer ums Geld bringen, zumal da keine Artikel im
Sulzer mehr bestritten werden können als die dramatischen. — Der Artikel über die italienischen Schauspiele
hat uns am besten gefallen. Die vortrefflichen Ton-
künstler werden mit Recht bedauert, die solche nugas
canoras bearbeiten müssen. „Es sind Niederländer Spitzen,
auf Sackleinwand genäht; man besetze sie noch so häufig
damit, der Boden bleibt immer Sackleinwand.“ — Leider
erhalten wir diesmal nur einen einzigen Plan von einem

Noverrischen Ballette. — Mit Freuden lasen wir, daß
die französische Schauspieler endlich ganz fortgeschickt
worden:

> — — Du lächelst,
> Muse der gaukelnden Afterschwester,
> Die in den goldnen Sälen Lutetiens
> Ihr Liedchen klimpert.

Aber immer ist noch nur dreimal deutsches Schauspiel,
und dreimal Opera buffa. — Wenn die Verfasser nicht
10 gewohnt wären, den Mund meist ein wenig voll zu
nehmen, so würden wir es glauben, daß der Tod der
Demoiselle Delphin für das Ballett ein unersetzlicher
Verlust sei. Sie soll das bewundernswürdigste Subjekt
gewesen sein, das je in Europa für das Große und
15 Ernsthafte erschienen. — Das Verzeichnis der deutschen
Theatraldichter, das ist aller derer, die sich mit dreister
Faust ans Drama wagen, ist dermalen sehr verbessert.
Wir begreifen aber nicht, wie man Herrn Romanus
vergessen können, der doch im vorjährigen Kalender stand.
20 Derschau hat ja auch einen Orest und Pylades geschrieben. Hudemann ist, dem Himmel sei Dank, längst
tot. Herrn Pfeufers fruchtbare Feder hat uns weit
mehr gegeben als Karl und Eleonore; z. B. Wende-
lino. Scheibe ist auch der Übersetzer von den Lust-
25 spielen der Biehl. Sturzens Amt konnten die Verfasser
aus den politischen Zeitungen wissen. Die einheimischen
Theatraldichter haben diesmal einen besondern Abschnitt
bekommen. Das Verzeichnis der aufgeführten Stücke
belehrt uns, daß man immer noch wenig Trauerspiele,
30 besonders wenn sie in Versen geschrieben sind, hingegen
allen Wust von Dramen gern sehe, so schlecht sie auch
zusammengeleimt sein mögen; daß man einerlei Stück
zu Wien öfter als an andern Orten wiederholen könne;
daß man sehr auf die Menge der Personen (S. 147)
35 sehe, wenn es auch achtzehn Kinder sein sollten; daß
man sogar anfange, sich an Schakespear zu versündigen.
Die erbärmlichen eingestreuten Urteile raten wir jedem
zu überschlagen. Über Stücke wie Emilia Galotti

wissen die Herrn nichts auszurufen als: „Wen hat es
nicht entzückt!" Geblers Lob rauscht uns auf allen Sei=
ten so sehr in die Ohren, so, daß die Verfasser selbst zu
den posaunenden Theatraltrompetern gehören, deren sie
S. 179 spotten. Die Männerchen unter Herrn Schirachs
Fahne scheinen den Verfassern gar große Riesen. In
Weißens Haushälterin soll zu viel Lokales sein. Sie
können nicht begreifen, wie man Romeo und Julie so sehr
habe bewundern können, da sie doch bekennen, daß ihnen
eine Julie gefehlt habe. Ja, man hat es sogar mit
einem fünften Akte von Wiener Fabrik und mit fröh=
lichem Ausgange gespielt. Von Zeit zu Zeit geschehen
verdeckte Ausfälle auf den Herrn von Sonnenfels. Wer
da endlich noch nicht müßte, daß die Herrn Heufeld
und Klemm, wovon sich ersterer in Kupfer stechen lassen,
dieses par nobile, die Hauptverfasser wären, so dürfte er
nur den allerliebsten Ausdruck S. 162 bemerken, die Ge=
schichte der Fräulein von Sternheim sei genotzüchtigt
worden. Das Register der Schauspieler erinnerte uns
von neuem an die Ungerechtigkeiten, die Madame Hensel
zu Wien erfahren müssen, und die mit Recht geflohen hat
das undankbare Land,
Wo Kaltsinn und Kabale wohnen.

21. Die Lieder Sineds des Barden, mit Vorbericht
und Anmerkungen von M. Denis aus der G. J. —
Wien, bei Trattnern. 1773. 290 S. ohne Vorbericht.

Seitdem schon manches gründlich gegen unsre Barden=
poesie erinnert worden, haben es sich die kleine Kunst=
richterchen in Deutschland zur Regel gemacht, über alle
Barden nach ihrem Belieben zu schmähen, und der wahre
Kenner des Guten wagt es kaum, auch seine Gedanken
zu sagen, und tritt dann wieder ab. Wir sind wider die
Bardenpoesie nicht eingenommen. Rechtschaffenheit und
Patriotismus wird in diesem oder dem Tone der Gleimi=
schen Kriegslieder am besten verbreitet; und der Dichter
selbst setzt sich lieber in die Zeiten der Unschuld in
den Sitten und der starken Heldengesinnung zurück, als

daß er unsre tändlende Zeiten besänge. Wo sind denn
die schöne Taten, die ein deutscher Ossian in unsern Zeiten
besingen könnte, nachdem wir unsern Nachbarn, den
Franzosen, unser ganzes Herz eingeräumt haben? Einem
5 Patrioten singt kein Dichter in diesem Tone fremd, und
antike griechische Schilderungen, mit deutschen Sitten
verbrämt, sind doch ja wohl eben der Fehler, oder wohl
ein größerer, als Bardenpoesie in unserm Zeitalter.
Wenn Tugend und Rechtschaffenheit statt der Kabale und
10 der Lastern unsers Jahrhunderts, statt der Bosheit der
Priester und unsers Volkes wieder einmal die Oberhand
gewinnen, dann erst kann der Barde seine Saiten um-
spannen und seinen Zeiten gemäß singen. Indes bringt
jeder Barde sein Opfer zur Verbesserung unsrer Sitten,
15 und dies hat auch hier Denis getan. Von dem Vor-
berichte über die alte vaterländische Dichtkunst können
wir nur weniges sagen. Wir haben eben leider nichts
Eigenes mehr aus jenen Zeiten, und wenn auch in
Bibliotheken hie und da noch etwas wäre, so ist weder
20 Lohn noch Ermunterung genug, daß man sich Mühe gäbe,
diese Gesänge aufzusuchen; und es werden ja die Minnegesänge nicht einmal gelesen. Bei dieser Gelegenheit ersuchen wir Klopstock, uns mehr Nachricht von dem Barden zu geben, den er gefunden zu haben hofft. Welch
25 ein angenehmes Geschenk für die wenige Liebhaber der
alten Poesie! Nun kommen wir auf die Gedichte selber
1) An Ossians Geist. Ein Stück, Ossians vollkommen
würdig. Es enthält den Hauptinhalt der Ossianschen Gedichte und zuletzt eine Klage über den verderbten Geschmack
30 unsrer Zeit, in einem sanften klagenden Tone gesagt:

Seit diesem Gesichte bewohn' ich
Die Vorwelt und lerne die Weisen
Der Barden und rette der Töne
    Zurück in mein Alter, so viel ich vermag.

35 Zwar haben mich viele verlassen,
Die vormal mir horchten! Sie klagen:
Die Steige, die Sined jetzt wandelt,
    Ermüden, wer wollte sie wandeln mit ihm!

> Doch Seelen, dem Liede geschaffen,
> Empfindende Seelen, wie deine,
> Mein Lehrer! und sind sie schon wenig,
>   Die schließen bei meinen Gesängen sich auf.

2) Lehren der Vola. 3) Hagbard und Sygna. 4) Odins
Helafahrt. 5) Asbiörns Prudas Sterbelied. 6) Hakons
Leichengesang. 7) Regner und Kraka. 8) Egills Lösegesang.
Sind Übersetzungen alter Barden, deren Wert man, ohne
Schmeichelei, hochschätzen wird, wenn man bedenkt, wie
viel Mühe die Übersetzung eines solchen Stücks aus dem
barbarischen Latein den guten Sined gekostet hat. Möchte
er bald mehr solche Übersetzungen mitteilen! 9) Auf die
Genesung Theresiens. War, so viel der Rezensent sich
erinnert, schon vorher bekannt. Der Vers fließt in diesem
Stück so sanft, so voll Wohllaut, daß man zärtlich ge=
rührt werden muß, und besonders sind dem Herrn Denis
die Reimen sehr gut geraten, die sonst eben den besondern
Beifall unsrer Barden nicht haben. 10) Bardenfeier am
Tage Theresiens, ist bekannt genug. 11) Auf Josephs
Krönung. Ein vortreffliches Lied in einem harmonie=
reichen lyrischen Schwung. 12) Vier Gedichte auf die
Reisen Josephs, wovon die drei erstre schon lange be=
wundert worden sind, und das letzte gewiß allgemeinen
Beifall erhalten wird. Aber in diesem ist nicht Joseph
der Held, sondern Joseph der Vater, der Steurer des
Mangels, besungen:

>   Sein Herz,
>   Vaterempfindungen voll,
> Flügelt sich, Elbe, zu dir vom türmenden Wien,
> Flügelt sich, Moldau, zu dir.
>   Harre nach Boten nicht,
>   Die dir dein Herrscher schickt!
> Joseph ist Herrscher! Kein Bot', er selber, er kömmt.

16) Die Säule des Pflügers. Auch schon lange bekannt.
17) An den Oberdruiden an der Ruhr. 18) An einen
Bardenfreund. 19) Auf das Haupt der Starken bei den
Markmännern. 20) An den Obersten der Barden Teuts
(Klopstock). 21) An den Bardenführer der Brennenheere

(Gleim). 22) An Friedrichs Barden (Ramler). 23) An
den Oberbarden der Pleiße (Weiße). 24) An den be-
redtesten der Donaudruiden (Wurz). 25) Rhingulphs Lied
an Sined. 26) Sineds Gesicht (beide schon aus den
Almanachen bekannt). 27) An einen Jüngling. Wie vieles
müßten wir sagen, wenn wir von jedem besonders reden wollten! Die meisten sind ganz vortrefflich; dagegen
stoßen wir aber auch hie und da auf matte Stellen, die wir
hinwegwünschten. Bei einem Barden, der sonst so erhaben singt, wird man unter der Lesung schwacher Stellen
etwas unwillig, da überdies diese Flecken sich so leicht
abwischen ließen. Doch ist das Gute auch desto voll-
kommner, und dieser kleine Tadel soll keinen Leser ab-
schröcken, diese dennoch vortreffliche Stücke zu lesen.
28) Vaterlandslieder. 1. Die Vorzüge seines Vaterlandes.
2. Freude über den Ruhm der vaterländischen Weisen.
3. Wider die Nachahmung der alten Griechen und Römer
in deutschen Gesängen. 4. Freude über den Frieden und
Ruhe seines Vaterlandes. 29) Morgenlied. 30) Abendlied. 31) Gruß des Frühlings. 32) Das Donnerwetter.
33) Klagen. a. Auf Gellerts Tod. b. Über den Geschmack
einiger seines Volkes. c. Über die Erziehungsart vieler
deutschen Kinder. d. Über den Tod des Untervorstehers
am Theresianum Hohenwart. e. Über die Arme seines
Volkes. f. Über den Tod eines geliebten Vogels. Diese
Elegie darf weder mit Catulls noch Ramlers Nänie verglichen werden. Sie enthält viel Artiges, aber den
Rezensenten deucht auch manches sehr gezwungen darin.
Desto stärker und eindringender aber sind die vorhergehende Klagen geschrieben, von welchen nur die über
Gellerts Tod uns bekannt war. O Deutschland, höre
doch einmal deine fromme Barden und folge ihnen! Sie
singen jetzt noch immer Mitleid — aber sie können auch
fluchen über die Sitten ihres Volks. 34) Urlaub von der
sichtbaren Welt. In allen diesen Gedichten atmet mensch-
liches Gefühl, Patriotismus, Haß des Lasters und der
Weichlichkeit, und Lieb' der Heldeneinfalt. Oft spricht
der Barde kühn, oft eindringend, oft sanft und zärtlich

— oft tränend. Er hat seinen Gedichten Anmerkungen
beigefügt, vielleicht um den bellenden Hunden aus dem
Wege zu treten, welche über Klopstocks Oden und die
Dunkelheit darin so ein lautes Geheule angefangen. Schirach
und Konsorten werden freilich auch itzt noch nicht zufrieden
sein, wenn gleich der Barde zu ihrer Schwachheit sich oft
genug herabgelassen hat. Wir können Herrn Denis versichern, daß wir seine Lieder mit vielem Vergnügen gelesen haben. Nun wird nächstens Herr Mastalier auch
eine Sammlung seiner Gedichte veranstalten, welcher
wir mit Freuden entgegensehen. Endlich gewinnt doch
vielleicht die gute Sache des Geschmacks durch die Bemühungen so vieler wackern Männer die Oberhand.

22. Briefe über die wichtigsten Wahrheiten der
    Offenbarung. Zum Druck befördert durch den
    Herausgeber der Geschichte Usongs. Im Ver-
    lag der neuen Buchhandlung. Bern 1772. 8°. 223 S.
    Diese Briefe waren anfangs als ein Anhang zum
Usong bestimmt. Allein weil dieses ein Buch ist, wo
Liebe, Krieg und Geschäfte des gemeinen Lebens vorkommen, so konnten, sagt der Verfasser in der Vorrede,
die Angelegenheiten der Ewigkeit nicht damit vermischt
werden. Auch verwahrt sich der Herr Präsident dagegen,
daß blöde Leser in diesen Briefen eines Vaters an seine
Tochter nicht ihn suchen sollten. „Diese beide Namen
hat man beibehalten," sagt er, „weil sie die unschuldigsten
Bande der Liebe bezeichnen, die auf Erden möglich sind
— — Allein es wäre eine unerträgliche Eitelkeit, an
mich selber zu denken, wenn ich von Gott spreche." Diese
Briefe sind hauptsächlich gegen die stolzen Weisen unsers
Jahrhunderts gerichtet, die in Gott noch etwas anders
als den Strafrichter des schändlichen Menschengeschlechts
sehen; die da glauben, das Geschöpf seiner Hand sei
kein Ungeheuer; diese Welt sei in den Augen Gottes
noch etwas mehr als das Wartezimmer des künftigen
Zustandes, und die sich vielleicht gar vermessen, zu hoffen,
er werde nicht in alle Ewigkeit fort strafen. Der Herr

Verfasser bestreitet diese, nach seiner Meinung, der Mo=
ralität so nachteilige Sätze mit allem Eifer. „Dieser
Stolz", sagt er S. 18, „ist der Seele eigen und hat nicht
in den groben Elementen seinen Sitz." S. 20: „Bei Gott
5 ist kein Vergessen: das Vergeben ist eben so wenig von
Gott zu gedenken. Der Widerwille Gottes wider das
begangne Böse behält ewig seine Stärke und ewig
seine Folgen." S. 22: „Der Mensch wird mit der Quelle
alles Übels, mit dem Eigenwillen, geboren. Dieser
10 Eigenwille herrscht in einem Kinde unumschränkt, noch
ehe als es andre Beispiele gesehen hat; es sträubt
sich mit seinen schwachen Gliedern gegen allen
Zwang." Auch die besten Menschen sind in dem Herzen
Räuber und Mörder. „Denn (S. 24) eine neue Philosophin
15 hat es gerade herausgesagt: Wenn Wünsche töten könnten,
die Besitzer eines Guts, das mir gefiele, wären in großer
Gefahr ihres Lebens gewesen." Oft hat der Herr Prä=
sident mit schmerzhaftem Lächeln gesehen, „wie die be=
wunderten Dichter mit einer niedrigen Eifersucht das
20 Verdienst verkleinern, das dem ihrigen gleich hoch zu
wachsen drohen möchte; wie sie mit bittrem Grimme
diejenigen verfolgen, die ihnen nicht räuchern". Wir
haben es auch gesehen. Allein wir schließen nicht daraus,
daß alle Wasser, die getrübt werden können, Kotlachen
25 sind. Noch eine bisher neue Philosophie über die Dinge
dieser Welt haben wir aus dieser Schrift gelernt. S. 191
sagt der Verfasser: „Hätte Gott die sündigen Menschen
hier und in der Ewigkeit der Herrschaft des Lasters über=
geben, ohne Beweise seiner Ungnade gegen die tätige
30 Bosheit zu geben, so wäre er nicht mehr der Richter
der Welt gewesen, und seine vernünftige Geschöpfe hätten
bei ihrer Tugend keine Belohnung." Also, wenn Gott
nicht ausdrücklich gesagt und verboten hätte: hasse deinen
Bruder nicht, so würde mein Haß keine schädliche Folgen
35 gehabt haben. Die Unmäßigkeit würde meinen Körper
nicht zerrüttet und das Laster meine Seelenruhe nicht
gestört haben! Auch von der Ewigkeit bekommen wir
die sichersten Nachrichten. Der Mensch besteht, wie wir

aus dem Katechismo wissen, aus Augenlust, Fleischeslust
und hoffärtigem Wesen. Daraus zieht der Verfasser sein
System des künftigen Zustandes. „Wollust und Geiz
geht nicht mit uns in die Ewigkeit über" (S. 197).
Warum? „Weil wir keine Glieder mehr zur Wollust
haben, und weil dort kein Gold ist. Aber der Stolz geht
über." Von allen Wegen der Vorsehung wird überhaupt
durch das ganze Buch immer der wahre und einzige
Grund angegeben. S. 200: „Der von Gott (durch einen
Mittler) erwählte Weg war den Grundtrieben des mensch=
lichen Herzens am angemessensten. Warum? Es wird
durch Furcht und Hoffnung beherrscht."

Wir übergehen die Ausfälle gegen die Feinde der
Offenbarung, die öfters Luftstreiche sind: die Räsonne=
ments über die Geschichte der Menschheit zu den Zeiten
des Erlösers und die vielen auf einen Haufen geworfenen
Beweise für das Christentum, von denen man so wenig
wie von einem Bündel Ruten fordern darf, daß sie alle
gleich stark sein sollen. Auch gegen Ordnung und Kom=
position darf man nichts sagen, wenn man nicht in die
Ketzerliste eingetragen sein will. Allein wir geben allen
Fanatikern von beiden entgegengesetzten Parteien zu be=
denken, ob es dem höchsten Wesen anständig sei, jede
Vorstellungsart von ihm, dem Menschen und dessen Ver=
hältnis zu ihm zur Sache Gottes zu machen und darum
mit Verfolgungsgeiste zu behaupten, daß das, was Gott'
von uns als gut und böse angesehen haben will, auch
vor ihm gut und böse sei, oder ob das, was in zwei
Farben vor unser Auge gebrochen wird, nicht in e i n e n
Lichtstrahl vor ihn zurückfließen köune. Zürnen und
Vergeben sind bei einem unveränderlichen Wesen doch
wahrlich nichts als Vorstellungsart. Darin kommen wir
alle überein, daß der Mensch das tun solle, was wir
alle g u t nennen, seine Seele mag nun eine Kotlache
ober ein Spiegel der schönen Natur sein, er mag Kräfte
haben, seinen Weg fortzuwandeln, oder sich sein und eine
Krücke nötig haben. Die Krücke und die Kräfte kommen
aus einer Hand. Darin sind wir einig, und das ist genug!

23. Eden, das ist: Betrachtungen über das Para-
dies und die darinnen vorgefallenen Begebenheiten.
Nebst Vorrede von Dr. Karl Friedr. Bahrdt,
Professor zu Gießen. Frankfurt a. M. bei Franz
Varrentrapp. 1772. 8°. 161 S.

Es gehört diese Schrift zu den neueren menschenfreundlichen Bemühungen der erleuchteten Reformatoren,
die auf einmal die Welt von dem Überrest des Sauer-
teigs säubern und unserm Zeitalter die mathematische
Linie zwischen nötigem und unnötigem Glauben
vorzeichnen wollen. Wenn diese Herren so viele oder so
wenige Philosophie haben, sich das Menschenlehren zu
erlauben, so sollte ihnen ihr Herz sagen, wie viel unzweideutiger Genius, unzweideutiger Wandel und nicht
gemeine Talente zum Beruf des neuen Propheten gehören. Wenn sie Welterfahrung besitzen, so werden sie
sich bei einem großen Publikum (und das größeste glauben
sie doch vor Augen zu haben) ungern erlauben, auch
nur Terminologie-Pagoden umzustoßen und aufzustellen,
wenn sie bedenken, welche heilige, ihren Brüdern teure
Begriffe unter diesen Bildern umarmt werden. Aber
ihr ikonoklastischer Eifer geht weiter. Sie wagen sich an
nichts weniger als vollkommen biblische Begriffe. — —
Auch dieser Traktat will die ganze Lehre der Schrift von
dem Teufel wegräsonnieren: ein Verfahren, das mit
der allgemeinen Auslegungskunst, auch des strengsten
Denkers, streitet; denn wenn je ein Begriff biblisch
war, so ist es dieser. Er hängt so sehr mit der Lehre
des Morgenländers von der menschlichen Seele, seiner
Idee von Moralität, natürlichem Verderben u. s. w. zusammen, wird durch seine Sittensprüche, Allegorien und
Dogmata aller Zeiten und Sekten so sehr bestätigt, daß,
wenn man auch dem Worte Gottes nicht mehr zugestehen
wollte als jedem andern menschlichen Buche, man diese
Lehre unmöglich daraus verdrängen kann. So viele Stellen
der Apostel und Evangelisten gehen davon aus und lehren
dahin zurück, daß, wenn es auch nur ein von Christo in
seinem Zeitalter vorgefundener Begriff wäre, er doch

durch ihn geheiligt und bestätigt worden; und nur allein
der Vorsehung ist es vorbehalten, zu bestimmen, wie viel
Wahrheit sie uns auch hierin hat entdecken oder ver=
hüllen wollen. Wäre ferner die Lehre von einem Teufel
ein nicht in der heiligen Schrift ausdrücklich gelehrter
Satz (welches doch nie zu erweisen sein wird), wäre es
dem großen Haufen nur Vorstellungsart von einem Prin=
cipio des Übels, so wäre es schon als ein glücklich ge=
fundener Markstein nicht zu verrücken, — — oder wäre
er auch nur ein in die trübe Kanäle der Systeme ab=
geleiteter Satz, der aber von da in den öffentlichen Unter=
richt geflossen und Katechismusnahrung geworden, — —
so würde er auch von dieser Seite ehrwürdig genug, um
in ihm nicht die Ruhe und Seelensicherheit so vieler zu
stören, die leicht zu verwunden, aber schwer zu heilen
ist. Hätte der Verfasser sich den Schriften Mosis auch
nur als einem der ältesten Monumente des menschlichen
Geistes, als Bruchstücken einer ägyptischen Pyramide mit
Ehrfurcht zu nähern wissen, so würde er die Bilder der
morgenländischen Dichtkunst nicht in einer homiletischen
Sündflut ersäuft, nicht jedes Glied dieses Torso abgerissen,
zerhauen und in ihm Bestandteile deutscher Universitäts=
begriffe des achtzehnten Jahrhunderts aufgedeckt haben.
Es ist ekelhaft anzusehen, wenn uns ein solcher Skribent
wie dieser unterscheiden will: das hat die ewige Weisheit
unter der Geschichte Edens, unter dem Bild der Schlange
gelehrt, und das hat sie nicht gelehrt. Man durchgehe
nur den Inhalt der Betrachtungen, der dem Buche vor=
steht, und sehe, was er nichi alles lehren will. Nur
schade, daß er das Stück des Inhalts über jede einzelne
Betrachtung vorsetzt und dadurch den Leser noch auf=
merksamer auf den Beweis macht. Unsre Leser erlauben
uns, nur den Inhalt einiger Paragraphen herzusetzen.
„§ 45. Das menschliche Blut wird unter dem Bild einer
Schlange vorgestellt; § 46. Diesem Blut kann eine List
beigelegt werden; § 47. und eben so wohl eine Rede;
§ 50. Der Fluch der Schlange schickt sich auch ganz wohl
auf das menschliche Blut; § 51. Hieraus erhellet, warum

das Blutvergießen zum Mittel der Versöhnung gemacht
worden ist; § 85. Man kann gar wohl sagen, das Opfer
des Blutes Christi versöhne uns, indem es unser eigenes
Blut des Lebens, d. i. seiner Wirksamkeit beraubt."
Mit dieser Dreustigkeit erklärt er die sonderbarsten Erscheinungen in der Geschichte der Menschheit, worunter
gewiß die Opfer gehören und von deren Entstehung der
scharfsichtigste Geist nichts zu lallen vermag, wenn er
keinen positiven Befehl Gottes annehmen will.

24. Bekehrungsgeschichte des vormaligen Grafen
J. F. Struensee, nebst desselben eigenhändiger
Nachricht von der Art, wie er zu Änderung seiner
Gesinnung über die Religion gekommen ist. Von
Dr. B. Münter. Kopenhagen 1772. 8°. 312 S.

Drei Arten von Menschen werden diese Bekehrungsgeschichte mit Vergnügen lesen. Der Neugierige, der
nur immer fragt: was hat der gesagt, und was sagte
jener? Der dumme Bigotte, der zufrieden ist, wenn einer
vor seinem Tode schön gebetet hat; und der ehrliche
ebene Mann, der sich freut, wenn sein sterbender Neben-
mensch an dem Rand des Grabs Beruhigung und Trost
gefunden zu haben glaubt, ohne sich gerade darum zu
bekümmern, auf was für einem Weg er dazu gekommen
ist, und ob er selbst auf diese Art dazu gekommen wäre?
— Der denkende Theologe und der Philosoph werden
aber wenig Anteil an diesen Blättern nehmen können.
Wir hatten gehofft, in dem unglücklichen Grafen einen
Mann zu finden, der nach langen und tiefen Beobachtungen
des physischen und moralischen Zustandes des Menschen,
nach kühnen und sichern Blicken in die Ökonomie der
Schöpfung, mit ausgebreiteter Kenntnis der Welt sich
ein zusammenhangendes Religionssystem gebaut hätte,
in dem wenigstens einige Festigkeit, oder doch nur Glanz
zu sehen wäre. Dieses System, dachten wir, wird Herr
Dr. Münter mit warmem Gefühl, mit erleuchteter Vernunft bestreiten; er wird mit seinem armen Freund durch
die Labyrinthe seiner Untersuchungen wandern; wird

seinen wahren Begriffen Allgemeinheit geben; wird, seine
Irrtümer zu heilen, seine Augen zu einem großen Blick
über das Ganze öffnen; wird ihm die Religion in ihrer
Simplizität zeigen; wird wenig von ihm sodern, um
viel zu erhalten; und lieber den Funken im Herzen,
sollte es auch bis ins Grab nur Funke bleiben, zu
nähren und zu bewahren, als die helleste Flamme in der
Phantasie aufzutreiben suchen. — Wir fanden uns
aber betrogen. Struensee war so wenig Philosoph,
als es Herr Dr. Münter zu sein scheint; und wahrlich,
wäre es einer oder der andere um ein Quentchen mehr
gewesen, so würden sie nimmermehr mit einander zurecht
gekommen sein. Struensee eröffnet S. 10 seine Begriffe
von der Metaphysik des Menschen: er hält ihn für eine
Maschine, will ihm aber die Freiheit nicht absprechen, die
jedoch durch die Empfindungen bestimmt würde. Die
Handlungen seien nur unmoralisch, insofern sie der Ge=
sellschaft schadeten; an sich sei alles gleichgültig. — Ein
so übel zusammenhangendes Gewebe war leicht zerrissen.
Herr Dr. Münter setzt Hypothese gegen Hypothese,
und so sehr die seinige mit willkürlichen Begriffen und
Kunstwörtern ausgestopft war, die Struensee gewiß nicht
oder wenigstens nicht so als wie sein Gegner verstand,
so war sie doch leicht wahrscheinlicher zu machen als die
Struenseeische, die in sich nichts taugte. Schon in der
britten Unterredung wünschte der Graf die Unsterblichkeit.
Er hatte Jerusalems Betrachtungen gelesen, und diese
verleiteten ihn zu seinem Wunsch, der Herrn Dr. Münter
die übrige Bekehrung außerordentlich erleichterte. Nun
war nichts übrig, als dem Grafen seine Verbrechen recht
empfindlich zu machen, um ihn zu zwingen, Trost zu
suchen. Das war auch die Operation, die Herr Dr. Mün=
ter vornahm und die die natürliche Würkung hatte, daß
Struensee, der nie Philosoph war, mit beiden Händen
zugriff und sich alles gefallen ließ, was ihn trösten und
ihm ein Glück jenseit des Grabes versprechen kounte, da
diesseits keins mehr für ihn da war. Man lese diese
ganze Schrift, und insbesondere die Nachricht des Grafen

selbst, so wird man, wenn wir uns nicht sehr betrügen,
diesen Gang seiner Seele leicht finden, den Mann, der lange
an einer Kette auf einem mühseligen Weg herum=
gezogen wurde, sich losreißt und unbekümmert, ob er auf
5 Weg oder Wüstenei gerät, so lang' herumschländert, bis
er in einen Abgrund sinkt, vor dem er zittert. Im Fallen
strengt er seine Phantasie an mit tröstenden Hoffnungen
von Ruhe, von Freude, von Glückseligkeit am Boden
des Abgrundes, seinen Fall zu erleichtern; oder in jedem
10 Wind den Gang eines Engels zu hören, die ihn auf=
halten und zu glücklichern Gefilden tragen werde. Wir
wollen dadurch weder des Herrn Dr. Münters men=
schenfreundliche Bemühung tadlen, noch des unglücklichen
Grafen Bekehrung in Zweifel ziehen. Struensee wußte
15 wohl selbst nicht, wo sein Glauben lag; wie sollte es Herr
Dr. Münter wissen? und da sich der Proselyte immer
im allgemeinen auf Bücher berief und in den fürchter=
lichen, kurzen Stunden, die ihm noch übrig waren, so
ganz roh von Begriffen war, so war auch zu einer wahren
20 Umbildung des Herzens und der Denkungsart, wenigstens
in dem Weg, den Menschenaugen sehen können, keine
Zeit vorhanden. Über den Wert der Bekehrung kann
aber Gott allein urteilen; Gott allein kann wissen, wie
groß die Schritte sein müssen, die hier die Seele tun
25 muß, um dort seiner Gemeinschaft und dem Wohnplatz
der Vollkommenheit und dem Umgang und der Freund=
schaft höherer Wesen näher zu kommen. Das ist unser
Urteil über diese Bogen, die wir demohngeachtet allen
Eltern, Lehrern, Predigern und übertriebnen Devoten
30 angelegentlichst empfehlen, weil sie aus ihnen die große
Wahrheit lernen werden: daß allzustrenge und über die
Grenzen gedehnte Religionsmoral den armen Struensee
zum Feind der Religion gemacht hat. Tausende sind es
aus eben der Ursache heimlich und öffentlich, Tausende,
35 die Christum als ihren Freund geliebt haben würden,
wenn man ihn ihnen als einen Freund und nicht als
einen murrischen Tyrannen vorgemalt hätte, der immer
bereit ist, mit dem Donner zuzuschlagen, wo nicht höchste

Vollkommenheit ist. — Wir müssen es einmal sagen,
weil es uns schon lang' auf dem Herzen liegt: Voltaire,
Hume, la Mettrie, Helvetius, Rousseau und ihre
ganze Schule haben der Moralität und der Religion lange
nicht so viel geschadet als der strenge, kranke Pascal 5
und seine Schule.

25. Aussichten in die Ewigkeit, in Briefen an
    Zimmermann. Dritter und letzter Band. Zürch 1773.
    8°. 342 S.

Es war immer so und natürlich, daß der nach Ewig= 10
keit Hungernde und Dürstende solche Speisen sich droben
in Phantasie bereitete, die seinem Gaumen hier angenehm
waren, sein Magen hier vertragen konnte. Der weiche
Orientaler bepolstert sein Paradies um wohlgeschmückte
Tische, unter unverwelklichen Bäumen, von denen Früchte 15
des Lebens über die Auserwählten und ihre ewig reine
Weiber herabhängen. Der brave Norde überschaut vor
Asgard in den Tiefen des Himmels unermeßlichen Kampf=
platz, ein erwünschtes Feld seiner unzerstörlichen Stärke,
ruht dann, sein Glas Bier mit Heldenappetit auszechend, 20
neben Vater Odin auf der Bank. Und der gelehrte,
denkende Theolog und Weltkündiger hofft dort eine
Akademie, durch unendliche Experimente, ewiges
Forschen sein Wissen zu vermehren, seine Erkenntnis zu
erweitern.   25

Herr Lavater wird uns verzeihen, wenn wir seinen
Plan zur Ewigkeit, den er, nach sich berechnet, freilich
für allgemein halten muß, nur für einen spezialen, und
vielleicht den spezialsten ansehen können.

In dem ersten Teil S. 23 erklärte er sich schon, 30
wie er sein Gedicht für den denkenden und gelehrten
Teil der Menschen, besonders Christen, bestimme. Bis=
her hat er Wort gehalten und eröffnet nur Aussichten
für Denkende und Gelehrte, wenigstens ist mit allzu=
großer Vorliebe für diese gesorgt, sie stehen überall vornen 35
an, und Nenton und Leibniz haben zu ansehnliche
Vorzüge vor Bürgern und Bauern, als daß man nicht

merken sollte, einer ihrer Familie habe den Hofstaat dieses
Himmelreichs zu bestallen gehabt.

Herr L. macht kein Geheimnis, daß Bonnet ihm
den ersten Anlaß gegeben. Wie deutlich sieht man nicht
in dem zwölften Briefe, dem letzten des zweiten Bandes,
eine Seele, die, von Spekulation über Keim und
Organisation ermüdet, sich mit der Hoffnung letzt,
die Abgründe des Keims dereinst zu durchschauen, die
Geheimnisse der Organisation zu erkennen und vielleicht einmal da als Meister Hand mit anzulegen, wovon ihr jetzt die ersten Erkenntnislinien nur schwebend
vordämmern; eine Seele, die, in dem großen Traum von
Weltall, Sonnendonnern und Planetenrollen
verloren, sich über das Irdische hinauf entzückt, Erden
mit dem Fuß auf die Seiten stößt, tausend Welten mit
einem Finger leitet und dann wieder, in den Leib versetzt, für die mikromegischen Gesichte Analogie in
unsern Kräften, Beweisstellen in der Bibel
aufklaubt.

Von dem gegenwärtigen Teile, der dreizehn Briefe
enthält, müssen wir sagen, daß sie nach unsrer Empfindung sogar hinter den vorigen zurückbleiben. Und wir
haben in diesen Briefen nichts gesucht, als was uns der
Verfasser versprach, ausgegoßne Ahndungen, innige Empfindungen von Freund zu Freund und Samenblätter
von Gedanken; und statt allem diesem finden wir Räsonnement und Perioden, zwar wohlgedacht und wohl-
gesprochen; aber was soll uns das!

Schon da wir vor dem ersten Teile den Inhalt der
zukünftigen Briefe durchsahen, machte es einen unangenehmen Eindruck auf uns, die Abhandlungen von Er-
höhung der Geistes-, sittlichen und politischen
Kräfte in Briefe abgeteilt zu sehen. Was heißt das
anders, als durch gelehrtes Nachdenken sich eine Fertig-
keit erworben zu haben, auf wissenschaftliche Klassi-
fikationen eine Menschenseele zu reduzieren. Und da
wir nun gar die Briefe selbst durchschauen und finden,
was wir vermuten konnten, aber doch immer weniger,

als wir vermuteten. Im dreizehnten Brief „von Er=
höhung der Geisteskräfte", logisch=metaphysische Zergliede=
rungen der Geschäftigkeit unsers Geistes, durch Multi=
plikation jenes Lebens würdig gemacht. Er schließt, wie
in den vorhergehenden Briefen: „Heben wir hier eins,
so heben wir dort tausend"; als wenn nicht eben in
diesem Mehr oder Weniger das Elend dieser Erde be=
stünde. Doch das geht durchs ganze Buch durch. Denn
auch in diesem Briefe tritt Erkenntnis vornen an, die
ewige Wißbegierde, das systematisierende Erfah=
rungsammeln. Hat er nie bedacht, was Christus den
großen Hansen ans Herz legt: „Wenn ihr nicht werdet
wie diese Kindlein", und was Paulus spricht: „Das
Stückwerk der Weissagungen, des Wissens, der Erkennt=
nis werde aufhören und nur die Liebe bleiben." Aber,
ach! im vierzehnten Brief führt er die Liebe erst auf den
Schauplatz; und wie? Über unsre sittliche Kräfte,
nach Anlaß theologischer Moral mit einiger Wärme
homiletisiert er, daß Phrase die Empfindung, Aus=
druck den Gedanken meist so einwickelt, daß alles zu=
sammen auf das Herz gar keine Wirkung tut. Nicht
besser ist's im fünfzehnten und siebzehnten Briefe. In
jenem sind uns die Knechtschaft und Herrschaft an=
stößig gewesen; biblisch=bildlich mögen sie sein, der Emp=
findung sind sie nichts, und die Analogie aus diesem
Leben nicht gedacht. Haben hier fünfzig Lässige nötig,
durch einen Würksamen ermuntert zu sein, müssen es
hier Menschen geben, die Mittelpunkt sind und Sonne;
aber dort, wo alles Hindernis und Trägheit wegfallen
soll —! Wir wollen uns in kein Widerlegen und Vor=
drängen unsrer Meinungen einlassen. In dem sieb=
zehnten Brief von den gesellschaftlichen Freuden des Him=
mels ist viel Wärme, auch Güte des Herzens, doch zu
wenig, um unsre Seele mit Himmel zu füllen. Dem
sechzehnten Brief von der Sprache des Himmels wollen
wir sein Wohlgedachtes nicht ableugnen, doch quillt auch
da nichts aus der Seele, es ist so alles in die Seele
herein gedacht. Der achtzehnte und neunzehnte Brief

von Vergebung der Sünden und den seligen Folgen des
Leidens werden hoffentlich die heilsame Würkung haben,
gewisse Menschen über diese Materien zu beruhigen.
Wir sagen gerne von den übrigen nichts; über das Einzelne haben wir nichts zu sagen, wir sind viel zu sehr
mit der Vorstellungsart, aus der Herr L. schreibt, vertraut, als daß wir ihn von denen Seiten schikanieren
sollten, von denen er sich schon so viel hat leiden müssen.
Und aus unserm Gesichtspunkt haben wir gesagt, was
wir zu sagen hatten. Der grübelnde Teil der Christen
wird ihm immer viel Dank schuldig bleiben. Er zaubert
ihnen wenigstens eine herrliche Welt vor die Angen, wo
sie sonst nichts als Düsterheit und Verwirrung sahen.

Noch einige Worte von dem zu erwartenden Gedichte. Hätte Herr L. für den empfindenden Teil der
Menschen zu singen, sich zum Seher berufen gefühlt, er
hätte übel getan, diese Briefe zu schreiben, würde sie
auch nicht geschrieben haben. Er hätte empfunden für
alle. Die aus seinem Herzen strömende Kraft hätte alle
mit fortgerissen. Allein als Denker Denkenden ein ge-
nugtuendes Werk zu liefern, da ihr ehe hundert Herzen
vereinigt als zwei Köpfe, da sollte er wohl Gesichtspunkte
variieren, Skrupels aus dem Wege räumen; und dazu
bestimmte er die Briefe. Wir wissen nicht, ob er den
Zweck durch sie erreicht. Seinem alten Plan bleibt er
getreu, seinen Gesinnungen auch, trutz allem Widerspruch. Da dünkt's uns dann, er hätte doch besser getan, gleich mit der ersten Wärme ans Gedicht zu gehen
und zu wagen, was er doch noch wagen muß.

Wir wünschen ihm Glück zu seiner Unternehmung.
Und wenn er irgend einen Rat von uns hören mag, so
hat er über diese Materien genug, ja schon zu viel ge-
dacht. Nun erhebe sich seine Seele und schaue auf diesen
Gedankenvorrat, wie auf irdische Güter, fühle tiefer das
Geisterall, und nur in andern sein Ich. Dazu wün-
schen wir ihm innige Gemeinschaft mit dem gewürdigten
Seher unsrer Zeiten, rings um den die Freude des
Himmels war, zu dem Geister durch alle Sinnen und

Glieder sprachen, in dessen Busen die Engel wohnten:
dessen Herrlichkeit umleucht' ihn, wenn's möglich ist,
durchglüh' ihn, daß er einmal Seligkeit fühle und ahnde,
was sei das Lallen der Propheten, wenn ἄῤῥητα ῥηματα
den Geist füllen!   5

26. Predigten über das Buch Jonas von
   Johann Kaspar Lavater, gehalten in der Kirche
   am Waisenhause. Winterthur im Verlag Heinrich
   Steiners und Comp. 1773. Die erste Hälfte. gr. 8°.
   254 S.   10

Jedes große Genie hat seinen eignen Gang, seinen
eignen Ausdruck, seinen eignen Ton, sein eignes System
und sogar sein eignes Kostüm. Wenn das nicht wahr
wäre, so müßten wir unsern Lavater für die allerselt=
samste Erscheinung von der Welt halten. Wir müßten   15
bei Vergleichungen einer Lavaterischen Schrift mit der
andern den seltsamsten Kontrast, und selbst in einer und
derselben Schrift die wunderbarste Vermischung von
Stärke und Schwäche des Geistes, von Schwung und
Tiefe der Gedanken, von reiner Philosophie und trüber 20
Schwärmerei, vom Edeln und Lächerlichen zu erblicken
glauben. Allein der Rezensent hat diesen Mann seit
einiger Zeit genauer studiert und würde sich nun der
Sünde fürchten, dieses Urteil über ihn zu fällen. Jener
Kontrast ist bloß scheinbar — so wie überhaupt der Be= 25
griff von dem, was man Kontrast nennt, eigentlich nur
relativ ist. Denn eigentlich nennen wir alles so, was
dem gemeinen Haufen der Menschen, auf und neben
einander gestellt, lächerlich und abgeschmackt vorkommt.
Ist aber jedes große Genie zugleich Original, hat es   30
seiner Natur nach seinen eignen Gang, sein — eignes
Kostüm, wie wir oben sagten, so ist das in Beziehung
auf ihn nicht mehr Kontrast, und der Zuschauer muß
seine Weise mit Ehrerbietigkeit betrachten, ohne sich unter=
fangen zu wollen, jeden Schritt desselben nach dem ge= 35
meinen Maßstabe zu beurteilen. Er muß, was ihm un=
gewöhnlich ist, mit abgewandten Blicken ·vorbeilassen,

ober, wenn er so demütig sein kann, anstaunen — und
so wenig er begreifen kann, wie der Mann darauf kam,
dennoch damit sich beruhigen, daß er zu sich selbst sage: so
denket, so spricht nur — ein Lavater! Und also nun
kein Wort weiter von dem, was ein anderer Rezensent
vielleicht würde gerügt haben.

Herr Lavater hat diese Predigten seinem durch
mancherlei Demütigungen bewährten lieben
Freund und Bruder Hasenkamp, Rektor am
Gymnasium zu Duisburg, zugeeignet und uns von ungefähr einen Fingerzeig auf die Ungründlichkeit mancher
Urteile von seiner Denkart gegeben, die wir nicht un-
bemerkt lassen können: „Menschlichkeit auszubreiten,
lieber Freund, Menschlichkeit, diese erste und letzte Men-
schentugend, ist einer meiner Hauptzwecke bei diesen
Predigten. Dies, lieber Bruder, sei dir ein Wink! Herzlich gern möchte ich mich noch länger über wichtige
Reichsangelegenheiten Christi mit dir unterhalten (so
denkt, so spricht nur — ein Lavater! also nur geduldig
darüber hin, lieber Leser!); aber ich kann es nicht. Ich
sage also nur noch: sei weise, sei ein Mann! — —
widersetze dich ferner, lieber Bruder, mit Weisheit,
Sanftmut und leuchtender Stärke des Geistes und Herzens den beiden großen Feinden der Wahrheit und Tugend — ich meine das emporbrausende christusleere
Christentum auf der einen, und die vernunftlose
Schwärmerei auf der andern Seite." Sprich, lieber
Leser, ob unser Lavater nicht fürtrefflich denkt! Aber,
sprich, ob es nicht höchst wünschenswürdig wäre, daß
man beide diese Feinde besser kennen lernte, als sie die
meisten kennen? Denn wie viele wissen die große Frage
richtig zu beantworten: was heißt christusleeres Christentum? was vernunftlose Schwärmerei? welches sind ihre
Grenzlinien, welche die Malzeichen des Tiers? Möchte
sie doch einst ein Lavater beantworten!

Die erste der Predigten handelt von der Allgemeinheit der göttlichen Fürsehung. Vorn
erzählt Herr Lavater schön und ungekünstelt den sonder-

baren Ruf des Jonas aus der Geschichte des Textes.
Wobei wir uns doch gewundert haben, wie Herr Lavater
sagen konnte: „Das ist schwer zu begreifen — daß er
auf den tollen Einfall geriet, vor dem Angesichte
des Herrn zu fliehen und seiner allgegenwärtigen Hand
gleichsam zu entlaufen," da doch die Anmerkung so alt
als richtig ist, welche die besten Ausleger zu Ablehnung
dieses Vorwurfs gemacht haben, daß ein allgemeines
Nationalvorurteil bei den Juden war, als ob (פני יהוה)
das Angesicht Gottes nur über die Juden leuchte;
das heißt, daß Gott nur unter seinem Volke seine Spe-
zialprovidenz durch unmittelbare Offenbarungen und
andere besondere Wirkungen äußere; ja, daß er sich um
die Heiden gar nicht bekümmere und sie seiner Vorsorge
würdige. Ohnfehlbar hatte auch Jonas den Gedanken,
wenn er nur Gott (wie man sagt) aus dem Gesichte, das
heißt aus Palästina, wäre, so würde er von so unangenehmen Aufträgen nichts weiter zu befürchten haben,
— und läßt nicht selbst der ehrliche Charakter des Jonas,
den Herr Lavater in der Folge rühmt, jeden nachden-
kenden Leser vermuten, daß eine solche durch ein allgemeines Vorurteil gestimmte Schwachheit bei dieser
Flucht zum Grunde müsse gelegen haben? S. 22 ist
der Gedanke: „mir scheint unter allen (heiligen Verfassern) keiner so ganz ausdrücklich, so ganz durchaus
und mit dem größten Fleiße dies (nämlich die allwal-
tende Fürsehung Gottes glaubwürdig und so viel wie
möglich handgreiflich zu machen) immer vor dem Auge
gehabt zu haben — wie der Verfasser dieses Buchs"
ohnfehlbar etwas übertrieben. Wir dürfen Herrn Lavater nur an das Buch Hiob erinnern, um seine Beistimmung zu erhalten. Im Buche Hiob ist ohnfehlbar
der Satz: „Gottes Fürsehung ist unergründlich — aber
doch immer durch den Ausgang groß und bewundernswürdig" die offenbare Hauptabsicht des Verfassers gewesen, so wie ich glaube, daß im Buche Jonas der
Zweck war, obgedachtes jüdisches Vorurteil zu widerlegen
und zu zeigen, daß sich Gottes Fürsehung auch auf die

Heiben erstrecke. Der Gedanke: Die Stimme der
Fürsehung ist die Stimme Gottes, den Herr
Lavater S. 64 u. f. ausführt, ist seit jeher auch der Lieb-
lingsgedanke des Rezensenten gewesen, und er hat sich
immer wohl dabei befunden. Kurz, wir haben alle Predigten dieses ersten Bandes mit Vergnügen und mit
warmer Hochachtung für den Verfasser gelesen und empfehlen sie unsern Lesern aus Überzeugung. Noch sind
die Rubriken von den übrigen anzuzeigen. Zweite Pre-
digt: Das Fehlerhafte in dem Betragen Jonas'. Dritte:
Das Gute in dem Betragen Jonas'. Vierte: Die Schiff-
gefährten Jonas'. Fünfte: Jonas in und außer dem
Walfische. Sechste: Unwandelbarkeit der göttlichen Güte.
Siebente: Vorbereitungspredigt auf den Kommunions-
tag vor dem Bettag.

27. **Alexander von Joch**, über Belohnung und
    Strafen nach türkischen Gesetzen. Andere,
    durchgehends verbesserte und mit einem Anhang ver-
    mehrte Ausgabe, welche die Widerlegung der wich-
    tigsten Zweifel enthält. Baireuth und Leipzig 1772.
    8°. 306 S.
Man weiß aus der ersten Ausgabe, daß dieses Buch die
Lehre von der moralischen Freiheit geradezu widerlegt. —
Es waren einmal einige Vögel in einer weitläuftigen
Voliere. Ein Buchfink sagte zu seinem Nachbar Zeisig,
der von einem Bäumchen zum andern munter herum
flatterte: Weißt du denn, mein Freund, daß wir in
einem Käsig stecken? — Was Käsig, sagte der Zeisig;
siehe, wie wir herum fliegen! Dort ist ein Käsig, wo der
Kanarienvogel sitzt. — Aber ich sage dir, wir sind auch
im Käsig. Stehst du dort nicht das Gegitter von Draht?
— Das ist dort, aber siehe, so weit ich auf allen Seiten
sehen kann, steht keins! — Du kannst die Seiten nicht
alle übersehen. — Das kannst du auch nicht! — Aber
denke nur, fuhr der Buchfinke fort, bringt uns nicht
unser Herr alle Morgen dort in den Trog Wasser, streut
er uns nicht hier auf die Ecke Samenkörner; mürbe er

das tun, wenn er nicht wüßte, daß wir eingeschlossen
sind und nicht davon fliegen können? — Aber, sagte immer
der Zeisig, ich kann ja freilich davon fliegen! — So stritten
sie noch lang'; bis endlich der Kanarienvogel aus seiner
Ecke rief: Kinder, wenn ihr streiten müßt, ob ihr im
Käfig seid oder nicht, so ist's so gut, als wäret ihr nicht
darinnen! —

Seitdem uns ein alter Philosoph diese Fabel gelehrt
hat, seitdem haben wir allen Streit über Freiheit auf=
gegeben. Es ist vielleicht auch keine gelehrte Zänkerei
weniger gründlich behandelt worden als diese. Meist
hat man auf der einen Seite Begriffe nach Willkür ge=
schaffen und meist auf der andern Einwürfe aus schiefen
Induktionen geholt. Am Ende war Spott hier und Ana=
thema dort der Beschluß des sehr entbehrlichen Dramas.

Herr Alexander von Joch ist nicht weit von der
gewöhnlichen Methode abgegangen. Er setzt aus von dem
allgemeinen Schicksal, geht alsdann auf den Menschen
und seinen Willen über, zeigt, daß sein Verstand nicht
frei sei, weil er von den Gegenständen und seinem phy=
sischen Gesetze abhänge; noch weniger aber der Wille,
welcher teils durch die Notwendigkeit, das Angenehme
zu wählen, das Unangenehme zu meiden, teils durch den
ebenfalls knechtischen Verstand regiert würde.

Umsonst widerstrebt das Gefühl. Wir werden er=
staunlich betrogen, wir glauben in dem Augenblick, wir
wollten, in welchem wir gezwungen werden; und
dann, wer kennt nicht die Gewalt einer Lieblingsidee,
einer Idea fixa!

Warum aber diese Idee? Gewiß nicht um der
Moral und um der Lehre von Verdienst und Strafe
willen. Die Schönheit ist gefällig, ob sie gleich ein Ge=
schenk des Himmels und kein selbst erworbener Wert ist.
So auch moralischer Wert. Belohnungen und Strafe
aber sind immer unentbehrlich, weil sie eben die Mittel
sind, wodurch der Wille gezwungen wird. — Das ist
ohngefähr so der Hauptinhalt von dem System des Herrn
Alexander von Joch, an welchem uns die oft gute Laune,

das Originelle und Offenherzige sehr wohl gefallen hat, ob wir gleich wünschten, daß er seiner Meditation einen andern Vorwurf gewählt hätte.

Wir bemerken überhaupt, daß die Lehre von der
5 Freiheit von sehr vielen Gelehrten, wenigstens Schriftstellern, für weit leichter gehalten wird, als sie ist. Man stellt sich meistens vor, daß ein flüchtiges Räsonnement die Sache ausmachte; aber in der Tat, wer von ihr gründlich reden wollte, der müßte ganz das innere Wesen
10 und die erste Springfeder aller Tätigkeit erkennen. Wer wagt sich in diese Tiefe, wenn er sie kennt?

Insbesondere aber, dünkt uns, hat man den wahren Punkt des Streits fast immer verfehlt. Es ist gar nicht die Rede von der Frage: ob ein Wesen seinem Wesen
15 gemäß handeln müsse? Wer sollte das leugnen? Doch haben's alle die, welche die Gleichgiltigkeit der Wahl verteidigen wollen. — Laßt die sich drehn, wie sie können! — Die eigentliche Frage sollte, dünket uns, so vorbereitet und festgesetzt werden:
20 Ein tätiges Wesen ist alsdann weder frei noch gezwungen, wann alle Handlungen, die es tut, auf seinen eigenen Selbstgenuß hinaus laufen; gezwungen aber ist's, wann sie zum Genuß, den ein anderes Wesen hat, abzwecken. — Freiheit ist ein relativer, eigentlich gar ein
25 negativer Begriff; muß es auch sein, denn ohne Bestimmung, folglich ohne Zwang ist nichts möglich, nichts gedenkbar. Freiheit druckt Abwesenheit von einer gewissen Bestimmung aus. Nun von was für einer? Von einer wesentlichen, innern? Unmöglich! Also ist es Torheit,
30 da das Wort Freiheit zu gebrauchen, wo von solchen Bestimmungen die Rede ist; es heißt da eben so viel, als sein und nicht sein. Soll das Wort Sinn haben, so muß es nur da gebraucht werden, wo die Rede von einem Verhältnis ist, das nicht wesentlich ist, ohne welches
35 das Wesen existieren konnte. — Sieht man die Lehre von der Freiheit in diesem Lichte, so kann man wohl ehe etwas Vernünftiges dafür sagen, und ich zweifle, ob Herr von Joch sie alsdann widerlegen würde.

Eben diese Aussicht breitet auch Licht über die da=
niederschlagende Lehre vom Schicksal. Es ist nicht genug,
wie Alexander von Joch, sich bloß auf die tausend kleine
Gelegenheitsursachen zu berufen, die eine Veränderung
im Weltsystem machen. Alle wirken; ohne alle kann die 5
Veränderung nicht statt finden; das weiß ich, oder glaub'
ich vielmehr; aber alle sind wieder unnütz ohne meine
Wirkung. Es ist also einmal ein Zirkel, das Fatum an=
zunehmen, weil die Menschen nicht frei sind, und den
Menschen die Freiheit absprechen, weil das Fatum an= 10
genommen worden ist. Auf der andern Seite aber ist
jeder durch die ihm wesentliche Bestimmung, nach seinem
eigenen Selbstgenuß zu wirken, immer insofern Herr
seines Schicksals; wenigstens dient das Schicksal ihm. —
Doch die Materie ist unerschöpflich, und der Kanarien= 15
vogel in unsrer Fabel sagt alles, was wir von diesem
Buch und der ganzen Streitfrage denken.

28. Herrn Hollands philosophische Anmerkungen über
    das System der Natur, aus dem Französischen, von
    Wetzel. Bern im Verlag der neuen Buchhandlung. 20
    Erster Teil 358 S. Zweiter Teil 334 S. 8°.

Gegen einen leicht gerüsteten Franzosen tritt hier
ein schwer bewaffneter Deutscher, gegen einen Partei=
gänger ein regulierter Krieger auf. Indessen sind weder
Waffen noch Kunst sein eigen, und das war hierzu auch 25
nicht nötig. Mit einer guten Belesenheit in Sulzers,
Kants, Mendelssohns, Garvens Schriften konnte er schon
den französischen Weltweisen überflügeln. Herr Holland
hat nur das Verdienst eines guten philosophischen Samm=
lers, und wir glauben auch, daß er selbst seine Quellen 30
würde dankbar angezeigt haben, wenn er nicht französisch
und für Franzosen geschrieben und also die Zitationen
gescheut hätte. Nur haben wir uns bei seiner ausge=
breiteten Lektüre darüber gewundert, daß er nicht zu
wissen scheint, was Voltaire gegen das Système de la 35
nature geschrieben, und was unser Herz gegen dasselbe
und gegen Voltaires Widerlegung erinnert hat. Herr

Wetzel hat (wenn nun einmal die französische Schrift ins Deutsche übersetzt werden sollte) das Verdienst eines sorgfältigen Übersetzers, wobei man gern einige Fehler gegen die deutsche Grammatik übersieht. Er tat wohl, daß er
5 das Système zugleich mit übersetzte; denn so kann man zugleich beide Parteien hören. Aber bei seinen Invektiven gegen die Franzosen hätte er sich Herrn Hollands Billigkeit zum Muster vorstellen sollen. Man muß niemanden, der zu irren scheint, Gefühl für Tugend und
10 Rechtschaffenheit absprechen und Eigensinn und Tücke aufbürden, so lang' man nicht weiß, ob der Gegner mit Vorsatz Irrtümer lehre.

29. Über die Liebe des Vaterlandes, von J. v. Sonnenfels. Wien 1771. 8°. 131 S.
15 Haben wir ein Vaterland? Die Frage an sich wäre schon ein schlimmes Zeichen, wenn die unzufriedne Übersichtigkeit der Menschen nicht dafür bekannt wäre, daß sie oft die ganze Welt durchsucht und ausfragt nach Dingen, die ihr vor den Füßen liegen.
20 Eine akademische Schrift unter dem Vorsitze J. v. S. in der K. K. Theresianischen adelichen Akademie, nebst 75 Lehrsätzen aus der Polizeihandlung und Finanz, verteidigt von vier bis sechs Uhr! Da war ihre Bestimmung vollendet, das hätte auch ihr Lebensziel sein sollen, und
25 sie hätte ruhen mögen bei ihrer großen Familie, bis an jüngsten Tag.
Über die Liebe des Vaterlands in Form eines Traktats, fürs deutsche Publikum!
Die ewigen mißverstandnen Klagen nachgesungen:
30 „Wir haben kein Vaterland, keinen Patriotismus." Wenn wir einen Platz in der Welt finden, da mit unsern Besitztümern zu ruhen; ein Feld, uns zu nähren; ein Haus, uns zu decken: haben wir da nicht Vaterland? und haben das nicht Tausend und Tausende in jedem Staat? und
35 leben sie nicht in dieser Beschränkung glücklich? Wozu nun das vergebene Aufstreben nach einer Empfindung, die wir weder haben können noch mögen, die bei ge-

wissen Völkern, nur zu gewissen Zeitpunkten, das Re=
sultat vieler glücklich zusammentreffender Umstände war
und ist.

Römerpatriotismus! Davor bewahr' uns Gott,
wie vor einer Riesengestalt! wir würden keinen Stuhl
finden, drauf zu sitzen; kein Bett, drinnen zu liegen.
Nachdem Herr S. in den zwei ersten Hauptstücken aller=
lei Empfindungen, Eigenliebe, Stolz, Beschränkung, An=
hänglichkeit und dergleichen, mit Nationalzügen mancher=
lei Völkerschaft wohl durch einander gerührt und mit
historischen Bonmots und Chronikenmärchen, à la Zimmer=
mann und Abbt, sein gewürzt, macht er im dritten, nach
einem Kameralanschlag, die Vorteile bekannt zur Ein=
pflanzung der Vaterlandsliebe, aus dem Lande, das eine
Nation bewohnet:

$$\text{Was trägt} \begin{cases} \text{Jagd} \\ \text{Fischerei} \\ \text{Viehzucht} \\ \text{Feldbau} \\ \text{eben Land} \\ \text{gebirgigt Land} \\ \text{unfruchtbares Land} \end{cases} \text{zur Vaterlandsliebe bei?}$$

Da kommen nun die jagenden und streifenden Völker=
schaften am übelsten zurecht. Und hier müssen wir an=
merken, daß Herr S., durch das Wort Vaterland ver=
führt, durchaus zu sehr als glebae adscriptus diskuriert,
und wir halten's noch immer mit dem Themistokles: Nicht
der Boden, sondern die Verhältnisse eines Volks, deren
zwar viele auch aus dem Lande, das sie bewohnen, her=
vorspringen, bestimmen Nation. So haben die Juden
Nation und Patriotismus, mehr als hundert leibeigne
Geschlechter.

Im vierten Hauptstück werden den Gesetzgeber Hand=
griffe gelehrt. Lykurg, Solon, Numa treten als
Collegae Gymnasii auf, die nach der Kapazität ihrer
Schüler exercitia diktieren. In den Resultaten des
Lebens dieser großen Menschen, die wir noch dazu nur
in stumpfen Überlieferungen anschauen, überall Prin=

zipium, politisches Prinzipium, Zweck zu sehen;
mit der Klarheit und Bestimmtheit, wie der Handwerksmann Kabinettsgeheimnisse, Staatsverhältnisse, Intri-
gen bei einem Glase Bier erklärt, in einer Streitschrift
zu erklären! — — Von Geheimnissen (denn welche große
historische Data sind für uns nicht Geheimnisse?), an
welche nur der tieffühlendste Geist mit Ahndungen zu
reichen vermag, in den Tag hinein zu räsonnieren! — —
Es wird alle Tage schlimmer. Ehmals gab man nur
Gelehrsamkeit in solchen Schriften preis; an der war
doch nichts fürs Menschengeschlecht verloren: jetzt mißhandeln die Herren guten Sinn und Empfindung.

Durchaus werden die Gesetze en gros behandelt;
alle Nationen und Zeiten durcheinander geworfen; unsrer
Zeit solche Gesetze gewünscht und gehofft, die nur einem
erst zusammengetretenen Volk gegeben werden konnten.
Und man sieht nicht, daß man in die Luft redt und aus-
gezischt zu werden verdient, wie einer, der Damen im
Reifenrocke Evas Schürzchen vorpanegyrisieren wollte.

Fünftes Hauptstück. Regierungsformen, nach wohl
skelettierter tabellarischer Terminologie, was sie zur Ver-
breitung der Vaterlandsliebe beitragen mögen.

Und nun zuletzt, im sechsten Hauptstück, gehn die
Mitbürger so drein, und auch hier alles ut supra.
Familiengefühl, diesen Hauptstamm, auf den
alles ankommt, dessen Boden nur das Vaterland ist;
Regierungsart, die Luft, die ihn umgibt, davon alle
andre Empfindungen Zweige sind, von dem man ausgehen, dahin man zurückkehren muß, auch, um nur das
Gemeinste zu sagen, hier als ein Heckchen zu betrachten, das doch auch mit am Wege steht und im Vor-
beigehn einen Blick verdient!

Am sonderbarsten ist uns vorgekommen, daß Herr
S. das Anfassen der Landsleute in der Fremde auf Rechnung der Vaterlandsliebe schreibt, da das doch grad dagegen deponieren könnte. Zuletzt verspricht er leicht-
gezeichnete Skizzen von Patrioten.

Man ehrt in den Skizzen großer Meister den reinen

Hauch ihres Geistes, ohne irgend eine Hülle. Leider!
müssen wir hier auf unser Gewissen beteuern, daß wir,
wie in den Gemälden des Verfassers, nichts denn willkürlich hingesudelte Striche haben wahrnehmen
können. Portraits! Freilich immer noch so charakte- 5
ristisch als die zwölf Apostel in Holzschnitt, die man,
trotz aller venerablen Verzerrung, wenigstens an ihren
Schlüsseln, Schwertern, Kreuzen und Sägen unterscheidet.

30. Charakteristik der vornehmsten Europäischen Nationen. Aus dem Englischen. Leipzig. 8°. 10
Erster Teil 16 Bogen. Zweiter Teil 14 Bogen.

Das Werk ist aus dem Britischen Museum. Nun
für ein Museum war das kein Stück! ins Hinterstübchen
mit: in die Küche, da ist sein Platz, je mehr beraucht,
desto besser! Charakter polierter Nationen! werst 15
die Münze in den Tiegel, wenn ihr ihren Gehalt
wissen wollt; unter dem Gepräge findet ihr ihn in Ewigkeit nicht.

So bald eine Nation poliert ist, so bald hat sie kon-
ventionelle Wege, zu denken, zu handlen, zu empfinden; 20
so bald hört sie auf, Charakter zu haben. Die Masse individueller Empfindungen, ihre Gewalt, die Art der Vorstellung, die Wirksamkeit, die sich alle auf diese eigene
Empfindungen beziehen, das sind die Züge der Charakteristik lebender Wesen. Und wie viel von alle dem ist 25
uns polierten Nationen noch eigen? Die Verhältnisse der
Religion, die mit ihnen auf das engste verbunden bürgerlichen Beziehungen, der Druck der Gesetze, der noch größere
Druck gesellschaftlicher Verbindungen und tausend andere
Dinge lassen den polierten Menschen und die polierte 30
Nation nie ein eigenes Geschöpf sein; betäuben den Wink
der Natur und verwischen jeden Zug, aus dem ein
charakteristisches Bild gemacht werden könnte.

Was heißt also nun Charakter einer polierten Nation?
Was kann's anders heißen als Gemälde von Religion 35
und bürgerlicher Verfassung, in die eine Nation gestellt
worden ist; Draperie, wovon man höchstens sagen kann,

wie sie der Nation ansteht. Und hätte uns der Verfasser
dieses Werkchens nur so viel gesagt, nur gezeigt, wie die
polierte Nation denn unter allen diesen Lasten und Feßlen
lebt. Ob sie sie gebultig erträgt, wie Isaschar, ober ob
5 sie dagegen anstrebt, sie bisweilen abwirst, bisweilen
ihnen ausweicht ober gar andere Ausmege sucht, wo sie
noch freiere Schritte tun kann; ob noch hier und da unter
der Politur der Naturstoff hervorblickt; ob der Stoff
immer so biegsam war, daß er die Politur annehmen
10 konnte; ob die Nation wenigstens eigene, ihrem Stoff ge-
mäße Politur hat ober nicht? und dergleichen. Vielleicht
würbe ein philosophischer Beobachter noch auf diese Art
eine erträgliche Charakteristik zu Stande bringen. Aber
der Verfasser reiste gemächlich seine große Tour durch
15 England, Frankreich, Italien, Spanien, Deutschland und
die Niederlande. Blickte in seinen Puffendorf, kon-
versierte mit schönen Herrn und Damen und nahm sein
Buch und schrieb. Zum Unglück ist in der ganzen Welt
nichts schiefer als die schönen Herru und Damen, und
20 so wurden seine Gemälde gerade eben so schief; den Engländer verteidigt er immer gegen die Franzosen; den
Franzosen setzt er dem Engländer immer entgegen. Jener
ist nur stark, dieser nur tänblend; der Italiener prächtig
und feierlich, der Deutsche sanft und zählt Ahnen. Alles
25 vom Hörensagen, Oberfläche, aus g u t e n Gesellschaften
abstrahiert — und das ist ihm Charakteristik! Wie so
gar anders würden oft seine Urteile ausgefallen sein,
wenn er sich herunter gelassen hätte, den Mann in seiner
Familie, den Bauern auf seinem Hof, die Mutter unter
30 ihren Kindern, den Handwerksmann in seiner Werkstatt,
den ehrlichen Burger bei seiner Kanne Wein, und den
Gelehrten und Kaufmann in seinem Kränzchen ober seinem
Kaffeehaus zu sehen. Aber das fiel ihm nicht einmal ein,
daß da Menschen wären; oder wenn's ihm einfiel, wie
35 sollte er die Gebult, die Zeit, die Herablassung haben?
Ihm war ganz Europa seines französisches Drama ober,
was ziemlich auf eins hinaus kommt, Marionettenspiel!
Er guckte hinein und wieder heraus; und das war alles!

31. Johann Jakob Mosers, Königlich Däni=
schen Statsrats, neueste kleine Staats=
schriften. Frankfurt und Leipzig bei Metzler. 1772.
8⁰. 20 Bogen.

Unsere Leser werden diese vortreffliche Sammlung
einiger kleinen Abhandlungen aus dem deutschen Staats=
rechte schon aus der ersten Auflage kennen, die im Jahr
1768 erschien und die hier völlig unverändert geblieben
ist. Wir wollen sie nur daran erinnern, daß die Aus=
führung des päpstlichen Entscheidungsrechts in
zwiespaltigen Wahlen geistlicher Reichsfürsten,
welche gegen Herrn Pestels bekannte Schrift gerichtet ist
und gleich bei ihrer ersten Erscheinung begierig aufge=
sucht wurde, und dann der unmaßgebliche Vor=
schlag wegen Verfertigung einer Reichsusual=
matrikul, der wegen der mühsamen Ausarbeitung dem
berühmten Verfasser so viele Ehre gemacht hat, darinnen
enthalten seien. Die übrige Abhandlungen betreffen be=
kanntlich das Recht, die Besteurungsart zu be=
stimmen und abzuändern, eine Nachricht vom
geistlichen Gut im Würtembergischen, und die
Verbindlichkeit landesherrlicher den Land=
ständen erteilten Resolutionen. Da das Buch
schon bei seiner ersten Ausgabe in mehrern Journalen,
z. B. in der Allgemeinen deutschen Bibliothek, im An=
hang zu den zwölf ersten Bänden, S. 797 u. f., längst
angezeigt und gerühmt worden ist, so würde es ein
schlechtes Kompliment für unsere Leser sein, wenn wir
ihnen den Wert desselben noch erst anpreisen wollten,
und wir würden auch nicht einmal so viel davon gesagt
haben, wenn nicht der Herr Auszugsmacher in dem
17. Stücke der Gelehrten Zeitung von Frankfurt an der
Oder es als eine neue Schrift angesehen und sich die
Mühe genommen hätte, dem Publikum den Inhalt eines
Buchs weitläuftig vorzuzählen, welches das Publikum schon
vor fünf Jahren besser als jener unwissende Rezensent
gekannt und genutzt hat. Bei dem greulichen Zustande
unserer lieben Zeitungskritik hat noch das Abenteuer ge=

fehlt, daß Leute ohne alle literarische Kenntnisse sich zu
Kunstrichtern aufwerfen; und — Dank sei es der Hausen-
schen Zeitungsfabrik! — das hätten wir doch nun erlebt.

32. **Die erleuchteten Zeiten** oder Betrachtung über
den gegenwärtigen Zustand der Wissenschaften und
herrschenden Sitten in Deutschland. Züllichau 1772.
8°. 12 Bogen.

Eine langweilige Schulchrie. Der vermutlich sehr
junge, wenigstens sehr unerfahrne Verfasser kennt die
Welt nur nach den vier Fakultäten und muß wo von
einem stolzen Halbgelehrten gehört haben, daß wir in
erleuchteten Zeiten leben. Das ärgert ihn nun, und
deswegen beweist er: daß die Philosophen nicht erleuchtet
sind, weil noch einige die beste Welt verteidigen; die
Ärzte nicht, weil noch so viele Menschen sterben; die
Juristen nicht, weil so viele Gesetze ohne Prozesse und
so viele Prozesse ohne Gesetze da sind; die Theologen
nicht, weil sie so eigensinnig sind, und weil man so oft
bei ihren Predigten einschläft; die Humanisten nicht, weil
sie das Lateinische und Griechische nicht ernstlich genug
treiben, das Hebräische so schwer machen, so viele Verse
schreiben und dergleichen. Unsre Sitten taugen auch
nichts, weil wir zu sinnlich sind; nicht genug in der Bibel
lesen; und sonderlich in dem Zeugungsgeschäfte nicht genug
über die Geheimnisse, die darin verborgen liegen, medi-
tieren, sondern bloß so hin zeugen. — Daß doch solche
Lente reformieren wollen! Die Stelle vom Vorbilde des
Propagationssystems S. 171 ist blasphemer Unsinn, den
wir uns scheuen hierher zu setzen; alles übrige ist flaches
Gewäsch, ohne einen einigen allgemeinen Blick, ohne Verstand, ohne Kenntnis, ohne Laune. — Erleuchtete Zeiten!
das war wohl der Mühe wert, zu fragen, ob wir in
solchen Zeiten leben! oder wenn man doch fragen wollte,
so mit Amtsmiene zu antworten; so zu deklamieren!
Hätt' doch der Mensch über den Mann im Mond oder
den weißen Bär geschrieben! das war sein Beruf! —
Wer sich noch unterfängt, unsre Zeiten für erleuchtet zu

halten, der soll zur Strafe diese zwölf Bogen lesen; und
wer sie gar deswegen dafür hält, weil er darin lebt, der
soll sie auswendig lernen!

33. **Leben und Charakter Herrn Christian
Adolf Klotzens, entworfen von Karl Renatus
Hausen. Halle 1772. 8°. 93 S.**

Wären die Biographen von jeher so gestimmt ge=
wesen, wir würden so viel Beschwerden über zu hoch ge=
spanntes Lob nimmer gehört haben. Man kann dem
Verfasser nichts weniger vorwerfen als die Idealisierung
seines Helden. Wo andre den Menschen auf Dichter=
fittigen emportragen, läßt er ihn geruhig sinken, oder
gibt ihm wohl gar einen Stoß zu Beschleunigung seines
Falls. Armer Klotz, in welcher erbärmlichen Gestalt
wirst du vors Publikum hingelegt. Kein Mann von
Genie, das heißt ohne Fähigkeit, neue große Ideen aus
der Tiefe zu heben; eine lebhafte Einbildungskraft, andrer
Erfindungen zu benutzen und zu detaillieren, doch ohne
Applikation, ohne anhaltenden Fleiß. Gelehrsamkeit,
aber was für? Keine ausgebreitete, sondern diffundierte,
keine gründliche, sondern velitierende, nicht einmal Be=
lesenheit im wahren Sinn. Und was hat er getan?
Ein paar Autores herausgegeben. Weiter? unbedeutende
Traktätchen geschrieben. Aber sein Hauptwerk? Acta
literaria. Sein Hauptwerk! Rezensieren, necken, lästern.
Und als Professor, keine Intention auf seine Lesestun=
den, keinen guten Vortrag dazu, und also keinen Beifall.
In seinem moralischen Charakter Züge, die sich nur mit
der unvergleichlichsten Inkonsequenz entschuldigen lassen.
Schändliche Doppeltheiten gegen Vertrauende, die flachste
Eitelkeit, Neid über Vorzüge andrer, also Mißtrauen.
— — Wir mögen nicht weiter ausschreiben; wir haben
mehr christliche Liebe dann Herr Hausen, und sind
Rezensenten.

Mußten Sie denn das Wort, gewiß so leicht weg=
gesprochen als irgend eins des seligen geheimen Rats,
und wenn's zur Stunde der Empfindung gesagt war,

desto schlimmer, mußten Sie das Wort: Wenn ich tot
bin, müssen Sie mein Leben beschreiben — —
wie ich bin, in wahrem Bilde — — auch alsdann,
wenn wir Feinde werden sollten! für eines
5 Mannes strengstes Ernstwort nehmen? War es nicht
vielmehr im genauesten Sinn der Wille eines Menschen,
der da spricht: Macht mit der Beerdigung meines
Leibes keine Umstände. Was wird man zum Exe-
kutor sagen, der dem Toten auch gar sein Sterbehemde
10 auszieht und seine mißgestalte Nacktheit, an eine Land-
straße hingeworfen, den Augen des Publikums prostituiert
und Vögeln und Hunden preisgibt? Freilich ein Leichen-
begängnis ohne Umstände.
    Wir sagen gern nichts von der Person, die Herr H.
15 selbst in diesem Stücke spielt; uns könnte er's übel nehmen,
und jeder Leser muß die Bemerkung ohne uns machen.

34. Lobrede auf den Herrn Friedrich Karl
    Kasimir von Crenz ꝛc. Frankfurt am Main 1772.
    68 S. gr. 8°.

20   Ohne Gefühl, was so ein Mann gewesen, ohne Ahndung, was so ein Mann sein könne, schreibt hier einer
die schlechteste Parentation. Der Gang dieses sonderbaren Genies, das Durcharbeiten durch so viele Hindernisse, die düstre Unzufriedenheit bei allem Gelingen wird
25 in der Feder unsers Skribenten recht ordnungsgemäßer
Cursus humaniorum et bonarum artium, und der sehr
eigen charakteristische Kopf wohlgesaltete honette Alletags-
maske. Das ist immer das Schlimmste, was den Menschen, wie Crenz, widerfahren kann, deren Leben vielfach
30 vergällt wird, weil sie nicht sind wie andre, daß man,
um sie nach dem Tod wenigstens in ehrbare Gesellschaft
introduzieren zu können, ihre Gestalten verwischt und
beteuert: sie waren wie andre vortreffliche Leute
auch!

35 35. Gedanken über eine alte Aufschrift. Bei
    Weidmanns Erben und Reich. Leipzig 1772. 8°. 62 S.

Sie reden, was sie wollen, mögen sie doch
reden! was kümmert's mich. So heißt die Auf=
schrift. Zwo Arten von Menschen leben nach dieser
Maxime, sagt der Verfasser; die großen und kleinen
Sultane und die Cyniker. Jene, weil sie glauben, die
andern Menschen wären nur Frösche; diese, entweder
weil sie kein Verdienst haben und sich weder über diesen
Mangel ärgern noch ungerecht genug sind, Belohnungen
für etwas zu verlangen, das sie nicht haben; oder weil
sie sehen, daß sie es doch niemand recht machen können.
Diese, sagt der Verfasser, handeln am klügsten, und zum
Beweis zeigt er in einer philosophischen Laune, an welcher
man den Dichter der Musarion und des Agathons nicht
verkennen kann, wie wunderlich die Welt Lob und Tadel
verteilt. Endlich schließt er mit der Grundmaxime seiner
menschenfreundlichen Moral, daß man die Menschen er=
tragen soll, ohne sich über sie zu ärgern. Diese wenige
Blätter enthalten eine Menge vortrefflicher Anmerkungen.
Wir hätten aber gewünscht, daß der Verfasser, dem man
so gerne zuhört, uns auch den Wachspuppenzustand vor=
gestellt hätte, in dem diejenigen leben, welche nicht Stärke
genug haben, der Maxime seiner Inschrift zu folgen. Unter
allen Besitzungen auf Erden ist ein eigen Herz die kost=
barste, und unter Tausenden haben sie kaum zween.

----

36. Moralische Erzählungen und Idyllen von
  Diderot und S. Geßner. Zürch 1772. 8°. 273 S.
   Was beiden würdigen Männern Anlaß gegeben, in
Gesellschaft aufzutreten, erklärt die zur Pränumeration
auf die französische Ausgabe dieses Werks unsern Blät=
tern angehängte Nachricht, so daß wir ohne weitere Vor=
rede zur Sache schreiten können.
   Idyllen von Geßner. „Die Schönheiten der
Natur", sagt der Verfasser in dem angehängten Brief
an Füeßlin, „und die guten Nachahmungen derselben von
jeder Art taten immer die größte Würkung auf mich;
aber in Absicht auf Kunst war's nur ein dunkles Gefühl,

das mit keiner Kenntnis verbunden war und daher ent=
stand, daß ich meine Empfindungen und die Eindrücke,
welche die Schönheiten der Natur auf mich gemacht
hatten, lieber auf eine andre und solche Art auszudrücken
5 suchte, welche weniger mechanische Übung, aber die gleichen
Talente, eben das Gefühl für das Schöne, eben die auf=
merksame Bemerkung der Natur fordert."

Geßner war also zum Landschaftmaler geboren; ein
pis aller machte ihn zum Landschaftdichter, und auch nun,
10 da er zu seiner Bestimmung durchgedrungen, da er einen
ansehnlichen Rang unter den Künstlern erworben, ge=
nießt er in Gesellschaft der Gespielin seiner Jugend, der
ländlichen Muse, manchen süßen Augenblick. Malender
Dichter! dazu charakterisiert sich in angeführter Stelle
15 Geßner selbst, und wer mit Lessingen der ganzen Gat=
tung ungünstig wäre, würde hier wenig zu loben finden.
Doch wir wollen hier nicht unbillig sein. Wir kennen
die Empfindungen, die aus der bürgerlichen Gesellschaft
in die Einsamkeit führen, aufs Land, wo wir dann nur
20 zum Besuch sind, nur wie bei einer Visite die schöne Seite
der Wohnung sehn, und ach! nur sehn — der geringste
Anteil, den wir an einer Sache nehmen können!

Und so ist es Geßnern gegangen. Mit dem emp=
findlichsten Auge für die Schönheiten der Natur, das
25 heißt für schöne Massen, Formen und Farben, hat er
reizende Gegenden durchwandert, in seiner Einbildungs=
kraft zusammengesetzt, verschönert, und so standen para=
diesische Landschaften vor seiner Seele. Ohne Figuren
ist eine Landschaft tot; er schuf sich also Gestalten aus
30 seiner schmachtenden Empfindung und erhöhten Phantasie,
staffierte seine Gemälde damit, und so wurden seine
Idyllen. Und in diesem Geiste lese man sie! und man
wird über seine Meisterschaft erstaunen. Wer einen
Malerblick in die Welt hat, wird mit inniger Freude
35 vor seinen Gegenden verweilen; ein herrliches Ganze
steigt vor unsern Augen auf, und dann das Detail, wie
bestimmt, Steine, Gräschen. Wir glauben, alles schon
einmal gemalt gesehen zu haben, oder wir möchten's

malen. Da sagt uns aber ein Feind poetischer Malerei:
was ist's? Der Vorhang hebt sich, wir sehen in ein
Theater, das für uns, von der Seite zu beschauen,
eben so künstlich hinter einander geschoben, so wohl be=
leuchtet ist; und wenn wir einige Minuten Zeit gehabt　5
haben, Ah! zu sagen, dann treten Junggesellen und
Jungfrauen herein und spielen ihr Spiel.

Wir zweifeln nicht, daß sich darauf antworten ließe;
aber die Leute sind nicht zu bekehren, sie verlangen,
daß alles von Empfindung ausgehn, alles in sie zurück=　10
kehren soll. Wenn wir als Maler Geßners Figuren be=
trachten, so sind es die edelsten schönsten Formen; ihre
Stellung so ausgedacht, so meisterhaft empfunden, ihr
Stehen, Sitzen, Liegen nach der Antike gewählt —

Was geht mich das an? sagt der Gegner. Im Ge=　15
dicht ist mir nicht drum zu tun, wie die Leute aussehn,
wie sie Hände und Füße stellen, sondern was sie tun,
was sie empfinden. Nach der Antike mögen sie wohl
studiert sein, wie Geßner seine Landschaft mehr nach
seines Herrn Schwehervaters Kupferstichsammlung als　20
nach der Natur ausgebildet zu haben scheint.

Ich will, fährt er fort, von dem Schattenwesen
Geßnerischer Menschen nichts reden. Darüber ist lange
gesagt, was zu sagen ist. Aber zeigt das nicht den größten
Mangel dichterischer Empfindung, daß in keiner einzigen　25
dieser Idyllen die handelnden Personen wahres Inter=
esse an und mit einander haben? Entweder ist es kalter
erzählender Monolog oder, was eben so schlimm ist, Er=
zählung und ein Vertrauter, der seine paar Pfennige
quer hinein dialogisiert; und wenn denn einmal zwei　30
was zusammen empfinden, empfindet's einer wie der
andre, und da ist's vor wie nach.

Wer wird aber einzelnen Stellen wahres Dichter=
gefühl absprechen? Niemand. Einzelne Stellen sind vor=
trefflich, und die kleinen Gedichte machen jedes ein nied=　35
liches Ganze. Hingegen die größern; so trefflich das
Detail sein mag, so wenig zu leugnen ist, daß es zu ge=
wissen Zwecken wohl geordnet ist, so mißt ihr doch über=

all den Geist, der die Teile so verwebt, daß jeder ein
wesentliches Stück vom Ganzen wird. Eben so wenig
kann er Szene, Handlung und Empfindung verschmelzen.
Gleich in der ersten tritt der Mond auf, und die ganze
5 Idylle ist Sonnenschein. Der Sturm ist unerträglich
daher. Voltaire kann zu Lausanne aus seinem Bette
dem Sturm des Genfers Sees im Spiegel nicht ruhiger
zugesehen haben als die Leute auf dem Felsen, um die
das Wetter wütet, sich vice versa detaillieren, was sie
10 beide sehn. Das mag sein! In dieser Dichtungsart ist
der Fehler unvermeidlich; dagegen zu wie viel Schönheiten gibt er Anlaß? Muß man dem Theater nicht
auch manche Unwahrscheinlichkeit zu gute halten? und
dennoch interessiert es, rührt es. Und von der Schweizer
15 Idylle habt ihr kein Wort gesagt! Wie ich anfing, sie
zu lesen, rief ich aus: O hätt' er nichts als Schweizer-
Idyllen gemacht! Dieser treuherzige Ton, diese muntre
Wendung des Gesprächs, das Nationalinteresse! das
hölzerne Bein ist mir lieber als ein Dutzend elfenbeinerne
20 Nymphenfüßchen. Warum muß sie sich nur so schäfer-
mäßig enden? kann eine Handlung durch nichts rund
werden als durch eine Hochzeit? Wie lebendig läßt sich
an diesem kleinen Stücke fühlen, was Geßner uns sein
könnte, wenn er nicht durch ein zu abstraktes und ekles
25 Gefühl physikalischer und moralischer Schönheit wäre in
das Land der Ideen geleitet worden, woher er uns nur
halbes Interesse, Traumgenuß herüber zaubert.
(Von Diderots mor. Erzähl. nächstens.)

37. Über das von dem Herrn Prof. Hausen ent-
30 worfne Leben des H. G.R. Rivy. Halberstadt
1772. 8⁰. 69 S.

Herr Jacobi und sein gutes Herz; das gute Herz
und der Herr Jacobi; die ein großer Teil des Publikums
mit uns von Herzen satt ist.

35 Konnte er nicht lieblicher Dichter sein, ohne sich
überall anlieben zu wollen? nicht ehrlicher Mann, ohne
diese ängstliche Protestationen? Was ist sie auch nur

im geringsten wert, diese Bußfertigkeit, mit der er auf
sein Rezensentenleben zurück sieht? bekennt: er habe zwar
unvermeidliche Sünden da begangen, pag. 46, wolle sie
aber als Schwachheitssünden angesehn wissen, da ihm
bekanntlich nicht die geringste Bosheit, nicht die mindeste
Fähigkeit, zu schaden, von der Natur mitgeteilet worden.
Und das versichert er einer Frau; da doch die trefflichste
des andern Geschlechts in Männerzwist weder zengen noch
richten kann.

Uns ist der Inhalt und die Art des Vortrags höchst
widrig aufgefallen. Wir wünschten, Herr Jacobi unter
seinen Zweigen accompagnierte seine Vögel; wäre

> Der edle, warme Menschenfreund,
> Der echte, weise Tugendfreund,
> Auch des Laster strenger Feind (pag. 7)

und ließe uns nur mit seinen Tugenden unbehelligt.
Streitigkeiten sollt' er andern überlassen, als Geistlicher,
Poet und — hat er doppelt und dreifach das Weiberrecht.

38. Nachrede statt der versprochenen Vorrede.

Die besondre Aufmerksamkeit, mit der ein geehrtes
Publikum bisher diese Blätter begünstigt, läßt uns für
die Zukunft eine schmeichelhafte Hoffnung fassen; beson=
ders, da wir uns mit allen Kräften bemühen werden, sie
seiner Gewogenheit immer würdiger zu machen.

Man hat bisher verschiedentlich Unzufriedenheit mit
unsern Blättern bezeugt; Autoren sowohl als Kritiker,
ja sogar das Publikum selbst, haben gewünscht, daß
manches anders sein möchte und könnte, dessen wir uns
freilich gerne schuldig geben wollen, wenn uns nicht Un=
vollkommenheit aller menschlichen Dinge genugsam ent=
schuldigt.

Es ist wahr, es konnten einige Autoren sich über
uns beklagen. Die billigste Kritik ist schon Ungerechtig=
keit; jeder macht's nach Vermögen und Kräften und findet
sein Publikum, wie er einen Buchhändler gefunden hat.
Wir hoffen, diese Herren werden damit sich trösten und
die Unbilligkeit verschmerzen, über die sie sich beschweren.

Unsre Mitbrüder an der kritischen Junung hatten außer
dem Handwerksneid noch einige andere Ursachen, uns
öffentlich anzuschreien und heimlich zu necken. Wir trieben
das Handwerk ein bißchen freier als sie, und mit mehr
5 Eifer. Die Gleichheit ist in allen Ständen der Grund
der Ordnung und des Guten, und der Becker verdient
Strafe, der Brezeln backt, wenn er nur Brod aufstellen
sollte, sie mögen übrigens wohl schmecken, wem sie wollen.

Könnten wir nur auch diesen Trost ganz mit in das
10 neue Jahr nehmen, daß wir dem Publiko einigen Dienst
erzeigt, wie es unser Wunsch gewesen, wir würden uns
wegen des übrigen eher zufrieden geben. Allein auch
von diesem ist uns mannigfaltiger Tadel und Klage zu
Ohren gekommen, am meisten über den Mangel so not-
15 wendiger Deutlichkeit. Unsre Sprache, wir gestehen's
gerne, ist nicht die ausgebildetste, wir haben uns über
den Unfleiß, unsre Empfindungen und Gedanken aus
einander zu wickeln, uns noch mancher Nachlässigkeit im
Stil schuldig gemacht, und das gibt manchen Rezensionen
20 ein so welsches Ansehn, daß es uns von Herzen leid ist,
vielen Personen Gelegenheit zum Unmut gegeben zu haben,
die bei dreimaliger Durchlesung dennoch nicht klug daraus
werden können.

Das größte Übel aber, das daher entsprungen, sind
25 die Mißverständnisse, denen unsre Gedanken dadurch unterworfen worden. Wir wissen uns rein von allen bösen
Absichten. Doch hätten wir bedacht, daß über buukle
Stellen einer Schrift Tausende nicht denken mögen noch
können, für die also derjenige Lehrer und Führer ist, der
30 Witz genug hat, dergleichen zu tun, als habe er sie verstanden, wir würden uns, so viel möglich, einer andern
Schreibart befleißigt haben. Doch was lernt man in der
Welt anders als durch Erfahrung.

Eben so aufmerksam waren wir auf den Vorwurf, der
35 uns wegen Mangel wahrer Gelehrsamkeit gemacht worden.
Was wir wahre Gelehrsamkeit nennen, bildeten wir uns
niemals ein zu besitzen, aber da ein geehrtes Publikum
hierinne sonst sehr genügsam ist, merken wir nun wohl,

daß es uns entweder an Geschicke mangelt, mit wenigem
uns das gehörige Ansehn zu geben, oder daß wir von
dem, was sie gründlich nennen, einen nur unvollkommnen
Begriff haben.

Allen diesen Beschwerden, so viel möglich, abzu=
helfen, wird unser eifrigstes Bestreben sein, welches um
so viel mehr erleichtert wird, da mit Ende dieses Jahrs
diejenigen Rezensenten, über deren Arbeit die meiste Klage
gewesen, ein Ende ihres kritischen Lebens machen wollen.
Sie sagen, sie seien vollkommen befriedigt, haben dieses
Jahr mancherlei gelernt, und wünschen, daß ihre Be=
mühungen auch ihren Lesern nicht ganz ohne Nutzen sein
mögen. Sie haben dabei erfahren, was das sei, sich dem
Publiko kommunizieren wollen, mißverstanden werden,
und was dergleichen mehr ist; indessen hoffen sie doch,
manchen sympathisierenden Leser gefunden zu haben, dessen
gutem Andenken sie sich hiermit empfehlen.

So leid uns nun auch dieser ihr Abschied tut, so
können wir doch dem Publiko versichern, daß es uns weder
an guter Intention noch an Mitarbeitern fehlt, ihm unsre
Blätter inskünftige immer brauchbarer zu machen.

Denen zu gefallen, die gern gleich wissen wollen,
was an den höchsten Reichsgerichten anhängig gemacht
worden, wird man auf jedem Blatte auf der letzten Sette
das Eingegangene ohnverweilt mitteilen. Der Titel und
Register der in diesem Bande angezeigten Schriften wird
auch mit nächstem folgen.

Die Herausgeber.

Brief des Pastors

zu *** an den neuen Pastor zu ***

Aus dem Französischen.

(1773)

Lieber Herr Amtsbruder!

Da die Veränderung in meiner Nachbarschaft vor-
ging, daß der alte Pastor starb, an dessen Stelle Ihr
kommt, freute ich mich von ganzem Herzen. Denn ob
ich gleich kein unleidsamer Mann bin und meinem
Nächsten nichts mehr gönne als sein bißchen Leben, das
bei manchen, wie beim Vieh, das einzige ist, was sie
haben, so muß ich doch aufrichtig gestehen, daß Eures
Vorfahren Totengeläut mir eben so eine freudige Wallung
ins Blut brachte als das Geläute Sonntags früh, wenn
es mich zur Kirche ruft, da mein Herz vor Liebe und
Neigung gegen meine Zuhörer überfließt. Er konnte
niemanden leiden, Euer Vorfahr, und Gott wird mir
vergeben, daß ich ihn auch nicht leiden konnte, ich hoffe,
Ihr sollt mir so viel Freude machen, als er mir Verdruß
gemacht hat; denn ich höre so viel Guts von Euch, als
man von einem Geistlichen sagen kann, das heißt: Ihr
treibt Euer Amt still, und mit nicht mehr Eifer, als nötig
ist, und seyd ein Feind von Kontroversen. Ich weiß nicht,
ob's Euerm Verstand oder Euerm Herzen mehr Ehre
macht, daß Ihr so jung und so friedfertig seyd, ohne deß-
wegen schwach zu sein; denn freilich ist's auch kein Vorteil für die Herde, wenn der Schäfer ein Schaf ist.

Ihr glaubt nicht, lieber Herr Amtsbruder, was mir
Euer Vorfahr für Not gemacht hat. Unsre Sprengel liegen

so nah beisammen, und da steckten seine Leute meine Leute
an, daß die zuletzt haben wollten, ich sollte mehr Men=
schen verdammen, als ich nicht täte; es wäre keine Frende,
meinten sie, ein Christ zu sein, wenn nicht alle Heiden
ewig gebraten würden. Ich versichre, lieber Bruder, ich 5
wurde manchmal ganz mutlos; denn es gibt gewisse
Materien, von denen anzufangen ich so entfernt bin, daß
ich vielmehr jedesmal am Ende der Woche meinem Gott
von ganzem Herzen dauke, wenn mich niemand darum
gefragt hat, und wenn's geschehen ist, ihn bitte, daß er's 10
inskünftige abwenden möge; und so wird's jedem rechi=
schaffnen Geistlichen sein, der gutdenkende Gemüter nicht
mit Worten bezahlen will und doch weiß, wie gefährlich
es ist, sie halbbefriedigt wegzuschicken, oder sie gar ab=
zuweisen. Ich muß Euch gestehen, daß die Lehre von 15
Verdammung der Heiden eine von denen ist, über die ich
wie über glühendes Eisen eile. Ich bin alt geworden
und habe die Wege des Herrn betrachtet, so viel ein
Sterblicher in ehrfurchtsvoller Stille darf; wenn Ihr
eben so alt sein werdet als ich, sollt Ihr auch bekennen, 20
daß Gott und Liebe Synonymen sind, wenigstens wünsche
ich's Euch. Zwar müßt Ihr nicht denken, daß meine
Toleranz mich indifferent gemacht habe. Das ist bei
allen Eiferern vor ihre Sekte ein mächtiger Behuf der
Redekunst, daß sie mit Worten um sich werfen, die sie 25
nicht verstehen. So wenig die ewige einzige Quelle der
Wahrheit indifferent sein kann, so tolerant sie auch ist,
so wenig kann ein Herz, das sich seiner Seligkeit ver=
sichern will, von der Gleichgültigkeit Profession machen.
Die Nachfolger des Pyrrho waren Elende. Wer möchte 30
zeitlebens auf dem Meer von Stürmen getrieben werden?
Unsere Seele ist einfach und zur Ruhe geboren; so lang'
sie zwischen Gegenständen geteilt ist, so fühlt sie was,
das jeder am besten weiß, wer zweifelt.

Also, lieber Bruder, dauke ich Gott für nichts mehr 35
als die Gewißheit meines Glaubens; denn darauf sterb'
ich, daß ich kein Glück besitze und keine Seligkeit zu
hoffen habe, als die mir von der ewigen Liebe Gottes

mitgeteilt wird, die sich in das Elend der Welt mischte
und auch elend ward, damit das Elend der Welt mit
ihr herrlich gemacht werde. Und so lieb' ich Jesum
Christum, und so glaub' ich an ihn und danke Gott, daß
ich an ihn glaube; denn wahrhaftig es ist meine Schuld
nicht, daß ich glaube. Es war eine Zeit, da ich Saulus
war, gottlob, daß ich Paulus geworben bin; gewiß, ich
war sehr erwischt, da ich nicht mehr leugnen konnte.
Man fühlt einen Augenblick, und der Augenblick ist
entscheidend für das ganze Leben, und der Geist Gottes
hat sich vorbehalten, ihn zu bestimmen. So wenig bin
ich indifferent, darf ich deswegen nicht tolerant sein?
Um wie viel Millionen Meilen verrechnet sich der Astro-
nom? Wer der Liebe Gottes Grenzen bestimmen wollte,
würde sich noch mehr verrechnen. Weiß ich, wie mancherlei
seine Wege sind? so viel weiß ich, daß ich auf meinem
Weg gewiß in den Himmel komme, und ich hoffe, daß
er andern auch auf dem ihrigen hinein helfen wird. Unsre
Kirche behauptet, daß Glauben und nicht Werke selig
machen, und Christus und seine Apostel lehren das ohngefähr auch. Das zeigt nun von der großen Liebe Gottes;
denn für die Erbsünde können wir nichts, und für die
wirkliche auch nichts, das ist so natürlich, als daß einer
geht, der Füße hat; und darum verlangt Gott zur Seligkeit keine Taten, keine Tugenden, sondern den einfältigsten
Glauben, und durch den Glauben allein wird uns das
Verdienst Christi mitgeteilt, so daß wir die Herrschaft der
Sünde einigermaßen los werden hier im Leben; und nach
unserm Tode, Gott weiß wie, auch das eingeborne Verderben im Grabe bleibt. Wenn nun der Glaube das
einzige ist, wodurch wir Christi Verdienst uns zueignen,
so sagt mir, wie ist's denn mit den Kindern? Die sprecht
ihr selig? Nicht wahr? Warum denn? Weil sie nicht
gesündigt haben! Das ist ein schöner Satz, man wird
ja nicht verdammet, weil man sündigt. Und das eingeborne Verderben haben sie ja doch an sich, und werden
also nicht aus Verdienst selig. Nun so sagt mir die Art,
wie die Gerechtigkeit der menschgewordenen Liebe sich den

Kindern mitteilt. Seht, ich finde in dem Beispiel einen
Beweis, daß wir nicht wissen, was Gott tut, und daß
wir nicht Ursache haben, an jemands Seligkeit zu ver=
zweifeln. Ihr wißt, lieber Herr Amtsbruder, daß viele
Leute, die so barmherzig waren wie ich, auf die Wieder=
bringung gefallen sind, und ich versichre Euch, es ist die
Lehre, womit ich mich insgeheim tröste; aber das weiß
ich wohl, es ist keine Sache, davon zu predigen. Übers
Grab geht unser Amt nicht, und wenn ich ja einmal
sagen muß, daß es eine Hölle gibt, so red' ich davon,
wie die Schrift davon redet, und sage immerhin Ewig!
Wenn man von Dingen spricht, die niemand begreift, so
ist's einerlei, was für Worte man braucht. Übrigens hab'
ich gefunden, daß ein rechtschaffner Geistlicher in dieser
Zeitlichkeit so viel zu tun hat, daß er gern Gott über=
läßt, was in der Ewigkeit zu tun sein möchte.

So, mein lieber Herr Konfrater, sind meine Ge=
sinnungen über diesen Punkt: Ich halte den Glauben an
die göttliche Liebe, die vor so viel hundert Jahren unter
dem Namen Jesus Christus, auf einem kleinen Stückchen
Welt, eine kleine Zeit als Mensch herumzog, für den
einzigen Grund meiner Seligkeit, und das sage ich meiner
Gemeinde, so oft Gelegenheit dazu ist; ich subtilisiere die
Materie nicht; denn da Gott Mensch geworden ist, damit
wir arme sinnliche Kreaturen ihn möchten fassen und
begreifen können, so muß man sich vor nichts mehr hüten,
als ihn wieder zu Gott zu machen.

Ihr habt in Eurer vorigen Pfarre, wie ich höre,
viel von denen Leuten um Euch gehabt, die sich Philo=
sophen nennen und eine sehr lächerliche Person in der
Welt spielen. Es ist nichts jämmerlicher, als Leute un=
aufhörlich von Vernunft reden zu hören, mittlerweile sie
allein nach Vorurteilen handeln. Es liegt ihnen nichts
so sehr am Herzen als die Toleranz, und ihr Spott über
alles, was nicht ihre Meinung ist, beweist, wie wenig
Friede man von ihnen zu hoffen hat. Ich war recht
erfreut, lieber Herr Bruder, zu hören, daß Ihr Euch
niemals mit ihnen gezankt, noch Euch Mühe gegeben

habt, sie eines Beſſern zu überweiſen. Man hält einen
Aal am Schwanze feſter als einen Lacher mit Gründen.
Es geſchah dem portugieſiſchen Inden Recht, der den
Spötter von Ferney Vernunft hören machen wollte; ſeine
5 Gründe mußten einer Sottiſe weichen, und anſtatt ſeinen
Gegner überführt zu ſehen, fertigte ihn dieſer ſehr tolerant
ab und ſagte: Bleibt denn Jude, weil Ihr es einmal ſeid.
   Bleibt denn Philoſoph, weil Ihr's einmal ſeid, und
Gott habe Mitleiden mit Euch! So pflege ich zu ſagen,
10 wenn ich mit ſo einem zu tun habe.
   Ich weiß nicht, ob man die Göttlichkeit der Bibel
einem beweiſen kann, der ſie nicht fühlt, wenigſtens halte
ich es für unnötig. Denn wenn Ihr fertig ſeid, und es
antwortet Euch einer wie der ſavoyiſche Vikar: „es iſt
15 meine Schuld nicht, daß ich keine Gnade am Herzen
fühle," ſo ſeid Ihr geſchlagen und könnt nichts antworten, wenn Ihr Euch nicht in Weitläufigkeiten vom
freien Willen und von der Gnadenwahl einlaſſen wollt,
wovon Ihr doch, alles zuſammengenommen, zu wenig
20 wißt, um davon disputieren zu können.
   Wer die Süßigkeit des Evangelii ſchmecken kann,
der mag ſo was Herrliches niemanden aufbringen. Und
gibt uns unſer Herr nicht das exzellenteſte Beiſpiel ſelbſt?
Ging er nicht gleich von Gergeſa, ohne böſe zu werden,
25 ſobald man ihn darum bat? Und vielleicht war's ihm
ſelbſt um die Leute nicht zu tun, die ihre Schweine nicht
drum geben wollten, um den Teufel los zu werden.
Denn man mag ihnen vorſagen, was man will, ſo bleiben
ſie auf ihrem Kopfe. Was wir tun können, iſt, die
30 Heilsbegierigen zurecht zu weiſen, und den andern läßt
man, weil ſie's nicht beſſer haben wollen, ihre Teufel
und ihre Schweine.
   Da habt Ihr alſo die eine Urſache, warum und wie
tolerant ich bin; ich überlaſſe, wie Ihr ſeht, alle Ungläu-
35 bigen der ewigen wiederbringenden Liebe und habe das
Zutrauen zu ihr, daß ſie am beſten wiſſen wird, den un-
ſterblichen und unbeflecklichen Funken, unſre Seele, aus
dem Leibe des Todes auszuführen und mit einem neuen

und unsterblich reinen Kleide zu umgeben. Und diese
Seligkeit meiner friedfertigen Empfindung vertauschte ich
nicht mit dem höchsten Ansehn der Infallibilität. Welche
Wonne ist es, zu denken, daß der Türke, der mich für
einen Hund, und der Jude, der mich für ein Schwein hält, 5
sich einst freuen werden, meine Brüder zu sein.

So weit davon, mein lieber Bruder! und gleichsam
im Vorbeigehen; denn das Hauptelend der Intoleranz
offenbart sich doch am meisten in den Uneinigkeiten der
Christen selbst, und das ist was Trauriges. Nicht daß 10
ich meine, man sollte eine Vereinigung suchen; das ist
eine Sottise, wie die Republik Heinrichs des Vierten.
Wir sind alle Christen, und Augsburg und Dortrecht
machen so wenig einen wesentlichen Unterschied der Relt=
gion, als Frankreich und Deutschland in dem Wesen des 15
Menschen. Ein Franzose ist von Kopf bis auf die Füße
eben ein Mensch wie ein Deutscher; das andre sind
politische Konsiderationen, die fürtrefflich sind und die
niemand unbestraft einreißen soll.

Wer die Geschichte des Wortes Gottes unter den 20
Menschen mit liebevollem Herzen betrachtet, der wird
die Wege der ewigen Weisheit anbeten. Aber wahrhaftig,
weder Bellarmin noch Seckendorff wird euch eine reine
Geschichte erzählen. Warum sollte ich leugnen, daß der
Anfang der Reformation eine Mönchszänkerei war und 25
daß es Luthers Intention im Anfang gar nicht war,
das auszurichten, was er ausrichtete. Was sollte mich
antreiben, die Augsburgische Konfession für was anders
als eine Formel auszugeben, die damals nötig war und
noch nötig ist, etwas festzusetzen, das mich aber nur äußer= 30
lich verbindet und mir übrigens meine Bibel läßt. Kommt
aber ein Glaubensbekenntnis dem Worte Gottes näher
als das andre, so sind die Bekenner desto besser dran;
aber das bekümmert niemand anders.

Luther arbeitete, uns von der geistlichen Knechtschaft 35
zu befreien; möchten doch alle seine Nachfolger so viel
Abscheu vor der Hierarchie behalten haben, als der große
Mann empfand.

Er arbeitete sich durch verjährte Vorurteile durch
und schied das Göttliche vom Menschlichen, so viel ein
Mensch scheiden kann, und was noch mehr war, er gab
dem Herzen seine Freiheit wieder und machte es der
5 Liebe fähiger; aber man lasse sich nicht blenden, als
hätte er das Reich erworben, davon er einen andern herunter
warf, man bilde sich nicht ein, die alte Kirche sei deswegen ein Gegenstand des Abscheus und der Verachtung;
hat sie doch wenige menschliche Satzungen, die nicht auf
10 etwas göttlich Wahres gegründet wären — laßt sie, leidet
sie, und segnet sie. Warum lästert ihr ihre Messe? Sie
tun zuviel, das weiß ich, aber laßt sie tun, was sie
wollen; verflucht sei der, der einen Dienst Abgötterei
nennt, dessen Gegenstand Christus ist. Lieber Bruder,
15 es wird täglich lichter in der römischen Kirche, ob's aber
Gottes Werk ist, wird die Zeit ausweisen. Vielleicht
protestiert sie bald mehr, als gut ist. Luther hatte die
Schwärmerei zur Empfindung gemacht, Calvin machte
die Empfindung zu Verstand. Diese Trennung war un-
20 vermeidlich, und daß sie politisch geworden ist, lag in
den Umständen. Ich bin so fern, eine Vereinigung zu
wünschen, daß ich sie vielmehr äußerst gefährlich halte,
jeder Teil, der sich ein Haar vergäbe, hätte Unrecht.
Doch es ist gut, daß politische Betrachtungen der Sache
25 im Wege stehen, sonst würde man vielleicht den Gewissen
ihre Freiheit rauben. Beides lauft auf eins hinaus, ob
ein Sakrament ein Zeichen oder mehr ist, und wie könnte
ich böse sein, daß ein andrer nicht empfinden kann, wie
ich? Ich kenne die Seligkeit zu gut, es für mehr zu
30 halten als ein Zeichen, und doch habe ich unter meiner
Gemeinde eine große Anzahl Menschen, die die Gnade
nicht haben, es auch zu fühlen, es sind Leute, wo der
Kopf das Herz überwiegt, mit diesen leb' ich in so zärtlicher Eintracht und bitte Gott, daß er jedem Freude
35 und Seligkeit gebe nach seinem Maß; denn der Geist
Gottes weiß am besten, was einer fassen kann. Eben
so ist's mit der Gnadenwahl, davon verstehen wir ja alle
nichts, und so ist's mit tausend Dingen. Denn wenn

man's beim Lichte beſieht, ſo hat jeder ſeine eigene Religion, und Gott muß mit unſerm armſeligen Dienſte zufrieden ſein, aus übergroßer Güte; denn das müßte mir
ein rechter Mann ſein, der Gott diene, wie ſich gehört.

Ach, es iſt unwiderſprechlich, lieber Bruder, daß
keine Lehre uns von Vorurteilen reinigt, als die vorher
unſern Stolz zu erniedrigen weiß; und welche Lehre
iſt's, die auf Demut baut, als die aus der Höhe. Wenn
wir das immer bedächten und recht im Herzen fühlten,
was das ſei, Religion, und jeden auch fühlen ließen,
wie er könnte, und dann mit brüderlicher Liebe unter
alle Sekten und Parteien träten, wie würde es uns
freuen, den göttlichen Samen auf ſo vielerlei Weiſe
Frucht bringen zu ſehen. Dann würden wir ausrufen:
Gottlob, daß das Reich Gottes auch da zu finden iſt, wo
ich's nicht ſuchte.

Unſer lieber Herr wollte nicht, daß es ein Ohr
koſtte, dieſes Reich auszubreiten; er wußte, daß es
damit nicht ausgerichtet wäre, er wollte auklopfen an
der Türe und ſie nicht einſchmeißen. Wenn wir das nur
recht bedächten und Gott·dankten, daß wir in dieſen
ſchlimmen Zeiten noch ungeſtört lehren dürfen. Und
einmal vor allemal, eine Hierarchie iſt ganz und gar
wider den Begriff einer echten Kirche. Denn, mein
lieber Bruder, betrachtet nur ſelbſt die Zeiten der Apoſtel
gleich nach Chriſti Tod, und Ihr werdet bekennen müſſen,
es war nie eine ſichtbare Kirche auf Erden. Es ſind
wunderliche Leute, die Theologen, da prätendieren ſie,
was nicht möglich iſt. Die chriſtliche Religion in ein
Glaubensbekenntnis bringen, o ihr guten Leute! Petrus
meinte ſchon, in Bruder Pauli Briefen wäre viel ſchwer
zu verſtehen, und Petrus war doch ein andrer Mann
als unſre Superintendenten. Aber er hatte Recht, Paulus
hat Dinge geſchrieben, die die ganze chriſtliche Kirche in
corpore bis auf den heutigen Tag nicht verſteht. Da
ſieht's denn ſchon gewaltig ſcheu um unſre Lehre aus,
wenn wir alles, was in der Bibel ſteht, in ein Syſtem
zerren wollen, und mit dem Wandel läßt ſich eben ſo

wenig Gewisses bestimmen. Peter tate schon Sachen, die
Paulen nicht gefielen, und ich möchte wissen, mit was
für Titeln der große Apostel unsre Geistlichen beehren
würde, die noch eine weit ungegründetere und verwerf=
5 lichere Prädilektion für ihre Sekte haben als Petrus
für die Juden.

Daß bei der Einsetzung des Abendmahls die Jünger
das Brod und Wein genossen wie die reformierte Kirche,
ist unleugbar, denn ihr Meister, ben sie viel kannten,
10 der saß bei ihnen; sie versprachen's gleichsam zu seinem
Gedächtnis zu wiederholen, weil sie ihn liebten, und
mehr prätendierte er auch nicht. Wahrhaftig, Johannes,
der an seinem Busen lag, brauchte nicht erst das Brod,
um sich von der Existenz seines Herren lebendig zu über=
15 zeugen, genug, es mag den Jüngern dabei der Kopf
gedreht haben, wie selbigen ganzen Abend, denn sie ver=
stunden nicht eine Silbe von bem, was der Herr sagte.

Kaum war der Herr von der Erde weg, als zärt=
liche, liebesgesinnte Leute sich nach einer innigen Ver=
20 einigung mit ihm sehnten, und weil wir immer nur
halb befriedigt sind, wenn unsere Seele genossen hat, so
verlangten sie auch was für den Körper und hatten nicht
Unrecht, denn ber Körper bleibt immer ein merkwürdiger
Teil des Menschen, und dazu gaben ihnen die Sakramente
25 die erwünschteste Gelegenheit. Durch die sinnliche Hand=
lung der Taufe oder des Händeauflegens gerührt, gab
vielleicht ihr Körper der Seele eben denjenigen Ton,
der nötig ist, um mit dem Wehen des heiligen Geistes
zu sympathisieren, das uns unaufhörlich umgibt. Ich sage
30 vielleicht, und ich darf gewiß sagen. Eben das
fühlten sie beim Abendmahl und glaubten, durch die
Worte Christi geleitet, es für das halten zu können, was
sie so sehr wünschten. Besonders da die Unarten ihres
Körpers sich durch diese Heiligung am besten heilen ließen,
35 so blieb ihnen kein Zweifel übrig, daß ihr verherrlichter
Bruder ihnen von dem Wesen seiner göttlichen Mensch=
heit durch diese sinnliche Zeichen mitteile. Aber das
waren unaussprechliche Empfindungen, die sie wohl im

Anfang zur gemeinschaftlichen Erbauung einander kom=
munizierten, die aber leider nachher zum Gesetz gemacht
wurden. Und da konnte es nicht fehlen, daß die, deren
Herz keiner solchen Empfindung fähig war und die mit
einer bedächtigen geistlichen Vereinigung sich genügten,
daß die sich trennten und sich zu behaupten getrauten,
eine Empfindung, die nicht allgemein sei, könnte kein all=
gemein verbindendes Gesetz werden.

Ich denke, daß das der ehrlichste Status causae ist,
den man erwarten kann, und wenn man wohl tun will,
so verfährt man mit seiner Gemeinde so billig von der
Seite als möglich. Einem Meinungen aufzwingen, ist
schon grausam, aber von einem verlangen, er müsse emp=
finden, was er nicht empfinden kann, das ist tyrannischer
Unsinn.

Noch was, lieber Bruder, unsre Kirche hat sich nicht
allein mit der reformierten gezankt, weil die zu wenig
empfindet, sondern auch mit andern ehrlichen Leuten,
weil sie zu viel empfanden. Die Schwärmer und In=
spiranten haben sich oft unglücklicher Weise ihrer Er=
leuchtung überhoben, man hat ihnen ihre eingebildete
Offenbarung vorgeworfen; aber weh uns, daß unsre Geist=
lichen nichts mehr von einer unmittelbaren Eingebung
wissen, und wehe dem Christen, der aus Kommentaren
die Schrift verstehen lernen will. Wollt ihr die Wirkungen
des heiligen Geistes schmälern? Bestimmet mir die Zeit,
wenn er aufgehöret hat, an die Herzen zu predigen, und
euern schalen Diskursen das Amt überlassen hat, von
dem Reiche Gottes zu zeugen. Unverständlich nennt ihr
unnütz! Was sah der Apostel im dritten Himmel? Nicht
wahr, unaussprechliche Dinge? Und was waren denn
das für Leute, die in der Gemeine Sachen redeten, die
einer Auslegung bedurften? O meine Herren, eure
Dogmatik hat noch viel Lücken. Lieber Bruder, der heilige
Geist gibt allen Weisheit, die ihn darum bitten, und ich
habe Schneider gekannt, die Mosheimen zu raten auf=
gegeben hätten.

Genung, die Wahrheit sei uns lieb, wo wir sie

finden. Laßt uns unser Gewissen nicht beflecken, daß
wir an jenem Tage rein sein mögen, wenn an das Licht
kommen wird, daß die Lehre von Christo nirgends ge=
druckter war als in der christlichen Kirche. Und wem
5 darum zu tun ist, die Wahrheit dieses Satzes noch bei
seinem Leben zu erfahren, der wage, ein Nachfolger
Christi öffentlich zu sein, der wage, sich's merken zu
lassen, daß ihm um seine Seligkeit zu tun ist! Er wird
einen Unnamen am Halse haben, eh' er sich's versieht,
10 und eine christliche Gemeine macht ein Kreuz vor ihm.

Laßt uns also darauf arbeiten, lieber Bruder, nicht
daß unsere, sondern daß Christi Lehre lauter gepredigt
werde. Laßt uns unbekümmert über andere Reiche sein,
nur laßt uns für unser Reich sorgen, und besonders hütet
15 Euch vor den falschen Propheten. Diese nichtswürdige
Schmeichler nennen sich Christen, und unter ihrem Schafs=
pelz sind sie reißende Wölfe, sie predigen eine glänzende
Sittenlehre und einen tugendhaften Wandel, und schmä=
lern das Verdienst Christi, wo sie können. Wahrhaftig,
20 alle Religionsspötter sind wenigstens ehrliche Leute, die
über das lachen, was sie nicht fühlen, und einen öffent=
lichen Feind hat man wenig zu fürchten; aber diese
heimlichen sucht aus Eurer Gemeinde zu scheiden, nicht
daß Ihr sie in Eurem Sprengel nicht leiden wollt, son=
25 dern nur, daß Ihr sie als ehrliche Leute verlangt, die
bekennen, was sie sind.

Der liebe Johannes lehrt uns ganz kurz allen Reli=
gionsunterschied; das sei der einzige, den wir kennen.
Ich habe in meinem Amt Jesum so laut gepredigt, daß
30 sich die Widerchristen geschieden haben, und weiter braucht's
keine Scheidung. Wer Jesum einen Herrn heißt, der sei
uns willkommen; können die andre auf ihre eigne Hand
leben und sterben, wohl bekomme es ihnen. Wenn der
Geistliche ein Mann ist, der nicht vom Hauptpunkte ab=
35 weicht, so wird unter der Gemeine auch kein Zwist ent=
stehen, hier habt Ihr mein und meiner ganzen Gemeine
Glaubensbekenntnis.

Wir sind elend! Wie wir's sind und warum wir's

sind, das kann uns sehr einerlei sein, wir sehnen uns
nur nach einem Weg, auf dem uns geholfen werden
könnte. Wir glauben, daß die ewige Liebe darum Mensch
geworden ist, um uns das zu verschaffen, wornach wir
uns sehnen, und alles, was uns dient, uns mit ihr 5
näher zu vereinigen, ist uns liebenswürdig, was zu diesem
Zwecke nicht zielt, gleichgültig, und was davon entfernt,
verhaßt. Ihr könnet Euch denken, Herr Konfrater, in
was für einem Kredit die Kontroversen bei uns stehen.

Laßt uns Friede halten, lieber Herr Amtsbruder, — 10
ich weiß nicht, wie ein Pastor sich unterstehen kann, mit
Haß im Herzen auf einen Stuhl zu treten, wo nur Liebe
erschallen sollte, — und um keinem Zwist Gelegenheit zu
geben, laßt uns alle Kleinigkeiten fliehen, wo man Grillen
für Wahrheit und Hypothesen für Grundlehren verkauft. 15
Es ist immer lächerlich, wenn ein Pastor seine Gemeine
belehrt, daß die Sonne nicht um die Erde geht, und doch
kommt so was vor.

Noch eins, Herr Bruder, laßt Eure Gemeine ja die
Bibel lesen, so viel sie wollen; wenn sie sie gleich nicht 20
verstehen, das tut nichts; es kommt doch immer viel Guts
dabei heraus; und wenn Eure Leute Respekt für der
Bibel haben, so habt Ihr viel gewonnen. Doch bitte ich
Euch, nichts vorzubringen, was Ihr nicht jedem an seinem
Herzen beweisen könnt, und wenn's hundertmal geschrieben 25
stünde. Ich habe sonst auch gesorgt, die Leute möchten
Anstoß an Dingen nehmen, die hier und da in der Bibel
fürkommen; aber ich habe gefunden, daß der Geist Gottes
sie gerade über die Stellen wegführt, die ihnen nichts
nützen dürften. Ich weiß zum Exempel kein zärtliches 30
Herz, das an Salomons Diskursen, die freilich herzlich
trocken sind, einigen Geschmack hätte finden können.

Überhaupt ist es ein eignes Ding um die Erbauung.
Es ist oft nicht die Sache, die einen erbaut, sondern die
Lage des Herzens, worin sie uns überrascht, ist das, was 35
einer Kleinigkeit den Wert gibt.

Darum kann ich die Liederverbesserungen nicht leiden,
das möchte für Leute sein, die dem Verstand viel und

bem Herzen wenig geben; was ist dran gelegen, was
man singt, wenn sich nur meine Seele hebt und in den
Flug kömmt, in dem der Geist des Dichters war; aber
wahrhaftig, das wird einem bei denen gedrechselten Liedern
5 sehr einerlei bleiben, die mit aller kritisch richtigen Kälte
hinter dem Schreibepulte mühsam poliert worden sind.

Adieu, lieber Herr Konfrater, Gott gebe Eurem
Amte Segen. Prediget Liebe, so werdet Ihr Liebe
haben. Segnet alles, was Christi ist, und seid übrigens
10 in Gottes Namen indifferent, wenn man Euch so schelten
will. So oft ich an Euerm Geläute höre, daß Ihr auf
die Kanzel geht, so oft will ich für Euch beten. Und
wenn Euer allgemeiner Vortrag nach Aller Maß eingerichtet ist und Ihr die Seelen, die sich Euch beson-
15 ders vertrauen, insbesondere belehret, so daß Ihr sie
doch alle auf den großen Mittelpunkt unsres Glaubens,
die ewige Liebe, hinweiset; wenn Ihr dem Starken genug
und dem Schwachen so viel gebet, als er braucht; wenn
Ihr die Gewissensskrupel vermindert und Allen die Süßig-
20 keit des Friedens wünschenswert macht: so werdet Ihr
dereinst mit der Überzeugung, Euer Amt wohl geführt
zu haben, vor den Richterstuhl des Herrn treten können,
der über Hirten und Schafe als Oberhirt allein zu richten
das Recht hat. Ich bin mit aller Zärtlichkeit
25   Euer Bruder
                        ***

            Pastor zu ***

Zwo wichtige bisher unerörterte

Biblische Fragen,

zum erstenmal gründlich beantwortet,

von einem Landgeistlichen in Schwaben.

W. den 6. Febr. 1773.

Es ist betrübt, die langen Winterabende so allein
zu sein. Mein Sohn, der Magister, ist in der Stadt;

ich kann's ihm nicht verdenken, er findet bei mir so
wenig Unterhaltung für seine Gelehrsamkeit, als ich an
ihm Liebeswärme für meine Empfindung; und die Kol=
legen um mich her sind und bleiben meine letzte Gesell=
schaft. Wer nach einem kurzen Benedicite von Gewissens=
fragen und andern Pastoralkleinigkeiten sich nicht zur
ausgelaßnen Spiel= und Trinkkollation hinsetzen und das
Gratias gegen Mitternacht mit Zoten intonieren mag,
der muß wegbleiben, wissen Sie, lieber Herr Bruder.

Unsre letzte wichtige Unterredung, als ich das Ver=
gnügen hatte, in so guter Gesellschaft bei Ihnen zu sein,
hat mich auf allerlei Gedanken und endlich gar zu dem
Entschlusse gebracht, Ihnen Beiliegendes zu senden.

Ich hatte damals noch viel zu sagen, aber das Ge=
spräch wurd' auf einmal zu gelehrt, und da ich niemals
ein Freund von Büchern, am wenigsten von exegetischen
war, bleib' ich meistenteils zurück, wenn meine Gesellen
einen Ausritt in das so verwachsene Dickigt wagen.

Was kann einem Geistlichen zwar angelegener sein,
als die Auslegung der Sammlung Schriften, woran sein
zwiefaches Leben hängt. Mit allem dem hab' ich mich
nie genug über Männer wundern können, die sich hin=
setzen, ein ganzes Buch, ja viele Bücher unsrer Bibel an
einem Faden weg zu exegesieren, da ich Gott danke, wenn
mir hier und da ein brauchbarer Spruch aufgeht, und
das ist wahrhaftig alles, was man nötig hat.

Der Magister, mein Sohn, wie er vor anderthalb
Jahren von Akademien zurückkam, verstund er gewisse
Bücher des Alten und Neuen Testaments, über die er
hatte Kollegia lesen hören, aus dem Fundament, und
zu den übrigen, sagte er, habe er einen Universalschlüssel,
daß es ihm bei Gelegenheit, meint' er, nicht fehlen könnte.

Meine Wissensbegierde wurde reg, und ich bat ihn,
mich in die Schule zu nehmen. Das tat er gerne, denn
er sticht gewaltig auf einen Professor, konsultierte hier
und da seine Hefte, und das Dozieren stund ihm gar
gravitätisch an. Nur merkt' ich bald, daß die ganze
Kunst auf eine kalte Reduktion hinaus lief. Das tat

mir leid, und ich wollt' ihn überzeugen: allein im Lebens-
und Amtsgange lerne man Kernbücher verstehen; gelehrte
Prediger seien just nicht die besten, weil sie niemals
fragen: was brauchen meine Zuhörer? sondern: was
5 könnt' ich ihnen aus der Fülle meiner Weisheit, doch
ohnbeschadet der geheimen Sparbüchse (die nun freilich
einer wie der andre beiseite verwahrt) noch alles mitteilen? Ferner sagt' ich ihm: die einzige brauchbare
Religion muß einfach und warm sein; von der einzigen
10 wahren haben wir nicht zu urteilen, wer will das echte
Verhältnis der Seele gegen Gott bestimmen als Gott
selbst.

Darüber wurd' er murrisch, und ich merkte ganz
deutlich, daß er von meiner Urteilskraft nicht das Beste
15 dachte. Mag er! bis er selbst gescheuter wird. Die Erkenntnis wächst in jedem Menschen nach Graden, die ein
Lehrer weder übertreiben soll noch kann; und den hielt'
ich für den geschicktesten Gärtner, der für jede Epoche
jeder Pflanze die erforderliche Wartung verstünde.

20 Doch alles das wollt' ich nicht sagen. Beikommende
Auslegungen fodern einen Vorbericht.

Zur Zeit, da ich studierte, erklärte man die Bibel
zu universal, die ganze Welt sollte an jedem Spruche
teilhaben. Dieser Meinung war ich immer feind, weil
25 sie so viele Inkonvenienzien und Anstöße in den Weg
legte. Nun, wie mein Magister zurückkam, wunderte ich
mich, ihn von denen schweren Vorurteilen so frei zu
sehn, mein Herz ging mir recht auf, wie ich grad mit
ihm reden konnte, wie er meine Ahndungen durch gelehrte
30 Beweise bestätigte. Doch die Freude dauerte nicht long'.
Ich sah ihn mit der entgegengesetzten Torheit behaftet,
alle dunkle, alle seinem System widrige Stellen zu Lokal-
kleinigkeiten zu drechseln. Darüber kamen wir abermals
aus einander.

35 Ich glaube die Mittelstraße getroffen zu haben.
Hier ist der Deutpfahl dahin.

Das jüdische Volk seh' ich für einen wilden unfruchtbaren Stamm an, der in einem Kreis von wilden

unfruchtbaren Bäumen stund, auf den pflanzte der ewige
Gärtner das edle Reis Jesum Christum, daß es, darauf
bekleibend, des Stammes Natur veredelte und von bannen
Propfreiser zur Befruchtung aller übrigen Bäume geholt
würden.   5

Die Geschichte und Lehre dieses Volks von seinem
ersten Keime bis zur Pfropfung ist allerdings parti=
kular, und das wenige Universelle, das etwa in Rück=
sicht der zukünftigen großen Handlung mit ihm möchte
vorgegangen sein, ist schwer und vielleicht unnötig auf=   10
zusuchen.

Von der Pfropfung an wendet sich die ganze Sache.
Lehre und Geschichte werden universell. Und obgleich
jeder von daher veredelte Baum seine Spezialgeschichte
und nach Beschaffenheit der Umstände seine Speziallehre   15
hat, so ist doch meine Meinung: hier sei so wenig Parti=
kulares als dort Universelles zu vermuten und zu deuten.

Beikommende zwei Erklärungen, die mir schon vor
langer Zeit vom guten Geiste zugewinkt worden und
die, je länger ich sie umschaue, je wahrer ich sie finde,   20
werden Ihnen Tiefen der Erkenntnis und Empfindung
eröffnen.

Erste Frage.
Was stund auf den Tafeln des Bunds?
Antwort.   25

Nicht die zehen Gebote, das erste Stück unsers
Katechismus!

Laßt es euch Mosen selbst sagen. Hier liefre ich
einen Auszug seines zweiten Buchs.

Die Gesetzgebung beginnt majestätisch fürchterlich,   30
und der Herr spricht von Sinai den Eingang von meist
allgemeinen Wahrheiten, die er bei ihnen wie bei andern
Völkern gleichsam voraussetzt (2. B. Mos. 20, 1—17);
das Volk erschrickt und überträgt Mosi, den weiteren
Willen des Herrn zu vernehmen, dem denn Gott fortfährt   35
(vom 22. B. des 20. Kap. bis zu Ende des 23.) seine
Gesetze vorzulegen. Moses kehrt zum Volke zurück

(24, 3 2c.), ohne daß der Tafeln Erwähnung geschehen, schreibt alle die Worte des Herren in ein Buch, das das Buch des Bundes genannt wird, und liest es ihnen vor. Dann erst spricht der Herr zu Mose (24, 12): Komm 5 herauf zu mir auf den Berg, daß ich dir gebe steinerne Tafeln und (mit) Gesetz und Gebot, die ich geschrieben habe. Er begibt sich hinauf, und ihm wird die Einrichtung der Stiftshütte vorgelegt (25—31); ganz zuletzt (31, 18) aber erst gemeldet: und da der Herr ausgeredt 10 hatte — gab er ihm die Tafeln. Was drauf gestanden, erfährt niemand. Das Unwesen mit dem Kalb entsteht, und Moses zerschlägt sie, ehe wir ihren Inhalt nur mutmaßen können (32, 19).

Nach Reinigung des reuigen Volks spricht der ver15 söhnte Herr zum Propheten (34, 1): Houe dir zwo steinerne Tafeln, wie die ersten waren, daß ich die Worte drauf schreibe, die in den ersten waren.

Moses, gehorchend, tritt vor den Herrn, preist dessen Barmherzigkeit und ruft sie an. Der Herr spricht (34, 20 10 seqq.): Siehe, ich will einen Bund machen vor alle deinem Bolk.

Halt', was ich dir heute gebiete!

1.

Du sollst keinen andern Gott anbeten.

Darum hüte dich, daß du nicht einen Bund mit den 25 Einwohnern des Lands machst; noch deinen Söhnen ihre Töchter zu Weibern nehmest, sie würden dich zu falschen Göttern lehren. Eben so wenig sollst du mit irgend einem Bilde was zu tun haben.

2.

Das Fest der ungesäuerten Brode sollst du 30 halten.

Sieben Tage sollst du ungesäuert Brod essen, um die Zeit des Monats Abib, zur Erinnerung, daß ich dich um diese Zeit aus Egypten geführt habe.

3.

Alles, was seine Mutter am ersten brtchi, ist

mein, was männlich sein wird in deinem Vieh, es sei Ochse oder Schaf.

Aber statt dem Erstling des Esels sollst du ein Schaf erlegen 2c. Die Erstgeburt deiner Söhne sollst du lösen, und daß niemand vor mir leer erscheine.   6

4.

Sechs Tage sollst du arbeiten, am siebenten Tage sollst du feiern, beides mit Pflügen und Ernten.

5.

Das Fest der Wochen sollst du halten mit den Erstlingen der Weizenernte, und das Fest der   10 Einsammlung, wenn das Jahr um ist.

6.

Dreimal im Jahr sollen alle Mannsnamen erscheinen vor dem Herrn.

Und es soll niemand deines Lands begehren, so lang' du diesem Gebote gehorchst.   15

7.

Du sollst das Blut meines Opfers nicht opfern auf dem gesäuerten Brod.

8.

Das Opfer des Osterfests soll nicht über Nacht bleiben.

9.

Das Erstling der Früchte deines Ackers sollst   20 du in das Haus des Herren bringen.

10.

Du sollst das Böcklein nicht kochen, wenn's noch an seiner Mutter Milch ist.

Und der Herr sprach zu Mose: Schreibe diese Worte, denn nach diesen Worten hab' ich mit   25 dir und mit Israel einen Bund gemacht. Und er war allda bei dem Herren vierzig Tag und vierzig Nächte und aß kein Brod und trank kein Wasser. Und

er schrieb auf die Tafeln solchen Bund, die
zehen Worte.

Mit den deutlichsten Worten sieht es hier verzeichnet,
und der Menschenverstand freut sich darüber. Die Tafeln
5 waren ein Zeugnis des Bunds, mit dem sich Gott ganz
besonders Israel verpflichtete. Wie gehörig, lesen wir
also die Gesetze darauf, die sie von allen Völkern aus-
zeichnen, die Vorschriften, wornach sie die Epochen ihrer
Geschichte teils feiern, teils die Grundgesetze ihrer Ver-
10 fassung als heilig ehren sollten. Wie gerne wirft man
den beschwerlichen alten Irrtum weg: es habe der parti-
kularste Bund auf Universalverbindlichkeiten (denn das
sind doch die meisten der sogenannten zehen Gebote) gegründet werden können.

15 Kurz! das Proömium der Gesetzgebung enthält, wie
ich schon oben, obgleich unbestimmter, gesagt, Lehren, die
Gott bei seinem Volke als Menschen und als Israeliten
voraussetzte. Als Menschen, dahin gehören die allgemeinen
moralischen; als Israeliten, die Erkenntnis eines einzigen
20 Gottes und die Sabbatfeier.

Wenn es aber so evident ist, warum hat die Kirche
so viel Jahrhunderte in der entgegengesetzten Meinung
gestanden?

Das wird niemanden wundern, wer ihre Geschichte
25 nur einigermaßen kennt.

Der Verfasser des fünften Buchs Mosis verfiel zuerst
in den Irrtum. Es ist wahrscheinlich, und ich glaube
es irgendwo einmal gelesen zu haben, daß dieses Buch
in der babylonischen Gefangenschaft aus der Tradition zu-
30 sammengestoppelt worden sei. Die Unordnung desselben
macht es fast gewiß. Und unter solchen Umständen ist
ein Mißgriff wie gegenwärtiger sehr natürlich. Die
Tafeln waren samt der Lade verloren, die echten Ab-
schriften der heiligen Bücher in wenig Händen, die zehen
35 Gesetze schliefen und wurden vergessen, die Lebensregeln
hatte jeder im Herzen, wenigstens im Gedächtnis. Und
wer weiß, was noch alles zu dieser ungeschickten Kom-
bination Gelegenheit gegeben.

Es ließ' sich noch viel sagen, das will ich aber Ge=
lehrtern hinterlassen und nur das anfügen. Nicht weiß
ich, ob jemand diese Wahrheit vor mir gefunden oder
gelehrt; so viel kann ich sagen, daß die Kirche den Irr=
tum über dieser Stelle heilig bewahrt und viele fatale
Konsequenzen draus gezogen hat.

Andere Frage.

Was heißt mit Zungen reden (γλωσσαις λαλειν)?

Antwort.

Vom Geist erfüllt, in der Sprache des Geists, des
Geists Geheimnisse verkündigen.

Το γαρ ενθεαζειν, κατα γλωσσαν υπαρχειν, σιβυλλαινειν.

Diodorus quidam*).

Wer Ohren hat, zu hören, der höre.

Fragt ihr: wer ist der Geist? So sag' ich euch: der
Wind bläset, du fühlest sein Sausen, aber von wannen
er kommt und wohin er geht, weißest du nicht. Was
willst du uns von der Sprache des Geistes sagen, wenn
du den Geist nicht kennst? ist dir gegeben worden, mit
Zungen zu reden? Darauf antwort' ich: Ihr habt Mosen
und die Propheten! Ich will euch nur hindeuten, wo
von dieser Sprache geschrieben steht.

Der verheißene Geist erfüllt die versammelten Jünger
mit der Kraft seiner Weisheit (A.G. 2, 1). Die gött=
lichste Empfindung strömt aus der Seel' in die Zunge,
und flammend verkündigt sie die großen Taten Gottes
in einer neuen Sprache (ετεραις γλωσσαις), und das war
die Sprache des Geistes (καθως το πνευμα εδιδου αυτοις
αποφθεγγεσθαι).

Das war jene einfache allgemeine Sprache, die
aufzufinden mancher große Kopf vergebens gerungen. In

---

*) Ich weiß nicht, wer eigentlich der Diodorus war.
Im ersten Teil von Fabricii Bibl. Gr. findet ihr die Stelle
mit ein paar gelehrten schlechten Erklärungen derselben.

der Einschränkung unsrer Menschlichkeit ist nicht mehr
als eine Ahndung davon zu tappen.

Hier tönt sie in ihrer vollen Herrlichkeit! Parther,
Meder und Elamiter entsetzen sich, jeder glaubt seine
5 Sprache zu hören, weil er die Wundermänner versteht,
er hört die großen Taten Gottes verkündigen und weiß
nicht, wie ihm geschieht.

Es waren aber nicht allen die Ohren geöffnet, zu
hören. Nur fühlbare Seelen (ἄνδρες εὐλαβεῖς) nahmen an
10 dieser Glückseligkeit teil; schlechte Menschen, kalte Herzen
stunden spottend dabei und sprachen: sie sind voll süßen
Weins!

Kam in der Folge der Geist über eine Seele, so
war das Aushauchen seiner Fülle das erste notwendigste
15 Atmen eines so gewürdigten Herzens (A.G. 19, 6). Es
floß vom Geiste selbst über, der so einfach wie das Licht,
auch so allgemein ist, und nur wenn die Wogen ver-
braust hatten, floß aus diesem Meere der sanfte Lehr-
strom (das προφητεύειν) zur Erweckung und Änderung der
20 Menschen.

Wie aber jede Quelle, wenn sie von ihrem reinen
Ursprung weg durch allerlei Gänge zieht und, vermischt
mit irdischen Teilen, zwar ihre selbständige innerliche
Reinigkeit erhält, doch dem Auge trüber scheint und
25 sich wohl gar zuletzt in einen Sumpf verliert: so ging's
hier auch.

Schon zu Paulus' Zeiten ward diese Gabe in der
Gemeine gemißbraucht.

Die Fülle der heiligsten tiefsten Empfindung drängte
30 für einen Augenblick den Menschen zum überirdischen
Wesen, er redete die Sprache der Geister, und aus den
Tiefen der Gottheit flammte seine Zunge Leben und Licht.
Auf der Höhe der Empfindung erhält sich kein Sterblicher.
Und doch mußte denen Jüngern die Erinnerung jenes
35 Augenblicks Wonne durch ein ganzes Leben nachvibrieren.
Wer fühlt nicht in seinem Busen, daß er sich unaufhör-
lich wieder dahin sehnen würde? Auch taten sie das.
Sie verschlossen sich in sich selbst, hemmten den reinen

Fluß der Lebenslehre (το προφητευειν), um die Wasser zu
ihrer ersten Höhe zu dämmen, brüteten dann mit ihrem
eignen Geiste über der Finsternis und bewegten die Tiefe.
Vergebens! Es konnte diese geschraubte Kraft nichts als
dunkle Ahndungen hervordrängen, sie lallten sie aus,   5
niemand verstund sie, und so verdarben sie die beste Zeit
der Versammlung.

Gegen dieses arbeitet Paulus mit allem Ernst in dem
vierzehnten Kapitel der ersten Epistel an die korinthische
Gemeinde.   10

Abtreten könnt' ich nun, jeden sich selbst dieses Kapitel
auslegen, jeden empfinden lassen, daß es nimmer eine
andre Erklärung annimmt. Auch will ich nur einige
Blicke hinwerfen.

Mehr als Pantomime, doch unartikuliert,   15
muß die Sprache gewesen sein. Paulus setzt die zur
Empfindung des Geists bewegte Seele (πνευμα) dem
ruhigen Sinn (νους) entgegen, neben einander vielmehr,
nach einander! Wie ihr wollt! Es ist Vater und Sohn,
Keim und Pflanze. πνευμα! πνευμα! was wäre νους 20
ohne dich!

Genug! Wie gern, ohne paraphrastische Foltern geben
die Sprüche ihren Sinn!

„Der wie ihr mit der Geistssprache redet, redet
nicht den Menschen, sondern Gott; denn ihn vernimmt 25
niemand; er redet im Geist Geheimnisse. So ich mit
der tiefen Sprache bete, betet mein Geist, mein Sinn
bringt niemanden Frucht. Dieses Reden ist nur ein auf-
fallendes, Aufmerksamkeit erregendes Zeichen (σημειον) für
Ungläubige, keine Unterweisung für sie, keine Unter= 30
haltung in der Gesellschaft der Gläubigen."

Sucht ihr nach diesem Bache, ihr werdet ihn nicht
finden, er ist in Sümpfe verlaufen, die von allen wohl-
gekleideten Personen vermieden werden. Hier und da
wässert er eine Wiese ins Geheim, dafür danke einer Gott 35
in der Stille. Denn unsre theologische Kameralisten haben
das Prinzipium, man müßte dergleichen Fläcke all ein=
deichen, Landstraßen durchführen und Spaziergänge darauf

anlegen. Mögen sie denn! Ihnen ist Macht gegeben! Für uns Haushalter im Verborgnen bleibt doch der wahre Trost: Dämmt ihr! Drängt ihr! Ihr drängt nur die Kraft des Wassers zusammen, daß es von euch weg auf uns desto lebendiger fließe.

* * *

Und wir, lieber Herr Bruder, lassen Sie uns in der Fühlbarkeit gegen das schwache Menschengeschlecht, dem einzigen Glück der Erde und der einzigen wahren Theologie, gelassen fortwandeln und den Sinn des Apostels fleißig beherzigen: Trachtet ihr, daß ihr Lebenskenntnis erlanget, euch und eure Brüder aufzubauen: das ist euer Weinberg, und jeder Abend reicht dem Tage seinen Lohn. Wirft aber der ewige Geist einen Blick seiner Weisheit, einen Funken seiner Liebe einem Erwählten zu, der trete auf und lalle sein Gefühl.

Er tret' auf! und wir wollen ihn ehren! Gesegnet seist du, woher du auch kommst! Der du die Heiden erleuchtest! Der du die Völker erwärmst!

Parabeln

(1774 oder 1775)

Salomos, Königs von Israel und Juda, güldne Worte von der Ceder bis zum Ysop.

1.

Es stand eine herrliche Ceder auf Libanon, in ihrer Kraft vor dem Antlitz des Himmels. Und daß sie so strack dastund, des ergrimmten die Dornsträuche umher und riefen: Wehe dem Stolzen, er überhebt sich seines Wuchses! Und wie die Winde die Macht seiner Äste bewegten und Balsamgeruch das Land erfüllte, wandten sich die Dörner und schrien: Wehe dem Übermütigen, sein Stolz brauft auf wie Wellen des Meers, verdirb ihn, Heiliger vom Himmel!

2.

Eine Ceder wuchs auf zwischen Tannen, sie teilten mit ihr Regen und Sonnenschein. Und sie wuchs, und wuchs über ihre Häupter und schaute weit ins Tal umher. Da riefen die Tannen: Ist das der Dank, daß du dich nun überhebst, dich, die du so klein warst, dich, die wir genährt haben! Und die Ceder sprach: Rechtet mit dem, der mich wachsen hieß.

3.

Und um die Ceder stunden Sträucher. Da nun die Männer kamen vom Meer und die Axt ihr an die Wurzel legten, da erhub sich ein Frohlocken: Also strafet der Herr die Stolzen, also demütigt er die Gewaltigen!

4.

Und sie stürzte und zerschmetterte die Frohlocker, die verzettelt wurden unter dem Reisig.

5.

Und sie stürzte und rief: Ich habe gestanden, und ich werde stehen! Und die Männer richteten sie auf zum Maste im Schiffe des Königs, und die Segel wehten von ihm her, und brachte die Schätze aus Ophir in des Königs Kammer.

6.

Eine junge Ceder wuchs schlank auf und schnell und drohte, die andern zu überwachsen. Da beneideten sie alle. Und ein Held kam und hieb sie nieder, und stutzte ihre Äste, sich zur Lanze wider die Riesen. Da riefen ihre Brüder: Schade! schade!

7.

Die Eiche sprach: Ich gleiche dir, Ceder! — Tor! sagte die Ceder; als wollt' ich sagen, ich gleiche dir.

8.

Zwei Birken stritten, wer der Ceder am nächsten käme. Birken seid ihr! sagte die Ceder.

9.

Uns ist wohl, sagte ein brüderlich gleicher Tannen-wald zur Ceder, wir sind so viel, und du stehst allein. — Ich habe auch Brüder, sagte die Ceder, wenn gleich nicht auf diesem Berge.

10.

Ein Wald ward ausgehauen, die Vögel vermißten ihre Wohnungen, flatterten umher und klagten: Was mag der Fürst für Absichten haben! den Wald! den schönen Wald! unsre Nester! Da sprach einer, der aus der Residenz kam, ein Papagei: Absicht, Brüder? Er weiß nichts drum.

11.

Ein Mädchen brach Rosen vom Strauch und kränzte ihr Haupt mit. Das verdroß die Ceder, und sprach:

Warum nimmt sie nicht von meinen Zweigen? — Stolzer, sagte der Rosenstock, laß mir die meinen!

12.

Ein Wandrer, der unter der Eiche Mittagsruh gehalten hatte, streckte sich, stand auf, und wollte weiter. Der Baum rief ihm zu: Undankbarer! Hab' ich dir nicht meinen Schatten ausgebreitet, und nun nicht einen Blick! — Du! mir! lächelte der Wandrer zurückschauend.

13.

Das Gräslein, da der Wind drüber spielte, ergötzte sich und rief: Bin ich doch auch da, bin ich doch auch gebildet, klein, aber schön, und bin! — Gräslein in Gottes Namen, sagte die Ceder.

14.

Ein Waldstrom stürzte die Tannen drunter und drüber ins Tal herab, und Sträucher und Sprößling' und Gräser und Eichen. Ein Prophete rief zuschauend vom Fels: Alles ist gleich vor dem Herrn.

15.

Ha, sagte die Ceder, wer von meinen Zweigen brechen will, muß hoch steigen! — Ich, sagte die Rose, habe Dornen.

Das Hohelied Salomos
(1775)

1. Küss' er mich den Kuß seines Mundes! Trefflicher ist deine Liebe denn Wein. Welch ein süßer Geruch deine Salbe, ausgegoßne Salb' ist dein Name, brum lieben dich die Mädchen. Zeuch mich! Laufen wir doch schon nach dir! Führte mich der König in seine Kammer, wir sprängen und freuten uns in dir. Priesen deine Lieb' über den Wein.

Lieben dich doch die Edlen all!

2. Schwarz bin ich, doch schön, Töchter Jerusalems! Wie Hütten Kedars, wie Teppiche Salomos.

Schaut mich nicht an, daß ich braun bin, von der Sonne verbrannt. Meiner Mutter Söhne feinden mich an, sie stellten mich zur Weinberge Hüterin. Den Weinberg, der mein war, hüet' ich nicht.

3. Sage mir du, den meine Seele liebt, wo du weidest? Wo du ruhest am Mittag? Warum soll ich umgehn an den Herben deiner Gesellen?

Weißt du's nicht, schönste der Weiber, folg' nur den Tapfen der Herbe, weide deine Böcke um die Wohnung der Hirten.

4. Meinem reisigen Zeug unter Pharaos Wagen vergleich' ich dich, mein Liebchen. Schön sind deine Backen in den Spangen, dein Hals in den Ketten. Spangen von Gold sollst du haben mit silbernen Pöcklein.

5. So lang' der König mich koset, gibt meine Narde den Ruch.

6. Ein Büschel Myrrhen ist mein Freund, zwischen meinen Brüsten übernachtend. Ein Trauben Kopher ist mir mein Freund in den Wingerten Engeddi.

7. Sieh, du bist schön, meine Freundin! Sieh, du bist schön! Taubenaugen die deinen.

Sieh, du bist schön, mein Freund. Auch lieblich! Unser Bette grünt, unsrer Hütte Balken sind Cedren, unsre Zinnen Cypressen.

8. Ich bin die Rose im Tal! Bin ein Maiblümchen! Wie die Rose unter den Dornen, so ist mein Liebchen unter den Mädchen. Wie der Apfelbaum unter den Waldbäumen, ist mein Liebster unter den Männern. Seines Schattens begehr' ich, nieder sitz' ich, und süß ist meinem Gaum seine Frucht. Er führt mich in die Kelter, über mir weht seine Liebe. Stützet mich mit Flaschen, polstert mir mit Äpfeln; denn krank bin ich für Liebe. Seine Linke trägt mein Haupt, seine Rechte

herzt mich. Ich beschwör' euch, Töchter Jerusalems, bei
den Rehen, bei den Hinden des Feldes, rühret sie nicht,
reget sie nicht, meine Freundin, bis sie mag.

9. Sie ist's, die Stimme meines Freundes. Er
kommt! Springend über die Berge! Tanzend über
die Hügel! Er gleicht, mein Freund, einer Hinde, er
gleicht einem Rehbock. Er steht schon an der Wand,
siehet durchs Fenster, gucket durchs Gitter! Da beginnt
er und spricht: Steh auf, meine Freundin, meine Schöne,
und komm. Der Winter ist vorbei, der Regen vorüber.
Hin ist er! Blumen sprossen vom Boden, der Lenz ist
gekommen, und der Turteltaube Stimme hört ihr im
Lande. Der Feigenbaum knotet. Die Rebe duftet.
Steh auf, meine Freundin, meine Schöne, und komm.
Meine Taube in den Steinritzen im Hohlhort des Fels=
hangs! Zeig' mir dein Antlitz, tön' deine Stimme, denn
lieblich ist deine Stimme, schön dein Antlitz. Fahet uns
die Füchse, die kleinen Füchse, die die Wingerte ver=
derben, die fruchtbaren Wingerte.

10. Mein Freund ist mein, ich sein, der unter Lilien
weidet. Bis der Tag atmet, die Schatten fliehen, wende
dich, sei gleich, mein Freund, einer Hinde, einem Reh=
bock auf den Bergen Bether.

11. Auf meiner Schlafstätte, zwischen den Gebürgen
sucht' ich, den meine Seele liebt, sucht' ihn, aber fand
ihn nicht. Aufstehen will ich und umgehen in der Stadt,
auf den Märkten und Straßen. Suchen, den meine
Seele liebt; ich sucht' ihn, aber fand ihn nicht. Mich
trafen die umgehenden Hüter der Stadt: Den meine
Seele liebt, faßt ihr ihn nicht? Kaum, da ich sie vor=
über war, fand ich, den meine Seele liebt, ich faß' ihn,
ich laß' ihn nicht. Mit mir soll er in meiner Mutter
Haus, in meiner Mutter Kammer.

12. Wer ist, die herauf tritt aus der Wüsten wie
Rauchsäulen, wie Geräuch Myrrhen und Weihrauch,
köstlicher Spezereien?

13. Schön bist du, meine Freundin, ja schön, Tauben=
augen die deinen zwischen deinen Locken. Dein Haar
eine blinkende Ziegenherde auf dem Berge Gilead. Deine
Zähne eine geschorene Herde, aus der Schwemme stei=
⁵ gend, all zwillingsträchtig, kein Mißfall unter ihnen.
Deine Lippen eine rosinfarbe Schnur, lieblich deine
Rede! Wie der Ritz am Granatapfel deine Schläfe
zwischen deinen Locken. Wie der Turm David dein
Hals, gebauet zur Wehre, dran hängen tausend Schilde,
¹⁰ alles Schilde der Helden. Deine helben Brüste wie
Rehzwillinge, die unter Lilien weiden. Völlig schön bist,
meine Freundin, kein Flecken an dir.

14. Komm vom Libanon, meine Braut, komm vom
Libanon! Schau' her von dem Gipfel Amana, vom
¹⁵ Gipfel Senir und Hermon, von den Wohnungen der
Löwen, von den Bergen der Parden.

15. Gewonnen hast du mich, Schwester, liebe Braut,
mit deiner Augen einem, mit deiner Halsketten einer.
Hold ist deine Liebe, Schwester, liebe Braut! Trefflicher
²⁰ beine Liebe denn Wein, deiner Salbe Geruch über alle Ge=
würze. Honig triefen beine Lippen, meine Braut, unter
beiner Zunge sind Honig und Milch, deiner Kleider Ge=
ruch wie der Ruch Libanons. Schwester, liebe Braut, ein
verschloßner Garten bist du, eine verschloßne Quelle, ein
²⁵ versiegelter Born. Dein Gewächse ein Lustgarten: Granat=
bäume mit der Würzfrucht, Cyperu mit Narden, Narden
und Safran, Kalmus und Cynnamen, allerlei Weihrauch=
bäume, Myrrhen und Aloe und all die trefflichsten Wür=
zen. Wie ein Gartenbrunn, ein Born lebendiger Wasser,
³⁰ Bäche vom Libanon. Hebe dich Nordwind, komm Süd=
wind, durchwehe meinen Garten, daß seine Würze triefen.

16. Er komme in seinen Garten, mein Freund, und
esse die Frucht seiner Würze!
Schwester, liebe Braut, ich kau zu meinem Garten,
³⁵ brach ab meine Myrrhen, meine Würze. Aß meinen
Seim, meinen Honig, trank meinen Wein, meine Milch.
Esset, Gesellen! Trinket, werdet trunken in Liebe!

17. Ich schlafe, aber mein Herz wacht. Horch! Die Stimme meines klopfenden Freundes: Offne mir, meine Schwester, meine Freundin, meine Taube, meine Fromme, denn mein Haupt ist voll Taus und meine Locken voll Nachttropfen. Bin ich doch entkleidet, wie soll ich mich anziehen? Hab' ich doch die Füße ge= waschen, soll ich sie wieder besudeln? Da reichte mein Freund mit der Hand durchs Schalier, und mich über= lief's. Da stund ich auf, meinem Freunde zu öffnen, meine Hände troffen von Myrrhen, Myrrhen liefen über meine Hände an dem Riegel am Schloß. Ich öffnete meinem Freund, aber er war weggeschlichen, hingegangen. Auf seine Stimme kam ich hervor, ich sucht' ihn und fand ihn nicht, rief ihm, er antwortet' nicht. Mich trafen die umgehenden Wächter der Stadt. Schlugen mich, verwundeten mich, nahmen mir den Schleier, die Wächter der Mauern.

18. Ich beschwör' euch, Töchter Jerusalems. Findet ihr meinen Freund, wollt ihr ihm sagen, daß ich für Liebe krank bin. — Was ist dein Freund vor andern Freunden, du schönste der Weiber, was ist dein Freund vor andern Freunden, daß du uns so beschwörest? — Mein Freund ist weiß und rot, auserkoren unter viel Tausen= den. Sein Haupt das reinste Gold, seine Haarlocken schwarz wie ein Rabe. Seine Angen Taubenaugen an den Wasserbächen, gewaschen in Milch, stehend in Fülle. Würzgärtlein seine Wangen, volle Büsche des Weihrauchs, seine Lippen Rosen, träufelnd köstliche Myrrhen. Seine Hände Goldringe mit Türkisen besetzt, sein Leib glän= zend Elfenbein, geschmückt mit Saphiren. Seine Beine wie Marmorsäulen auf güldenen Sockeln. Seine Ge= stalt wie der Libanon, auserwählet wie Cedern. Seine Kehle voll Süßigkeit, er ganz mein Begehren. Ein solcher ist mein Liebster, mein Freund ist ein solcher, o Töchter Jerusalems.

19. Wohin ging dein Freund, du schönste der Wei= ber? Wohin wandte sich dein Freund, wir wollen ihn

mit dir suchen. — Mein Freund ging in seinen Garten hinab, zu den Würzbeeten, sich zu weiden im Garten, Lilien zu pflücken. — Mein Freund ist mein, und ich bin sein, der unter Lilien sich weidet.

20. Schön bist du, meine Freundin, wie Thirza! Herrlich wie Jerusalem! Schröcklich wie Heerspitzen. Wende beine Angen ab von mir, sie machen mich brünstig.

21. Sechzig sind der Königinnen, achtzig der Kebsweiber, Jungfrauen unzählig. Aber Eine ist meine Taube, Eine meine Fromme. Die einzige ihrer Mutter, die köstliche ihrer Mutter. Sie sahen die Mädchen, sie priesen die Königinnen und Kebsweiber und rühmten sie.

22. Wer ist, die hervorblickt wie die Morgenröte? Lieblich wie der Mond, rein wie die Sonne, furchtbar wie Heerspitzen.

23. Zum Nußgarten bin ich gangen, zu schauen das grünende Tal. Zu sehen, ob der Weinstock triebe, ob die Granatbäume blühten.

24. Kehre! Kehre! Sulamith! Kehre! Kehre! Daß wir dich sehen. Seht ihr nicht Sulamith wie einen Reihentanz der Engel? Schön ist dein Gang in den Schuhen, o Fürstentochter, deiner Lenden gleiche Gestalt wie zwo Spangen, Spangen, des Künstlers Meisterstück. Dein Nabel ein runder Becher der Fülle, dein Leib ein Weizenhaufen, umsteckt mit Rosen. Dein Hals ein elfenbeinerner Turn, deine Angen wie die Teiche zu Hesbon am Tore Bathrabbim, deine Nase der Turn Libanon, schauend gegen Damaskus. Dein Haupt auf dir wie Carmel, deine Haarflechten wie Purpur des Königs in Falten gebunden. Wie schön bist du, wie lieblich! du Liebe in Wollüsten. Deine Gestalt ist Palmen gleich, Weintrauben deine Brüste. Ich will auf den Palmbaum steigen, sagt' ich, und seine Zweige ergreifen. Laß deine Brüste sein wie Trauben am Weinstock, deiner Nasen Ruch wie Äpfel. Dein Gaum wie guter Wein,

der mir glatt eingehe, der die Schlafenden geschwätzig macht.

25. Ich bin meinem Freunde, bin auch sein ganzes Begehren!

26. Komm, mein Freund, laß uns aufs Feld gehn, auf den Landhäusern schlafen. Früh stehn wir auf zu den Weinbergen, sehen, ob er der Weinstock blühe, Beeren treibe, Blüten die Granatbäume haben. Da will ich dich herzen nach Vermögen.

27. Die Lilien geben den Ruch, vor unsrer Tür sind allerlei Würze, heurige, fernige. Meine Liebe bewahrt' ich dir!

28. Hätt' ich dich wie meinen Bruder, der meiner Mutter Brüste sangt. Fänd' ich dich drauß, ich küßte dich, niemand sollte mich höhnen. Ich führte dich in meiner Mutter Haus, daß du mich lehrtest! Tränkte dich mit Würzwein, mit Most der Granaten.

29. Wer ist, die heraufgeht aus der Wüsten, sich gesellet zu ihrem Freund?

30. Unterm Apfelbaum weck' ich dich, wo deine Mutter dich gebar, wo dein pflegte, die dich zeugte.

31. Setze mich wie ein Siegel auf dein Herz, wie ein Siegel auf deinen Arm. Denn stark wie der Tod ist die Liebe. Eifer gewaltig wie die Hölle. Ihre Glut Feuerglut, eine fressende Flamme. Viel Wasser können die Liebe nicht löschen, Ströme sie nicht ersäufen. Böt' einer all sein Hab und Gut um Liebe, man spottete nur sein.

Aus Goethes Brieftasche

Anhang zu Mercier-Wagners Neuem Versuch über die
Schauspielkunst.

(1775)

Ich hatte vor einiger Zeit versprochen, dies Buch
mit Anmerkungen herauszugeben, nun ist mir aber zeit-
her die Lust vergangen, Anmerkungen zu machen, da ich
gespürt habe, daß jedermann gerne die Mühe über sich
nimmt. Das Buch mag immer für Deutschland brauchbar
sein, das in den Taschen seiner französischen Pumphosen
viel Wahres, Gutes und Edles mit sich herumträgt.

Es ist endlich einmal Zeit, daß man aufgehöret hat,
über die Form dramatischer Stücke zu reden, über ihre
Länge und Kürze, ihre Einheiten, ihren Anfang, ihr
Mittel und Ende, und wie das Zeug alle hieß. Auch
geht nnser Verfasser ziemlich stracks auf den Inhalt los,
der sich sonst so von selbst zu geben schien.

Deswegen gibt's doch eine Form, die sich von jener
unterscheidet, wie der innere Sinn vom äußern, die nicht
mit Händen gegriffen, die gefühlt sein will. Unser Kopf
muß übersehen, was ein andrer Kopf fassen kann; unser
Herz muß empfinden, was ein andres füllen mag. Das
Zusammenwerfen der Regeln gibt keine Ungebundenheit;
und wenn ja das Beispiel gefährlich sein sollte, so ist's
doch im Grunde besser, ein verworrnes Stück machen
als ein kaltes.

Freilich, wenn mehrere das Gefühl dieser innern
Form hätten, die alle Formen in sich begreift, würden
wir weniger verschobne Geburten des Geists anekeln.
Man würde sich nicht einfallen lassen, jede tragische Be-

gebenheit zum Drama zu strecken, nicht jeden Roman
zum Schauspiel zerstückeln. Ich wollte, daß ein guter
Kopf dies doppelte Unwesen parodierte und etwa die
Aesopische Fabel vom Wolf und Lamme zum Trauerspiel
in fünf Akten umarbeitete.   5

Jede Form, auch die gefühlteste, hat etwas Un=
wahres, allein sie ist ein für allemal das Glas, wodurch
wir die heiligen Strahlen der verbreiteten Natur an das
Herz der Menschen zum Feuerblick sammeln. Aber das
Glas! Wem's nicht gegeben wird, wird's nicht erjagen;   10
es ist, wie der geheimnisvolle Stein der Alchimisten,
Gefäß und Materie, Feuer und Kühlbad. So einfach,
daß es vor allen Türen liegt, und so ein wunderbar
Ding, daß just die Leute, die es besitzen, meist keinen
Gebrauch davon machen können.   15

Wer übrigens eigentlich für die Bühne arbeiten will,
studiere die Bühne, Würkung der Fernemalerei, der
Lichter, Schminke, Glanzleinewand und Flittern, lasse
die Natur an ihrem Ort und bedenke ja fleißig, nichts
anzulegen, als was sich auf Brettern, zwischen Latten,   20
Pappendeckel und Leinewand, durch Puppen vor Kindern
ausführen läßt.

Diesseitige Antwort auf Bürgers Anfrage wegen Übersetzung des Homers

(1776)

Bürgers Anfrage ans Publikum wegen seiner Über=
setzung des Homers konnte nicht ohne Antwort bleiben;
freilich muß es teilweise seine Gesinnung zu erkennen   25
geben; hier also die unsrige.

Daß Bürger Dichter ist, sind wir alle überzeugt;
daß er den Homer ganz fühlen kann und innig lieben
muß, als einer, der selbst die größten epischen Anlagen
hat, konnte man auch schon vermuten; daß Homers Welt   30

wieber ganz in ihm auflebt, alles Vorgebildete lebendig,
alles Lebende strebend wird, sieht man mit einem Blick
auf die Übersetzung, mit zehn Versen in dem Original
verglichen. Drum wünschen wir, daß er möge in guten
5 Humor gesetzt werden, fortzufahren; daß er, nicht Belohnung seiner Arbeit, denn die belohnt sich selbst, sondern tätige Aufmunterung, Erfreuung und Auffrischung
seines bürgerlichen Zustands vom Publiko erhalten möge.
Denn es wird sich so leicht nicht wieder fluden, daß ein
10 Dichter von dem Gefühl so viel Liebe zu eines andern
Werk fassen mag und der glückliche Übersetzer so viele
Tät- und Stätigkeit habe, um der standhafte Übersetzer
zu werden.

Er fahre fort mit Lieb' und Freude der Jugend,
15 pflege Rat über sein Werk mit denen, die er liebt, denen
er traut; laße sich durch keine Kleinelei hindern und,
wie sie sagen, zurechtweisen; strebe nach der goldnen,
einfachen, lebendigen Bestimmtheit des Originals: kurz,
tue das Seinige!

20 Aus unserer Gegend haben wir ihm hinwider folgenden Antrag zu tun: Endes Unterzeichnete verbinden sich,
ihm die ausgeworfene Summe so bald zu übersenden,
als er durch ähnliche Versicherung des übrigen Teutsch-
lands in Stand gesetzt worden ist, öffentlich anzeigen zu
25 lassen, er sei entschlossen, fortzufahren, und verspreche,
indes die Ilias zu vollenden. Sie geben diese Summe
als einen freiwilligen freundlichen Beitrag, ohne dafür
ein Exemplar zu verlangen, und begnügen sich, wenn die
Übersetzung auch im Ganzen ihrer Hoffnung entspricht,
30 zu etwas Ungemeinem mit Anlaß gegeben zu haben.

Über Italien

Fragmente eines Reisejournals.

(1788/89)

Volksgesang.

Venedig.

Es ist bekannt, daß in Venedig die Gondoliere große
Stellen aus Ariost und Taſſo auswendig wiſſen und
ſolche auf ihre eigne Melodie zu ſingen pflegen. Allein
dieſes Talent ſcheint gegenwärtig ſeltner geworden zu
ſein; wenigſtens konnte ich erſt mit einiger Bemühung
zwei Leute auffinden, welche mir in dieſer Art eine Stelle
des Taſſo vortrugen.

Es gehören immer zwei dazu, welche die Strophen
wechſelsweiſe ſingen. Wir kennen die Melodie ungefähr
durch Rouſſeau, deſſen Liedern ſie beigedruckt iſt; ſie hat
eigentlich keine melodiſche Bewegung und iſt eine Art
von Mittel zwiſchen dem Canto fermo und dem Canto
figurato; jenem nähert ſie ſich durch recitativiſche Dekla=
mation, dieſem durch Paſſagen und Läuſe, wodurch eine
Silbe aufgehalten und verziert wird.

Ich beſtieg bei hellem Mondſchein eine Gondel, ließ
den einen Sänger vorn, den andern hinten hin treten
und fuhr gegen San Giorgio zu. Einer fing den Geſang
an, nach vollendeter Strophe begann der andere, und ſo
wechſelten ſie mit einander ab. Im ganzen ſchienen es
immer dieſelbigen Noten zu bleiben, aber ſie gaben, nach
dem Inhalt der Strophe, bald der einen oder der andern
Note mehr Wert, veränderten auch wohl den Vortrag der

ganzen Strophe, wenn sich der Gegenstand des Gedichtes
veränderte.

Überhaupt aber war ihr Vortrag rauh und schreiend.
Sie schienen nach Art aller ungebildeten Menschen den
5 Vorzug ihres Gesangs in die Stärke zu setzen; einer
schien den andern durch die Kraft seiner Lunge überwinden zu wollen, und ich befand mich in dem Gondel-
kästchen, anstatt von dieser Szene einigen Genuß zu haben,
in einer sehr beschwerlichen Situation.

10 Mein Begleiter, dem ich es eröffnete und der den
Kredit seiner Landsleute gern erhalten wollte, versicherte
mir, daß dieser Gesang aus der Ferne sehr angenehm
zu hören sei; wir stiegen deswegen ans Land, der eine
Sänger blieb auf der Gondel, der andere entfernte sich
15 einige hundert Schritte. Sie fingen nun an, gegen
einander zu singen, und ich ging zwischen ihnen auf und
ab, so daß ich immer den verließ, der zu singen anfangen
sollte. Manchmal stand ich still und horchte auf einen
und den andern.

20 Hier war diese Szene an ihrem Platze. Die stark
deklamierten und gleichsam ausgeschrienen Laute trafen
von fern das Ohr und erregten die Aufmerksamkeit; die
bald darauf folgenden Passagen, welche ihrer Natur nach
leiser gesungen werden mußten, schienen wie nachklingende
25 Klagtöne auf einen Schrei der Empfindung oder des
Schmerzens. Der andere, der aufmerksam horcht, fängt
gleich da an, wo der erste aufgehört hat, und antwortet
ihm, sanfter oder heftiger, je nachdem es die Strophe
mit sich bringt. Die stillen Kanäle, die hohen Gebäude,
30 der Glanz des Mondes, die tiefen Schatten, das Geister-
mäßige der wenigen hin und wider wandelnden schwarzen
Gondeln vermehrte das Eigentümliche dieser Szene, und
es war leicht, unter allen diesen Umständen den Charakter
dieses wunderbaren Gesangs zu erkennen.

35 Er paßt vollkommen für einen müßigen einsamen
Schiffer, der auf der Ruhe dieser Kanäle in seinem Fahr-
zeug ausgestreckt liegt, seine Herrschaft oder Kunden erwartet, vor Langerweile sich etwas vormoduliert und

Gedichte, die er auswendig weiß, diesem Gesang unter-
schiebt. Manchmal läßt er seine Stimme so gewaltsam
als möglich hören, sie verbreitet sich weit über den stillen
Spiegel; alles ist ruhig umher, er ist mitten in einer
großen volkreichen Stadt gleichsam in der Einsamkeit. 5
Da ist kein Gerassel der Wagen, kein Geräusch der Fuß-
gänger; eine stille Gondel schwebt bei ihm vorbei, und
kaum hört man die Ruder plätschern.

In der Ferne vernimmt ihn ein anderer, vielleicht
ein ganz Unbekannter. Melodie und Gedicht verbinden 10
zwei fremde Menschen; er wird das Echo des ersten und
strengt sich nun auch an, gehört zu werden, wie er den
ersten vernahm. Konvention heißt sie von Vers zu Vers
wechseln, der Gesang kann Nächte durch währen, sie
unterhalten sich, ohne sich zu ermüden; der Zuhörer, der 15
zwischen beiden durch fährt, nimmt teil daran, indem die
beiden Sänger mit sich beschäftigt sind.

Es klingt dieser Gesang aus der weiten Ferne un-
aussprechlich reizend, weil er in dem Gefühl des Entfernten erst seine Bestimmung erfüllt. Er klingt wie eine 20
Klage ohne Trauer, und man kann sich der Tränen kaum
enthalten. Mein Begleiter, welcher sonst kein sehr fein
organisierter Mann war, sagte ganz ohne Anlaß: è singo-
lare, come quel canto intenerisce, e molto più, quando lo
cantano meglio. 25

Man erzählte mir, daß die Weiber vom Lido — der
langen Inselreihe, welche das Adriatische Meer von den
Lagunen scheidet — besonders die von den äußersten
Ortschaften Malamocco und Palestrina, gleichfalls den
Tasso auf diese und ähnliche Melodien sängen. 30

Sie haben die Gewohnheit, wenn ihre Männer, um
zu fischen, auf das Meer gefahren sind, sich Abends an
das Ufer zu setzen und diese Gesänge anzustimmen und
so lange heftig damit fortzufahren, bis sie aus der Ferne
das Echo der Ihrigen vernehmen. 35

Wie viel schöner und noch eigentümlicher bezeichnet
sich hier dieser Gesang als der Ruf eines Einsamen in
die Ferne und Weite, daß ihn ein anderer und Gleich-

gestimmter höre und ihm antworte! Es ist der Ausdruck
einer starken herzlichen Sehnsucht, die doch jeden Augenblick dem Glück der Befriedigung nahe ist.

Rom.

Ritornelli.

Mit einem ähnlichen Gesang, der aber in keinem
5 Sinne gefällig oder reizend ist, pflegt der Pöbel von Rom
sich zu unterhalten und beleidigt jedes Ohr außer sein
eignes.

Es ist gleichfalls eine Art von Canto fermo, Re-
citation oder Deklamation, wie man will. Keine melo-
10 dische Bewegung zeichnet ihn aus, die Intervalle der
Töne lassen sich durch unsere Art, die Noten zu schreiben,
nicht ausdrücken, und diese seltsamen Intervalle, mit der
größten Gewalt der Stimme vorgetragen, bezeichnen
eigentlich diese Gesangsweise. Eben so ist Ton und Manier
15 der Singenden oder vielmehr Schreienden so vollkommen
überein, daß man durch alle Straßen von Rom immer
denselben tollen Menschen zu hören glaubt. Gewöhnlich
hört man sie nur in der Dämmerung oder zur Nachtzeit;
sobald sie sich frei und losgebunden fühlen, geht dieses
20 Geschrei los. Ein Knabe, der nach einem heißen Tag
Abends die Fenster aufmacht, ein Fuhrmann, der mit
seinem Karrn zum Tor herausfährt, ein Arbeiter, der
aus einem Haus heraustritt, bricht unmittelbar in das
unbändige Geschrei aus. Sie heißen diese Art, zu singen,
25 Ritornelli und legen dieser Unmelodie alle Worte unter,
die ihnen einfallen, weil sich jede Art von Phrasen und
Perioden, sie seien metrisch oder prosaisch, leicht damit
begleiten läßt. Selten sind die Worte verständlich, und
ich erinnere mich nur einigemal einen solchen Sänger
30 verstanden zu haben. Es schien mir sein Lied rohe, obgleich nicht ganz unwitzige Invektiven gegen die Nachbarinnen zu enthalten.

Vaudevilles.

Im Jahr 1786 hörte man noch überall den Marl-

brough, der halb italienisch, halb französisch, ungefähr auf
seine bekannte Melodie auf allen Straßen gesungen ward.

Zu Anfang 1787 verdrängte ihn ein Vaudeville, wel=
ches in kurzer Zeit so um sich griff, daß es die kleinsten
Kinder so gut als alle erwachsenen Personen sangen; es
ward verschiedentlich komponiert und mehrstimmig in
Konzerten aufgeführt. Eigentlich war es eine Liebes=
erklärung an eine Schöne. Jeder Vers enthielt Lob=
sprüche und Versprechungen, welche durch den Refrain
immer wieder aufgehoben wurden.

Non dico! ist die populäre Redensart, wodurch man
etwas, was man selbst oder ein anderer Übertriebenes
gesagt hat, sogleich in Zweifel ziehet.

Hier ist der erste Vers:

Ogni uomo, ogni donzella,
Mia dolce Mirami!
Mi dice che sei bella.
E penso anch'io così:
Non dico: bella, bella!
Ma — li la ba te li.

Das letzte Ma —, welches durch die unbedeutenden
Refrainsilben aufgesangen wird, gibt dem Ausdruck der
Ironie die völlige Stärke.

Die Melodie, welche am allgemeinsten gehört wurde,
ist singbar und angenehm, aber nicht expressiv.

Romanze.

Man hört in Rom wenig von Gespenstergeschichten,
und wahrscheinlich ist die Ursache davon: weil kein katho=
lischer Christ, der gebeichtet und die Sakramente emp=
fangen hat, verdammt werden kann, sondern nur noch zur
Vollendung der Buße und Reinigung eine Zeitlang im
Fegefeuer aushalten muß. Alle Gemüter sind andächtig
auf die Erleichterung und Befreiung der guten leidenden
Seelen gerichtet. Manchmal erscheint wohl das ganze
Fegefeuer einem beängstigten Gläubigen im Traum oder
Fieber; und alsdann ist die Mutter Gottes in freund=
licher Erscheinung gleich dabei, wie man auf so vielen
Gelübdetafeln sehen kann. Allein die eigentlichen Ge=

spenster-, Hexen- und Teufelsideen scheinen mehr den nordischen Gegenden eigen zu sein.

Um so viel mehr wunderte ich mich über eine Romanze, welche ein blinder neapolitanischer Knabe, der sich in Rom herumführen ließ, einige Wochen sang, deren Inhalt und Vorstellungsart so nordisch als möglich ist.

Die Szene ist Nachts, bei dem Hochgerichte. Eine Hexe bewacht den Leichnam eines hingerichteten, wahrscheinlich aufs Rad geflochtenen Missetäters; ein frecher Mensch schleicht sich hinzu, in der Absicht, einige Glieder des Körpers zu stehlen. Er vermutete die Hexe nicht in der Nähe, doch faßt er sich und redet sie mit einem Zaubergruß an. Sie antwortet ihm, und ihr Gespräch, mit einer immer wiederkehrenden Formel, macht das Gedicht aus.

Hier ist der erste Vers. Die Melodie, mit den Zeilen, wodurch sich die übrigen Strophen von der ersten unterscheiden, findet sich am Ende dieses Stücks.

> *Gurugium a te! gurugiu!*
> Che ne vuoi della vecchia tu?
> *Io voglio questi piedi.*
> E che diavol' ne vuoi far tu?
> *Per far piedi ai candelieri.*
> Cadavere! malattia!
> *Aggi pazienza, vecchia mia.*

Hier ist eine ungefähre Übersetzung zu mehrerer Deutlichkeit. Gurugiu! soll wahrscheinlicherweise ein freundlicher Zaubergruß sein.

Der Dieb. Gurugium zu dir! Gurugiu!
Die Hexe. Was willst von der Alten du?
Der Dieb. Ich hätte gern die Füße!
Die Hexe. Was Teufel damit zu tun?
Der Dieb. Zu machen Leuchterfüße.
Die Hexe. Daß dich die Pest und Seuche!
Der Dieb. Alte! liebe Alte! Geduld!

Die übrigen Verse unterscheiden sich nur von dem ersten durch die veränderte dritte und fünfte Zelle, worin er immer ein ander Glied verlangt und einen andern Gebrauch davon angibt.

Ca - da-ve-re ma-lat - tia! „Ag - gi pa-zi-
en-za, vec - chia mi - - - - - - a.“

2. Io voglio queste gambe . . .
   Per far piedi alle banche.

3. Io voglio le ginocchia . . .
   Per far rotole alla conocchia.

4. Io voglio questo petto . . .
   Per far tavole per il letto.

5. Io voglio questa pancia . . .
   Un tamburro per il Re di Francia.

6. Io voglio questa schiena . . .
   Una sedia per la Regina.

Ich erinnere mich in keiner italienischen Liedersamm-
lung ein ähnliches Gedicht gesehen zu haben. Der Abscheu vor solchen Gegenständen ist allgemein. Eben so
glaubt man in der Melodie etwas Fremdes zu entdecken.

Geistliches dialogisiertes Lied.

Artiger, angenehmer, dem Geiste der Nation und
den Grundsätzen des katholischen Glaubens angemessener
ist die Bearbeitung der Unterhaltung Christi mit der

Samariterin zu einem dramatischen Liede. Es hat inner=
lich die völlige Form eines Intermezzo zu zwei Stim=
men und wird nach einer faßlichen Melodie von zwei
armen Personen auf der Straße gesungen. Mann und
Frau setzen sich in einiger Entfernung von einander und
tragen wechselsweise ihren Dialog vor, sie erhalten zu=
letzt ein kleines Almosen und verkaufen ihre gedruckten
Gesänge an die Zuhörer.

Wir geben hier das Lied selbst im Original, das
durch eine Übersetzung alle Grazie verlieren würde, und
schalten für diejenigen Leser, welche mit dem Italieni=
schen nicht ganz bekannt sind, einen kleinen Kommentar
zwischen den Dialog ein.

Der Schauplatz ist an einem Brunnen in der Nähe
der Stadt Samaria.

Erster Teil.

Jesus kommt und macht die Exposition seines Zu=
standes und des Ortes.

> Sono giunto stanco e lasso
> Dal mio lungo camminar.
> Ecco il pozzo, e questo è il sasso
> Per potermi riposar.

Er erklärt seine Absicht:

> Qui mi fermo, quivi aspetto,
> Una Donna ha da venir.
> O bel fonte, o fonte eletto
> Alma infida a convertir!
> Pecorella già smarrita
> Dall' ovile cercando va,
> Ma ben presto convertita
> Al Pastor ritornerà.

Die Schöne läßt sich von weiten sehn·

> Ecco appunto la meschina,
> Che sen vien sola da se.
> Vieni, vieni, o poverina,
> Vien, t'aspetto, vien da me.

Samariterin. Bleibt in der Ferne stehen, sieht sich

nach dem Brunnen um. Es ist ihr unangenehm, jemanden bort zu finden.

> Questo appunto ci mancava;
> Chi è colui, che siede là?
> Io di già me l'aspettava
> Di trovar qualcuno quà.

Besonders will ihr der Jude nicht gefallen.

> È un Giudeo, se ben ravviso,
> Lo conosco in fin di qui;
10> Alle chiome, al mento, al viso
> Egli è d'esso, egli è, sì sì.

Sie gedenkt des Hasses der beiden Völker.

> Questa gente non è amica
> Della patria mia, lo sò;
> Vi è una ruggine alta, e antica,
> Che levare non si può.

Allein sie nimmt sich zusammen, geht nach ihrem
Geschäfte und setzt sich vor, wenn er nicht freundlich ist,
schnippisch dagegen zu sein.

20> Baderò alli fatti miei,
> Io al pozzo voglio andar.
> Se dirà, donna, chi sei?
> Gli dirò, son chi mi par.

Jesus überrascht sie mit einem frommen und ge-
25 fälligen Gruß.

> Buona donna, il ciel vi guardi!

Samar. Ist verwundert und gleich gewonnen, sie
erwidert freundlich:

> O buon uomo, a voi ancor!

30 Jesus. Nähert sich im Gespräche:

> Siete giunta troppo tardi.

Samar. Läßt sich weiter ein.

> Non potevo più a buon or.

Jesus. Verlangt zu trinken.

35> O figliuola, che gran sete!
> Un po d'acqua in carità!
> Deh, ristoro a me porgete,
> Un po d'acqua per pietà!

Samar. Es kommt ihr paradox vor, daß ein Jude von ihr zu trinken verlangt.

> Voi a me Samaritana
> Domandate voi da ber?
> A un Giudeo è cosa strana
> Chi l'avesse da veder.
>   Queste due nazion fra loro
> Non si posson compatir;
> Se vedesse un di coloro,
> Cosa avrebbe mai a dir.   10

Jesus. Macht einen Übergang vom Paradoxen zum Wunderbaren.

>   So sapeste, se sapeste,
> Chi a voi chiede da ber,
> Certo a lui richiedereste
> Acqua viva per aver.

Samar. Glaubt, er wolle sie zum besten haben.

>   Voi burlate, e dov' è il secchio,
> Dove l'acqua, o buon Signor?
> Di Giacobbe il nostro vecchio   20
> Siete voi forse maggior?
>   Che sia pur benedetto!
> Questo pozzo a noi lasciò,
> A suoi figli: il suo diletto
> Gregge in questo abbeverò.   25

Jesus. Bleibt bei seinem Gleichnisse und verspricht, jedem durch sein Wasser den Durst auf immer zu löschen.

>   O figliuola, chi l'acqua mia,
> Acqua viva beverà,   30
> Già sia pur chiunque sia,
> Mai in eterno sete avrà.

Samar. Findet das sehr bequem und bittet sich davon aus.

>   O Signor, non si potrebbe   35
> Di quest' acqua un po gustar?
> La fatica leverebbe
> Di venirla qui a cavar.

Jesus. Versucht sie.

A chiamar vostro marito
Gite, l'acqua vi darò:
Nè temete sia partito,
Perchè vi aspetterò.

Samar. Will von keinem Mann wissen.

Io marito! guardi il cielo,
Sono libera di me.

Jesus. Beschämt ihre Verstellung.

10 Che direte s'io vi svelo
Che n'avete più di tre?

Cinque già ne avete avuti,
Se vostr' è quel ch' avete or.

Samar. Erschrickt.

15 O che sento! (Beiseite.) Il ciel m'ajuti!

Sie bekennt:

Dite vero, o mio Signor!

und gesteht ihm zu, daß er ein großer Prophet sein müsse,
um von ihren Liebeshändeln so genau unterrichtet zu sein.

20 Certo che siete Profeta,
Ben sapete indovinar.

Sie will sich wegschleichen.

Io, per dirlo, cheta, cheta,
Me ne voglio un poco andar.

25 **Jesus.** Hält sie und spricht von der Ankunft des
Messias.

No, no, no, non gite via,
Che è venuto il tempo già
D'adorare il Gran Messia

30 In spirito e verità.

Samar. Erklärt sich darüber sehr naiv.

Che il Messia abbia a venire,
Io non nego, o questo no;
Ma se poi avessi a dire,

35 Se è venuto, non lo so.

Jesus. Stellt sich selbst als den Messias dar.

O figliuola, egli è venuto,
Il Messia, credete a me,

Goethes Werke. XXXVI.

Se puoi essere creduto,
Chi vi parla, quel Egli è.

Samar. Unverzüglich glaubt sie, betet an und er=
bietet sich zum Apostelamt.

Io vi credo, o buon Signore,
E vi adoro, or voglio gir
In Samaria, un tal stupore
Voglio a tutti riferir.

Jesus. Sendet sie.

Gite pur! Sia vostra gloria,
Se vi crede la città.
Per si nobile vittoria
Tutto il ciel trionferà.

Samar. Ist entzückt über die göttliche Gnade.

O divina sì grand' opra,   15
Convertir sì infido cor.

Jesus. Zeugt von der Macht und Liebe Gottes.

Il poter tutto si adopra
Del gran Dio tutto l'amor.

Zweiter Teil.

Samar. Wie sie überzeugt weggegangen, kommt sie 20
nun ganz bekehrt zurück.

Ecco qui quella meschina
Che ritorna onde partì;
O amabile divina
Maestà, eccomi qui.   25
L'alma mia in questo pozzo
La vostra acqua sì gustò:
Che ogni fonte dopo sozzo
Qual pantan gli risembrò.
Mille grazie, o grand' Iddio,   30
A voi rendo e sommo onor,
Che mutò questo cor mio
Dal profano al santo amor.

Jesus. Nimmt sie als Tochter an und erklärt sich
selbst für Gott.   35

O mia figlia! tale adesso
Più che mai vi vo' chiamar,
La mia grazia quanto spesso
Si bell' opra ella sa far.
Sono Dio! di già 'l sapete
E mio braccio tutto può,
Io per voi, se fede avrete,
Quanto più per voi farò.

Samar. Wiederholt ihr Glaubensbekenntnis.

10   Siete Dio onnipotente,
E veduto l'ho pur or:
Di Samaria la gran gente
Convertita è a voi, Signor.

Jesus. Hat das von Ewigkeit schon gewußt und
15 sie zum Apostel ersehen.

Ab eterno già sapea
E però vi mandai la:
Fin d'allora vi scegliea
A bandir la verità.

20   **Samar.** Ist beschämt.
O Signor, io mi arrossisco
Di vedermi in tanto onor,
Più ci penso, e men capisco,
Come a me tanto favor.

25   **Jesus.** Erklärt ihr seine göttliche Methode, große
Dinge durch geringe Mittel zu tun.

Questo è già costumo mio
Qual io sono a dimostrar,
Per oprar cosa da Dio
30   Mezzi deboli adattar.

Er gibt Beispiele aus der Geschichte.

D'Oloferne il disumano,
Dite su, chi trionfò?
Donna fral di propria mano
35   Nel suo letto lo svenò.
Il Gigante fier Golia
Come mai, come morì?

D'un sassetto della via,
Che scagliato lo colpì.

Eben so ist die ganze Welt aus nichts geschaffen.

Tutto il mondo già creato
Opra fu della mia man,
Ed il tutto fu cavato
Dal suo niente in tutto van.

Und seine göttliche Absicht ist die Verherrlichung
seines Namens.

Perchè vo' la gloria mia,   10
Come è debito per me.

Und der Nutzen ist den Gläubigen bestimmt.

L'util poi voglio che sia
Sol di quel, che opra con fè.

Samar. Begnügt sich am Evangelio.   15
Che più poterete darmi?
Mi scoprite il gran Vangel,
E di quel volete farmi
Una Apostola fedel.

Ihr Herz entbrennt in Liebe und Zärtlichkeit. Sie 20
gibt sich ihm ganz hin.

Quanto mai vi devo, quanto,
Cortesissimo Gesù!
A voi m'offro e dono intanto,
Nè sarò d'altri mai più.   25

Jesus. Acceptiert ihr Herz.
Vi gradisco, sì, vi accetto,
Sì, già accetto il vostro amor,
E gradito e sol diletto
Esser vo' dal vostro cor.   30

Samar. Umfaßt ihn als Bräutigam.
Sì, sarete sposo mio.

Jesus. Umfängt sie als Braut.
Sposa voi sarete a me.

Samar. Io in voi —   35

Jesus.   Ed in voi io —

Zu Zwei. Serbaremo eterna fè.

Und so endigt sich das Drama mit einer förmlichen und ewigen Verbindung.

Es ließe sich aus diesem Gesange gar leicht die Theorie der Bekehrungs- und Missionsgeschichten ent-
5 wickeln; es enthält die ganze Heilsordnung und den Fortschritt von der irdischen zur himmlischen Liebe; jeder katholische Christ kann es hören und singen, sich damit unterhalten und erbauen, jedes Mädchen kann dabei an ihren irdischen, jede Nonne an ihren himmlischen Bräu-
10 tigam denken und jede artige Sünderin in der Hoffnung eines künftigen Apostolats sich beruhigen. Und man möchte hier bemerken, daß es eigentlich der römischen Kirche am besten gelungen sei, die Religion populär zu machen, indem sie solche nicht sowohl mit den Be-
15 griffen der Menge als mit den Gesinnungen der Menge zu vereinigen gewußt hat.

Die Tarantella.

Der Tanz, welcher die Tarantella genannt wird, ist in Neapel unter den Mädchen der geringen und Mittel- klasse allgemein. Es gehören wenigstens ihrer drei da-
20 zu: die eine schlägt das Tamburin und schüttelt von Zeit zu Zeit die Schellen an demselbigen, ohne darauf zu schlagen, die andern beiden, mit Kastagnetten in den Händen, machen die Schritte des Tanzes.

Eigentlich sind es, wie bei allen roheren Tänzen,
25 keine abgesonderten und für sich selbst bestehenden zier- lichen Tanzschritte. Die Mädchen treten vielmehr nur den Takt, indem sie eine Weile auf einem Platze gegen einander über trippeln, dann sich umdrehen, die Plätze wechseln u. s. w. Bald wechselt eine der Tanzenden ihre
30 Kastagnetten gegen das Tamburin, bleibt nun stille stehen, indes die dritte zu tanzen anfängt, und so können sie sich stundenlang vergnügen, ohne sich um den Zuschauer zu bekümmern. Dieser Tanz ist nur eine Unterhaltung für Mädchen, kein Knabe rührt ein Tamburin an. Allein
35 die weiblichen Geschöpfe scheinen die angenehmsten Stun- den ihrer Jugend in diesem Takt wegzuhüpfen, und man

hat schon bemerkt, daß eben dieser Tanz bei Gemüts=
krankheiten oder bei jenem Spinnenstich, welcher wahr=
scheinlich durch Transpiration kuriert wird, durch die
Bewegung dem weiblichen Geschlechte sehr heilsam sein
kann; auf der andern Seite sieht man aber auch, daß
dieser Tanz ohne äußere Veranlassung selbst in eine
Krankheit ausarten könne.

Über beides hat uns Herr von Riedesel in seinen
Reisen schöne, genaue Beobachtungen gegeben.

Ich füge noch eine Bemerkung hinzu: daß dieser
Tanz Tarantella genannt wird nicht von dem Namen
jenes Insekts, sondern Tarantola heißt eine Spinne,
die sich vorzüglich im Tarentinischen findet, und Taran=
tella ein Tanz, der vorzüglich im Tarentinischen getanzt
wird. Sie haben also ihren ähnlichen Namen von dem
gemeinschaftlichen Vaterlande, ohne deshalb unter sich
eine Gemeinschaft zu bezeichnen. Eben so werden taren=
tinische Austern vorzüglich geschätzt und noch andere Pro=
dukte jenes schönen Landes.

Ich merke dieses hier an, weil falsche Namensver=
wandtschaften oft den Begriff eines falschen Verhältnisses
unterhalten und es Pflicht ist, jedem Irrtum und Miß=
verständnis so viel als möglich vorzubeugen und gegen
alles Wunderbare zu arbeiten, damit das Merk=
würdige seinen Platz behaupte.

Frauenrollen auf dem römischen Theater durch Männer gespielt.

Es ist kein Ort in der Welt, wo die vergangene Zeit
so unmittelbar und mit so mancherlei Stimmen zu dem
Beobachter spräche, als Rom. So hat sich auch dort
unter mehreren Sitten zufälligerweise eine erhalten, die
sich an allen andern Orten nach und nach fast gänzlich
verloren hat.

Die Alten ließen, wenigstens in den besten Zeiten
der Kunst und der Sitten, keine Frau das Theater be=
treten. Ihre Stücke waren entweder so eingerichtet, daß

Frauen mehr und weniger entbehrlich waren; oder die
Weiberrollen wurden durch einen Acteur vorgestellt,
welcher sich besonders darauf geübt hatte. Derselbe Fall
ist noch in dem neueren Rom und dem übrigen Kirchen-
5 staat, außer Bologna, welches unter andern Privilegien
auch der Freiheit genießt, Frauenzimmer auf seinen
Theatern bewundern zu dürfen.

Es ist so viel zum Tadel jenes römischen Herkom-
mens gesagt worden, daß es wohl erlaubt sein möchte,
10 auch etwas zu seinem Lobe zu sagen, wenigstens — um
nicht allzuparadox zu scheinen — darauf, als auf einen
antiquarischen Rest, aufmerksam zu machen.

Von den Opern kann eigentlich hier die Rede nicht
sein, indem die schöne und schmeichelhafte Stimme der
15 Kastraten, welchen noch überdies das Weiberkleid besser
als Männertracht angemessen scheint, gar leicht mit allem
aussöhnet, was allenfalls an der verkleideten Gestalt Unschickliches erscheinen möchte. Man muß eigentlich von
Trauer- und Lustspielen sprechen und auseinandersetzen,
20 inwiefern dabei einiges Vergnügen zu empfinden sei.

Ich setze voraus, was bei jedem Schauspiele vorauszusetzen ist, daß die Stücke nach den Charakteren und
Fähigkeiten der Schauspieler eingerichtet seien — eine
Bedingung, ohne welche kein Theater und kaum der
25 größte, mannigfaltigste Acteur bestehen würde.

Die neuern Römer haben überhaupt eine besondere
Neigung, bei Maskeraden die Kleidung beider Geschlechter
zu verwechseln. Im Karneval ziehen viele junge Bursche
im Putz der Frauen aus der geringsten Klasse umher
30 und scheinen sich gar sehr darin zu gefallen. Kutscher
und Bediente sind als Frauen oft sehr anständig und,
wenn es junge wohlgebildete Leute sind, zierlich und
reizend gekleidet. Dagegen finden sich Frauenzimmer
des mittleren Standes als Pulcinelle, die vornehmeren
35 in Offizierstracht, gar schön und glücklich. Jedermann
scheint sich dieses Scherzes, an dem wir uns alle einmal
in der Kindheit vergnügt haben, in fortgesetzter jugendlicher Torheit erfreuen zu wollen. Es ist sehr auffallend,

wie beide Geschlechter sich in dem Scheine dieser Um=
schaffung vergnügen und das Privilegium des Tiresias
so viel als möglich zu usurpieren suchen.

Eben so haben die jungen Männer, die sich den
Weiberrollen widmen, eine besondere Leidenschaft, sich in
ihrer Kunst vollkommen zu zeigen. Sie beobachten die
Mienen, die Bewegungen, das Betragen der Frauen=
zimmer auf das genaueste; sie suchen solche nachzuahmen
und ihrer Stimme, wenn sie auch den tieferen Ton nicht
verändern können, Geschmeidigkeit und Lieblichkeit zu
geben; genug, sie suchen sich ihres eignen Geschlechts,
so viel als möglich ist, zu entäußern. Sie sind auf neue
Moden so erpicht wie Frauen selbst; sie lassen sich von
geschickten Putzmacherinnen herausstaffieren, und die erste
Aktrice eines Theaters ist meist glücklich genug, ihren
Zweck zu erreichen.

Was die Nebenrollen betrifft, so sind sie meist nicht
zum besten besetzt; und es ist nicht zu leugnen, daß
Colombine manchmal ihren blauen Bart nicht völlig ver=
bergen kann. Allein es bleibt auf den meisten Theatern
mit den Nebenrollen überhaupt so eine Sache; und aus
den Hauptstädten andrer Reiche, wo man weit mehr
Sorgfalt auf das Schauspiel wendet, muß man oft bittre
Klagen über die Ungeschicklichkeit der britten und vierten
Schauspieler und über die dadurch gänzlich gestörte Illu=
sion vernehmen.

Ich besuchte die römischen Komödien nicht ohne Vor=
urteil; allein ich fand mich bald, ohne dran zu denken,
versöhnt; ich fühlte ein mir noch unbekanntes Vergnügen
und bemerkte, daß es viele andre mit mir teilten. Ich
dachte der Ursache nach und glaube sie darin gefunden
zu haben: daß bei einer solchen Vorstellung der Begriff
der Nachahmung, der Gedanke an Kunst immer lebhaft
blieb und durch das geschickte Spiel nur eine Art von
selbstbewußter Illusion hervorgebracht wurde.

Wir Deutschen erinnern uns, durch einen fähigen
jungen Mann alte Rollen bis zur größten Täuschung
vorgestellt gesehen zu haben, und erinnern uns auch des

doppelten Vergnügens, das uns jener Schauspieler ge-
währte. Eben so entsteht ein doppelter Reiz daher, daß
diese Personen keine Frauenzimmer sind, sondern Frauenzimmer vorstellen. Der Jüngling hat die Eigenheiten
⁵ des weiblichen Geschlechts in ihrem Wesen und Betragen
studiert; er kennt sie und bringt sie als Künstler wieder
hervor; er spielt nicht sich selbst, sondern eine dritte und
eigentlich fremde Natur. Wir lernen diese dadurch nur
desto besser kennen, weil sie jemand beobachtet, jemand
¹⁰ überdacht hat und uns nicht die Sache, sondern das Resultat der Sache vorgestellt wird.

Da sich nun alle Kunst hierdurch vorzüglich von
der einfachen Nachahmung unterscheidet, so ist natürlich,
daß wir bei einer solchen Vorstellung eine eigne Art von
¹⁵ Vergnügen empfinden und manche Unvollkommenheit in
der Ausführung des Ganzen übersehen.

Es versteht sich freilich, was oben schon berührt
worden, daß die Stücke zu dieser Art von Vorstellung
passen müssen.

²⁰ So konnte das Publikum der Locandiera des Gol-
doni einen allgemeinen Beifall nicht versagen.

Der junge Mann, der die Gastwirtin vorstellte, drückte
die verschiedenen Schattierungen, welche in dieser Rolle
liegen, so gut als möglich aus. Die ruhige Kälte eines
²⁵ Mädchens, die ihren Geschäften nachgeht, gegen jeden
höflich, freundlich und dienstfertig ist, aber weder liebt
noch geliebt sein will, noch weniger den Leidenschaften
ihrer vornehmen Gäste Gehör geben mag; die heimlichen,
zarten Koketterien, wodurch sie denn doch wieder ihre
³⁰ männlichen Gäste zu fesseln weiß; den beleidigten Stolz,
da ihr einer derselben hart und unfreundlich begegnet;
die mancherlei feinen Schmeicheleien, womit sie auch diesen
anzulirren weiß; und zuletzt den Triumph, auch ihn überwunden zu haben!

³⁵ Ich bin überzeugt, und habe es selbst gesehen, daß
eine geschickte und verständige Aetrice in dieser Rolle viel
Lob verdienen kann; aber die letzten Szenen, von einem
Frauenzimmer vorgestellt, werden immer beleidigen. Der

Ausdruck jener unbezwinglichen Kälte, jener süßen Emp=
findung der Rache, der übermütigen Schadenfreude werden
uns in der unmittelbaren Wahrheit empören; und wenn
sie zuletzt dem Hausknechte die Hand gibt, um nur einen
Knecht=Mann im Hause zu haben, so wird man von dem
schalen Ende des Stücks wenig befriedigt sein. Auf
dem römischen Theater dagegen war es nicht die lieblose
Kälte, der weibliche Übermut selbst, die Vorstellung e r=
innerte nur daran: man tröstete sich, daß es wenigstens
diesmal nicht wahr sei; man klatschte dem Jüngling Bei=
fall mit frohem Mute zu und war ergötzt, daß er die
gefährlichen Eigenschaften des geliebten Geschlechts so
gut gekannt und durch eine glückliche Nachahmung ihres
Betragens uns an den Schönen für alles, was wir Ähn=
liches von ihnen erduldet, gleichsam gerächt habe.

    Ich wiederhole also: man empfand hier das Ver=
gnügen, nicht die Sache selbst, sondern ihre Nachahmung
zu sehen, nicht durch Natur, sondern durch Kunst unter=
halten zu werden, nicht eine Individualität, sondern ein
Resultat anzuschauen.

    Dazu kam noch, daß die Gestalt des Acteurs einer
Person aus der mittleren Klasse sehr angemessen war.

    Und so behält uns Rom unter seinen vielen Resten
auch noch eine alte Einrichtung, obgleich unvollkommener,
auf; und wenn gleich nicht ein jeder sich daran ergötzen
sollte, so findet der Denkende doch Gelegenheit, sich jene
Zeiten gewissermaßen zu vergegenwärtigen, und ist ge=
neigter, den Zeugnissen der alten Schriftsteller zu glauben,
welche uns an mehreren Stellen versichern: es sei männ=
lichen Schauspielern oft im höchsten Grade gelungen, in
weiblicher Tracht eine geschmackvolle Nation zu entzücken.

Literarischer Sansculottismus

(1795)

In dem Berlinischen Archiv der Zeit und ihres
Geschmacks, und zwar im Märzstücke dieses Jahres,
findet sich ein Aufsatz über Prosa und Beredsamkeit der Deutschen, den die Herausgeber, wie sie
selbst bekennen, nicht ohne Bedenken einrückten. Wir,
unsrerseits, tadeln sie nicht, daß sie dieses unreife Produkt aufnahmen; denn wenn ein Archiv Zeugnisse von
der Art eines Zeitalters aufbehalten soll, so ist es zugleich seine Pflicht, auch dessen Unarten zu verewigen.
Zwar ist der entscheidende Ton und die Manier, womit
man sich das Ansehn eines umfassenden Geistes zu geben
denkt, in dem Kreise unserer Kritik nichts weniger als
neu; aber auch die Rückfälle einzelner Menschen in ein
roheres Zeitalter sind zu bemerken, da man sie nicht
hindern kann; und so mögen denn die Horen dagegen
in demjenigen, was wir zu sagen haben, ob es gleich
auch schon oft und vielleicht besser gesagt ist, ein Zeugnis aufbewahren: daß neben jenen unbilligen und über-
triebenen Forderungen an unsre Schriftsteller auch noch
billige und dankbare Gesinnungen gegen diese, verhältnis-
mäßig zu ihren Bemühungen wenig belohnte, Männer
im stillen walten.

Der Verfasser bedauert die Armseligkeit der
Deutschen an vortrefflich klassisch prosaischen
Werken und hebt alsdann seinen Fuß hoch auf, um mit
einem Riesenschritte über beinahe ein Dutzend unserer
besten Autoren hinwegzuschreiten, die er nicht nennt und
mit mäßigem Lob und mit strengem Tadel so charakte-

risieret, daß man sie wohl schwerlich aus seinen Karika=
turen herausfinden möchte.

Wir sind überzeugt, daß kein deutscher Autor sich
selbst für klassisch hält und daß die Forderungen eines
jeden an sich selbst strenger sind als die verworrnen 5
Prätensionen eines Thersiten, der gegen eine ehrwürdige
Gesellschaft aufsteht, die keineswegs verlangt, daß man
ihre Bemühungen unbedingt bewundere, die aber erwarten
kann, daß man sie zu schätzen wisse.

Ferne sei es von uns, den übelgedachten und übel= 10
geschriebenen Text, den wir vor uns haben, zu kommen=
tieren; nicht ohne Unwillen werden unsre Leser jene
Blätter am angezeigten Orte durchlaufen und die un=
gebildete Anmaßung, womit man sich in einen Kreis von
Bessern zu drängen, ja Bessere zu verdrängen und sich 15
an ihre Stelle zu setzen denkt, diesen eigentlichen Sans=
culottismus zu beurteilen und zu bestrafen wissen. Nur
weniges werde dieser rohen Zudringlichkeit entgegen=
gestellt.

Wer mit den Worten, deren er sich im Sprechen 20
oder Schreiben bedient, bestimmte Begriffe zu verbinden
für eine unerläßliche Pflicht hält, wird die Ausdrücke
klassischer Antor, klassisches Werk höchst selten ge=
brauchen. Wann und wo entsteht ein klassischer National=
autor? Wenn er in der Geschichte seiner Nation große 25
Begebenheiten und ihre Folgen in einer glücklichen und
bedeutenden Einheit vorfindet; wenn er in den Gesin=
nungen seiner Landsleute Größe, in ihren Empfindungen
Tiefe und in ihren Handlungen Stärke und Konsequenz
nicht vermißt; wenn er selbst, vom Nationalgeiste durch= 30
drungen, durch ein einwohnendes Genie sich fähig fühlt,
mit dem Vergangnen wie mit dem Gegenwärtigen zu
sympathisieren; wenn er seine Nation auf einem hohen
Grade der Kultur findet, so daß ihm seine eigene Bil=
dung leicht wird; wenn er viele Materialien gesammelt, 35
vollkommene oder unvollkommene Versuche seiner Vor=
gänger vor sich sieht und so viel äußere und innere Um=
stände zusammentreffen, daß er kein schweres Lehrgeld

zu zahlen braucht, daß er in den besten Jahren seines Lebens ein großes Werk zu übersehen, zu ordnen und in einem Sinne auszuführen fähig ist.

Man halte diese Bedingungen, unter denen allein ein klassischer Schriftsteller, besonders ein prosaischer, möglich wird, gegen die Umstände, unter denen die besten Deutschen dieses Jahrhunderts gearbeitet haben, so wird, wer klar sieht und billig denkt, dasjenige, was ihnen gelungen ist, mit Ehrfurcht bewundern und das, was ihnen mißlang, anständig bedauern.

Eine bedeutende Schrift ist, wie eine bedeutende Rede, nur Folge des Lebens; der Schriftsteller so wenig als der handelnde Mensch bildet die Umstände, unter denen er geboren wird und unter denen er wirkt. Jeder, auch das größte Genie, leidet von seinem Jahrhundert in einigen Stücken, wie er von andern Vorteil zieht, und einen vortrefflichen Nationalschriftsteller kann man nur von der Nation fordern.

Aber auch der deutschen Nation darf es nicht zum Vorwurfe gereichen, daß ihre geographische Lage sie eng zusammenhält, indem ihre politische sie zerstückelt. Wir wollen die Umwälzungen nicht wünschen, die in Deutschland klassische Werke vorbereiten könnten.

Und so ist der ungerechteste Tadel derjenige, der den Gesichtspunkt verrückt. Man sehe unsere Lage, wie sie war und ist, man betrachte die individuellen Verhältnisse, in denen sich deutsche Schriftsteller bildeten, so wird man auch den Standpunkt, aus dem sie zu beurteilen sind, leicht finden. Nirgends in Deutschland ist ein Mittelpunkt gesellschaftlicher Lebensbildung, wo sich Schriftsteller zusammenfänden und nach einer Art, in einem Sinne, jeder in seinem Fache sich ausbilden könnten. Zerstreut geboren, höchst verschieden erzogen, meist nur sich selbst und den Eindrücken ganz verschiedener Verhältnisse überlassen, von der Vorliebe für dieses oder jenes Beispiel einheimischer oder fremder Literatur hingerissen; zu allerlei Versuchen, ja Pfuschereien genötigt, um ohne Anleitung seine eigenen Kräfte zu prüfen; erst

nach und nach durch Nachdenken von dem überzeugt,
was man machen soll; durch Praktik unterrichtet, was
man machen kann; immer wieder irre gemacht durch ein
großes Publikum ohne Geschmack, das das Schlechte nach
dem Guten mit eben demselben Vergnügen verschlingt; 5
dann wieder ermuntert durch Bekanntschaft mit der gebildeten, aber durch alle Teile des großen Reichs zerstreuten Menge; gestärkt durch mitarbeitende, mitstrebende
Zeitgenossen — So findet sich der deutsche Schriftsteller
endlich in dem männlichen Alter, wo ihn Sorge für 10
seinen Unterhalt, Sorge für eine Familie sich nach außen
umzusehen zwingt, und wo er oft mit dem traurigsten
Gefühl durch Arbeiten, die er selbst nicht achtet, sich die
Mittel verschaffen muß, dasjenige hervorbringen zu dürfen, womit sein ausgebildeter Geist sich allein zu beschäf- 15
tigen strebt. Welcher deutsche geschätzte Schriftsteller wird
sich nicht in diesem Bilde erkennen, und welcher wird
nicht mit bescheidener Trauer gestehen, daß er oft genug
nach Gelegenheit geseufzt habe, früher die Eigenheiten
seines originellen Genius einer allgemeinen National- 20
kultur, die er leider nicht vorfand, zu unterwerfen. Denn
die Bildung der höheren Klassen durch fremde Sitten
und ausländische Literatur, so viel Vorteil sie uns auch
gebracht hat, hinderte doch den Deutschen, als Deutschen
sich früher zu entwickeln. 25

Und nun betrachte man die Arbeiten deutscher Poeten
und Prosaisten von entschiednem Namen! Mit welcher
Sorgfalt, mit welcher Religion folgten sie auf ihrer Bahn
einer aufgeklärten Überzeugung! So ist es zum Beispiel
nicht zu viel gesagt, wenn wir behaupten, daß ein ver- 30
ständiger, fleißiger Literator durch Vergleichung der sämt-
lichen Ausgaben unsres Wielands, eines Mannes, dessen
wir uns, trotz dem Knurren aller Smelfungen, mit stolzer
Freude rühmen dürfen, allein aus den stufenweisen
Korrekturen dieses unermüdet zum Bessern arbeitenden 35
Schriftstellers die ganze Lehre des Geschmacks würde
entwickeln können. Jeder aufmerksame Bibliothekar sorge,
daß eine solche Sammlung aufgestellt werde, die jetzt

noch möglich ist, und das folgende Jahrhundert wird
einen dankbaren Gebrauch davon zu machen wissen.

Vielleicht wagen wir in der Folge, die Geschichte
der Ausbildung unsrer vorzüglichsten Schriftsteller, wie
sie sich in ihren Werken zeigt, dem Publikum vorzulegen.
Wollten sie selbst, so wenig wir an Konfessionen Ansprüche machen, uns nach ihrem Gefallen nur diejenigen
Momente mitteilen, die zu ihrer Bildung am meisten
beigetragen haben, und dasjenige, was ihr am stärksten
entgegengestanden, bekannt machen, so würde der Nutzen,
den sie gestiftet, noch ausgebreiteter werden.

Denn worauf ungeschickte Tadler am wenigsten merken:
das Glück, das junge Männer von Talent jetzt genießen,
indem sie sich früher ausbilden, eher zu einem reinen,
dem Gegenstande angemessenen Stil gelangen können —
wem sind sie es schuldig als ihren Vorgängern, die in
der letzten Hälfte dieses Jahrhunderts mit einem unab-
lässigen Bestreben, unter mancherlei Hindernissen sich,
jeder auf seine eigene Weise, ausgebildet haben? Dadurch ist eine Art von unsichtbarer Schule entstanden,
und der junge Mann, der jetzt hineintritt, kommt in einen
viel größeren und lichteren Kreis als der frühere Schriftsteller, der ihn erst selbst beim Dämmerschein durchirren
mußte, um ihn nach und nach, gleichsam nur zufällig,
erweitern zu helfen. Viel zu spät kommt der Halbkritiker,
der uns mit seinem Lämpchen vorleuchten will; der Tag
ist angebrochen, und wir werden die Läden nicht wieder
zumachen.

Üble Laune läßt man in guter Gesellschaft nicht
aus, und der muß sehr üble Laune haben, der in dem
Augenblicke Deutschland vortreffliche Schriftsteller abspricht, da fast jedermann gut schreibt. Man braucht nicht
weit zu suchen, um einen artigen Roman, eine glückliche
Erzählung, einen reinen Aufsatz über diesen oder jenen
Gegenstand zu finden. Unsre kritischen Blätter, Journale
und Kompendien, welchen Beweis geben sie nicht oft
eines übereinstimmenden guten Stils! die Sachkenntnis
erweitert sich beim Deutschen mehr und mehr, und die

Überſicht wird klärer. Eine würdige Philoſophie macht
ihn, trotz allem Widerſtand ſchwankender Meinungen, mit
ſeinen Geiſteskräften immer bekannter und erleichtert ihm
die Anwendung derſelben. Die vielen Beiſpiele des Stils,
die Vorarbeiten und Bemühungen ſo mancher Männer 5
ſetzen den Jüngling früher in Stand, das, was er von
außen aufgenommen und in ſich ausgebildet hat, dem
Gegenſtande gemäß mit Klarheit und Anmut darzuſtellen.
So ſieht ein heitrer, billiger Deutſcher die Schriftſteller
ſeiner Nation auf einer ſchönen Stufe und iſt überzeugt, 10
daß ſich auch das Publikum nicht durch einen miß=
launiſchen Krittler werde irre machen laſſen. Man ent=
ferne ihn aus der Geſellſchaft, aus der man jeden aus=
ſchließen ſollte, deſſen vernichtende Bemühungen nur die
Handelnden mißmutig, die Teilnehmenden läſſig und die 15
Zuſchauer mißtrauiſch und gleichgültig machen könnten.

Plato als Mitgenoſſe einer chriſtlichen Offenbarung

(1795/96. 1826)

　　Niemand glaubt genug von dem ewigen Urheber er=
halten zu haben, wenn er geſtehen müßte, daß für alle
ſeine Brüder eben ſo wie für ihn geſorgt wäre; ein be=
ſonderes Buch, ein beſonderer Prophet hat ihm vorzüg= 20
lich den Lebensweg vorgezeichnet, und auf dieſem allein
ſollen alle zum Heil gelangen.
　　Wie ſehr verwundert waren daher zu jeden Zeiten
alle die, welche ſich einer ausſchließenden Lehre ergeben
hatten, wenn ſie auch außer ihrem Kreiſe vernünftige 25
und gute Menſchen fanden, denen es angelegen war,
ihre moraliſche Natur auf das vollkommenſte auszubilden!
Was blieb ihnen daher übrig, als auch dieſen eine Offen=
barung und gewiſſermaßen eine ſpezielle Offenbarung
zuzugeſtehen. 30

Doch es sei! diese Meinung wird immer bei denen bestehen, die sich gern Vorrechte wünschen und zuschreiben, denen der Blick über Gottes große Welt, die Erkenntnis seiner allgemeinen ununterbrochenen und nicht zu unterbrechenden Wirkungen nicht behagt, die vielmehr um ihres lieben Ichs, ihrer Kirche und Schule willen Privilegien, Ausnahmen und Wunder für ganz natürlich halten.

So ist denn auch Plato früher schon zu der Ehre eines Mitgenossen einer christlichen Offenbarung gelangt, und so wird er uns auch hier wieder dargestellt.

Wie nötig bei einem solchen Schriftsteller, der bei seinen großen Verdiensten den Vorwurf sophistischer und theurgischer Kunstgriffe wohl schwerlich von sich ablehnen könnte, eine kritische, deutliche Darstellung der Umstände, unter welchen er geschrieben, der Motive, aus welchen er geschrieben, sein möchte, das Bedürfnis fühlt ein jeder, der ihn liest, nicht um sich dunkel aus ihm zu erbauen — das leisten viel geringere Schriftsteller —, sondern um einen vortrefflichen Mann in seiner Individualität kennen zu lernen; denn nicht der Schein desjenigen, was andere sein konnten, sondern die Erkenntnis dessen, was sie waren und sind, bildet uns.

Welchen Dank würde der Übersetzer bei uns verdient haben, wenn er zu seinen unterrichtenden Noten uns auch noch, wie Wieland zum Horaz, die wahrscheinliche Lage des alten Schriftstellers, den Inhalt und den Zweck jedes einzelnen Werkes selbst kürzlich vorgelegt hätte.

Denn wie kommt z. B. Jon dazu, als ein kanonisches Buch mit aufgeführt zu werden, da dieser kleine Dialog nichts als eine Persiflage ist? Wahrscheinlich, weil am Ende von göttlicher Eingebung die Rede ist! Leider spricht aber Sokrates hier, wie an mehreren Orten, nur ironisch.

Durch jede philosophische Schrift geht, und wenn es auch noch so wenig sichtbar würde, ein gewisser polemischer Faden; wer philosophiert, ist mit den Vorstellungsarten seiner Vor- und Mitwelt uneins, und so sind die Ge-

spräche des Plato oft nicht allein auf etwas, sondern
auch gegen etwas gerichtet. Und eben dieses doppelte
Etwas, mehr als vielleicht bisher geschehen, zu entwickeln
und dem deutschen Leser bequem vorzulegen, würde ein
unschätzbares Verdienst des Übersetzers sein.

Man erlaube uns noch einige Worte über Jon in
blesem Sinne hinzuzufügen.

Die Maske des Platonischen Sokrates — denn so
darf man jene phantastische Figur wohl nennen, welche
Sokrates so wenig als die Aristophanische für sein Eben-
bild erkannte — begegnet einem Rhapsoden, einem Vor-
leser, einem Deklamator, der berühmt war wegen seines
Vortrags der Homerischen Gedichte und der soeben den
Preis davongetragen hat und bald einen andern davon-
zutragen gedenkt. Diesen Jon gibt uns Plato als einen
äußerst beschränkten Menschen, als einen, der zwar die
Homerischen Gedichte mit Emphase vorzutragen und seine
Zuhörer zu rühren versteht, der es auch wagt, über den
Homer zu reden, aber wahrscheinlich mehr, um die darin
vorkommenden Stellen zu erläutern als zu erklären,
mehr bei dieser Gelegenheit etwas zu sagen als durch
seine Auslegung die Zuhörer dem Geist des Dichters
näher zu bringen. Denn was mußte das für ein Mensch
sein, der aufrichtig gesteht, daß er einschlafe, wenn die
Gedichte anderer Poeten vorgelesen oder erklärt würden.
Man sieht, ein solcher Mensch kann nur durch Tradition
oder durch Übung zu seinem Talente gekommen sein.
Wahrscheinlich begünstigte ihn eine gute Gestalt, ein
glückliches Organ, ein Herz, fähig, gerührt zu werden;
aber bei alledem blieb er ein Naturalist, ein bloßer
Empiriker, der weder über seine Kunst noch über die
Kunstwerke gebacht hatte, sondern sich in einem engen
Kreise mechanisch herumdrehte und sich bennoch für einen
Künstler hielt und wahrscheinlich von ganz Griechenland
für einen großen Künstler gehalten wurde. Einen solchen
Tropf nimmt der Platonische Sokrates vor, um ihn zu
schanden zu machen. Erst gibt er ihm seine Beschränktheit zu fühlen, dann läßt er ihn merken, daß er von dem

Homerischen Detail wenig verstehe, und nötigt ihn, da
der arme Teufel sich nicht mehr zu helfen weiß, sich für
einen Mann zu erkennen, der durch unmittelbare gött=
liche Eingebung begeistert wird.

⁵ Wenn das heiliger Boden ist, so möchte die Aristopha=
nische Bühne auch ein geweihter Platz sein. So wenig
der Maske des Sokrates Ernst ist, den Jon zu bekehren,
so wenig ist es des Verfassers Absicht, den Leser zu be=
lehren. Der berühmte, bewunderte, gekrönte, bezahlte
¹⁰ Jon sollte in seiner ganzen Blöße dargestellt werden,
und der Titel müßte heißen: Jon, oder Der beschämte
Rhapsode; denn mit der Poesie hat das ganze Gespräch
nichts zu tun.

Überhaupt fällt in diesem Gespräch, wie in andern
¹⁵ Platonischen, die unglaubliche Dummheit einiger Personen
auf, damit nur Sokrates von seiner Seite recht weise
sein könne. Hätte Jon nur einen Schimmer Kenntnis
der Poesie gehabt, so würde er auf die alberne Frage
des Sokrates, wer den Homer, wenn er von Wagenlenken
²⁰ spricht, besser verstehe, der Wagenführer oder der Rhapsode?
keck geantwortet haben: Gewiß der Rhapsode; denn der
Wagenlenker weiß nur, ob Homer r i c h t i g spricht, der
einsichtsvolle Rhapsode weiß, ob er g e h ö r i g spricht, ob
er als Dichter, nicht als Beschreiber eines Wettlaufs,
²⁵ seine Pflicht erfüllt. Zur Beurteilung des epischen Dichters
gehört nur Anschauen und Gefühl und nicht eigentlich
Kenntnis, obgleich auch ein freier Blick über die Welt
und alles, was sie betrifft. Was braucht man, wenn man
einen nicht mystifizieren will, hier zu einer göttlichen Ein=
³⁰ gebung seine Zuflucht zu nehmen? Wir haben in Künsten
mehr Fälle, wo nicht einmal der Schuster von der Sohle
urteilen darf; denn der Künstler findet für nötig, sub=
ordinierte Teile höhern Zwecken völlig aufzuopfern. So
habe ich selbst in meinem Leben mehr als einen Wagen=
³⁵ lenker alte Gemmen tadeln hören, worauf die Pferde
ohne Geschirr dennoch den Wagen ziehen sollten. Freilich
hatte der Wagenlenker Recht, weil er das ganz unnatür=
lich fand; aber der Künstler hatte auch Recht, die schöne

Form seines Pferdekörpers nicht durch einen unglücklichen
Faden zu unterbrechen. Diese Fiktionen, diese Hieroglyphen,
deren jede Kunst bedarf, werden so übel von allen denen
verstanden, welche alles Wahre natürlich haben wollen
und dadurch die Kunst aus ihrer Sphäre reißen. Dergleichen hypothetische Äußerungen alter und berühmter
Schriftsteller, die am Platz, wo sie stehen, zweckmäßig
sein mögen, ohne Bemerkung, wie relativ falsch sie werden
können, sollte man nicht wieder ohne Zurechtweisung abdrucken lassen; so wenig als die falsche Lehre von In-
spirationen.

Daß einem Menschen, der eben kein dichterisches
Genie hat, einmal ein artiges, lobenswertes Gedicht gelingt, diese Erfahrung wiederholt sich oft, und es zeigt
sich darin nur, was lebhafter Anteil, gute Laune und
Leidenschaft hervorbringen kann. Man gesteht dem Haß
zu, daß er das Genie suppliere, und man kann es von
allen Leidenschaften sagen, die uns zur Tätigkeit auf-
fordern. Selbst der anerkannte Dichter ist nur in Momenten fähig, sein Talent im höchsten Grade zu zeigen,
und es läßt sich dieser Wirkung des menschlichen Geistes
psychologisch nachkommen, ohne daß man nötig hätte, zu
Wundern und seltsamen Wirkungen seine Zuflucht zu
nehmen, wenn man Geduld genug besäße, den natürlichen
Phänomenen zu folgen, deren Kenntnis uns die Wissenschaft anbietet, über die es freilich bequemer ist vornehm
hinwegzusehen, als das, was sie leistet, mit Einsicht und
Billigkeit zu schätzen.

Sonderbar ist es in dem Platonischen Gespräch, daß
Jon, nachdem er seine Unwissenheit in mehreren Künsten,
im Wahrsagen, Wagenfahren, in der Arzneikunde und
Fischerei, bekannt hat, zuletzt doch behauptet, daß er sich
zum Feldherrn besonders qualifiziert fühle. Wahrscheinlich
war dies ein individuelles Steckenpferd dieses talent-
reichen, aber albernen Individui, eine Grille, die ihn bei
seinem innigen Umgang mit Homerischen Helden an-
gewandelt sein mochte und die seinen Zuhörern nicht unbekannt war. Und haben wir diese und ähnliche Grillen

nicht an Männern bemerkt, welche ſonſt verſtändiger ſind,
als Jon ſich hier zeigt? Ja wer verbirgt wohl zu unſern
Zeiten die gute Meinung, die er von ſich hegt, daß er
zum Regimente nicht der Unfähigſte ſei?

⁵ Mit wahrer Ariſtophaniſcher Bosheit verſpart Plato
dieſen letzten Schlag für ſeinen armen Sünder, der nun
freilich ſehr betäubt daſteht und zuletzt, da ihm Sokrates
die Wahl zwiſchen dem Prädikate eines Schurken oder
göttlichen Mannes läßt, natürlicherweiſe nach dem letzten
¹⁰ greift und ſich auf eine ſehr verblüffte Art höflich be-
dankt, daß man ihn zum beſten haben wollen. Wahrhaftig,
wenn das heiliges Land iſt, möchte das Ariſtophaniſche
Theater auch für einen geweihten Boden gelten.

Gewiß, wer uns auseinanderſetzte, was Männer
¹⁵ wie Plato im Ernſt, Scherz und Halbſcherz, was ſie aus
Überzeugung oder nur diskurſive geſagt haben, würde
uns einen außerordentlichen Dienſt erzeigen und zu unſerer
Bildung unendlich viel beitragen; denn die Zeit iſt vorbei,
da die Sibyllen unter der Erde weißſagten; wir fordern
²⁰ Kritik und wollen urteilen, ehe wir etwas annehmen und
auf uns anwenden.

Über epiſche und dramatiſche Dichtung
Von Goethe und Schiller.
(1797)

Der Epiker und Dramatiker ſind beide den allgemeinen poetiſchen Geſetzen unterworfen, beſonders dem
Geſetze der Einheit und dem Geſetze der Entfaltung; ferner
²⁵ behandeln ſie beide ähnliche Gegenſtände und können beide
alle Arten von Motiven brauchen; ihr großer weſentlicher
Unterſchied beruht aber darin, daß der Epiker die Begebenheit als vollkommen vergangen vorträgt, und der
Dramatiker ſie als vollkommen gegenwärtig darſtellt.
³⁰ Wollte man das Detail der Geſetze, wonach beide zu handeln

haben, aus der Natur des Menschen herleiten, so müßte
man sich einen Rhapsoden und einen Mimen, beide als
Dichter, jenen mit seinem ruhig horchenden, diesen mit
seinem ungeduldig schauenden und hörenden Kreise um=
geben, immer vergegenwärtigen, und es würde nicht schwer
fallen zu entwickeln, was einer jeden von diesen beiden
Dichtarten am meisten frommt, welche Gegenstände jede
vorzüglich wählen, welcher Motive sie sich vorzüglich be=
dienen wird; ich sage vorzüglich: denn, wie ich schon
zu Anfang bemerkte, ganz ausschließlich kann sich keine
etwas anmaßen.

Die Gegenstände des Epos und der Tragödie sollten
rein menschlich, bedeutend und pathetisch sein: die Per=
sonen stehen am besten auf einem gewissen Grade der
Kultur, wo die Selbsttätigkeit noch auf sich allein an=
gewiesen ist, wo man nicht moralisch, politisch, mechanisch,
sondern persönlich wirkt. Die Sagen aus der heroischen
Zeit der Griechen waren in diesem Sinne den Dichtern
besonders günstig.

Das epische Gedicht stellt vorzüglich persönlich be=
schränkte Tätigkeit, die Tragödie persönlich beschränktes
Leiden vor; das epische Gedicht den außer sich wirken=
den Menschen: Schlachten, Reisen, jede Art von Unter=
nehmung, die eine gewisse sinnliche Breite fordert; die
Tragödie den nach innen geführten Menschen, und die
Handlungen der echten Tragödie bedürfen daher nur
weniges Raums.

Der Motive kenne ich fünferlei Arten:

1) Vorwärtsschreitende, welche die Handlung
fördern; deren bedient sich vorzüglich das Drama.

2) Rückwärtsschreitende, welche die Handlung
von ihrem Ziele entfernen; deren bedient sich das epische
Gedicht fast ausschließlich.

3) Retardierende, welche den Gang aufhalten
oder den Weg verlängern; dieser bedienen sich beide
Dichtarten mit dem größten Vorteile.

4) Zurückgreifende, durch die dasjenige, was vor
der Epoche des Gedichts geschehen ist, hereingehoben wird.

5) **Vorgreifende,** die dasjenige, was nach der Epoche des Gedichts geschehen wird, antizipieren; beide Arten braucht der epische so wie der dramatische Dichter, um sein Gedicht vollständig zu machen.

Die **Welten,** welche zum Anschauen gebracht werden sollen, sind beiden gemein:

1) Die **physische,** und zwar erstlich die **nächste,** wozu die dargestellten Personen gehören und die sie umgibt. In dieser steht der Dramatiker meist auf **einem** Punkte fest, der Epiker bewegt sich freier in einem größern Lokal. Zweitens die **entferntere** Welt, wozu ich die ganze Natur rechne. Diese bringt der epische Dichter, der sich überhaupt an die Imagination wendet, durch Gleichnisse näher, deren sich der Dramatiker sparsamer bedient.

2) Die **sittliche** ist beiden ganz gemein und wird am glücklichsten in ihrer physiologischen und pathologischen Einfalt dargestellt.

3) Die **Welt** der **Phantasien, Ahnungen, Erscheinungen, Zufälle** und **Schicksale.** Diese sieht beiden offen, nur versteht sich, daß sie an die sinnliche herangebracht werde; wobei denn für die Modernen eine besondere Schwierigkeit entsteht, weil wir für die Wundergeschöpfe, Götter, Wahrsager und Orakel der Alten, so sehr es zu wünschen wäre, nicht leicht Ersatz finden.

Die Behandlung im ganzen betreffend, wird der Rhapsode, der das vollkommen Vergangene vorträgt, als ein weiser Mann erscheinen, der in ruhiger Besonnenheit das Geschehene übersieht; sein Vortrag wird dahin zwecken, die Zuhörer zu beruhigen, damit sie ihm gern und lange zuhören, er wird das Interesse egal verteilen, weil er nicht im stande ist, einen allzu lebhaften Eindruck geschwind zu balancieren, er wird nach Belieben rückwärts und vorwärts greifen und wandeln; man wird ihm überall folgen, denn er hat es nur mit der Einbildungskraft zu tun, die sich ihre Bilder selbst hervorbringt, und der es auf einen gewissen Grad gleichgültig ist, was für welche sie aufruft. Der Rhapsode sollte als

ein höheres Wesen in seinem Gedicht nicht selbst erscheinen; er läse hinter einem Vorhange am allerbesten,
so daß man von aller Persönlichkeit abstrahierte und nur
die Stimme der Musen im allgemeinen zu hören glaubte.

Der Mime dagegen ist gerade in dem entgegen- 5
gesetzten Fall; er stellt sich als ein bestimmtes Individuum dar, er will, daß man an ihm und seiner nächsten
Umgebung ausschließlich teilnehme, daß man die Leiden
seiner Seele und seines Körpers mitfühle, seine Ver-
legenheiten teile und sich selbst über ihn vergesse. Zwar 10
wird auch er stufenweise zu Werke gehen, aber er kann
viel lebhaftere Wirkungen wagen, weil bei sinnlicher
Gegenwart auch sogar der stärkere Eindruck durch einen
schwächern vertilgt werden kann. Der zuschauende Hörer
muß von Rechts wegen in einer steten sinnlichen An- 15
strengung bleiben, er darf sich nicht zum Nachdenken erheben, er muß leidenschaftlich folgen, seine Phantasie ist
ganz zum Schweigen gebracht, man darf keine Ansprüche
an sie machen, und selbst was erzählt wird, muß gleichsam darstellend vor die Augen gebracht werden. 20

Grübels Gedichte in Nürnberger Mundart

(1798)

Zu einer Zeit, da so mancher gebildete Mann für
das deutsche Volk schreibt und dichtet, um es nach und
nach einer höhern Kultur teilhaftig zu machen, muß ein
Poet aus dieser Klasse selbst, dem man Genie und Talent
nicht absprechen kann, allerdings Aufmerksamkeit erregen. 25
Denn so wie es der Sache ganz gemäß zu sein scheint,
daß man in gewissen Verfassungen die Bürger durch
ihresgleichen richten läßt, so möchte der Zweck, ein Volk
aufzuklären, wohl am besten durch seinesgleichen erreicht
werden. Wer von oben herunterkommt, verlangt meistens 30
gleich zu viel, und statt denjenigen, den er zu sich herauf-
heben will, sachte durch die mittlern Stufen zu führen,

so zerrt und reckt er ihn oft nur, ohne ihn deswegen vom Platz zu bringen.

Johann Kourad Grübel, Stadtflaschner und Volksdichter zu Nürnberg, hat eine Auswahl seiner Gedichte, welche teils im Manuskript, teils einzeln gedruckt in einem engern Kreise schon lange bekannt waren, auf seine Kosten herausgegeben. Sie betragen einen schwachen Band in Oktav, den er für zwölf Batzen anbietet und wozu wir ihm viele Käufer wünschen.

In Oberdeutschland, wo man mit dieser oder ähnlicher Mundart bekannt ist, wird man ihn mit Vergnügen lesen; aber auch in Sachsen und Niederdeutschland wird er jedem Freunde deutscher Art und Kunst willkommen sein, um so mehr, als sich die Gedichte sämtlich mit geringer Mühe in ein verständliches Deutsch übertragen lassen und jeder, der sich übt, sie auf eine solche Weise vorzulesen, mit den meisten derselben jebe geistreiche und heiter gestimmte Gesellschaft angenehm unterhalten wird.

In allen Gedichten zeigt sich ein Mann von fröhilchem Gemüt und heiterer Laune, der die Welt mit einem glücklichen, gesunden Auge sieht und sich an einer einfachen, naiven Darstellung des Angeschauten freut. Durchaus herrscht ein richtiger Menschenverstand, und eine schöne sittliche Natur liegt wie ein Kapital zu Grunde, von dem die Interessen nur sparsam und gleichsam nur als Würze in den Gedichten ausgespendet sind. Nirgends findet sich eine direkte, lästige, moralische Schulmeisterlichkeit; er stellt die Fehler und Unarten nicht anders dar, als wenn sie eben so zum gemeinen Leben gehörten; ja, in einigen Fällen bei Liebern, die Tabak, Bier, Kaffee, Wein und Branntwein zum Gegenstand haben, beschreibt er sich selbst als Liebhaber in solcher Behaglichkeit, daß sie zu diesen Genüssen noch gleichsam einzuladen scheinen.

Wahrscheinlich trifft ihn daher der Tadel jener Personen, welche den Wert und die Wirkung solcher Darstellungen verkennen, und es ist vielleicht hier der Ort, etwas weniges darüber zu sagen.

Es ist möglich, daß man durch Tadel und Schelten,
durch Moralisieren und Predigen, durch Warnung vor
üblen Folgen, burch Drohung von Strafen manchen
Menschen vom Bösen abhält, ja auf einen guten Weg
bringt; aber eine weit höhere Kultur wird bei Kindern 5
und Erwachsenen eingeleitet, wenn man nur bewirken
kann, daß sie über sich selbst reflektieren. Und woburch
kann dieses eher geschehen als durch eine heitere Dar=
stellung des Fehlers, die ihn nicht schilt, aber ihm auch
nicht schmeichelt, die weber übertreibt noch verringert, 10
sondern das Natürliche, Leidenschaftliche, Tadelnswerte
irgend eines Hanges klar aufstellt, so daß derjenige, der
sich getroffen fühlt, lächeln muß und in diesem Lächeln
schon gebessert ist, wie einer, der vor einen hellen Spiegel
tritt, etwas Unschickliches an seiner Kleidung alsbald zu= 15
rechtrückt? Freilich ist nur auf schöne Seelen, und deren
gibt es in allen Ständen, auf diese Weise zu wirken,
und man verkümmere dem Dichter, dem Künstler über=
haupt diese ehrenvolle Bestimmung nicht; will er doch
dadurch den moralischen und Polizei=Ruten nicht ins Amt 20
greifen. Denn es werden immer noch genug Menschen,
trotz aller vereinten Bemühungen, mit Medeen ausrufen:
Gutes kenn' ich und schätz' es; allein ich folge dem
Schlimmen.

Wären die Arbeiten unsers Dichters in reinem Deutsch 25
geschrieben, so brauchte es weiter keiner anzeigenden Emp=
fehlung; ba man aber das Gute derselben aus der Schale
der wunderlichen Mundart herausklauben muß, so wird
es wohlgetan sein, den Leser auf einiges aufmerksam zu
machen. 30

In den zwei Schwadronen Steckenpferde zeigt sich
sehr viel Kenntnis menschlicher Neigungen und Lieb=
habereien, und zwar sind sie nicht etwa nur im all=
gemeinen geschildert, sondern man überzeugt sich an in=
dividuellen Zügen, daß der Dichter sie an einzelnen Per= 35
sonen gekannt hat; übrigens tut die Wendung, daß alles
wie in eine Art von Reiterei eingekleidet ist, nicht immer
glücklichen Effekt. Die zwei Erzählungen Der Bauer

und der Doktor, Der Geißbock und die Toten-
beine sind ihm besonders wohl geraten. Die Erbschaft
stellt die geschäftigen Erbschleicher dar, die sich in ihren
Hoffnungen zuletzt betrogen finden, wobei der Dichter
sich selbst zum besten gibt, als wäre er mit unter der
Gesellschaft gewesen; eine Wendung, die er öfters an-
bringt, die sehr richtig gefühlt ist und die wir jedem
Volksdichter empfehlen können. Er überhebt sich nicht
über die, welche er schildert, und erlangt Gehör, indem
er sich selbst schuldig bekennt. Das Kränzlein, eine
sehr lebhafte und glückliche Darstellung einer Gesellschaft
Nürnberger Handwerksleute, die ein vierzehntägiges
Kränzchen auf dem Lande zelebrieren. Die Szene fängt
nach Tische an und endigt vor dem Stadttore. Hier ist
die Beschränktheit, Plattheit, Unart und Ungezogenheit
mit dem Pinsel eines Ostade gezeichnet und ausgeführt.
Ein Gemälde, wovor wir jedoch die sittigen Leser, die
gern Ärgernis nehmen, warnen müssen. Der Mann
und Die Frau, zwei Lieder als Gegenbilder. Jede von
beiden Personen ist schon zum drittenmale verheiratet;
das Verhältnis der zwei Geschlechter zum Ehestand, insofern er vorteilhaft oder nachteilig werden kann, ist tief
gefühlt und heiter ausgesprochen, die verstorbenen Gatten
sehr artig geschildert und die Behandlung überhaupt im
Tone der französischen Baudevilles, den wir Deutsche in
unsern Liedersammlungen so sehr vermissen. Alte Liebe
rostet nicht. Eine Nachbarin, auf die der Dichter selbst
ehemals ein Auge gehabt, heiratet nun einen unbern.
Die Schönheit des Schlusses muß gefühlt werden. Der
Dichter redet mit dem Frauenzimmer durchs ganze Gedicht in einer Art von vertraulichem Komplimententon
und nennt sie Jungfer Baas und Sie; in den letzten
zwei Zeilen scheint er sich zu vergessen, nennt sie bei
ihrem Vornamen und heißt sie Du. Den dritten Vers
würden wir ausstreichen, nicht weil er unartig, sondern
weil er nicht am Platz ist. Allgemeine Stadtbegeben-
heiten sind sehr natürlich geschildert im Steg und im
Gedicht, das die Durchreise des Kaisers beschreibt,

so wie in den Alten Späßen. Von den Gedichten, welche
die verschiedenen Genüsse, als Kaffee, Branntwein und
dergleichen, anpreisen, ist oben schon gesprochen. Schnupf-
und Rauchtabak sind besonders mit großer Liebe behandelt. Die Basen-Gespräche, so wie das Gespräch 5
der Geschwornersweiber sind von großer Wahrheit;
der Streit zwischen Sommer und Winter sieht aus,
als wenn er für zwei Personen, die bei einer Fastnachts-
lustbarkeit solche Masken vorgestellt, geschrieben wäre,
und ist sehr geistreich behandelt. Man sieht das ganze 10
Leben eines Nürnberger gemeinen Bürgers während der
zwei Jahreszeiten, und der Sommer mag sich stellen,
wie er will, so behält der Winter die Oberhand, wodurch
der Zweck, eine Winterlustbarkeit herauszuheben, sehr
schicklich erreicht wird. Das Gedicht auf den Mai, ein 15
heiteres Gegenbild des vorigen. Die Neufranken, ein
Gespräch. Die Anschauungs- und Darstellungskraft des
Verfassers zeigt sich wohl nirgends so vorteilhaft als in
diesem Gespräche, das nach dem kurzen Aufenthalt der
Franzosen in Nürnberg zwischen einem ehemaligen Fran- 20
zosenfreunde und einem andern, leidenschaftslosen Bürger
geführt wird. Das Durchziehen und nachherige Durch-
fliehen der fremden Gäste, die sonderbaren Verhältnisse,
die dabei in einer alten, ins Herkömmliche und Gewohnte
gleichsam versunkenen Stadt entstehn, sind außerordent- 25
lich gut gefühlt. Die dumpfe Verwunderung des einen,
daß die neuen Gäste gerade das Gegenteil von dem, was
sie hoffen ließen, geleistet, ist sehr geschickt dargestellt
und die feinsten Züge glücklich ergriffen. Die Heiterkeit
des dichterischen Charakters zeichnet sich hier besonders 30
aus, da sie bei dieser Materie, die sonst immer wilde
Leidenschaften erregt, auch die Probe besteht. Der Zug,
daß die Wetber im größten Jammer lachen, weil ihre
streng gebietenden Eheherren nun auch einmal ihren
Meister an der militärischen Polizei finden und Abends 35
um neun Uhr aus der Schenke nach Hanse müssen, ist so
gut gesehen als artig vorgetragen.
　　Daß ein Mann wie dieser auch sehr gute Einsichten

in den Zustand des gemeinen Wesens haben müsse, welches
er so lange beobachten konnte, läßt sich denken; daß er
manches Gedicht auch über das politische Verhältnis seiner
Vaterstadt gemacht haben mag, läßt sich vermuten; doch
5 hat er, auch in denen, die wir als Manuskript von ihm
kennen, so wie in den Äußerungen, die in gegenwärtigen
Gedichten hie und da durchblicken, die Grenzen niemals
überschritten, die einem wohldenkenden und ruhigen
deutschen Bürger ziemen.

10   So viel von dieser bedeutenden Erscheinung, die vielleicht nicht allen gleich behagen wird, die aber keinem Beobachter deutscher Bildungsstufen unbekannt bleiben darf.

Weimarischer neudekorierter Theatersaal. Dramatische Bearbeitung der Wallensteinischen Geschichte durch Schiller

Auszug eines Briefes aus Weimar.

(1798)

Es kann nicht ohne Interesse für Sie sein, daß Herr
Professor Thouret aus Stuttgart, der mit gnädigstem
15 Urlaub seines Landesherrn sich seit einiger Zeit bei uns
aufhält, eine innere, neue Einrichtung unsers Theater-
saals in kurzem vollenden wird. Die Anlage ist ge-
schmackvoll; ernsthaft, ohne schwer, prächtig, ohne überladen zu sein. Auf elliptisch gestellten Pfeilern, die das
20 Parterre einschließen und wie Granit gemalt sind, sieht
man einen Säulenkreis von dorischer Ordnung, vor und
unter welchem die Sitze für die Zuschauer hinter einer
bronzierten Balustrade bestimmt sind. Die Säulen selbst
stellen einen antiken gelben Marmor vor, die Kapitäle
25 sind bronziert, das Gesims von einer Art graugrünlichem
Cipollin, über welchem, lotrecht auf den Säulen, ver-

schiedne Masken aufgestellt sind, welche von der tragischen
Würde an bis zur komischen Verzerrung nach alten
Mustern mannigfaltige Charaktere zeigen. Hinter und
über dem Gesims ist noch eine Galerie angebracht. Der
Vorhang ist dem Geschmacke des übrigen gemäß, und 5
das Publikum erwartet mit Verlangen, sich selbst so wie
die beliebte Schauspielergesellschaft bald in diesem zwar
kleinen, aber nunmehr sehr gefälligen Bezirk wiederzu=
sehen.

An dem Lobe, das man dieser neuen Einrichtung 10
gibt, die denn eigentlich wohl nur für uns und unsere
Gäste erfreulich ist, nehmen Sie gewiß auch Anteil, da
es einem Ihrer Landsleute erteilt wird, der sich dadurch
um unsere Stadt und Gegend verdient macht.

Aber ein allgemeineres Interesse wird die Nachricht 15
erregen: daß wir diesen Winter die dramatischen Be=
mühungen, welche Herr Hofrat Schiller, auch Ihr Lands=
mann, einer wichtigen Epoche der deutschen Geschichte
gewidmet hat, nach und nach auf unserer Bühne sehen
werden. 20

Ich sage nach und nach! denn die große Breite
des zu bearbeitenden Stoffes setzte den Verfasser gar
bald in die Notwendigkeit, seine Darstellung nicht als
ein einziges Stück, sondern als einen Zyklus von Stücken
zu denken. Hier war nicht von der Geschichte eines ein= 25
zelnen Mannes oder von Verflechtung einer beschränkten
Begebenheit die Rede, sondern das Verhältnis großer
Massen war aufzuführen. Eine Armee, die von ihrem
Heerführer begeistert ist, der sie zusammengebracht hat,
sie erhält und belebt. Jener untergeordnete Zustand eines 30
bedeutenden Generals unter höchste kaiserliche Befehle,
der Widerspruch dieser Subordination mit der Selb=
ständigkeit seines Charakters, mit der Eigensüchtigkeit
seiner Plane, mit der Gewandtheit seiner Politik. Diese
und andere Betrachtungen haben den Verfasser bewogen, 35
das Ganze in drei Teile zu sondern.

Das erste Stück, das den Titel Wallensteins
Lager führt, könnte man unter der Rubrik eines Lust=

und Lärmspieles ankündigen. Es zeigt den Soldaten,
und zwar den Wallensteinischen. Man bemerkt den
Unterschied der mannigfaltigen Regimenter, das Verhältnis des Militärs zu dem gedrückten Bauer, zum ge-
5 bräugten Bürger, zu einer rohen Religion, zu einer un-
ruhigen und verworrenen Zeit, zu einem nahen Feldherrn und einem entfernten Oberhaupte. Hier ist der
übermächtige und übermütige Zustand des Soldaten geschildert, der sich, nun schon sechzehn Jahre, in einem
10 wüsten und unregelmäßigen Kriege herumtreibt und hin-
schleppt. Wir vernehmen aus dem Munde leichtsinniger,
einen Dienst nach dem andern verlassender Soldaten,
aus dem Munde der beredten Marketenderin die Schil-
berung Deutschlands, wie es sich, von unaufhörlichen
15 Streifzügen durchkreuzt, von Schlachten, Belagerungen
und Eroberungen verwundet, in einem zerstörten und
traurigen Zustand befinde. Wir hören die vornehmsten
Städte unsers Vaterlands nennen, der größten Feldherrn
jenes Jahrhunderts wird gedacht, auf die merkwürdigsten
20 Begebenheiten angespielt; so daß wir gar bald am Orte,
in der Zeit und unter dieser Gesellschaft einheimisch
werden. Das Stück ist nur in einem Akte und in kurzen
gereimten Versen geschrieben, die den guten, heitern und
mitunter frechen Humor, der darin herrscht, besonders
25 glücklich ausdrücken und durch Rhythmus und Reim uns
schnell in jene Zeiten versetzen. Indem das Stück sich
unruhig und ohne eigentliche Handlung hin und her bewegt, wird man belehrt, was für wichtige Angelegenheiten der Tag mit sich führe, was Bedeutendes zunächst
30 bevorstehe.
    Der Hof will einen Teil von der Wallensteinischen
Armee abtrennen und ihn nach den Niederlanden schicken.
Der Soldat glaubt hier die Absicht zu sehen, die man
hege, Wallensteins Ansehen und Gewalt allmählich zu
35 untergraben. Durch Neigung, Dankbarkeit, Umstände,
Vorurteil, Notwendigkeit an ihren Führer gekettet, halten
die Regimenter, deren Repräsentanten wir sehen, sich für
berechtigt, gegen diese Ordre Vorstellung zu tun; sie sind

entschlossen, bei ihrem General beisammen und zusammen
zu bleiben, zwar für den Kaiser zu siegen oder zu sterben,
jedoch nur unter Wallenstein. In dieser bedenklichen Lage
endigt das Stück, und das folgende ist vorbereitet. Nun=
mehr ist uns Wallensteins Element, auf welches er wirkt, 5
sein Organ, wodurch er wirkt, bekannt. Man sah die
Truppen zwischen Subordination und Insubordination
schwanken; wohin sich die Wage zuletzt neigen wird und
auf welche nächste Veranlassung? ob die Regimenter und
ihre Chefs, wenn Wallenstein sich dereinst vom Kaiser 10
lossagt, bei ihm verharren, oder ob ihre Treue gegen
den ersten und eigentlichen Souverän unerschütterlich sein
werde? das ist die Frage, die abgehandelt, deren Ent=
scheidung dargestellt werden soll. Ein solcher Mann steht
und fällt nicht als ein einzelner Mensch; die Umgebung, 15
die er sich geschaffen hat, trägt und hält ihn, so lange
sie beisammen bleibt, oder läßt ihn, indem sie sich trennt,
zu Grunde sinken.

Das zweite Stück, unter dem Titel **Piccolomini**,
enthält vorzüglich die Wirkungen der Piccolomini, Vater 20
und Sohn, für und gegen Wallenstein, indessen dieser
noch ungewiß ist, was er tun köune und solle.

Das **dritte** Stück endlich stellt **Wallensteins Ab=
fall und Untergang** dar. Beide sind in Jamben
geschrieben, deren Wirkung durch das ungebildetere Silben= 25
maß des Vorspiels vorbereitet und erhöht wird.

Der Verfasser, mit Recht besorgt, wie diese bei uns
noch ungewöhnliche Behandlung dramatischer Gegenstände
auf das deutsche Theater überhaupt einzuleiten sei, will
sich erst durch Erfahrung überzeugen, was man zu tun 30
habe, um die Direktionen, den Schauspieler, den Zu=
schauer mit einem solchen Wagestück zu versöhnen; es
muß sich entscheiden, ob alle Parteien dabei so viel zu
gewinnen glauben, um eine solche Neuerung zu unter=
nehmen und zu genehmigen. 35

Da man in Weimar vor einer gebildeten und gleich=
sam geschlossenen Gesellschaft spielt, die nicht bloß von
der Mode des Augenblicks bestimmt wird, die nicht allzu=

fest am Gewohnten hängt, sondern sich schon öfters an
mannigfaltigen originalen Darstellungen ergötzt hat und
durch die Bemühungen der eignen Schauspieler sowohl
als durch die zweimalige Erscheinung Jfflands vorbereitet
5 ist, auf das Künstliche und Absichtliche dramatischer Arbeiten zu achten, so wird ein solcher Versuch desto mög-
licher und für den Verfasser desto belehrender sein.

Wenu das erste Stück, wozu schon alle Vorbereitungen
gemacht werden, gegeben ist, erfahren Sie sogleich die
10 Wirkung, um selbst beurteilen zu können, was sich etwa
im allgemeinen für dieses Unternehmen prognostizieren
lasse.

———— ❦ ————

Eröffnung des weimarischen Theaters
Aus einem Briefe.
(1798)

Freitag den 12ten Oktober ist unser Theater eröffnet
worden. Die architektonische Einrichtung des Saals hat
15 ihre Wirkung nicht verfehlt, der Zuschauer fand sich
selbst auf einen würdigen Schauplatz versetzt und fühlte
sich berechtigt, auch von dem Theater herab etwas Vor-
zügliches und Ungemeines zu erwarten.

Für diejenigen aber, die mit dieser neuen Anlage
20 schon vertraut waren und sie bei Proben erleuchtet gesehen hatten, machte sie noch einen neuen, zwar erwarteten, aber nicht völlig berechneten Eindruck. Ein Schau-
spielhaus nämlich kann leer nicht beurteilt werden; es
mag angelegt und verziert sein, wie es will, so ist ein
25 zahlreiches Publikum doch die beste Zierde. Und obgleich bei dem unsern die Architektur sehr mannigfaltig
an Form, Farbe und Verguldung ist, so bleibt sie doch
nur einfach gegen eine wohlgekleidete Menge. Die Säule
verschwindet vor der menschlichen Gestalt, und die Malerei
30 tritt vor der Wirklichkeit zurück.

So können wir uns jetzt eines anständigen Orts er=
freuen, an dem wir uns denn doch die Woche dreimal
versammeln. Die Grundlage zu aller Bequemlichkeit ist
auch gegeben, und wir können von denjenigen, denen
das Geschäft überhaupt aufgetragen ist, hoffen und er=
warten, daß sie die Wünsche der verschiedenen Zuschauer,
welche freilich bei einer so allgemeinen Veränderung gar
mannigfach sein müssen, nach und nach zu befriedigen
suchen werden.

Den Prolog habe ich Ihnen schon mitgeteilt. Herr
Vohs hielt ihn in dem Kostüm, in welchem er künftig
als jüngerer Piccolomini erscheinen wird; er war hier
gleichsam ein geistiger Vorläufer von sich selbst und ein
Vorredner in doppeltem Sinne. Dieser vorzügliche
Schauspieler entwickelte hier sein ganzes Talent: er
sprach mit Besonnenheit, Würde, Erhebung und dabei
so vollkommen deutlich und präzis, daß in den letzten
Winkeln des Hauses keine Silbe verloren ging. Die
Art, wie er den Jamben behandelte, gab uns eine ge=
gründete Hoffnung auf die folgenden Stücke. Und welche
Zufriedenheit wird es uns nicht gewähren, wenn wir
unser Theater von der fast allgemeinen Rhythmophobie,
von dieser Reim= und Taktscheue, an der so viele deutsche
Schauspieler krank liegen, bald werden geheilt sehen.

In dieser Hoffnung haben uns die glücklichen Be=
mühungen der vorzüglichen Schauspieler bestärkt, welche
die Hauptpersonen in Wallensteins Lager spielten.
Nach dem Ausspruch mehrerer Kenner, deren Urteil wir
in dieser kurzen Zeit vernehmen konnten, erschienen
Silbenmaß und Reim keineswegs als Hindernis; sie
kamen nicht in Anschlag, als insofern sie zur Bedeut=
samkeit und Anmut das Ihrige beizutragen hatten.

Nach diesem allgemeinen Eingange glauben wir
Ihnen mit einer nähern Schilderung des Einzelnen
Vergnügen zu machen.

Nach geendigtem Prolog gab eine heitere mili=
tärische Musik das Zeichen, was zu erwarten sein möchte,
und noch ehe der Vorhang in die Höhe ging, hörte man

ein wildes Lied singen. Bald ward das Theater auf=
gedeckt, und es erschien vor den Augen des Zuschauers
das bunte Gewimmel eines Lagers. In einem Marke=
tenderzelte und um dasselbe waren Soldaten, von allen
5 Zeichen und Farben, versammelt. Dort standen Krum=
und Trödelbuden aufgerichtet, hier leere Tische, die noch
mehr Gäste zu erwarten schienen; an der Seite lagen
Kroaten und Scharfschützen um ein Fener, über welchem
ein Kessel hing, und nicht weit davon würselten mehrere
10 Knaben auf einer Trommel; die Marketenderin mit ihrer
Gehilfin lief hin und wider, den Geringsten sowohl als
den Besten mit gleicher Sorgfalt zu bedienen, indessen das
rohe Soldatenlied aus dem Zelte immer fort erscholl und
die Stimmung dieser Gesellschaft vollkommen ausdrückte.
15   Die Ruhe, welche vorne auf dem Theater herrscht,
unterbricht die Ankunft eines Bauern, der mit seinem
kleinen Sohne herbeigeschlichen kommt. Der Vater spricht
dem furchtsamen Knaben zu, und wir vernehmen bald,
daß er das erlittne Unrecht durch falsche Würfel wieder
20 ins Gleiche zu bringen denke, und repräsentiert also zu=
gleich das Elend des Bauern und sein Verderbnis.
      Herr Beck sprach diese Rolle mit der vorzüglichen
Deutlichkeit und Accuratesse, die ein jeder Schauspieler,
dem eine Exposition anvertraut ist, sich zur Pflicht machen
25 soll. Dabei war sein Ton und Betragen ganz dem pfiffigen
und versteckten Charakter der Rolle gemäß.
      Bauer. Wie sie juchzen — daß Gott erbarm'! 2c.
[V. 23—30. 11—14.]
      Aus dem Zelte tritt ein Wachtmeister und Trom=
30 peter von den Regimentern, welche Terzly, des Herzogs
Schwager, kommandiert; der Trompeter fährt den klagen=
den Bauern an, ein Ulan, roh und gutmütig, reicht ihm
einen Trunk und nimmt ihn mit ins Zelt.
      Indem die beiden Reiter den leeren Tisch in Besitz
35 nehmen, vernehmen wir von ihnen: daß Wallensteinische
Truppen aus fremden Landen sich zusammen gegen Pilsen
ziehen, daß die Herzogin und ihre Tochter erwartet wer=
den, daß die Generäle und Kommandanten sich zusammen=

finden, daß ein Hofkriegsrat von Wien angekommen ist, daß es scheint, als wolle man das Ansehen des Herzogs untergraben.

Der Wachtmeister und Trompeter, diese Repräsen= tanten ihrer Regimenter,

Sind dem Herzog ergeben und gewogen 2c. [V. 86 bis 89.]

Ein Scharfschütz betrügt einen Kroaten im Tausche, ein Konstabler bringt die Nachricht, Regensburg sei ein= genommen. Ein paar Holkische Jäger treten auf, sehr schmuck gekleidet, als Leute, die Gelegenheit hatten, sich durch Beute zu bereichern. Die Marketenderin findet in dem Einen einen alten Bekannten,

Den langen Peter aus Itzehö 2c. [V. 127—151.]

Nach verschiedenen muntern Inzidentien machen die beiden Jäger mit dem Wachtmeister und Trompeter Be= kanntschaft. [V. 181—183. 193—202.]

Der Wachtmeister verbreitet sich noch weiter über die Vorteile, um des Feldherren Person zu sein. Der zweite Jäger rühmt die Taten ihres wilden Haufens:

Wetter auch! Wo ihr nach uns fragt 2c. [V. 212—217. 226—235.]

Der erste Jäger verlangt nur ein freies und unge= bundnes Leben.

Flott will ich leben und müßig gehn 2c. [V. 242—247.]

Er erzählt die Geschichte seiner Wanderungen.

Was war das nicht für ein Placken und Schinden
Bei Gustav Adolf, dem Leuteplager,
Der machte eine Kirch' aus seinem Lager.

Von da lief er zu den Ligisten und, als Tillys Glück zu wanken anfing, zu den Sachsen; als diese in Böhmen den Krieg nicht lebhaft genug führten, zu dem Herzog von Friedland, der eben werben ließ. [V. 303—306. 317—327. 332—343.]

Der zweite Jäger ist gewiß, unter seinem Generale Glück zu haben.

Wer unter seinem Zeichen tut fechten,
Der steht unter besondern Mächten,
Denn das weiß ja die ganze Welt,
Daß der Friedländer einen Teufel
Aus der Hölle im Solde hält.

Wachtmeister. Ja, daß er fest ist, das ist kein Zweifel.
In diesem Sinne erzählt der Wachtmeister Wallensteins tapfres Betragen in der Affäre bei Lützen; der eine
nimmt's natürlich, der andere übernatürlich. [B. 370—379.]
Ein Rekrut kommt und singt, von der Trommel begleitet; ein bürgerlicher Verwandter sucht ihn noch ab-
zumahnen, die Soldaten dagegen muntern ihn auf. Der
Wachtmeister gibt ihm seinen militärischen Segen:
Sieht Er! das hat Er wohl erwogen ꝛc. [B. 415—419.
427—437.]

Hierauf erzählt er den Fall von Buttler, der aus
einem gemeinen Reiter zuletzt Generalmajor geworden.

Ja, und der Friedländer selbst, sieht Er ꝛe. [B. 448
bis 456.]

Der Jäger erzählt darauf ein Studentenstückchen,
das Wallenstein in Altdorf ausgehen lassen. Sein Kame-
rad hatte indessen mit der Aufwärterin gescherzt, ein
Dragoner zeigt sich eifersüchtig, es will Händel geben,
der Wachtmeister legt sich dazwischen, es wird getanzt,
ein Kapuziner kommt dazu.

Heisa, Juchheisa! Dudeldumdei ꝛc. [B. 484—487.
491—495. 498. 499. 504—524. 527. 528. 559—562.
567—571. 581—596. 609. 610. 614—624.]

Wer erkennt nicht an dieser Redekunst die Schule,
in welcher sich Pater Abraham bildete, wer lacht nicht
über diese barbarisch geistliche Erscheinung?
Indessen ist der ernsthafte Zweck auf den Geist des
Zuhörers erreicht, wir sehen eine lebhafte gewaltsame
Opposition gegen den Generalissimus. So würde dieser
Pfaffe nicht sprechen, wenn er keinen Hinterhalt hätte;
er würde setzt nicht so sprechen, wenn nicht eben setzt

das Tempo wäre, die Armee zu sondieren und Bewe=
gungen gegen den General hervorzubringen.

Haben wir nun oben an den Reitern von den Terzky=
schen Regimentern Männer kennen lernen, welche ganz
dem Wallenstein ergeben sind, an den Holkischen Jägern
wüste Jünglinge, welche dem Glück nachstreben und nur
in der Losgebundenheit ihr Dasein fühlen, so werden
uns nun bald in den Tiefenbachern die Repräsentanten
des rechtlichen und pflichtliebenden Teils der Armee,
so wie in dem wallonischen Kürassier eine kühnere und
zugleich gebildetere Klasse von Menschen erscheinen.

Im Zelte entsteht ein Lärm, des Bauern falsche
Würfel sind entdeckt worden, jedermann will ihn ge=
hangen sehen. [V. 652—658.]

Ein Kürassier von den Pappenheimern, welche der
junge Piccolomini jetzt kommandiert, tritt hinzu. [V. 663
bis 670.]

Nach einigen Zwischenreden zeigt sich die Unzu=
friedenheit der Kürassiere darüber, daß ein Teil von der
Armee abgetrennt werden soll. [V. 691—693. 702—706.
714. 715. 730—756.]

Der Wachtmeister fährt fort, zu zeigen, welcher Ge=
fahr alles ausgesetzt wäre, wenn man sich trennen ließe.
[V. 774—783.]

Nachdem er darauf die verschiedenen einzelnen Sol=
baten angeredet und sie um ihr Vaterland befragt, fährt
er fort:

Nun! Und wer merkt uns das nun an 2c. [V. 797—807.]

Der Marketenderin ist's bange für ihre ausstehenden
Schulden. [V. 818—829. 838—841. 855—857.]

Der Streit geht fort, inwiefern man dem Kaiser
ober dem Herzog zu gehorchen habe. Die verschiedenen
Gesinnungen kommen an den Tag, und die künftige Ent=
wicklung des Trauerspiels ist vorbereitet. Der Kürassier
tritt dazwischen:

Ist denn darüber Zank und Zwist,
Ob der Kaiser unser Gebieter ist?

Dessen ungeachtet glaubt er, der Soldat habe auch
etwas drein zu reden. [V. 895—898. 911—917. 919
bis 932.]

Man erfährt noch manches von den Schicksalen des
5 Kürassiers, der weit in der Welt herumgekommen und
vieles versucht hat, dem es aber doch zuletzt in seinem
eisernen Wams am besten gefällt; seine gebildetere Natur
zeigt menschlich-heroische Gesinnungen. [V. 977—986.
988—995.]

10 Nun kommt lebhafter zur Sprache, was in dem
gegenwärtigen Falle zu tun sei. Die Tiefenbacher begeben sich weg.

  Erster Jäger. Was? wir gehen eben nicht hin.
  Erster Kürassier. Nichts, ihr Herren, gegen die Dis-
             ziplin! . . .

  Vielmehr laßt jedes Regiment
  Ein Promemoria reinlich schreiben:
  Daß wir zusammen wollen bleiben,
  Daß uns keine Gewalt noch List
20   Von dem Friedländer weg soll treiben,
  Der ein Soldatenvater ist.
  Das reicht man, in tiefer Devotion,
  Dem Piccolomini, ich meine den Sohn, —
  Der versteht sich auf solche Sachen,
25   Kann bei dem Friedländer alles machen,
  Hat auch einen großen Stein im Brett
  Bei des Kaisers und Königs Majestät.

Alle stimmen ein, sie trinken auf des Piccolomini
Gesundheit, dann auf folgende Wünsche, Vorsätze und
30 Hoffnungen:

  Der Wehrstand soll leben!
  Der Nährstand soll geben!
  Die Armee soll florieren!
  Und der Friedländer soll sie regieren!

35 Hierauf wurde das Reiterlied angestimmt, welches
aus dem diesjährigen Schillerschen Musenalmanach bekannt ist; gegen das Ende schloß die ganze Versamm-

lung einen bunten, verketteten Halbkreis, in welchen
auch die Kinder sämtlich mit aufgenommen wurden, und
der letzte neu hinzugedichtete Vers schien auch den fried=
lichsten Zuschauer mit heiterm Mut zu beseelen.

Drum frisch, Kameraden, den Rappen gezäumt,
    Die Brust im Gefechte gelüftet!
Die Jugend brauset, das Leben schäumt,
    Frisch auf, eh' der Geist noch verdüstet!
Und setzet ihr nicht das Leben ein,
    Nie wird euch das Leben gewonnen sein!

Der Vorhang fiel, ehe das Chor ganz ausgesungen
hatte.

Sonnabend den 13. Okt. ward das Stück wieder=
holt; man konnte von dem Effekt schon mehr urteilen,
und es scheint über das Unterhaltende, über die Anmut,
das Unterrichtende und Zweckmäßige dieses Vorspiels
im Publiko nur ein e Stimme zu sein. Man rekapitu=
liert, für sich und in Gesellschaften, was jedem aus der
Geschichte jener Zeit erinnerlich ist, man fragt, man
schlägt nach, und indem man sowohl den Personen als
den Begebenheiten seine Aufmerksamkeit zuwendet, fängt
man schon an, das poetische Interesse von dem histo=
rischen zu unterscheiden, und macht sich gefaßt, den
Dichter sowohl in Bezug auf den Geschichtschreiber als
auch, insofern er Schöpfer seines Gegenstandes werden
mußte, zu beurteilen.

Wie wir nun eben verschiedne Stellen angeführt
haben, welche teils zur Kenntnis des Stücks vorzüglich
beitragen, teils auch besonders gut gesprochen worden,
so dürfen wir die Namen der Schauspieler nicht ver=
schweigen, welche in den hervorstechenden Rollen sich be=
sonders gezeigt. Madame Beck als Marketenderin, Herr
Weyrauch als Wachtmeister, Herr Leißring als erster,
Herr Becker als zweiter Jäger, Herr Genast als Kapu=
ziner, Herr Haide als Kürassier. Die wenigen Worte
des Tiefenbachers sprach Herr Hunnius mit Treuherzig=
keit, Ernst und Fermetät, so daß sich auch diese kleine
Rolle nach der Absicht des Verfassers bestimmt heraushob.

Was die Masse der Soldaten betrifft, konnte sie
freilich auf unserm Theater nur symbolisch, durch wenige
Repräsentanten dargestellt werden; alles ging übrigens
rasch und gut, nur der Unbehilflichkeit mancher Statisten
5 sah man die kurze Zeit an, welche auf die Proben verwendet werden können.

Die Kleidungen waren nach Abbildungen zuge-
schnitten, die uns aus damaliger Zeit übrig sind, und
wir erwarten, die Haupthelden der beiden künftigen
10 Stücke in eben dem Sinne gekleidet zu sehen.

Der Verfasser gedenkt, die Bemerkungen, die er in
diesen beiden Abenden hat machen können, zum Vorteil
seiner Arbeit zu benutzen und manche Stellen sowohl
für dramatische Wirkung als zu bequemerer Aussprache
15 des Verses umzubilden. Vielleicht löscht er auch einiges
weg, was bei näherer Untersuchung sich nicht ganz dem
Kostüm gemäß bewähren möchte. Bei einer so treuen,
obgleich poetischen Schilderung der Sitten jenes Zeitalters wird billig alles vermieden, was den Zuhörer
20 irre führen könnte. Bald hoffe ich Ihnen von dem
zweiten Stücke Nachricht geben zu können, zu dem man
sich gegenwärtig schon vorbereitet.

Die Piccolomini

Wallensteins erster Teil.

Ein Schauspiel in fünf Aufzügen von Schiller.

Aufgeführt zum erstenmal Weimar am 30. Januar 1799, als am Geburtstage der regierenden Herzogin.

(1799)

Wenn man diesen Tag, der von allen Weimaranern
mit freudiger Verehrung begangen wird, auch von Seiten
25 des Theaters durch eine würdige Vorstellung zu feiern
wünscht, so war es diesmal ein glücklicher Umstand, daß

der Verfasser die Vollendung des genannten Stückes in
den letzten Monaten des vergangenen Jahrs beschleunigen
und eine Vorstellung desselben möglich machen konnte.

Wir legen dem Publiko zuerst den Plan des Stückes
vor, um künftighin, wenn das ganze vollendet sein wird,
auf die verschiednen Teile desselben zurückzukehren und
die Absichten des Verfassers bei der Organisation des=
selben zu entwickeln.

Wenn der Dichter in dem Prolog, unsere Aufmerk=
samkeit zu erregen, sagen läßt:

Von der Parteien Gunst und Haß verwirrt
Schwankt sein Charakterbild in der Geschichte.
Doch euren Augen soll ihn itzt die Kunst,
Auch eurem Herzen, menschlich näher bringen —

so gibt er uns dadurch einen Wink, daß wir bei näherer
Betrachtung des Stücks hauptsächlich dahin zu sehen haben,
von welcher Seite eigentlich er seinen Helden nehme und
ihn darstelle. Ja auch ohne eine solche Erinnerung würde
dieses, bei einem historischen Stücke, die Pflicht eines
ästhetischen Beobachters sein. Denn wenn es eine große
Schwierigkeit ist, eine historische Figur in eine poetische
zu verwandeln, so verdienen die Mittel, deren sich der
Dichter hierzu bedient, vorzüglich unsere Aufmerksamkeit.

Wir stellen daher gegenwärtig den Helden des Trauer=
spiels unsern Lesern vor, indem wir ihnen überlassen,
denselben mit dem Helden der Geschichte zu vergleichen.

Wallenstein ist, während dem Laufe eines verderb=
lichen Krieges, aus einem gemeinen Edelmann Reichsfürst
und Besitzer von außerordentlichen Reichtümern geworden;
er hat dem Kaiser, als kommandierender General, große
Dienste geleistet, wofür er aber auch glänzend belohnt
wird. Die Gewalttätigkeiten hingegen, die er an mehrern
Reichsfürsten ausübt, wecken zuletzt allgemeine Klagen
gegen ihn, so daß der Kaiser, durch Umstände abhängig
von den Fürsten, genötigt ist, ihn vom Kommando zu
entfernen. Wallenstein bringt einen unbefriedigten Ehr=
geiz in den Privatstand zurück. Da er schon einen so
großen Weg gemacht, so viel von Glück erlangt hat, so

setzt er seinen Wünschen keine Grenzen mehr. Ein astro-
logischer Aberglaube nährt seinen Ehrgeiz, er hört Wahr-
sagungen begierig an, die ihm seine künftige Größe versichern, betrachtet sich gern als einen besonders Begünstigten
des Schicksals und überläßt sich ausschweifenden Hoffnungen um so zuversichtlicher, da ihm sein Horoskop die
Gewährung derselben zu verbürgen scheint und manche
himmlische Aspekten von Zeit zu Zeit ihm günstige Er-
eignisse prophezeien.

Aber auch schon die Ansicht des politischen Himmels
rechtfertigt zum Teil diese Erwartungen.

Die Fortschritte der Schweden im Reich und der
Verfall der kaiserlichen Angelegenheiten machen einen
erfahrnen General, wie er ist, bald notwendig: er erhält
das Kommando der kaiserlichen Armee abermals, und
zwar unter solchen Bedingungen, zurück, die ihn beinahe
zum Herrn des Kriegs und im Heere unumschränkt
machen. Nur auf solche Weise wollte er wieder an diese
Stelle treten, und der Kaiser, der ihn nicht entbehren
kann, muß drein willigen.

Dieser großen Macht überhebt er sich bald und be-
trägt sich so, als wenn er gar keinen Herrn über sich
hätte. Er läßt den Kurfürsten von Bayern und die
Spanier, alte Widersacher seiner Person, auf jede Art
seinen Haß empfinden, achtet die kaiserlichen Befehle
wenig und führt den Krieg auf eine Weise, die nicht bloß
seinen Eifer, die selbst seine Absichten verdächtig macht.
Er schont die Feinde sichtbar, steht mit ihnen in fort-
dauernden Negoziationen, versäumt manche Gelegenheit,
ihnen zu schaden, und fällt den kaiserlichen Erbländern
durch Einquartierung und andere Bedrückung sehr zur Last.

Seine Gegner ermangeln nicht, sich dieses Vorteils
über ihn zu bedienen. Sie machen die Eifersucht des
Kaisers rege, sie bringen Wallensteins Treue in Verdacht.
Man will Beweise in Händen haben, daß er mit den
Feinden einverstanden sei, daß er damit umgehe, die
Armee zu verführen, ja man findet es, bei seinem be-
kannten Ehrgeiz und bei den großen Mitteln, die ihm

zu Gebote stehen, nicht ganz unwahrscheinlich, daß er
Böhmen an sich zu reißen denke.

Seine eignen weitläufigen Besitzungen in diesem
Königreiche, der Geist des Aufruhrs in demselben, der
noch immer unter der Asche glimmt, die hohen Begriffe
der Böhmen von der Wahlfreiheit ihrer Krone, das noch
frische Andenken der pfälzischen Anmaßung, das Interesse
der feindlichen Partei, Östreich auf jede Art zu schwächen,
endlich das Beispiel mehrerer im Laufe dieses Krieges
gelungenen Usurpationen konnten ein Gemüt wie das
seinige leicht in Versuchung führen.

Wallensteins Betragen gründet sich auf einen sonderbaren Charakter. Von Natur gewalttätig, unbiegsam und
stolz, ist ihm Abhängigkeit unerträglich. Er will des
Kaisers General sein, aber auf seine eigne Art und Weise.
In seinen wirklichen Schritten ist noch nichts Kriminelles,
indessen fehlt es nicht an starken Versuchungen. Der
Glaube an eine wunderbare glückliche Konstellation, der
Blick auf die großen Mittel, die er in Händen hat, und
auf die günstigen Zeitumstände, verbunden mit den Auf-
forderungen, die von außen an ihn ergehen, wecken allerdings ausschweifende Gedanken in ihm, mit denen seine
Phantasie sich nicht ungern trägt; doch spielt er mehr
mit diesen Hoffnungen, insofern ihm die Möglichkeit
schmeichelt, als daß er seine Schritte fest zu einem Ziele
hinlenkte.

Aber ob er gleich nicht direkt, nicht entscheidend zum
Zwecke handelt, so sorgt er doch, die Ausführung immer
möglich und sich die Freiheit zu erhalten, Gebrauch von
den bereiteten Mitteln zu machen. Er sondiert den Feind,
hört seine Vorschläge an, sucht ihm Vertrauen einzuflößen,
attachiert sich die Armee durch alle Mittel und verschafft
sich leidenschaftliche Anhänger bei derselben. Kurz, er
vernachlässigt nichts, um einen möglichen Abfall vom
Kaiser und eine Verführung des Heers von ferne vorzubereiten, wäre es auch nur um seiner Sicherheit willen,
um an der Armee eine Stütze gegen den Hof zu haben,
wenn er derselben bedürfen sollte.

Die natürliche Folge dieses Betragens ist, daß seine
Gesinnungen immer zweideutiger erscheinen und der
Verdacht gegen ihn immer neue Nahrung erhält. Denn
eben, weil er sich noch keiner bestimmt kriminellen Absicht
bewußt ist, so hält er sich in seinen Äußerungen nicht
vorsichtig genug, er folgt seiner Leidenschaft und geht
sehr weit in seinen Reden. Noch weiter als er selbst
gehen seine Anhänger, die seinen Entschluß für ent-
schiedner halten, als er ist. Von der andern Seite wächst
der Argwohn. Man glaubt am Hofe das Schlimmste,
man hält es für ausgemacht, daß er auf eine Konjunktion
mit dem Feinde denke, und ob es gleich an juridischen
Beweisen fehlt, so hat man doch alle moralischen dafür.
Seine Handlungen, seine geäußerten Gesinnungen erregen
Verdacht, und der Verdacht steigert seine Gesinnungen
und Handlungen.

Man hält also für notwendig, ihn von der Armee
zu trennen, ehe er seinen Anschlag mit ihr ausführen
kann; aber das ist keine so leichte Sache, da der Soldat
ihm äußerst ergeben ist und sehr viele von den vornehmsten Befehlshabern das stärkste Interesse haben, ihn
nicht sinken zu lassen. Ehe man also etwas öffentlich
gegen ihn beginnt, will man ihn schwächen, seine Macht
teilen, ihm seine Anhänger abwendig machen, und der
Sohn des Kaisers, König Ferdinand von Ungarn, ist
schon bestimmt, das Kommando nach ihm zu übernehmen.

Unter allen Generalen Wallensteins stehen die beiden
Piccolomini, Vater und Sohn, im größten Ansehen
bei den Truppen; auf diese beiden rechnet Wallenstein
besonders, um seine Anschläge auszuführen, und der Hof,
um jene Anschläge zu zerstören.

Octavio Piccolomini, der Vater, ein alter Waffen-
bruder und Jugendfreund Wallensteins, hat alle Schicksale dieses Kriegs mit ihm geteilt, Gewohnheit hat den
Herzog an ihn gefesselt, astrologische Gründe haben ihm
ein blindes Vertrauen zu demselben eingeflößt, so daß er
ihm seine geheimsten Anschläge mitteilt. Aber Octavio
Piccolomini hat eine zu pflichtmäßige und geordnete

Denkungsart, um in solche Plane mit einzugehen, und
da er den Herzog nicht davon zurückhalten kann, so ist
er der erste, der den Hof davon unterrichtet. Seine laxe
Weltmoral erlaubt ihm, das Vertrauen seines Freundes
zum Verderben desselben zu mißbrauchen und auf den 5
Untergang desselben seine eigene Größe zu bauen. Er
steht in geheimen Verständnissen mit dem Hof, während
daß sich Wallenstein ihm argwohnlos hingibt, und er entschuldigt diese Falschheit vor sich selbst dadurch, daß er
sie an einem Verräter und zu einer guten Absicht ausübe. 10
    Neben diesem zweideutigen Charakter steht die reine
edle Natur seines Sohns Max Piccolomini. Dieser
ist durch Wallenstein zum Soldaten erzogen und wie ein
Sohn von ihm geliebt und begünstigt worden. So hat
er sich frühe gewöhnt, ihn enthusiastisch zu verehren und 15
wie einen zweiten Vater zu lieben. Seiner edlen und
reinen Seele erscheint Wallenstein immer edel und groß,
und in den Irrungen desselben mit dem Hof nimmt er
leidenschaftlich die Partei seines Feldherrn. [B. 405—423.
449—462.]   20
    Noch hat es Octavio Piccolomini nicht gewagt, über
die wahren Absichten Wallensteins seinem Sohn die Augen
zu öffnen; denn er fürchtet dessen aufrichtigen Charakter,
und von der Pflichtmäßigkeit desselben hat er eine so gute
Meinung, daß er ihn ohne Gefahr sich selbst glaubt über- 25
lassen zu können.
    So stehen die Sachen, als beim Ablauf des Winters
1634 die Handlung des Stücks zu Pilsen eröffnet wird.
    Wallenstein besorgt, daß man ihn absetzen und zu
Grund richten will. Am Hofe fürchtet man, daß Wallen- 30
stein etwas Gefährliches machiniere. Jeder Teil trifft
Anstalten, sich der drohenden Gefahr zu erwehren; und
der Zuschauer muß besorgen, daß gerade diese Anstalten
das Unglück, welches man dadurch verhüten will, beschleunigen werden.   35
    Wallenstein darf nicht mehr zweifeln, daß man damit
umgeht, ihn vom Kommando zu entfernen. Er ist entschlossen, sich das nicht gefallen zu lassen, er muß also

zuvorkommen, jetzt, da er seine Macht noch beisammen hat;
das Militär hängt an ihm, es ist im stand, ihn zu halten.

Er versammelt also die Befehlshaber der Regimenter
in Pilsen, wo er sich aufhält, um sich ihres Eifers zu
5 versichern, um sich aufs genaueste mit ihnen zu verbinden.
Hier ist auch ein kaiserlicher Geschäftsträger mit solchen
Aufträgen erschienen, welche Wallensteins Absetzung vorbereiten sollen. Wallenstein nimmt von dem Inhalt dieser
kaiserlichen Forderungen Anlaß, den Hof ins Unrecht zu
10 setzen, die Befehlshaber gegen den Kaiser aufzubringen
und seine Privatsache zu einer Sache des ganzen Korps
zu machen. Einzelne Befehlshaber sind schon ganz und
auf jede Bedingung sein, andere sind ihm durch Dankbarkeit, Gewohnheit oder Neigung anhängig, wieder
15 andere haben mit ihm alles zu verlieren, alle müssen
seinen Fall als ein Unglück des ganzen Korps ansehen.
Dieses noch entfernte Unglück macht er, um ihren Entschluß zu beschleunigen, gegenwärtig und wirklich, indem
er sich, vor einer Versammlung der Befehlshaber, des
20 Kommandos selbst begibt, gleichsam um sich einer be-
schimpfenden Absetzung zu entziehen. Dieser Schritt tut
die erwartete Wirkung, die Sitzung endigt stürmisch, und
Wallenstein muß den kaiserlichen Botschafter vor der Wut
der Truppen in Sicherheit bringen.

25 Dieser ganze Auftritt war aber nur eine Maske
Wallensteins, der sich durch den Feldmarschall Illo,
seinen Vertrauten, der Gesinnungen der Kommandeurs
schon vorher versichert hatte und gewiß war, daß sie
lieber in alles als in seine Absetzung willigen würden.
30 Illos Absicht dabei ist, diese Furcht der Generale
vor einer Veränderung im Regiment dazu zu benutzen,
um sie mit dem General gegen den Hof zu vereinigen.
Graf Terzky, Wallensteins Schwager, hat alle in Pilsen anwesenden Befehlshaber zu einem Bankett einge-
35 laden. Bei dieser Gelegenheit wollte man ihnen einen
Revers vorlesen, worin sie dem Wallenstein Treue und
Beistand gegen alle seine Feinde angeloben; zwar unter
dem ausdrücklichen Vorbehalt ihrer Dienstpflicht gegen

den Kaiser, aber diese Klausel sollte in dem Exemplar,
welches wirklich unterschrieben wurde, wegbleiben, und
man hoffte, daß sie diese Verwechslung in der Hitze des
Weins nicht bemerken würden. Doch Wallenstein selbst
weiß von diesem Betruge nichts, er selbst sollte vielmehr
der Betrogene sein und die unbedingte Verschreibung der
Kommandeurs für freiwillig halten.

Indem man sich auf diesem Wege der Kommandeurs
zu versichern sucht, hat sich von selbst schon ein neues
Band zwischen Wallenstein und dem jüngern Piccolomini
angeknüpft.

Der Herzog hat seine Gemahlin und Tochter nach
Pilsen kommen lassen und das Geleit dieser Damen dem
jüngern Piccolomini aufgetragen. Max bringt eine heftige
Neigung zur Prinzessin zurück, die sich gleich bei seinem
ersten Auftritt, wo er von der Begleitung der Prinzessin
eben zurückkommt, durch eine weichere Stimmung an=
kündigt; er wird wieder geliebt und erwartet aus Wallen=
steins Händen das Glück seines Lebens. Die Gräfin
Terzky, Wallensteins Schwägerin, wird in das Ge=
heimnis gezogen, und lebhaft interessiert für alles, was
die Unternehmung Wallensteins fördern kann, ermuntert
und nährt sie, ohne Wissen des Herzogs, diese Liebe, wo=
durch sie ihm die Piccolomini aufs engste zu verbinden
hofft. Sie selbst veranstaltet eine Zusammenkunft beider
Liebenden in ihrem Hanse, unmittelbar vorher, ehe Max
Piccolomini zum Bankett abgeht, wo der Revers unter=
schrieben werden soll. Sie behandelt zwar diese Liebe
nur als Mittel zu ihrem politischen Zweck, aber schon
jetzt zeigt die Leidenschaft der beiden jungen Personen
einen zu selbständigen, heroischen und reinen Charakter,
als daß sie den Absichten der Gräfin entsprechen könnte.

Bei dem Bankett zeigen sich die Obersten sehr geneigt,
Wallensteins Partei zu nehmen, und Buttler, der Chef
eines Dragonerregiments, überliefert sich selbst von freien
Stücken dem Herzog. Zu diesem Schritte treibt ihn teils
die Dankbarkeit gegen Wallenstein, der ihn belohnte und
beförderte, teils die Rachsucht gegen den Hof, woher ihm

eine Beschimpfung widerfahren ist. Bei diesem Gastmahl lernt man, in der Person des Kellermeisters, einen Repräsentanten der böhmischen Unzufriednen kennen, welche, der östreichischen Regierung abgeneigt, der proskribierten Religion im Herzen anhängen und deren Zahl noch groß genug ist, um Wallensteins Hoffnungen zu rechtfertigen. Ein goldnes Trinkgeschirr mit dem böhmischen Wappen geht herum, welches auf die Krönung des Afterkönigs, Friedrichs von der Pfalz, verfertigt worden und eine bequeme Veranlassung gibt, mehrere historische und statistische Notizen über das damalige Böhmen beizubringen. [V. 2063—2100.]

Auch der Anfang des ganzen Dreißigjährigen Kriegs findet auf diesem Becher eine Stelle. [V. 2107—2118.]

Nach aufgehobener Tafel wird der untergeschobene Revers, worin die Klausel vom Dienste des Kaisers fehlt, unterschrieben; alle Kommandeurs zeigen sich willig, nur Max Piccolomini bittet um Aufschub, nicht aus Argwohn des Betruges, nur aus angewohnter Gewissenhaftigkeit, kein Geschäft von Belang in der Zerstreuung abzutun. Seine Weigerung setzt den ohnehin schon berauschten Illo in Hitze; er glaubt das Geheimnis verraten und verrät es eben dadurch selbst.

Octavio Piccolomini findet nun, daß der Moment gekommen, wo er seinem Sohn das Geheimnis entdecken dürfe und müsse. Er hat die Leidenschaft desselben zur Prinzessin von Friedland bemerkt und muß eilen, ihm die Augen zu öffnen. Die Standhaftigkeit seines Sohnes, womit er die Unterschrift geweigert, gibt ihm Hoffnung, daß er ein solches Geheimnis zu ertragen und zu bewahren fähig sei. Er entdeckt sich ihm unmittelbar nach dem Gastmahl, alle Machinationen Wallensteins kommen zur Sprache, und man erfährt nun auch die Gegenmine. Octavio Piccolomini weist ein kaiserliches Patent auf, worin Wallenstein in die Acht erklärt, die Armee des Gehorsams gegen ihn entbunden und an die Ordre des Octavio Piccolomini angewiesen ist. Von diesem Patent sollte im dringenden Fall Gebrauch gemacht werden.

Octavio kann aber seinen Sohn von Wallensteins
Schuld nicht überzeugen; sie geraten heftig an einander,
und Octavio muß ihm versprechen, nicht eher von diesem
kaiserlichen Patent Gebrauch zu machen, als bis er selbst,
Max Piccolomini, von Wallensteins Schuld überzeugt sei. 5
[V. 2522—2541.]

Noch während dieses Gesprächs, welchem der dritte
Aufzug gewidmet ist, bringt ein Eilbote dem Octavio
Piccolomini die Nachricht, daß der vornehmste Unter-
händler Wallensteins, Sesina, mit allen ihm anvertrauten 10
Briefschaften von einem dem Kaiser treuen General aufgefangen sei und schon nach Wien geführt werde. Octavio
erwartet von diesem Umstand die völlige Aufklärung über
Wallensteins Absichten; Max hingegen, unerschütterlich
im Glauben an den Herzog, erklärt ihm rund heraus, 15
daß er entschlossen sei, sich unmittelbar an Wallenstein
selbst zu wenden. [V. 2601—2651.]

In der nämlichen Nacht, wo das Bankett gehalten
wird und Octavio Piccolomini seinem Sohn die Augen
öffnet, beobachtet Wallenstein mit seinem Astrologen die 20
Sterne und überzeugt sich von der glücklichen Konstellation.
Indem er noch mit diesen Gedanken beschäftigt ist, wird
ihm die Nachricht gebracht, daß Sesina aufgefangen und
mit allen Papieren in den Händen seiner Feinde sei.
Nun hat er zwar selbst nichts Schriftliches von sich ge- 25
geben, alle Negoziationen mit dem Feind sind durch seines
Schwagers Hände gegangen; aber es ist wohl voraus-
zusehen, daß man ihm selbst diese letztern alle zurechnen
werde. Auch hat er sich mündlich gegen den Sesina sehr
weit herausgelassen, und dieser wird alles gestehen, um 30
seinen Hals zu retten. Wallenstein befindet sich in einer
fürchterlichen Bedrängnis, aus der kein Ausweg möglich
ist, und er muß seinen Entschluß schnell fassen. Ein
schwedischer Oberster ist angelangt, der ihm von seiten
Oxenstirns die letzten Propositionen machen will. Läßt 35
er diese Gelegenheit vorbei, so kann er sein Kommando
nicht länger bewahren, und er hat alles von der Rache
seiner Feinde zu fürchten.

Eh' er den schwedischen Botschafter vorläßt, hält er sich in einem Selbstgespräch gleichsam den Spiegel seiner Gesinnungen und Schicksale vor.

Um diesen wichtigen Teil des Schauspiels recht zu fühlen, zu genießen und zu beurteilen, muß man den Wallenstein, den uns der Dichter schildert, aus dem vorhergehenden gefaßt haben. Der Krieger, der Held, der Befehlshaber, der Tyrann sind an und für sich keine dramatische Personen. Eine Natur, die mit sich ganz einig wäre, die man nur befehlen, der man nur gehorchen sähe, würde kein tragisches Interesse hervorbringen; unser Dichter hat daher alles, was Wallensteins physische, politische und moralische Macht andeutet, gleichsam nur in die Umgebung gelegt. Wir sehen seine Stärke nur in der Wirkung auf andere; tritt er aber selbst, besonders mit den Seinigen und hier im Monolog nun gar allein auf, so sehen wir den in sich gekehrten, fühlenden, reflektierenden, planvollen und, wenn man will, planlosen Mann, der das Wichtigste seiner Unternehmungen kennt, vorbereitet und doch den Augenblick, der sein Schicksal entscheidet, selbst nicht bestimmen kann und mag.

Wenn der Dichter, um seinem Helden das dramatische Interesse zu geben, schon berechtigt gewesen wäre, diesen Charakter also zu erschaffen, so erhält er ein doppeltes Recht dazu, indem die Geschichte solche Züge vorbereitet.

Bei seiner Verschlossenheit beschäftigt sich der historische Wallenstein nicht bloß mit politischen Calcüln; sein Glaube an Astrologie, der freilich in der damaligen Zeit ziemlich allgemein war, jedoch besonders bei ihm tiefe Wurzeln geschlagen hatte, setzt ein Gemüt voraus, das in sich arbeitet, das von Hoffnung und Furcht bewegt wird, über dem Vergangnen, dem Gegenwärtigen und dem Zukünftigen immer brütet, großer Vorsätze, aber nicht rascher Entschlüsse fähig ist. Wer die Sterne fragt, was er tun soll, ist gewiß nicht klar über das, was zu tun ist.

So sind auch kleine Charakterzüge, die uns die Geschichte überliefert, in diesem Sinne besonders merkwürdig, die uns andeuten, wie reizbar dieser unter dem

Geräusch der Waffen lebende Kriegsmann in ruhigen
Stunden gewesen. Man erzählt, daß er Wachen um seine
Paläste gesetzt, die jeden Lärm, jede Bewegung ver-
hindern mußten, daß er einen Abscheu hatte, den Hahn
krähen, den Hund bellen zu hören. Sonderbarkeiten, die
ihm seine Widersacher noch in einer spöttischen Grab-
schrift vorwarfen, die uns aber auf eine große Reizbar-
keit deuten, welche darzustellen des Dichters Pflicht und
Vorteil war.

In diesem Sinne ist der Monolog Wallensteins
gleichsam die Achse des Stücks. Man sieht ihn rückwärts
planvoll, aber frei; vorwärts planerfüllend, aber gebunden.
So lange er seiner Pflicht gemäß handelte, reizt ihn der
Gedanke, daß er allenfalls mächtig genug sei, sie über-
treten zu können, und in dieser Aussicht auf Willkür
glaubt er sich eine Art von Freiheit vorzubereiten; jetzt
aber, in dem Augenblick, da er die Pflicht übertritt, fühlt
er, daß er einen Schritt zur Knechtschaft tue; denn der
Feind, an den er sich anschließen muß, wird ihm ein
weit gestrengerer Herr, als ihm sonst der rechtmäßige
war, ehe er dessen Vertrauen verlor. Erinnert man sich
hierbei an jene Züge, die wir von des dramatischen Wallensteins Charakter überhaupt dargestellt, so wird man nicht
zweifeln, daß dieser Monolog von großer poetischer und
theatralischer Wirkung sein müsse, wie bei uns die Erfahrung gelehrt hat.

Wrangel, der schwedische Bevollmächtigte, erscheint
nun und drängt den Fürsten, eine entscheidende Antwort
zu geben, nennt die Forderungen und die Versprechungen
der Schweden. Wallenstein soll mit dem Kaiser förmlich
und unzweideutig brechen, die kaiserlich gesinnten Regimenter entwaffnen, Prag und Eger in schwedische Hände
liefern u. s. w. Dafür wird sich der Rheingraf, Otto
Ludwig, an der Spitze von sechzehntausend Schweden
mit ihm vereinigen. Eine kurze Bedenkzeit wird ihm
gegeben, und Wrangel tritt ab, um ihm zu dem Entschluß Zeit zu lassen.

Noch schwankt Wallenstein. In größter Unschlüssigkeit

finden ihn seine Vertrauten, Illo und Terzky, ja die
Konferenz mit Wrangel hat ihm ganz und gar die Luft benommen. Unerträglich ist ihm der Übermut der Schweden;
die nachteilige Lage, in die er sich durch seinen Schritt
5 mit dem Feinde setzt, ist ihm fühlbar worden; setzt noch
will er zurücktreten. Da erscheint die Gräfin Terzky,
und indem sie alle seine Leidenschaften aufreizt und durch
ihre Beredsamkeit alle Scheingründe gelten macht, bestimmt sie seinen Entschluß: Wrangel wird gerufen, und
10 Eilboten gehen sogleich ab, die Befehle des Herzogs nach
Prag und Eger zu überbringen.

Max Piccolomini hatte während dieses Auftritts
vergebens vorzukommen gesucht; seine gerade Weise und
die natürliche Beredsamkeit seines Herzens würde es ohne
15 Zweifel über die Sophistereien der Gräfin Terzky davongetragen haben; eben darum verhindert sie seinen Eintritt.

Octavio Piccolomini ist der erste, welchem Wallenstein seinen Entschluß mitteilt und einen Teil der Ausführung übergibt. Ihn erwählt er dazu, die kaiserlich
20 gesinnten Regimenter in der Untätigkeit zu erhalten und
die Generale Altringer und Gallas, welche es mit dem
Hof halten, gefangen zu nehmen. Er selbst treibt den
Octavio, Pilsen zu verlassen; ja er gibt ihm seine eignen
Pferde dazu und befördert dadurch die Wünsche seines
25 heimlichen Widersachers.

Jetzt endlich findet Max Piccolomini Zutritt, und
Wallenstein selbst eröffnet ihm seinen Abfall vom Kaiser.
Der Schmerz des Piccolominis ist ohne Grenzen; er versucht durch die rührendsten Vorstellungen, den Herzog
30 von dem unglücklichen Entschluß abzubringen, ja es gelingt ihm, ihn wirklich zu erschüttern. Aber die Tat ist
geschehn, die Eilboten haben schon viele Meilen voraus,
Wrangel ist unsichtbar geworden. Max Piccolomini entfernt sich in Verzweiflung.

35 Illo und Terzky erscheinen. Sie haben erfahren,
daß Wallenstein den Octavio verschicken und ihm einen
Teil der Armee übergeben will. Nie haben sie dem
Octavio getraut und Wallenstein öfters vergeblich vor

ihm gewarnt; auch jetzt versuchen sie alles, den Herzog
zu bewegen, daß er ihn nicht aus den Augen lasse. Aber
vergebens! Wallenstein besteht fest darauf, und zuletzt,
um sie zum Stillschweigen zu bringen, eröffnet er ihnen
den geheimen Grund seines Glaubens an Octavios Treue: 5
„Es gibt im Menschenleben Augenblicke" 2c.

Octavio Piccolomini verliert nun keinen Augenblick,
von dem kaiserlichen Patente Gebrauch zu machen. Die
Tat, welche den Wallenstein unwidersprechlich verdammt,
ist geschehen, das Reich ist. in Gefahr. Ehe er also 10
Pilsen verläßt, macht er einen Versuch, mehrere Kom=
mandeurs zu ihrer Pflicht zurückzuführen, und es gelingt
ihm mit mehreren; er beredet sie, in derselben Nacht zu
entfliehen.

Diejenigen unter ihnen, die bloß durch ihren Leicht= 15
sinn verführt wurden, Wallensteins Partei zu ergreifen,
werden durch einen Ton des Ansehens überrascht, ins
Gedränge gebracht und zu einer kategorischen Erklärung
genötigt; dieser allgemeinere Fall wird uns in der Person
des Grafen Isolani, Anführers der Kroaten, vorge= 20
halten. Gegen diesen braucht Octavio das Verbrechen,
zu welchem er sich hinreißen lassen wollte, bloß zu
nennen, um ihn schnell andres Sinnes zu machen. Ein
ganz anderes Betragen wird gegen Buttler, den An=
führer der Dragoner, beobachtet, der aus lebhaftem Ge= 25
fühl einer vom Hof erlittnen Beschimpfung in das
Komplott eingegangen und sich entschlossen zeigt, es aufs
Äußerste kommen zu lassen. Ihn überführt Octavio
Piccolomini, durch Vorzeigung authentischer Dokumente,
daß Wallenstein selbst der Urheber jener Beschimpfung 30
gewesen und ihm dieselbe in der Absicht zugezogen habe,
ein desto bereitwilligeres Werkzeug seiner Entwürfe aus
ihm zu machen.

Buttler, erfüllt von Rache gegen den Herzog, bittet
um Erlaubnis, mit seinem Regiment bleiben zu dürfen; 35
seine Absicht ist, Wallenstein zu Grund zu richten.

Die Trennung beider Piccolomini endigt das Stück,
Octavio versucht umsonst, seinen Sohn mitzunehmen.

Dieser besteht darauf, seine Geliebte noch zu sehen, gibt aber sein Wort, die pflichtmäßig gesinnten Regimenter aus Pilsen hinwegzuführen oder in dem Versuch zu erliegen.

———

5 Aus dieser kurzen Darlegung der dramatischen Fabel geht klar hervor, daß dieser erste Teil Wallensteins von den beiden Piccolomini seinen Namen nicht mit Unrecht führt. Obgleich der Dichter uns darin nur den Teil eines Ganzen liefert, so ist dieses Ganze doch der 10 Anlage nach schon darin enthalten, und alles ist vor-bereitet, was der zweite Teil nur dramatisch ausführen wird. Man sieht den allgemeinen Abfall der Regimenter von ihrem Feldherrn voraus; auch das Mordschwert, wo-durch Wallenstein zu Eger umkommt, ist jetzt schon über 15 seinem Haupt aufgehangen. Zwar sehen wir Max Picco-lomini, von seiner Leidenschaft zur Prinzessin festgehalten, zur großen Besorgnis seines Vaters noch in Pilsen zurück-bleiben; aber seine Gemütsart kennen wir so genau, der Charakter seiner Liebe und seiner Geliebten ist so ge-20 zeichnet, daß über den Entschluß, den er fassen wird, kein Zweifel stattfinden kann. Er wird seiner Dienst-pflicht das schmerzhafte Opfer bringen, aber er wird es nicht überleben. Und so sehen wir von fern schon eine Kette von Unfällen aus einer unglücklichen Tat sich ent-25 wickeln und mit dem Einzigen, der alles hielt, alles zu-sammenstürzen.

Wollte man das Objekt des ganzen Gedichts mit wenig Worten aussprechen, so würde es sein: die Dar-stellung einer phantastischen Existenz, welche, durch ein 30 außerordentliches Individuum und unter Vergünstigung eines außerordentlichen Zeitmoments, unnatürlich und augenblicklich gegründet wird, aber, durch ihren not-wendigen Widerspruch mit der gemeinen Wirklichkeit des Lebens und mit der Rechtlichkeit der menschlichen Na-35 tur, scheitert und samt allem, was an ihr befestigt ist zu Grunde geht. Der Dichter hatte also zwei Gegen-stände darzustellen, die mit einander im Streit erscheinen:

den phantastischen Geist, der von der einen Seite an
das Große und Idealische, von der andern an den Wahnsinn und das Verbrechen grenzt, und das gemeine wirkliche Leben, welches von der einen Seite sich an das
Sittliche und Verständige anschließt, von der andern dem 5
Kleinen, dem Niedrigen und Verächtlichen sich nähert.
In die Mitte zwischen beiden, als eine ideale, phantastische
und zugleich sittliche Erscheinung, stellt er uns die Liebe,
und so hat er in seinem Gemälde einen gewissen Kreis
der Menschheit vollendet. 10

Einige Szenen aus Mahomet nach Voltaire

(1800)

Kein Freund des deutschen Theaters wird den Aufsatz über die gegenwärtige französische tragische
Bühne mit Aufmerksamkeit lesen, ohne zu wünschen, daß
unbeschadet des Originalgangs, den wir eingeschlagen
haben, die Vorzüge des französischen Theaters auch auf 15
das unsrige herübergeleitet werden möchten.

Er wird sich überhaupt an Ifflands obligates Spiel
und besonders an die Darstellung des Pygmalion und
des Oberpriesters der Sonne sogleich erinnern und sich
freuen, daß wir dasjenige, was wir im Ganzen wünschen, 20
im Einzelnen schon besitzen.

Ein jeder deutscher Schauspieler, der sich nach dieser
Seite hinneigt und in sich Naturell und Talent fühlt,
seine Kunst zu erheben, wird die Winke, die er in ge-
dachtem Aufsatze findet, gewiß benutzen. 25

Die Notwendigkeit, unser tragisches Theater durch
Versifikation von dem Lustspiel und Drama zu entfernen,
wird immer mehr gefühlt werden.

Die Aufführung der Wallensteinischen Folgen, der
Merope und Zaïre nach Gotter und Eschenburg, ja des 30

Hamlets nach der Wilhelm Schlegelischen Übersetzung,
wodurch die Berliner Direktion ein nachahmungswürdiges
Beispiel gegeben hat, läßt uns hoffen, daß diese Bemühung, diese Neigung allgemeiner werden und die Scheue,
welche so manchen, der sich einen dramatischen Künstler
nannte, bisher ergriff, wenn ihm etwas Rhythmisches an-
geboten wurde, endlich radikal kuriert werden könne.

Um eine solche Epoche beschleunigen zu helfen, den
Schauspieler zu einem wörtlichen Memorieren, zu einem
gemeßnen Vortrag, zu einer gehaltnen Aktion zu ver-
anlassen, ist diese Bearbeitung des Voltairischen Mahomets
unternommen worden. Die Allgemeinheit seines Interesse,
die Klarheit der Behandlung, die Entschiedenheit der Charaktere, das Pathetische der Situationen begünstigt von
innen, so wie die Beschränktheit des Personals von außen
einen Versuch dieser Art auf jedem Theater; um so mehr
als die Aufführung zu keinen Kosten nötigt und ein orien-
talisches Kostüm in den Garderoben vorausgesetzt wird.

Man hat zwei Szenen abgedruckt, damit die Schauspieler, in deren Fach die Hauptrollen gehören, aus
diesen Musterstücken das Ganze beurteilen und, da ihnen
das Verdienst des Originals gewiß nicht unbekannt ist,
unserer Bearbeitung vielleicht einige Neigung schenken
möchten.

Dramatische Preisaufgabe

Von Goethe und Schiller.

(1800)

Durch den glücklichen Erfolg der bisherigen Preis-
aufgaben, in Absicht auf bildende Kunst, hat man sich bewogen gefunden, etwas Ähnliches auch auf dem Felde der
Poesie, und zwar der dramatischen, zu versuchen,
welche gegenwärtig im Besitz ist, am meisten unter allen
poetischen Gattungen auf den Volksgeschmack zu wirken.

Man gibt hierbei dem Lustspiel den Vorzug vor dem
Trauerspiel, weil an jenem überhaupt noch ein größerer
Mangel ist und das Neue darin am meisten gefordert
wird. Denn ob wir gleich an guten Tragödien vielleicht
noch ärmer sind, so kann unsre Bühne sich hier weit mehr
als dort durch das Ausland, ja selbst durch das Altertum
bereichern, und das Vortreffliche in dieser Gattung ver-
altet nie, da die Leidenschaften auf der unbeweglichen
Base der menschlichen Natur gegründet und folglich weit
beständiger sind als die Sitten, die jedes Land und jeder
Zeitmoment verändert.

Man klagt mit Recht, daß die reine Komödie, das
lustige Lustspiel, bei uns Deutschen durch das sentimen-
talische zu sehr verdrängt worden, und es ist allerdings
ein herrschender Fehler auf unserer komischen Bühne, daß
das Interesse noch viel zu sehr aus der Empfindung und
aus sittlichen Rührungen geschöpft wird. Das Sittliche
aber so wie das Pathetische macht immer ernsthaft, und
jene geistreiche Heiterkeit und Freiheit des Gemüts, welche
in uns hervorzubringen das schöne Ziel der Komödie ist,
läßt sich nur durch eine absolute moralische Gleichgültigkeit erreichen; es sei nun, daß der Gegenstand selbst schon
diese Eigenschaft habe, oder daß der Dichter die Kunst
besitze, die moralische Tendenz seines Stoffs durch die
Behandlung zu überwinden.

Man unterscheidet aber auch in der rein komischen
Gattung noch Charakterstücke und Intrigenstücke,
und es ist eine alte, nicht ungegründete Bemerkung, daß
der deutsche Genius in jener ersten Klasse nie sehr glänzend erscheinen wird. Charakterstücke stellen uns entweder Gattungen (die Molièrische Komödie) oder Individuen (die englische Komödie) dar. Für die letztern
ist der deutsche Charakter an Originalen zu arm, und
für die erste, kältere Gattung ist der Zeitmoment vorüber.
Die Charakterkomödie erfordert im ganzen eine größere
Fülle des Genies von Seiten des Dichters, und von
Seiten des Schauspielers ein tieferes Studium, als man
in unsern Tagen glaubt voraussetzen zu dürfen.

Es bleibet also nur das Feld der Intrigenstücke offen; das Feld ist reich und nicht so leicht als das der Charakterstücke zu erschöpfen.

In dem Intrigenstücke sind die Charaktere bloß für die Begebenheiten, in dem Charakterstücke sind die Begebenheiten für die Charaktere erfunden. Das Genie wird das Vorzügliche beider Gattungen auf eine glückliche Art zu vereinigen wissen.

Ein Preis von dreißig Dukaten wird hiermit auf das beste Intrigenstück gesetzt.

Die Manuskripte werden vor der Mitte Septembers erwartet.

Diejenigen Stücke, welche sich zu einer Vorstellung qualifizieren, werden aufgeführt.

Sämtliche Arbeiten werden in den „Propyläen" rezensiert; dabei wird von den Eigenschaften des Intrigenstücks überhaupt die Rede sein.

Das Eigentum so wie die freie Disposition bleibt den Verfassern.

Weimarisches Hoftheater

(1802)

Auf dem weimarischen Hoftheater, das nunmehr bald elf Jahre besteht, darf man sich schmeicheln, in diesem Zeitraume solche Fortschritte gemacht zu haben, wodurch es die Zufriedenheit der Einheimischen und die Aufmerksamkeit der Fremden verdienen konnte; es möchte daher nicht unschicklich sein, bei dem Berichte dessen, was auf demselben vorgeht, auch der Mittel zu erwähnen, wodurch so manches, was andern Theatern schwer, ja unmöglich fällt, bei uns nach und nach mit einer gewissen Leichtigkeit hervorgebracht worden.

Die Annalen der deutschen Bühne gedenken noch immer mit Vorliebe und Achtung der Seylerschen Schauspielergesellschaft, welche, nachdem sie mehrere Jahre eine

besondere Zierde der obervormundschaftlichen Hofhaltung
gewesen, sich, durch den Schloßbrand vertrieben, nach
Gotha begab. Vom Jahre 1775 an spielte eine Lieb=
habergesellschaft mit abwechselndem Eifer. Vom Jahre
1784 bis 1791 gab die Bellomosche Gesellschaft ihre fort=
dauernden Vorstellungen, nach deren Abgange das gegen=
wärtige Hoftheater errichtet wurde. Jede dieser ver=
schiedenen Epochen zeigt einem aufmerksamen Beobachter
ihren eigenen Charakter, und die früheren lassen in sich
die Keime der folgenden bemerken.

Die Geschichte des noch bestehenden Hoftheaters möchte
denn auch wieder in verschiedene Perioden zerfallen. Die
erste würden wir bis auf Ifflands Ankunft, die zweite
bis zur architektonischen Einrichtung des Schauspielsaales,
die dritte bis zur Aufführung der Brüder nach Terenz
zählen, und so möchten wir uns dermalen in der vierten
Periode befinden.

Eine Übersicht dessen, was in verschiedenen Zeiten
geleistet worden, läßt sich vielleicht nach und nach er=
öffnen; gegenwärtig verweilen wir bei dem Neusten und
gedenken von demselben einige Rechenschaft abzulegen.

Das Theater ist eines der Geschäfte, die am wenigsten
planmäßig behandelt werden können: man hängt durchaus
von Zeit und Zeitgenossen in jedem Augenblicke ab; was
der Autor schreiben, der Schauspieler spielen, das Publi=
kum sehen und hören will, dieses ist's, was die Direktionen
tyrannisiert und wogegen ihnen fast kein eigner Wille
übrig bleibt. Indessen verjagen in diesem Strome und
Strudel des Augenblicks wohlbedachte Maximen nicht
ihre Hilfe, sobald man fest auf denselben beharret und
die Gelegenheit zu nutzen weiß, sie in Ausübung zu setzen.

Unter den Grundsätzen, welche man bei dem hiesigen
Theater immer vor Augen gehabt, ist einer der vornehm=
sten: der Schauspieler müsse seine Persönlichkeit verleugnen
und dergestalt umbilden lernen, daß es von ihm ab=
hange, in gewissen Rollen seine Individualität unkennt=
lich zu machen.

In früherer Zeit stand dieser Maxime ein falsch ver=

standner Konversationston so wie ein unrichtiger Begriff
von Natürlichkeit entgegen. Die Erscheinung Jfflands
auf unserm Theater löste endlich das Rätsel. Die Weisheit, womit dieser vortreffliche Künstler seine Rollen von
einander sondert, aus einer jeden ein Ganzes zu machen
weiß und sich sowohl ins Edle als ins Gemeine, und
immer kunstmäßig und schön, zu maskieren versteht, war
zu eminent, als daß sie nicht hätte fruchtbar werden sollen.
Von dieser Zeit an haben mehrere unserer Schauspieler,
denen eine allzu entschiedene Individualität nicht entgegen stand, glückliche Versuche gemacht, sich eine Vielseitigkeit zu geben, welche einem dramatischen Künstler
immer zur Ehre gereicht.

Eine andere Bemühung, von welcher man bei dem
weimarischen Theater nicht abließ, war: die sehr vernach-
lässigte, ja von unsern vaterländischen Bühnen fast ver-
bannte rhythmische Deklamation wieder in Aufnahme zu
bringen. Die Gelegenheit, den architektonisch neu einge-
richteten Schauspielsaal durch den Wallensteinischen Zyklus
einzuweihen, wurde nicht verabsäumt, so wie zur Übung
einer gewissen gebundneren Weise in Schritt und Stellung,
nicht weniger zur Ausbildung rednerischer Deklamation,
Mahomet und Tancred, rhythmisch übersetzt, auf das
Theater gebracht wurden. Macbeth, Octavia, Bayard gaben Gelegenheit zu fernerer Übung, so wie endlich Maria Stuart die Behandlung lyrischer Stellen
forderte, wodurch der theatralischen Rezitation ein ganz
neues Feld eröffnet ward.

Nach solchen Übungen und Prüfungen war man zu
Anfange des Jahrhunderts so weit gekommen, daß man
die Mittel sämtlich in Händen hatte, um gebundene, mehr
oder weniger maskierte Vorstellungen wagen zu können.
Paläophron und Neoterpe machten den Anfang,
und der Effekt dieser auf einem Privattheater geleisteten
Darstellung war so glücklich, daß man die Aufführung
der Brüder sogleich vorzunehmen wünschte, die aber
wegen eintretender Hindernisse bis in den Herbst verschoben werden mußte.

Indeffen hatte Madame Unzelmann durch ihre Gegen=
wart an jene Ifflandifche Zeit wieder erinnert. Der
Geift, in welchem diefe treffliche Schaufpielerin die ein=
zelnen Rollen bearbeitet und fich für eine jede umzu=
fchaffen weiß, die Befonnenheit ihres Spiels, ihre durch=
aus fchickliche und anftändige Gegenwart auf den Brettern,
die reizende Weife, wie fie als eine Perfon von aus=
gebildeter Lebensart die Mitfpielenden durch paffende
Attentionen zu beleben weiß, ihre klare Rezitation, ihre
energifche und doch gemäßigte Deklamation, kurz das
Ganze, was Natur an ihr und was fie für die Kunft
getan, war dem weimarifchen Theater eine wünfchens=
werte Erfcheinung, deren Wirkung noch fortdauert und
nicht wenig zu dem Glück der diesjährigen Wintervor=
ftellungen beigetragen hat und beiträgt.

Nachdem man durch die Aufführung der Brüder
endlich die Erfahrung gemacht hatte, daß das Publikum
fich an einer derben, charakteriftifchen, finnlich=künftlichen
Darftellung erfreuen könne, wählte man den vollkommen=
ften Gegenfatz, indem man Nathan den Weifen auf=
führte. In diefem Stücke, wo der Verftand faft allein
fpricht, war eine klare, auseinanderfetzende Rezitation
die vorzüglichfte Obliegenheit der Schaufpieler, welche
denn auch meift glücklich erfüllt wurde.

Was das Stück durch Abkürzung allenfalls gelitten
hat, ward nun durch eine gedrängtere Darftellung erfetzt,
und man wird für die Folge forgen, es poetifch fo viel
möglich zu reftaurieren und zu runden. Nicht weniger
werden die Schaufpieler fich alle Mühe geben, was an
Ausarbeitung ihrer Rollen noch fehlte, nachzubringen,
fo daß das Stück jährlich mit Zufriedenheit des Publi=
kums wieder erfcheinen könne.

Leffing fagte in fittlich=religiöfer Hinficht, daß er
diejenige Stadt glücklich preife, in welcher Nathan zu=
erft gegeben werde; wir aber können in dramatifcher Rück=
ficht fagen, daß wir unferm Theater Glück wünfchen,
wenn ein folches Stück darauf bleiben und öfters wieder=
holt werden kann.

In dieser Lage mußte der Direktion ein Schauspiel
wie Jon höchst willkommen sein. Hatte man in den
Brüdern sich dem römischen Lustspiele genähert, so war
hier eine Annäherung an das griechische Trauerspiel der
5 Zweck. Von dem sinnlichen Teile desselben konnte man
sich die beste Wirkung versprechen, denn in den sechs
Personen war die größte Mannigfaltigkeit dargestellt.
Ein blühender Knabe, ein Gott als Jüngling, ein statt-
licher König, ein würdiger Greis, eine Königin in ihren
10 besten Jahren und eine heilige bejahrte Priesterin. Für
bedeutende abwechselnde Kleidung war gesorgt und das
durch das ganze Stück sich gleich bleibende Theater zweckmäßig ausgeschmückt. Die Gestalt der beiden ältern
Männer hatte man durch schickliche Masken ins Tragische
15 gesteigert, und da in dem Stücke die Figuren in mannigfaltigen Verhältnissen auftreten, so wechselten durchaus
die Gruppen dem Auge gefällig ab, und die Schauspieler
leisteten die schwere Pflicht um so mehr mit Bequemlichkeit, als sie durch die Aufführung der französischen
20 Trauerspiele an ruhige Haltung und schickliche Stellung
innerhalb des Theaterraums gewöhnt waren.

Die Hauptsituationen gaben Gelegenheit zu beleb-
tern Tableaux, und man darf sich schmeicheln, von dieser
Seite eine meist vollendete Darstellung geliefert zu haben.
25 Was das Stück selbst betrifft, so läßt sich von demselben ohne Vorliebe sagen, daß es sich sehr gut exponiere,
daß es lebhaft fortschreite, daß höchst interessante Situationen entstehen und den Knoten schürzen, der teils
durch Vernunft und Überredung, teils durch die wunder-
30 volle Erscheinung zuletzt gelöst wird. Übrigens ist das
Stück für gebildete Zuschauer, denen mythologische Verhältnisse nicht fremd sind, völlig klar, und gegen den
übrigen, weniger gebildeten Teil erwirbt es sich das
pädagogische Verdienst, daß es ihn veranlaßt, zu Hause
35 wieder einmal ein mythologisches Lexikon zur Hand zu
nehmen und sich über den Erichthonius und Erechtheus
aufzuklären.

Man kann dem Publikum keine größere Achtung be-

zeigen, als indem man es nicht wie Pöbel behandelt.
Der Pöbel drängt sich unvorbereitet zum Schauspielhause,
er verlangt, was ihm unmittelbar genießbar ist, er will
schauen, staunen, lachen, weinen und nötigt daher die
Direktionen, welche von ihm abhängen, sich mehr oder
weniger zu ihm herabzulassen und von einer Seite das
Theater zu überspannen, von der andern aufzulösen.
Wir haben das Glück, von unsern Zuschauern, besonders
wenn wir den jenaischen Teil, wie billig, mitrechnen,
vorauszusetzen zu dürfen, daß sie mehr als ihr Legegeld
mitbringen und daß diejenigen, denen bei der ersten
sorgfältigen Aufführung bedeutender Stücke noch etwas
dunkel, ja ungenießbar bliebe, geneigt sind, sich von der
zweiten besser unterrichten und in die Absicht einführen
zu lassen. Bloß dadurch, daß unsere Lage erlaubt, Auf=
führungen zu geben, woran nur ein erwähltes Publikum
Geschmack finden kann, sehen wir uns in den Stand ge=
setzt, auf solche Darstellungen loszuarbeiten, welche all=
gemeiner gefallen.

Sollte Jon auf mehrern Theatern erscheinen oder
gedruckt werden, so wünschten wir, daß ein kompetenter
Kritiker nicht etwa bloß diesen neuen Dichter mit jenem
alten, dem er gefolgt, zusammenstellte, sondern Gelegen=
heit nähme, wieder einmal das Antike mit dem Modernen
im Ganzen zu vergleichen. Hier kommt gar vieles zur
Sprache, das zwar schon mehrmals bewegt worden ist,
das aber nie genug ausgesprochen werden kann. Der
neue Autor, wie der alte, hat gewisse Vorteile und Nach=
teile, und zwar gerade an der umgekehrten Stelle. Was
den einen begünstigte, beschwert den andern, und was
diesen begünstigt, stand jenem entgegen. Nicht gehörig
wird man den gegenwärtigen Jon mit dem Jon des
Euripides vergleichen können, wenn nicht jene allge=
meinen Betrachtungen vorangegangen sind, und vielen
Dank soll der Kunstrichter verdienen, der uns an diesem
Beispiele wieder klar macht, inwiefern wir den Alten
nachfolgen können und sollen.

Wären unsere Schauspieler sämtlich auf kunstmäßige

Behandlung der verschiedenen Arten dramatischer Dichtkunst eingerichtet, so könnte der Wirrwarr, der nur
zufällig hier in der Reihe steht, auch als eine zum allgemeinen Zweck calculierte Darstellung aufgeführt werden.
Gegen solche Stücke ist das Publikum meist ungerecht und wohl hauptsächlich deswegen, weil der Schauspieler ihnen nicht leicht ihr völliges Recht widerfahren läßt.

Wenn es dem Verfasser gefällt, in einer Posse den
Menschen unter sich hinunterzuziehen, ihn in seltsamen,
mehr erniedrigenden als erhebenden Situationen zu zeigen,
so ist, vorausgesetzt, daß es mit Talent und Theater-
praktik geschieht, nichts dagegen einzuwenden. Nur sollte
alsdann der Schauspieler einsehen, daß er von seiner
Seite, indem er eine solche Darstellung kunstmäßig behandelt, erst das Stück zu vollenden und ihm eine günstige
Aufnahme zu verschaffen hat.

Es ist möglich, in einem solchen Stücke die Rollen
durchaus mit einer gewissen teils offenbaren, teils versteckten Eleganz zu spielen, die fürs Gesicht angelegten
Situationen mit malerischer Zweckmäßigkeit darzustellen
und dadurch das Ganze, das seiner Anlage nach zu sinken
scheint, durch die Ausführung emporzutragen.

Sind wir so glücklich, noch mehrere antike Lustspiele
auf das Theater einzuführen, bringen unsere Schauspieler
noch tiefer in den Sinn des Maskenspiels, so werden
wir auch in diesem Fache der Erfüllung unserer Wünsche
entgegengehen.

Ist die Vielseitigkeit des Schauspielers wünschenswert, so ist es die Vielseitigkeit des Publikums eben so
sehr. Das Theater wird, so wie die übrige Welt, durch
herrschende Moden geplagt, die es von Zeit zu Zeit über-
strömen und dann wieder seicht lassen. Die Mode bewirkt eine augenblickliche Gewöhnung an irgend eine Art
und Weise, der wir lebhaft nachhängen, um sie alsdann
auf ewig zu verbannen. Mehr als irgend ein Theater
ist das deutsche diesem Unglücke ausgesetzt, und das wohl
daher, weil wir bis jetzt mehr strebten und versuchten
als errangen und erreichten. Unsere Literatur hatte,

Gott sei Dank, noch kein goldenes Zeitalter, und wie
das übrige, so ist unser Theater noch erst im Werden.
Jede Direktion durchblättere ihre Repertorien und sehe,
wie wenig Stücke aus der großen Anzahl, die man in
den letzten zwanzig Jahren aufgeführt, noch jetzt brauch- 5
bar geblieben sind. Wer darauf denken dürfte, diesem
Unwesen nach und nach zu steuern, eine gewisse Anzahl
vorhandener Stücke auf dem Theater zu fixieren und
dadurch endlich einmal ein Repertorium aufzustellen, das
man der Nachwelt überliefern könnte, müßte vor allen 10
Dingen darauf ausgehen, die Denkweise des Publikums,
das er vor sich hat, zur Vielseitigkeit zu bilden. Diese
besteht hauptsächlich darin, daß der Zuschauer einsehen
lerne, nicht eben jedes Stück sei wie ein Rock anzusehen,
der dem Zuschauer völlig nach seinen gegenwärtigen Be- 15
dürfnissen auf den Leib gepaßt werden müsse. Man
sollte nicht gerade immer sich und sein nächstes Geistes-,
Herzens- und Sinnesbedürfnis auf dem Theater zu befriedigen gedenken; man könnte sich vielmehr öfters wie
einen Reisenden betrachten, der in fremden Orten und 20
Gegenden, die er zu seiner Belehrung und Ergötzung
besucht, nicht alle Bequemlichkeit findet, die er zu Hause
seiner Individualität anzupassen Gelegenheit hatte.

Das vierte Stück, bei welchem wir unsern Zuschauern eine solche Reise zumuteten, war Turandot, 25
nach Gozzi metrisch bearbeitet.

Wir wünschen, daß jener Freund unsers Theaters,
welcher in der Zeitung für die elegante Welt Nr. 7 die
Vorstellung des Jons mit so viel Einsicht als Billigkeit
rezensiert, eine gleiche Mühe in Absicht auf Turandot 30
übernehmen möge. Was auf unserer Bühne als Darstellung geleistet wird, wünschten wir von einem Dritten
zu hören; was wir mit jedem Schritte zu gewinnen
glauben, darüber mögen wir wohl selbst unsere Gedanken
äußern.   35

Der Deutsche ist überhaupt ernsthafter Natur, und
sein Ernst zeigt sich vorzüglich, wenn vom Spiele die
Rede ist, besonders auch im Theater. Hier verlangt er

Stücke, die eine gewisse einfache Gewalt über ihn aus-
üben, die ihn entweder zu herzlichem Lachen oder zu
herzlicher Rührung bewegen. Zwar ist er durch eine
gewisse Mittelgattung von Dramen gewöhnt worden,
das Heitere neben dem Tristen zu sehen; allein beides
ist alsdann nicht auf seinen höchsten Gipfel geführt,
sondern zeigt sich mehr als eine Art von Amalgam.
Auch ist der Zuschauer immer verdrießlich, wenn Lustiges
und Trauriges ohne Mittelglieder auf einander folgt.

Was uns betrifft, so wünschen wir freilich, daß wir
nach und nach mehr Stücke von rein gesonderten Gattungen erhalten mögen, weil die wahre Kunst nur auf
diese Weise gefördert werden kann; allein wir finden
auch solche Stücke höchst nötig, durch welche der Zuschauer erinnert wird, daß das ganze theatralische Wesen
nur ein Spiel sei, über das er, wenn es ihm ästhetisch,
ja moralisch nutzen soll, erhoben stehen muß, ohne deshalb weniger Genuß daran zu finden.

Als ein solches Stück schätzen wir Turandot. Hier
ist das Abenteuerliche verschlungner menschlicher Schicksale der Grund, auf dem die Handlung vorgeht. Um-
gestürzte Reiche, vertriebene Könige, irrende Prinzen,
Sklavinnen, sonst Prinzessinnen, führt eine erzählende
Exposition vor unserm Geist vorüber, und die auch hier
am Orte, im phantastischen Peking, auf einen kühn verliebten Fremden wartende Gefahr wird uns vor Augen
gestellt. Was wir aber sodann erblicken, ist ein in
Frieden herrschender, behaglicher, obgleich trauriger
Kaiser, eine Prinzessin, eifersüchtig auf ihre weibliche
Freiheit, und übrigens ein durch Masken erheitertes
Serail. Rätsel vertreten hier die Stelle der Scylla und
Charybdis, denen sich ein gutmütiger Prinz aufs neue
aussetzt, nachdem er ihnen schon glücklich entkommen
war. Nun soll der Name des Unbekannten entdeckt
werden; man versucht Gewalt, und hier gibt es eine
Reihe von pathetischen, theatralisch auffallenden Szenen;
man versucht die List, und nun wird die Macht der
Überredung stufenweise aufgeboten.

Zwischen alle diese Zustände ist das Heitere, das Lustige, das Neckische ausgesäet und eine so bunte Behandlung mit völliger Einheit bis zu Ende durchgeführt.

Es steht zu erwarten, wie dieses Stück in Deutschland aufgenommen werden kann. Es ist freilich ur= 5 sprünglich für ein geistreiches Publikum geschrieben und hat Schwierigkeiten in der Ausführung, die wir, obgleich die zwette Repräsentation besser als die erste gelang, noch nicht ganz überwunden haben. Könnte das Stück irgendwo in seinem vollen Glanz erscheinen, so würde 10 es gewiß eine schöne Wirkung hervorbringen und manches aufregen, was in der deutschen Natur schläft. So haben wir die angenehme Wirkung schon erfahren, daß unser Publikum sich beschäftigt, selbst Rätsel auszudenken, und wir werden wahrscheinlich bei jeder Vorstellung künftig 15 im Fall sein, die Prinzessin mit neuen Aufgaben gerüstet erscheinen zu lassen.

Sollte es möglich sein, den vier Masken, wo nicht ihre ursprüngliche Anmut zu geben, doch wenigstens etwas Ähnliches an die Stelle zu setzen, so würde schon 20 viel gewonnen sein. Doch von allem diesen künftig mehr; gegenwärtig bleibt uns nur zu wünschen, daß wir die Brüder und Jon immer so wie die ersten Male, Nathan und Turandot immer ausgearbeiteter und vollendeter sehen mögen. 25

Regeln für Schauspieler

(1803)

Die Kunst des Schauspielers besteht in Sprache und Körperbewegung. Über beides wollen wir in nachfolgenden Paragraphen einige Regeln und Andeutungen geben, indem wir zunächst mit der Sprache den Anfang machen.

Dialekt.

§ 1. Wenn mitten in einer tragischen Rede sich ein Provinzialismus eindrängt, so wird die schönste Dichtung verunstaltet und das Gehör des Zuschauers beleidigt. Daher ist das Erste und Notwendigste für den sich bildenden Schauspieler, daß er sich von allen Fehlern des Dialekts befreie und eine vollständige reine Aussprache zu erlangen suche. Kein Provinzialismus taugt auf die Bühne! Dort herrsche nur die reine deutsche Mundart, wie sie durch Geschmack, Kunst und Wissenschaft ausgebildet und verfeinert worden.

§ 2. Wer mit Angewohnheiten des Dialekts zu kämpfen hat, halte sich an die allgemeinen Regeln der deutschen Sprache und suche das neu Anzuübende recht scharf, ja schärfer auszusprechen, als es eigentlich sein soll. Selbst Übertreibungen sind in diesem Falle zu raten, ohne Gefahr eines Nachteils; denn es ist der menschlichen Natur eigen, daß sie immer gern zu ihren alten Gewohnheiten zurückkehrt und das Übertriebene von selbst ausgleicht.

Aussprache.

§ 3. So wie in der Musik das richtige, genaue und reine Treffen jedes einzelnen Tones der Grund alles weiteren künstlerischen Vortrages ist, so ist auch in der Schauspielkunst der Grund aller höheren Rezitation und Deklamation die reine und vollständige Aussprache jedes einzelnen Worts.

§ 4. **Vollständig** aber ist die Aussprache, wenn kein Buchstabe eines Wortes unterdrückt wird, sondern wo alle nach ihrem wahren Werte hervorkommen.

§ 5. **Rein** ist sie, wenn alle Wörter so gesagt werden, daß der Sinn leicht und bestimmt den Zuhörer ergreife.

Beides verbunden macht die Aussprache vollkommen.

§ 6. Eine solche suche sich der Schauspieler anzueignen, indem er wohl beherzige, wie ein verschluckter Buchstabe oder ein undeutlich ausgesprochenes Wort oft den ganzen Satz zweideutig macht, wodurch denn das Publikum aus der Täuschung gerissen und oft, selbst in den ernsthaftesten Szenen, zum Lachen gereizt wird.

§ 7. Bei den Wörtern, welche sich auf em und en endigen, muß man darauf achten, die letzte Silbe deutlich auszusprechen; denn sonst geht die Silbe verloren, indem man das e gar nicht mehr hört. Z. B.: folgendem, nicht folgend'm; hörendem, nicht hörend'm 2c.

§ 8. Eben so muß man sich bei dem Buchstaben b in Acht nehmen, welcher sehr leicht mit w verwechselt wird, wodurch der ganze Sinn der Rede verdorben und unverständlich gemacht werden kann. Z. B.: Leben um Leben, nicht Lewen um Lewen.

§ 9. So auch das p und b, das t und d muß merklich unterschieden werden. Daher soll der Anfänger bei beiden einen großen Unterschied machen und p und t stärker aussprechen, als es eigentlich sein darf, besonders wenn er vermöge seines Dialekts sich leicht zum Gegenteil neigen sollte.

§ 10. Wenn zwei gleichlautende Konsonanten auf einander folgen, indem das eine Wort mit demselben Buchstaben sich endigt, womit das andere anfängt, so muß etwas abgesetzt werden, um beide Wörter wohl zu unterscheiden. Z. B.: „Schließt sie blühend den Kreis des Schönen." Zwischen blühend und den muß etwas abgesetzt werden.

§ 11. Alle Endsilben und Endbuchstaben hüte man sich besonders, undeutlich auszusprechen; vorzüglich ist diese Regel bei m, n und s zu merken, weil diese Buchstaben die Endungen bezeichnen, welche das Hauptwort regieren, folglich das Verhältnis anzeigen, in welchem das Hauptwort zu dem übrigen Satze steht, und mithin durch sie der eigentliche Sinn des Satzes bestimmt wird.

§ 12. Rein und deutlich ferner spreche man die **Hauptwörter, Eigennamen und Bindewörter** aus. Z. B. in dem Verse:

> Aber mich schreckt die Eumenide,
> Die Beschirmerin dieses Orts.

Hier kommt der Eigenname E u m e n i d e und das in diesem Fall sehr bedeutende Hauptwort B e s c h i r m e r i n vor. Daher müssen beide mit besonderer Deutlichkeit ausgesprochen werden.

§ 13. Auf die Eigennamen muß im allgemeinen ein stärkerer Ausdruck in der Aussprache gelegt werden als gewöhnlich, weil so ein Name dem Zuhörer besonders auffallen soll. Denn sehr oft ist es der Fall, daß von einer Person schon im ersten Akte gesprochen wird, welche erst im dritten und oft noch später vorkommt. Das Publikum soll nun darauf aufmerksam gemacht werden, und wie kann das anders geschehen als durch deutliche, energische Aussprache?

§ 14. Um es in der Aussprache zur Vollkommenheit zu bringen, soll der Anfänger alles sehr langsam, die Silben, und besonders die Endsilben, stark und deutlich aussprechen, damit die Silben, welche geschwind gesprochen werden müssen, nicht unverständlich werden.

§ 15. Zugleich ist zu raten, im Anfange so tief zu sprechen, als man es zu tun im stande ist, und dann abwechselnd immer im Ton zu steigen; denn dadurch bekommt die Stimme einen großen Umfang und wird zu den verschiedenen Modulationen gebildet, deren man in der Deklamation bedarf.

§ 16. Es ist daher auch sehr gut, wenn man alle Silben, sie seien lang oder kurz, anfangs lang und in so tiefem Tone spricht, als es die Stimme erlaubt, weil man

sonst gewöhnlich durch das Schnellsprechen den Ausdruck
hernach nur auf die Zeitwörter legt.

§ 17. Das falsche oder unrichtige Auswendiglernen
ist bei vielen Schauspielern Ursache einer falschen und
unrichtigen Aussprache. Bevor man also seinem Gedächt=
nis etwas anvertrauen will, lese man langsam und wohl=
bedächtig das zum Auswendiglernen Bestimmte. Man
vermeide dabei alle Leidenschaft, alle Deklamation, alles
Spiel der Einbildungskraft; dagegen bemühe man sich
nur, richtig zu lesen und darnach genau zu lernen, so
wird mancher Fehler vermieden werden, sowohl des Dia=
lekts als der Aussprache.

Rezitation und Deklamation.

§ 18. Unter Rezitation wird ein solcher Vortrag
verstanden, wie er ohne leidenschaftliche Tonerhebung,
doch auch nicht ganz ohne Tonveränderung, zwischen der
kalten ruhigen und der höchst aufgeregten Sprache in
der Mitte liegt.

Der Zuhörer fühle immer, daß hier von einem dritten
Objekte die Rede sei.

§ 19. Es wird daher gefordert, daß man auf die
zu rezitierenden Stellen zwar den angemessenen Ausdruck
lege und sie mit der Empfindung und dem Gefühl vor=
trage, welche das Gedicht durch seinen Inhalt dem Leser
einflößt; jedoch soll dieses mit Mäßigung und ohne jene
leidenschaftliche Selbstentäußerung geschehen, die bei der
Deklamation erfordert wird. Der Rezitierende folgt zwar
mit der Stimme den Ideen des Dichters und dem Ein=
druck, der durch den sanften oder schrecklichen, angenehmen
oder unangenehmen Gegenstand auf ihn gemacht wird;
er legt auf das Schauerliche den schauerlichen, auf das
Zärtliche den zärtlichen, auf das Feierliche den feierlichen
Ton: aber dieses sind bloß Folgen und Wirkungen des
Eindrucks, welchen der Gegenstand auf den Rezitierenden
macht; er ändert dadurch seinen eigentümlichen Charakter
nicht, er verleugnet sein Naturell, seine Individualität
dadurch nicht und ist mit einem Fortepiano zu vergleichen,

auf welchem ich in seinem natürlichen, durch die Bauart
erhaltenen Tone spiele. Die Paſſage, welche ich vortrage,
zwingt mich durch ihre Kompoſition zwar, das forte oder
piano, dolce oder furioso zu beobachten; dieses geschieht
aber, ohne daß ich mich der Mutation bediene, welche
das Inſtrument beſitzt, ſondern es iſt bloß der Übergang
der Seele in die Finger, welche durch ihr Nachgeben,
ſtärkeres oder ſchwächeres Aufdrücken und Berühren der
Taſten den Geiſt der Kompoſition in die Paſſage legen
und dadurch die Empfindungen erregen, welche durch ihren
Inhalt hervorgebracht werden können.

§ 20. Ganz anders aber iſt es bei der Deklamation oder geſteigerten Rezitation. Hier muß ich meinen
angebornen Charakter verlaſſen, mein Naturell verleugnen und mich ganz in die Lage und Stimmung desjenigen verſetzen, deſſen Rolle ich deklamiere. Die Worte,
welche ich ausſpreche, müſſen mit Energie und dem leben-
digſten Ausdruck hervorgebracht werden, ſo daß ich jede
leidenſchaftliche Regung als wirklich gegenwärtig mit zu
empfinden ſcheine. Hier bedient ſich der Spieler auf dem
Forteplano der Dämpfung und aller Mutationen, welche
das Inſtrument beſitzt. Werden ſie mit Geſchmack, jedes
an ſeiner Stelle gehörig benutzt und hat der Spieler zuvor
mit Geiſt und Fleiß die Anwendung und den Effekt, welchen man durch ſie hervorbringen kann, ſtudiert, ſo kann er
auch der ſchönſten und vollkommenſten Wirkung gewiß ſein.

§ 21. Man könnte die Deklamierkunſt eine proſaiſche
Tonkunſt nennen, wie ſie denn überhaupt mit der Muſik
ſehr viel Analoges hat. Nur muß man unterſcheiden,
daß die Muſik, ihren ſelbſteignen Zwecken gemäß,
ſich mit mehr Freiheit bewegt, die Deklamierkunſt aber
im Umfang ihrer Töne weit beſchränkter und einem
fremden Zwecke unterworfen iſt. Auf dieſen
Grundſatz muß der Deklamierende immer die ſtrengſte
Rückſicht nehmen. Denn wechſelt er die Töne zu ſchnell,
ſpricht er entweder zu tief oder zu hoch oder durch zu
viele Halbtöne, ſo kommt er in das Singen; im ent-
gegengeſetzten Fall aber gerät er in Monotonie, die

selbst in der einfachen Rezitation fehlerhaft ist — zwei
Klippen, eine so gefährlich wie die andere, zwischen denen
noch eine dritte verborgen liegt, nämlich der Prediger=
ton. Leicht, indem man der einen oder anderen Gefahr
ausweicht, scheitert man an dieser.

§ 22. Um nun eine richtige Deklamation zu er=
langen, beherzige man folgende Regeln:

Wenn ich zunächst den Sinn der Worte ganz ver=
stehe und vollkommen inne habe, so muß ich suchen,
solche mit dem gehörigen Ton der Stimme zu begleiten
und sie mit der Kraft oder Schwäche, so geschwind oder
langsam aussprechen, wie es der Sinn jedes Satzes selbst
verlangt. Z. B.:

Völker verrauschen — muß halb laut, rauschend,
Namen verklingen — muß heller, klingender,
Finstre Vergessenheit ⎫ muß dumpf,
Breitet die dunkelnachtenden Schwingen ⎬ tief,
Über ganzen Geschlechtern aus ⎭ schauerlich
gesprochen werden.

§ 23. So muß bei folgender Stelle:
Schnell von dem Roß herab mich werfend,
Dring' ich ihm nach ꝛc.
ein anderes, viel schnelleres Tempo gewählt werden als
bei dem vorigen Satz; denn der Inhalt der Worte ver=
langt es schon selbst.

§ 24. Wenn Stellen vorkommen, die durch andere
unterbrochen werden, als wenn sie durch Einschließungs=
zeichen abgesondert wären, so muß vor= und nachher ein
wenig abgesetzt und der Ton, welcher durch die Zwischen=
rede unterbrochen worden, hernach wieder fortgesetzt
werden. Z. B.:
Und dennoch ist's der erste Kinderstreit,
Der, fortgezeugt in unglückfel'ger Kette,
Die neuste Unbill dieses Tags geboren —
muß so deklamiert werden:
Und dennoch ist's der erste Kinderstreit,
Der — fortgezeugt in unglückfel'ger Kette —
Die neuste Unbill dieses Tags geboren.

§ 25. Wenn ein Wort vorkommt, das vermöge seines Sinnes sich zu einem erhöhten Ausdruck eignet oder vielleicht schon an und für sich selbst, seiner innern Natur und nicht des darauf gelegten Sinnes wegen, mit stärker artikuliertem Ton ausgesprochen werden muß, so ist wohl zu bemerken, daß man nicht wie abgeschnitten sich aus dem ruhigen Vortrag herausreiße und mit aller Gewalt dieses bedeutende Wort herausstoße und dann wieder zu dem ruhigen Ton übergehe, sondern man bereite durch eine weise Einteilung des erhöhten Ausdrucks gleichsam den Zuhörer vor, indem man schon auf die vorhergehenden Wörter einen mehr artikulierten Ton lege und so steige und falle bis zu dem geltenden Wort, damit solches in einer vollen und runden Verbindung mit den andern ausgesprochen werde. Z. B.:

Zwischen der Söhne
Feuriger Kraft.

Hier ist das Wort feuriger ein Wort, welches schon an und für sich einen mehr gezeichneten Ausdruck fordert, folglich mit viel erhöhterem Ton deklamiert werden muß. Nach obigem würde es daher sehr fehlerhaft sein, wenn ich bei dem vorhergehenden Worte Söhne auf einmal im Tone abbrechen und dann das Wort feuriger mit Heftigkeit von mir geben wollte; ich muß vielmehr schon auf das Wort Söhne einen mehr artikulierten Ton legen, so daß ich im steigenden Grade zu der Größe des Ausdrucks übergehen kann, welche das Wort feuriger erfordert. Auf solche Weise gesprochen, wird es natürlich, rund und schön klingen und der Endzweck des Ausdrucks vollkommen erreicht sein.

§ 26. Bei der Ausrufung „O!", wenn noch einige Worte darauf folgen, muß etwas abgesetzt werden, und zwar so, daß das „O!" einen eigenen Ausruf ausmache. Z. B.: O! — meine Mutter! O! — meine Söhne! nicht: O meine Mutter! O meine Söhne!

§ 27. So wie in der Aussprache vorzüglich empfohlen wird, die Eigennamen rein und deutlich auszusprechen, so wird auch in der Deklamation die nämliche

Regel wiederholt, nur noch obendrein der stärker artiku=
lierte Ton gefordert. Z. B.:

> Nicht, wo die goldene Ceres lacht
> Und der friedliche Pan, der Flurenbehüter.

In diesem Vers kommen zwei bedeutende, ja den ganzen
Sinn festhaltende Eigennamen vor. Wenn daher der
Deklamierende über sie mit Leichtigkeit hinwegschlüpft,
ungeachtet er sie rein und vollständig aussprechen mag,
so verliert das Ganze dabei unendlich. Dem Gebildeten,
wenn er die Namen hört, wird wohl einfallen, daß solche
aus der Mythologie der Alten stammen, aber die wirk=
liche Bedeutung davon kann ihm entfallen sein; durch
den darauf gelegten Ton des Deklamierenden aber wird
ihm der Sinn deutlich. Eben so dem Weniggebilde=
ten, wenn er auch der eigentlichen Beschaffenheit nicht
kundig ist, wird der stärker artikulierte Ton die Einbil=
dungskraft aufregen und er sich unter diesen Namen
etwas Analoges mit jenem vorstellen, welches sie wirk=
lich bedeuten.

§ 28. Der Deklamierende hat die Freiheit, sich eigen
erwählte Unterscheidungszeichen, Pausen ꝛc. festzusetzen;
nur hüte er sich, den wahren Sinn dadurch zu ver=
letzen, welches hier eben so leicht geschehen kann als
bei einem ausgelassenen oder schlecht ausgesprochenen
Worte.

§ 29. Man kann aus diesem Wenigen leicht ein=
sehen, welche unendliche Mühe und Zeit es kostet, Fort=
schritte in dieser schweren Kunst zu machen.

§ 30. Für den anfangenden Schauspieler ist es von
großem Vorteil, wenn er alles, was er deklamiert, so tief
spricht als nur immer möglich; denn dadurch gewinnt er
einen großen Umfang in der Stimme und kann dann
alle weitern Schattierungen vollkommen geben. Fängt
er aber zu hoch an, so verliert er schon durch die Ge=
wohnheit die männliche Tiefe und folglich mit ihr den
wahren Ausdruck des Hohen und Geistigen. Und was
kann er sich mit einer grellenden und quitschenden Stimme
für einen Erfolg versprechen? Hat er aber die tiefe De=

klamation völlig inne, so kann er gewiß sein, alle nur
möglichen Wendungen vollkommen ausdrücken zu können.

Rhythmischer Vortrag.

§ 31. Alle bei der Deklamation gemachten Regeln
und Bemerkungen werden auch hier zur Grundlage vorausgesetzt. Insbesondere ist aber der Charakter des rhyth-
mischen Vortrags, daß der Gegenstand mit noch mehr
erhöhtem, pathetischem Ausdruck deklamiert sein will.
Mit einem gewissen Gewicht soll da jedes Wort ausgesprochen werden.

§ 32. Der Silbenbau aber so wie die gereimten
Endsilben dürfen nicht zu auffallend bezeichnet, sondern
es muß der Zusammenhang beobachtet werden wie in
Prosa.

§ 33. Hat man Jamben zu deklamieren, so ist zu
bemerken, daß man jeden Anfang eines Verses durch ein
kleines, kaum merkbares Innehalten bezeichnet; doch muß
der Gang der Deklamation dadurch nicht gestört werden.

Stellung und Bewegung des Körpers auf der Bühne.

§ 34. Über diesen Teil der Schauspielkunst lassen
sich gleichfalls einige allgemeine Hauptregeln geben, wobei es freilich unendlich viele Ausnahmen gibt, welche
aber alle wieder zu den Grundregeln zurückkehren. Diese
trachte man sich so sehr einzuverleiben, daß sie zur zweiten
Natur werden.

§ 35. Zunächst bedenke der Schauspieler, daß er
nicht allein die Natur nachahmen, sondern sie auch idealisch
vorstellen solle und er also in seiner Darstellung das
Wahre mit dem Schönen zu vereinigen habe.

§ 36. Jeder Teil des Körpers stehe daher ganz in
seiner Gewalt, so daß er jedes Glied gemäß dem zu
erzielenden Ausdruck frei, harmonisch und mit Grazie
gebrauchen könne.

§ 37. Die Haltung des Körpers sei gerade, die
Brust herausgekehrt, die obere Hälfte der Arme bis an

die Ellbogen etwas an den Leib geschlossen, der Kopf ein
wenig gegen den gewendet, mit dem man spricht, jedoch
nur so wenig, daß immer dreiviertel vom Gesicht gegen
die Zuschauer gewendet ist.

§ 38. Denn der Schauspieler muß stets bedenken,
daß er um des Publikums willen da ist.

§ 39. Sie sollen daher auch nicht aus mißverstan=
dener Natürlichkeit unter einander spielen, als wenn kein
Dritter dabei wäre; sie sollen nie im Profil spielen, noch
den Zuschauern den Rücken zuwenden. Geschieht es um
des Charakteristischen oder um der Notwendigkeit willen,
so geschehe es mit Vorsicht und Anmut.

§ 40. Auch merke man vorzüglich, nie ins Theater
hineinzusprechen, sondern immer gegen das Publikum.
Denn der Schauspieler muß sich immer zwischen zwei
Gegenständen teilen: nämlich zwischen dem Gegenstande,
mit dem er spricht, und zwischen seinen Zuhörern. Statt
mit dem Kopfe sich gleich ganz umzuwenden, lasse man
mehr die Augen spielen.

§ 41. Ein Hauptpunkt aber ist, daß unter zwei
zusammen Agierenden der Sprechende sich stets zurück,
und der, welcher zu reden aufhört, sich ein wenig vor=
bewege. Bedient man sich dieses Vorteils mit Verstand
und weiß durch Übung ganz zwanglos zu verfahren, so
entsteht sowohl für das Auge als für die Verständlichkeit
der Deklamation die beste Wirkung, und ein Schauspieler,
der sich Meister hierin macht, wird mit Gleichgeübten
sehr schönen Effekt hervorbringen und über diejenigen,
die es nicht beobachten, sehr im Vorteil sein.

§ 42. Wenn zwei Personen mit einander sprechen,
sollte diejenige, die zur Linken steht, sich ja hüten, gegen
die Person zur Rechten allzu stark einzudringen. Auf
der rechten Seite steht immer die geachtete Person:
Frauenzimmer, Ältere, Vornehmere. Schon im gemeinen
Leben hält man sich in einiger Entfernung von dem, vor
dem man Respekt hat; das Gegenteil zeugt von einem
Mangel an Bildung. Der Schauspieler soll sich als einen
Gebildeten zeigen und obiges deshalb auf das genaueste

beobachten. Wer auf der rechten Seite steht, behaupte
daher sein Recht und lasse sich nicht gegen die Coulisse
treiben, sondern halte Stand und gebe dem Zudringlichen
allenfalls mit der linken Hand ein Zeichen, sich zu ent-
5 fernen.

§ 43. Eine schöne nachdenkende Stellung, z. B. für
einen jungen Mann, ist diese, wenn ich, die Brust und
den ganzen Körper gerude herausgekehrt, in der vierten
Tanzstellung verbleibe, meinen Kopf etwas auf die Seite
10 neige, mit den Angen auf die Erde starre und beide Arme
hängen lasse.

Haltung und Bewegung der Hände und Arme.

§ 44. Um eine freie Bewegung der Hände und Arme
zu erlangen, tragen die Acteurs niemals einen Stock.

§ 45. Die neumodische Art, bei langen Unterkleidern
15 die Hand in den Latz zu stecken, unterlassen sie gänzlich.

§ 46. Es ist äußerst fehlerhaft, wenn man die Hände
entweder über einander oder auf dem Bauche ruhend
hält, oder eine in die Weste, oder vielleicht gar beide
dahin steckt.

20 § 47. Die Hand selbst aber muß weder eine Faust
machen, noch wie beim Soldaten mit ihrer ganzen Fläche
am Schenkel liegen, sondern die Finger müssen teils halb
gebogen, teils gerode, aber nur nicht gezwungen gehalten
werden.

25 § 48. Die zwei mittlern Finger sollen immer zu-
sammenbleiben, der Daumen, Zeige- und kleine Finger
etwas gebogen hängen. Auf diese Art ist die Hand in
ihrer gehörigen Haltung und zu allen Bewegungen in
ihrer richtigen Form.

30 § 49. Die obere Hälfte der Arme soll sich immer
etwas an den Leib anschließen und sich in einem viel ge-
ringeren Grade bewegen als die untere Hälfte, in welcher
die größte Gelenksamkeit sein soll. Denn wenn ich meinen
Arm, wenn von gewöhnlichen Dingen die Rede ist, nur
35 wenig erhebe, um so viel mehr Effekt bringt es dann
hervor, wenn ich ihn ganz emporholte. Mäßige ich mein

Spiel nicht bei schwächeren Ausdrücken meiner Rede, so
habe ich nicht Stärke genug zu den heftigeren, wodurch
alsdann die Gradation des Effekts ganz verloren geht.

§ 50. Auch sollen die Hände niemals von der Aktion
in ihre ruhige Lage zurückkehren, ehe ich meine Rede nicht 5
ganz vollendet habe, und auch dann nur nach und nach,
so wie die Rede sich endigt.

§ 51. Die Bewegung der Arme geschehe immer teilweise. Zuerst hebe oder bewege sich die Hand, dann der
Ellbogen, und so der ganze Arm. Nie werde er auf 10
einmal, ohne die eben angeführte Folge, gehoben, weil
die Bewegung sonst steif und häßlich herauskommen
würde.

§ 52. Für einen Anfänger ist es von vielem Vorteil, wenn er sich seine Ellbogen so viel als möglich am 15
Leibe zu behalten zwingt, damit er dadurch Gewalt über
diesen Teil seines Körpers gewinne und so der eben angeführten Regel gemäß seine Gebärden ausführen könne.
Er übe sich daher auch im gewöhnlichen Leben und halte
die Arme immer zurückgebogen, ja wenn er für sich allein 20
ist, zurückgebunden. Beim Gehen oder sonst in untätigen
Momenten lasse er die Arme hängen, drücke die Hände
nie zusammen, sondern halte die Finger immer in Bewegung.

§ 53. Die malende Gebärde mit den Häuben darf 25
selten gemacht werden, doch auch nicht ganz unterlassen
bleiben.

§ 54. Betrifft es den eigenen Körper, so hüte man
sich wohl, mit der Hand den Teil zu bezeichnen, den es
betrifft. Z. B. wenn Don Manuel in der Braut von 30
Messina zu seinem Chore sagt:

Dazu den Mantel wählt, von glänzender
Seide gewebt, in bleichem Purpur schimmernd,
Über der Achsel heft' ihn eine goldne
Zikade — 35

so wäre es äußerst fehlerhaft, wenn der Schauspieler bei
den letzten Worten mit der Hand seine Achsel berühren
würde.

§ 55. Es muß gemalt werden, doch so, als wenn es nicht absichtlich geschähe. In einzelnen Fällen gibt es auch hier Ausnahmen, aber als eine Hauptregel soll und kann das Obige genommen werden.

§ 56. Die malende Gebärde mit der Hand gegen die Brust, sein eigenes Ich zu bezeichnen, geschehe so selten als nur immer möglich, und nur dann, wenn es der Sinn unbedingt fordert, als z. B. in folgender Stelle der Braut von Messina:

Ich — habe keinen Haß mehr mitgebracht,
Kaum weiß ich noch, warum wir blutig stritten.

Hier kann das erste Ich füglich mit der malenden Ge=
bärde durch Bewegung der Hand gegen die Brust be=
zeichnet werden.

Diese Gebärde aber schön zu machen, so bemerke man: daß der Ellbogen zwar vom Körper getrennt werden und so der Arm gehoben, doch nicht weit ausfahrend die Hand an die Brust hinaufgebracht werden muß. Die Hand selbst decke nicht mit ganzer Fläche die Brust, sondern bloß mit dem Daumen und dem vierten Finger werde sie berührt. Die andern drei dürfen nicht aufliegen, sondern gebogen über die Krümmung der Brust, gleichsam dieselbe bezeichnend, müssen sie gehalten werden.

§ 57. Bei Bewegung der Hände hüte man sich so viel als möglich, die Hand vor das Gesicht zu bringen oder den Körper damit zu bedecken.

§ 58. Wenn ich die Hand reichen muß, und es wird nicht ausdrücklich die rechte verlangt, so kann ich eben so gut die linke geben; denn auf der Bühne gilt kein Rechts oder Links, man muß nur immer suchen, das vorzustellende Bild durch keine widrige Stellung zu ver=
unstalten. Soll ich aber unumgänglich gezwungen sein, die Rechte zu reichen, und bin ich so gestellt, daß ich über meinen Körper die Hand geben müßte, so trete ich lieber etwas zurück und reiche sie so, daß meine Figur en face bleibt.

§ 59. Der Schauspieler bedenke, auf welcher Seite des Theaters er stehe, um seine Gebärde darnach einzurichten.

§ 60. Wer auf der rechten Seite steht, agiere mit
der linken Hand, und umgekehrt, wer auf der linken Seite
steht, mit der rechten, damit die Brust so wenig als mög=
lich durch den Arm verdeckt werde.

§ 61. Bei leidenschaftlichen Fällen, wo man mit
beiden Händen agiert, muß doch immer diese Betrachtung
zum Grunde liegen.

§ 62. Zu eben diesem Zweck, und damit die Brust
gegen den Zuschauer gekehrt sei, ist es vorteilhaft, daß
derjenige, der auf der rechten Seite steht, den linken Fuß,
der auf der linken den rechten vorsetze.

Gebärdenspiel.

§ 63. Um zu einem richtigen Gebärdenspiel zu
kommen und solches gleich richtig beurteilen zu können,
merke man sich folgende Regeln:

Man stelle sich vor einen Spiegel und spreche das=
jenige, was man zu deklamieren hat, nur leise oder viel=
mehr gar nicht, sondern deuke sich nur die Worte. Da=
durch wird gewonnen, daß man von der Deklamation
nicht hingerissen wird, sondern jede falsche Bewegung,
welche das Gedachte oder leise Gesagte nicht ausdrückt,
leicht bemerken, so wie auch die schönen und richtigen
Gebärden auswählen und dem ganzen Gebärdenspiel eine
analoge Bewegung mit dem Sinne der Wörter, als Ge=
präge der Kunst, aufdrücken kann.

§ 64. Dabei muß aber vorausgesetzt werden, daß
der Schauspieler vorher den Charakter und die ganze
Lage des Vorzustellenden sich völlig eigen mache und daß
seine Einbildungskraft den Stoff recht verarbeite; denn
ohne diese Vorbereitung wird er weder richtig zu dekla=
wieren noch zu handeln im stande sein.

§ 65. Für den Anfänger ist es von großem Vorteil,
um Gebärdenspiel zu bekommen und seine Arme beweglich
und gelenksam zu machen, wenn er seine Rolle, ohne sie
zu rezitieren, einem andern bloß durch Pantomime ver=
ständlich zu machen sucht; denn da ist er gezwungen, die
passendsten Gesten zu wählen.

In der Probe zu beobachten.

§ 66. Um eine leichtere und anständigere Bewegung der Füße zu erwerben, probiere man niemals in Stiefeln.

§ 67. Der Schauspieler, besonders der jüngere, der Liebhaber= und andere leichte Rollen zu spielen hat, halte sich auf dem Theater ein Paar Pantoffeln, in denen er probiert, und er wird sehr bald die guten Folgen davon bemerken.

§ 68. Auch in der Probe sollte man sich nichts erlauben, was nicht im Stücke vorkommen darf.

§ 69. Die Frauenzimmer sollten ihre kleinen Beutel beiseite legen.

§ 70. Kein Schauspieler sollte im Mantel probieren, sondern die Hände und Arme wie im Stücke frei haben. Denn der Mantel hindert ihn nicht allein, die gehörigen Gebärden zu machen, sondern zwingt ihn auch, falsche anzunehmen, die er denn bei der Vorstellung unwillkürlich wiederholt.

§ 71. Der Schauspieler soll auch in der Probe keine Bewegung machen, die nicht zur Rolle paßt.

§ 72. Wer bei Proben tragischer Rollen die Hand in den Busen steckt, kommt in Gefahr, bei der Aufführung eine Öffnung im Harnisch zu suchen.

Zu vermeidende böse Gewohnheiten.

§ 73. Es gehört unter die zu vermeidenden ganz groben Fehler, wenn der sitzende Schauspieler, um seinen Stuhl weiter vorwärts zu bringen, zwischen seinen obern Schenkeln in der Mitte durchgreifend, den Stuhl anpackt, sich dann ein wenig hebt und so ihn vorwärts zieht. Es ist dies nicht nur gegen das Schöne, sondern noch viel mehr gegen den Wohlstand gesündigt.

§ 74. Der Schauspieler lasse kein Schnupftuch auf dem Theater sehen, noch weniger schnaube er die Nase, noch weniger spucke er aus. Es ist schrecklich, innerhalb eines Kunstprodukts an diese Natürlichkeiten erinnert zu werden. Man halte sich ein kleines Schnupftuch, das ohnedem jetzt Mode ist, um sich damit im Notfalle helfen zu können.

Haltung des Schauspielers im gewöhnlichen Leben.

§ 75. Der Schauspieler soll auch im gemeinen Leben bedenken, daß er öffentlich zur Kunstschau stehen werde.

§ 76. Vor angewöhnten Gebärden, Stellungen, Haltung der Arme und des Körpers soll er sich daher hüten; denn wenn der Geist während dem Spiel darauf gerichtet sein soll, solche Angewöhnungen zu vermeiden, so muß er natürlich für die Hauptsache zum großen Teil verloren gehen.

§ 77. Es ist daher unumgänglich notwendig, daß der Schauspieler von allen Angewöhnungen gänzlich frei sei, damit er sich bei der Vorstellung ganz in seine Rolle denken und sein Geist sich bloß mit seiner angenommenen Gestalt beschäftigen könne.

§ 78. Dagegen ist es eine wichtige Regel für den Schauspieler, daß er sich bemühe, seinem Körper, seinem Betragen, ja allen seinen übrigen Handlungen im gewöhnlichen Leben eine solche Wendung zu geben, daß er dadurch gleichsam wie in einer beständigen Übung erhalten werde. Es wird dieses für jeden Teil der Schauspielkunst von unendlichem Vorteil sein.

§ 79. Derjenige Schauspieler, der sich das Pathos gewählt, wird sich sehr dadurch vervollkommnen, wenn er alles, was er zu sprechen hat, mit einer gewissen Richtigkeit sowohl in Rücksicht des Tones als der Aussprache vorzutragen und auch in allen übrigen Gebärden eine gewisse erhabene Art beizubehalten sucht. Diese darf zwar nicht übertrieben werden, weil er sonst seinen Mitmenschen zum Gelächter dienen würde; im übrigen aber mögen sie immerhin den sich selbst bildenden Künstler daraus erkennen. Dieses gereicht ihm keineswegs zur Unehre, ja sie werden sogar gerne sein besonderes Betragen dulden, wenn sie durch dieses Mittel in den Fall kommen, auf der Bühne selbst ihn als großen Künstler anstaunen zu müssen.

§ 80. Da man auf der Bühne nicht nur alles wahr, sondern auch schön dargestellt haben will, da das Auge

des Zuschauers auch durch anmutige Gruppierungen und
Attitüden gereizt sein will, so soll der Schauspieler auch
außer der Bühne trachten, selbe zu erhalten; er soll sich
immer einen Platz von Zuschauern vor sich denken.

§ 81. Wenn er seine Rolle auswendig lernt, soll er
sich immer gegen einen Platz wenden; ja selbst wenn er
für sich oder mit seinesgleichen beim Essen zu Tische sitzt,
soll er immer suchen, ein Bild zu formieren, alles mit
einer gewissen Grazie anfassen, niederstellen 2c., als wenn
es auf der Bühne geschähe, und so soll er immer malerisch
darstellen.

Steilung und Gruppierung auf der Bühne.

§ 82. Die Bühne und der Saal, die Schauspieler
und die Zuschauer machen erst ein Ganzes.

§ 83. Das Theater ist als ein figurloses Tableau
anzusehen, worin der Schauspieler die Staffage macht.

§ 84. Man spiele daher niemals zu nahe an den
Coulissen.

§ 85. Eben so wenig trete man ins Proszenium.
Dies ist der größte Mißstand; denn die Figur tritt aus
dem Raume heraus, innerhalb dessen sie mit dem Szenen-
gemälde und den Mitspielenden ein Ganzes macht.

§ 86. Wer allein auf dem Theater steht, bedenke,
daß auch er die Bühne zu staffieren berufen ist, und
dieses um so mehr, als die Aufmerksamkeit ganz allein
auf ihn gerichtet bleibt.

§ 87. Wie die Auguren mit ihrem Stab den Himmel
in verschiedene Felder teilten, so kann der Schauspieler
in seinen Gedanken das Theater in verschiedene Räume
teilen, welche man zum Versuch auf dem Papier durch
rhombische Flächen vorstellen kann. Der Theaterboden
wird alsdann eine Art von Damenbrett; denn der Schauspieler kann sich vornehmen, welche Rasen er betreten
will; er kann sich solche auf dem Papier notieren und
ist alsdann gewiß, daß er bei leidenschaftlichen Stellen
nicht kunstlos hin und wider stürmt, sondern das Schöne
zum Bedeutenden gesellet.

§ 88. Wer zu einem Monolog aus der hintern Coulisse auf das Theater tritt, tut wohl, wenn er sich in der Diagonale bewegt, so daß er an der entgegengesetzten Seite des Proszeniums anlangt; wie denn überhaupt die Diagonalbewegungen sehr reizend sind.

§ 89. Wer aus der letzten Coulisse hervorkommt zu einem andern, der schon auf dem Theater steht, gehe nicht parallel mit den Coulissen hervor, sondern ein wenig gegen den Souffleur zu.

§ 90. Alle diese technisch=grammatischen Vorschriften mache man sich eigen nach ihrem Sinne und übe sie stets aus, daß sie zur Gewohnheit werden. Das Steife muß verschwinden und die Regel nur die geheime Grundlinie des lebendigen Handelns werden.

§ 91. Hiebei versteht sich von selbst, daß diese Regeln vorzüglich alsdann beobachtet werden, wenn man edle, würdige Charaktere vorzustellen hat. Dagegen gibt es Charaktere, die dieser Würde entgegengesetzt sind, z. B. die bäurischen, tölpischen 2c. Diese wird man nur desto besser ausdrücken, wenn man mit Kunst und Bewußtsein das Gegenteil vom Anständigen tut, jedoch dabei immer bedenkt, daß es eine nachahmende Erscheinung und keine platte Wirklichkeit sein soll.

Rezensionen

in die

Jenaische Allgemeine Literaturzeitung

der Jahre 1804 bis 1807.

1. Hamburg, bei Hoffmann: Vertraute Briefe aus
Paris, geschrieben in den Jahren 1802 und 1803
von Johann Friedrich Reichardt. 1804. I. Teil
482 S. II. Teil 422 S. 8°. (Gedruckt Braunschweig
bei Fr. Vieweg.)

Zu einer Zeit, wo das Sehnen und Streben aller
nur einigermaßen mobilen Personen nach Paris gerichtet
ist, müssen diejenigen, welche einen solchen Weg zu
machen verhindert sind, jedem Reisenden Dank wissen,
der seine Ansichten von jener merkwürdigen Stadt andern
mitteilen mag und kann; besonders wenn er vieles Ent-
gesehene lebhaft darzustellen fähig ist. Ein Lob, das man
dem Verfasser gedachter Briefe nicht versagen wird.

Man begleitet ihn gern auf der schnellen Reise zur
Hauptstadt, wo denn, wie er selbst bemerkt, Brot und
Gaukler, nach dem alten Spruche, der Inbegriff aller
Wünsche sind. Gleicherweise findet man Frühstück und
Mittagessen, Oper, Schauspiel und Ballett als Haupt-
inhalt beider Teile.

Gegen Musik und Oper verhält sich der Reisende als
denkender Künstler, gegen das Theater überhaupt als
einsichtsvoller Kenner und übrigens gegen Künste und
Wissenschaften als teilnehmender Liebhaber.

Seine Kenntnis vieler Verhältnisse in frühern Epochen
gibt ihm zu bedeutenden Vergleichungen Anlaß, und da
er Gelegenheit findet, von der Präsentation beim ersten
Konsul an, die Zustände des höheren, mittleren und
niederen Lebens zu beobachten, da er seine Bemerkungen
mit Kühnheit auszusprechen wagt, so haben seine Mit=
teilungen meistens einen hohen Grad von Interesse. Viele
Gestalten und Charaktere namhafter Personen sind gut
gezeichnet, und wenn der Verfasser auch hie und da die
Lineamente milbert, so bleiben die Figuren immer noch
kenntlich genug. Besonders wird er sich bei Frauen=
zimmern, durch genaue und geschmackvolle Beschreibung
des mannigfaltigsten Putzes, empfehlen.

Die rasch hinfließende Schreibart entspringt aus
einer unmittelbaren, mit einer gewissen Leidenschaft an=
geschauten Gegenwart. Sie würde noch mehr Vergnügen
gewähren, wenn man nicht öfters durch Nachlässigkeiten
gestört würde. So wird zum Beispiel das Wort sein
so oft wiederholt, daß es seine Bedeutung am Ende selbst
aufzehrt. Das Wort letzt ließe sich gleichfalls öfter
entbehren, oder durch neulich, letztens, letzthin er=
setzen und variieren. Solche kleine Flecken auszutilgen,
sollte jeder Schriftsteller einen kritischen Freund an der
Seite haben, besonders wenn das Manuskript nicht lange
ruhen kann.

Doch, wie kann man Schriftstellern und ihren Freunden
solche Bemühungen zumuten, so lange unsere Offizinen
sich eines unverantwortlich vernachlässigten Drucks nicht
schämen? In diesen zwei Bändchen sind 130 Druckfehler
und sogenannte Verbesserungen angezeigt; wobei man
höflich bittet, solche vor dem Lesen des Buchs abzuändern.
Welch eine Zumutung! Es wäre zu wünschen, daß künftig
die Verfasser ihre Verbesserungen von den Druckfehlern
abtrennten, damit man deutlich sähe, was dem Korrektor
zu Schulden kommt; und sodann möchte vielleicht doch
einiges Ehrgefühl geweckt werden, wenn Rezensenten, wie
wir getan, die Offizin bemerkten und die Anzahl der ein=
gestandenen Druckfehler angeben wollten.

2. **Germanien: Napoleon Bonaparte und das französische Volk unter seinem Konsulate. 1804. 447 S. gr. 8°.**

Diese Schrift wird viele Leser finden, wie sie auch verdient. Zwar kann man nicht sagen, daß der Verfasser sich auf einen höheren Standpunkt erhebe und als völlig unparteiischer Geschichtschreiber verfahre; er gehört vielmehr zu den Mitlebenden, Mitleidenden, Mitmeinenden und nimmt manches Ärgernis an dem außerordentlichen Manne, der durch seine Unternehmungen, seine Taten, sein Glück die Welt in Erstaunen und Verwirrung setzt.

Wohlbekannt ist der Verfasser mit dem Verlauf der Revolution und hat auch die neusten Zustände mit Augen gesehen. Er ist von manchen Privatverhältnissen gut unterrichtet, ob sich schon hie und da eine Sage mit einschleichen mochte, dergleichen in einer großen Masse von teilnehmenden, erzählenden, wiedererzählenden, leidenschaftlich bewegten Menschen notwendig entstehen müssen.

Die Schrift ist, ohne Abteilungen, in einem fortgehenden Stil, nicht ohne Methode geschrieben. Es findet sich keine Inhaltsanzeige, die wir durch einen kurzen Auszug der vorzüglichsten Materien einigermaßen ersetzen wollen, um den Leser mit dem Buche im allgemeinen bekannt zu machen.

Des Helden Jugend und erste Schritte, bis S. 12. Taten, Konsulat, b. S. 29. Redner und Schriftsteller wirken gegen ihn, b. S. 42. Krieg, Schlacht von Marengo, seine Wiederkehr, b. S. 54. Redner und Schriftsteller gegen und für die Alleinherrschaft, b. S. 63. Erste Bewegung der Emigrierten, b. S. 68. Notdürftige Popularität, b. S. 69. Mordanschläge. Der Konsul zieht sich mehr zurück. Friede, b. S. 97. Einleitung der katholischen Religion, b. S. 109. Schulen, b. S. 116. Gesetzbuch, b. S. 118. Veränderung im Tribunat, b. S. 124. Italienische Verhältnisse, b. S. 128. Öffentliche und Privatverhältnisse bis zur Konstitution der italienischen Republik, b. S. 142. Öffentliche Blätter, b. S. 148. Lebenslängliches Konsulat. Neues Senatuskonsult deshalb, b.

S. 169. Polizei-Verweisungen, b. S. 178. Opponierende
Schriftsteller. Necker. Camille Jordan, b. S. 189. Hof-
umgebung, b. S. 207. Talleyrand, b. S. 216. Caprara,
b. S. 229. Militär, b. S. 252. Familienglieder. Be-
günstigte, b. S. 263. Verhältnis zu England, b. S. 278.
Englischer Gesandter, b. S. 300. Wissenschaftliche Institute,
b. S. 320. Ältere und neuere Schilderungen der Nation,
b. S. 339. Benehmen gegen die Schweiz, b. S. 350.
Krieg mit England. Besetzung von Hannover, b. S. 369.
Charakter der Nation. Gegenwärtige Lebensweise, b. S. 405.
Künste. Theater. Lotterie. Pachtungen. Reichtümer der
Privatpersonen. Lieferanten. Industrie, b. S. 435. Speziale
Tribunale, b. S. 442. Schluß und versprochne Fort-
setzung, b. S. 447.

Der Verfasser verspricht Unparteilichkeit. Läßt sich
auch diese schöne Pflicht, unter den gegebenen Umständen,
wohl schwerlich leisten, so wird er schon Dank verdienen,
wenn er den Begebenheiten aufmerksam folgt und seine
Überzeugung aufrichtig ausspricht.

3. Berlin, bei Quien: Bildnisse jetzt lebender
   Berliner Gelehrten, mit ihren Selbstbiographien,
   herausgegeben von S. M. Lowe. 1806. 49 S. gr. 8°.
   (16 Gr.)

Die Anforderung an lebende Gelehrte, kurze Selbstbiographien zu schreiben, in der Absicht, das Publikum
sogleich damit zu beschenken, ist ein sehr glücklicher Gedanke. Wir nehmen das Wort Gelehrte hier im weitesten
Sinne und verstehen alle diejenigen darunter, die sich
dem Wissen, der Wissenschaft und den Künsten widmen:
denn der eigentlich welttätige Mann darf von seinem
Tun und Lassen weniger selbst Rechenschaft geben. Wir
wünschen daher dem Unternehmen des Herrn Lowe den
besten Fortgang, um so mehr, als das erste Versuchstück
schon alles Dankes wert ist.

Johannes Müller spricht hier von sich selbst und
führt uns auf eine zutrauliche Weise durch sein Leben.
Was der Geschichtschreiber an anderen getan, warum

sollte er es nicht an sich selbst tun? Und wir finden ihn, so wie vormals in anderen, also auch hier in sich selbst wieder.

Wenn es also schon genug wäre, gesagt zu haben: das ist von ihm, — so wollen wir nur, um der übrigen willen, die gerade nicht Historiker sind und ihm doch hoffentlich auf diesem guten Pfade folgen und Herrn Lowes Vorsatz begünstigen werden, einige Bemerkungen aufzeichnen, damit so bald und so leicht als möglich das Beste geschehe.

Es gibt zweierlei Arten, die Geschichte zu schreiben, eine für die Wissenden, die andere für die Nichtwissenden. Bei der ersten setzt man voraus, daß dem Leser das Einzelne bis zum Überdruß bekannt sei. Man denkt nur darauf, ihn auf eine geistreiche Weise, durch Zusammenstellungen und Andeutungen, an das zu erinnern, was er weiß, und ihm für das zerstreut Bekannte eine große Einheit der Ansicht zu überliefern oder einzuprägen. Die andere Art ist die, wo wir, selbst bei der Absicht, eine große Einheit darzustellen, auch das Einzelne unnachläßlich zu überliefern verpflichtet sind.

Sollten zu unserer Zeit Männer, die über vierzig oder funfzig Jahre im Leben stehen und wirken, ihre Biographie schreiben, so würden wir ihnen raten, die letzte Art ins Auge zu fassen. Denn außerdem, daß man sich gerade um das Nächstvorhergehende am wenigsten bekümmert, so ist unsere Zeit so reich an Taten, so entschieden an besonderem Streben, daß die Jugend und das mittlere Alter, für die man denn doch eigentlich schreibt, kaum einen Begriff hat von dem, was vor dreißig oder vierzig Jahren eigentlich dagewesen ist. Alles, was sich also in eines Menschen Leben dorther schreibt oder dorthin bezieht, muß aufs neue gegeben werden.

Wir leugnen gar nicht, daß wir in diesem Sinne selbst unseres trefflichen Müllers Biographie gewissermaßen tadelhaft finden, und bekennen es um so freier und so lieber, als es noch Zeit ist und wir ihn ersuchen können, dasjenige, was er hier, teils in einer Skizze,

teils in gehaltvollen Resultaten, in wenigen Bogen auf=
gestellt hat, künftig, mehr ausgeführt, in einem tüchtigen
Alphabete, wo nicht für uns, doch für die Nachkommen
niederzulegen.

Wie liebenswürdig hat er sich schon des großen
Vorteils eines Selbstbiographen bedient, daß er gute,
wackere, jedoch für die Welt im Großen unbedeutende
Menschen, als Eltern, Lehrer, Verwandte, Gespielen,
namentlich vorführte und sie, als ein vorzüglicher Mensch,
ins Gefolge seines bedeutenden Daseins mit aufnahm!
Wie herrlich treten ferner schon gekannte, außerordent=
liche Naturen abermals, in besonderem Bezug auf ihn
sich bezeichnend, hervor! Wie gern findet man hier Johann
Peter Millern, Schlözern, Schlieffen, den Kurfürsten von
Mainz wieder! Wie stellt sich das ganze Bild, das man
von solchen Männern gefaßt hat, bei den einzelnen Zügen
lebhaft vor die Erinnerung!

Gefiele es unserem Schriftsteller, seine Lebens=
geschichte ausführlicher zu schreiben, wie oft würden wir
noch diesen doppelten Fall eintreten sehen; wobei es
höchst angenehm sein müßte, um ihn, als um einen Mit=
telpunkt, so manche Menschen versammelt zu erblicken,
die wir sonst selbst als Mittelpunkte zu betrachten ge=
wohnt sind.

Gegenwärtig hat er sich, nach unserer Überzeugung,
viel zu isoliert dargestellt. Wir finden die Wirkung
großer Weltbegebenheiten auf ein so empfängliches Ge=
müt nicht genugsam ausgedrückt. Paolis und der Korsen
ist gar nicht gedacht, des amerikanischen Kriegs nur, in=
sofern ihm dadurch ein Freund geraubt wird, und der
Genfer Begebenheiten nur, indem sie als Zündkraut
einer ungeheueren Explosion erscheinen. Und gerade jenes
Herankommen von Ereignissen, welche Aufmerksamkeit
mußte es einer solchen Natur und in jenem Alter nach
und nach erregen, und was mußte sich an diesem Äußeren
aus seinem Inneren entwickeln!

Von der anderen Seite erscheint er nicht genug als
ein außerordentlicher, auf das Publikum, auf die Welt

wirkender Menſch, wie er ſich doch, ohne die Beſcheiden=
heit zu verletzen, darſtellen kounte unb ſollte.

Beſcheidenheit gehört eigentlich nur für perſönliche
Gegenwart. In guter Geſellſchaft iſt es billig, daß
niemand vorlaut werde, iſt es notwendig, daß der Ge-
meinſte mit dem Vortrefflichſten in einen gewiſſen Zu=
ſtand der Gleichheit gerate. In alle freien ſchriftlichen
Darſtellungen gehört Wahrheit, entweder in Bezug auf
den Gegenſtand oder in Bezug auf das Gefühl des Dar-
ſtellenden und, ſo Gott will, auf beides. Wer einen Schriftſteller, der ſich und die Sache fühlt, nicht leſen mag, der
darf überhaupt das Beſte ungeleſen laſſen.

Da nun alſo unſer Biograph die große Wirkung, die
er jener Zeit auf das Publikum geleiſtet, nicht gehörig
darſtellt, ſo erſcheint auch ſeine erſte mißlungene An-
ſtellung in Berlin, ſeine kärgliche in Kaſſel, das Zanbern
der Berner Beſten nicht im vollkommenen Lichte, und
die für ſein Leben ſo wichtige Berufung nach Mainz,
ſpäterhin nach Wien, zuletzt nach Berlin waren, wir
müßten uns ſehr irren, durch ſeine großen, anerkannten
Vorzüge in der Wirklichkeit weit motivierter, als ſie es
in der Schrift ſind.

Wem es ſonderbar ſcheinen möchte, daß wir auf
dieſe Weiſe den Meiſter meiſtern, der bedenke, daß wir
nur hierdurch die Schwierigkeit einer Selbſtbiographie
fühlbarer zu machen gedenken. Wir wünſchen nichts mehr,
als daß Herrn Lowes Unternehmen begünſtigt werde,
ja daß ſich ähnliche Unternehmungen über das ganze
induſtriöſe Deutſchland verbreiten mögen, um einigermaßen im Einzelnen zu erhalten, was im Gauzen verloren geht. Aber wir erſuchen ſämtliche Teilnehmer,
eine doppelte Pflicht ſtets vor Angen zu haben: nicht zu
verſchweigen, was von außen, es ſei nun als Perſon oder
Begebenheit, auf ſie gewirkt, aber auch nicht in Schatten
zu ſtellen, was ſie ſelbſt geleiſtet, von ihren Arbeiten,
von deren Gelingen und Einfluß mit Behaglichkeit zu
ſprechen, die dadurch gewonnenen ſchönſten Stunden ihres
Lebens zu bezeichnen und ihre Leſer gleichſalls in eine

fröhliche Stimmung zu versetzen. Es ist ja nur von
Gelehrten und Künstlern die Rede, von Menschen, deren
ganzes Leben und Treiben sich in einem harmlosen Kreise
herumdreht, deren Kriege, Siege, Niederlagen und Trak=
taten, obgleich unblutig, doch immer interessant bleiben,   5
wenn nur für das Behagen des einzelnen Mannes und
für die Freude oder für den Nutzen der Welt irgend zu=
letzt einiges hervorgeht.

Bald hätten wir jedoch über der so bedeutenden
Schrift das ihr vorgesetzte Bildnis vergessen. Es ist in   10
punktierter Manier sehr zart gearbeitet und ähnlich, sonst
aber im kleinlichen Geschmack ordinärer Miniatur=Porträte
und daher ziemlich weit entfernt von dem echten, tüch=
tigen, Charakter darstellenden Wesen und Stil der Kunst.

Noch sei uns der Wunsch erlaubt, daß der Künstler,   15
zumal da das Format des Werks, ein groß Oktav, es
ihm zuläßt, künftig die darzustellenden Bildnisse nach
einem beträchtlich größeren Maßstabe zeichne und steche.
Mag von den Fracks und Gilets immerhin etwas ver=
loren gehen, wenn nur dafür die Gesichter gewinnen,   20
deutlicher und besser erscheinen. Auch würden wir es
für kein Unglück ansehen, wenn etwa noch die kleinen
unter dem Bildnis angebrachten Figürchen (hier die drei
Eidgenossen) deshalb wegbleiben müßten.

4. Königsberg, bei Nicolovius: Lyrische Gedichte   25
von Johann Heinrich Voß. 1802. Erster Band,
Oden und Elegien. 1—3. Buch. 340 S. — Zweiter
Band, Oden und Lieder. 1—3. Buch. 326 S. —
Dritter Band, Oden und Lieder. 4—6. Buch. 346 S.
— Vierter Band, Oden und Lieder. 7. Buch. — Ver=   30
mischte Gedichte, Fabeln und Epigramme. 399 S. 8°.

Indem wir die Verzeichnisse sämtlicher Gedichte, wie
solche den Bänden regelmäßig vorgedruckt sind, am Ein=
gange betrachten, so finden wir die Oden und Elegien
des ersten Bandes, imgleichen die Oden und Lieder   35
der drei folgenden, nicht weniger die übrigen kleineren
Gedichte unter sich durchaus nach der Jahrzahl geordnet.

Eine Zusammenstellung berart, die schon mehreren Dichtern gefiel, deutet, besonders bei dem unsrigen, auf ruhige, gleichförmige, stufenweis erfolgte Bildung und gibt uns ein Vorgefühl, daß wir in dieser Sammlung, mehr vielleicht als in irgend einer anderen, das Leben, das Wesen, den Gang des Dichters abgebildet empfangen werden.

Jeder Schriftsteller schildert sich einigermaßen in seinen Werken, auch wider Willen, selbst; der gegenwärtige bringt uns vorsätzlich Inneres und Äußeres, Denkweise, Gemütsbewegungen mit freundlichem Wohlwollen dar und verschmäht nicht, uns durch beigefügte Noten über Zustände, Gesinnungen, Absichten und Ausdrücke vertraulich aufzuklären.

Und nun, auf eine so freundliche Weise eingeladen, treten wir ihm näher, suchen ihn bei sich selbst auf, schließen uns an ihn und versprechen uns im voraus reichen Genuß und mannigfaltige Belehrung und Bildung.

In ebener, nördlicher Landschaft finden wir ihn, sich seines Daseins freuend, unter einem Himmelsstrich, wo die Alten kaum noch Lebendes vermuteten.

Und freilich übt denn auch daselbst der Winter seine ganze Herrschaft aus. Vom Pole her stürmend, bedeckt er die Wälder mit Reif, die Flüsse mit Eis; ein stöbernder Wirbel treibt um den hohen Giebel, lubes sich der Dichter, wohlverwahrt, häuslicher Wöhnlichkeit freut und wohlgemut solchen Gewalten Trotz bietet. Bepelzte, bereifte Freunde kommen an, die, herzlich empfangen, unter sicherem Obdach, in liebevollem, vertraulich-gesprächigem Kreise das häusliche Mahl durch den Klang der Gläser, durch Gesang beleben und sich einen geistigen Sommer zu verschaffen wissen.

Dann finden wir ihn auch persönlich den Unbilden des Winterhimmels trotzend. Wenn die Achse, mit Brennholz befrachtet, knarrt, wenn selbst die Fußtritte des Wanderers tönen, sehen wir ihn bold rasch durch den Schnee nach fernen Freundeswohnungen hintraben, bald, zu großem Schlittenzuge gesellt, durch die weiten Ebenen

hinklingeln, da denn zuletzt eine trauliche Herberge die
Halberftarrten aufnimmt, eine lebhafte Flamme des
Kamins die eindringenden Gäfte begrüßt, Tanz, Chor=
gefang und mancher erwärmende Genuß der Jugend fo=
wohl als dem Alter genugtut.

Schmilzt aber von einer zurückkehrenden Sonne der
Schnee, befreit fich ein erwärmter Boden nur einiger=
maßen von diefer läftigen Decke, fo eilt mit den Seinen
der Dichter alsbald ins Freie, fich an dem erften Lebens=
hanche des Jahres zu erquicken und die zuerft erfcheinen=
den Blumen aufzufuchen. Vielfarbiger Güldenklee wird
gepflückt, zu Sträußern gebunden und im Triumph nach
Haufe gebracht, wo diefe Vorboten künftigen Genuffes
ein hoffnungsvolles Familienfeft zu krönen gewidmet find.

Tritt fodann der Frühling felbft herein, fo ift von
Dach und Fach gar die Rede nicht mehr; immer findet
man den Dichter draußen, auf fanften Pfaden, um feinen
See-herftreichen. Jeder Bufch entwickelt fich im einzelnen,
jede Blütenart bricht einzeln in feiner Gegenwart hervor.
Wie auf einem ausführlichen Gemälde erblickt man, im
Sonnenfchein um ihn her, Gras und Kraut fo gut als
Eichen und Buchen, und an dem Ufer des ftillen Waffers
fehlt weder das Rohr noch irgend eine fchwellende Pflanze.

Hier begleitet ihn nicht jene verwandelnde Phantafie,
durch deren ungeduldiges Bilden fich der Fels zu gött=
lichen Mädchen ausgeftaltet, der Baum feine Äfte zurück=
zieht und mit jugendlichen weichen Armen den Jäger zu
locken fcheint. Einfam vielmehr geht der gemütvolle
Dichter, als ein Priefter der Natur, umher, berührt jede
Pflanze, jede Staude mit leifer Hand und weiht fie zu
Gliedern einer liebevoll übereinftimmenden Familie.

Um ihn, als einen Paradiesbewohner, fpielen harm=
lofe Gefchöpfe, das Lamm auf der Wiefe, das Reh im
Walde. Zugleich verfammelt fich das ganze Chor von
Vögeln und übertönt das Leben des Tags mit vielfachen
Accenten.

Dann am Abend, gegen die Nacht hin, wenn der
Mond in ruhiger Pracht am Himmel herauffteigt und

ſein bewegliches Bild auf der leiſewogenden Waſſerfläche
einem jeden ſchlängelnd entgegenſchickt; wenn der Kahn
ſanft dahinwallt, das Ruder im Takte rauſcht und jede
Bewegung den Funken eines Widerſcheins hervorruft,
von dem Ufer die Nachtigall ihre himmliſchen Töne verbreitet und jedes Herz zum Gefühle aufruft, dann zeigt
ſich Neigung und Leidenſchaft in glücklicher Zartheit, von
den erſten Anklängen einer vom höchſten Weſen ſelbſt
vorgeordneten Sympathie bis zu jener ſtillen, anmutigen,
ſchüchternen Lüſternheit, wie ſie aus den engern Umgebungen des bürgerlichen Lebens hervorſprießt. Ein
wallender Buſen, ein feuriger Blick, ein Händedruck, ein
geraubter Kuß beleben das Lied. Doch iſt es immer der
Bräutigam, der ſich erkühnt, immer die Braut, welche
nachgibt, und ſo beugt ſelbſt alles Gewagte ſich unter ein
geſetzliches Maß; dagegen erlaubt er ſich manches innerhalb dieſer Grenze. Frauen und Mädchen wetteifern
keck und ohne Scheu über ihre nun einmal anerkannten
Zuſtände, und eine beängſtete Braut wird unter lebhaften
Zudringlichkeiten mutwilliger Gäſte zu Bette gebracht.

Sogleich aber führt er uns wieder unter freien Himmel
ins Grüne, zur Laube, zum Gebüſch, und da iſt er auf
die heiterſte, herzlichſte und zarteſte Weiſe zu Hauſe.

Der Sommer hat ſich wieder eingefunden: eine heil-
ſame Schwüle weht durch das Land, Donner rollen,
Wolken träufeln, Regenbogen erſcheinen, Blitze leuchten
abwärts, und ein kühler Segen wallt über die Flur.
Alles reift: keine der verſchiedenen Ernten verſäumt der
Dichter, alle feiert er durch ſeine Gegenwart.

Und hier iſt wohl der Ort, zu bemerken, welchen
Einfluß auf Bildung der untern deutſchen Volksklaſſe
unſer Dichter haben könnte, vielleicht in einigen Gegenden
ſchon hat.

Seine Gedichte, bei Gelegenheit ländlicher Vorfälle,
ſtellen zwar mehr die Reflexion eines Dritten als das Gefühl der Gemeine ſelbſt dar. Aber wenn wir uns denken
mögen, daß ein Harfener ſich bei der Heu-, Korn- und
Kartoffelernte finden wollte; wenn wir uns vorſtellen,

daß er die Menschen, die sich um ihn versammeln, auf=
merksam auf dasjenige macht, was ihnen als etwas All=
tägliches widerfährt; wenn er das Gemeine, indem er es
betrachtet, dichterisch ausspricht, erhöht, jeden Genuß der
Gaben Gottes und der Natur mit würdiger Darstellung
schärft, so darf man sagen, daß er seiner Nation eine
große Wohltat erzeige. Denn der erste Grad einer wahren
Aufklärung ist, wenn der Mensch über seinen Zustand
nachzudenken und ihn dabei wünschenswert zu finden ge=
wöhnt wird. Man singe das Kartoffellied wirklich auf
dem Acker, wo die völlig wundergleiche, den Naturforscher
selbst zu hohen Betrachtungen leitende Vermehrung, nach
langem, stillem Weben und Wirken vegetabilischer Kräfte,
zum Vorschein kommt und ein ganz unbegreiflicher Segen
aus der Erde quillt: so wird man erst das Verdienst
dieser und anderer ähnlichen Gedichte fühlen, worin der
Dichter den rohen, leichtsinnigen, zerstreuten, alles für
bekannt annehmenden Menschen auf die ihn alltäglich
umgebenden, alles ernährenden hohen Wunder aufmerk=
sam zu machen unternimmt.

Kaum aber ist alles dieses Gute in des Menschen
Gewahrsam gebracht, so schleicht auch der Herbst schon
wieder heran, und unser Dichter nimmt rührenden Ab=
schied von einer, wenigstens in der äußeren Erscheinung,
hinfälligen Natur. Doch seine geliebte Vegetation über=
läßt er nicht ganz dem unfreundlichen Winter. Der zier=
liche Topf nimmt manchen Strauch, manche Zwiebel auf,
um in winterhafter Häuslichkeit den Sommer zu heucheln
und auch in dieser Jahreszeit kein Fest ohne Blumen
und Kränze zu lassen. Selbst ist gesorgt, daß es dem
zur Familie gehörenden Vogel nicht an grünem, frischem
Dache seiner Käsichtlaube fehle.

Nun ist es die schönste Zeit für kurze Spaziergänge,
für trauliches Gespräch an schaurigen Abenden. Jede
häusliche Empfindung wird rege, freundschaftliche Sehn=
sucht vermehrt sich, das Bedürfnis der Musik läßt sich
lebhafter fühlen, und nun mag sich der Kranke selbst
gern an den traulichen Zirkel anschmiegen, und ein ver=

scheidender Freund kleidet sich in die Farbe der scheiden-
den Jahrszeit.

Denn so gewiß nach überstandenem Winter ein Frühling zurückkehrt, so gewiß werden sich Freunde, Gatten,
Verwandte in allen Graden wiedersehn, sie werden sich
in der Gegenwart eines allliebenden Vaters wiederfinden
und alsdann erst unter sich und mit allem Guten ein
Ganzes bilden, wornach sie in dem Stückwerk der Welt
nur vergebens hinstrebten. Eben so ruht auch schon hier
des Dichters Glückseligkeit auf der Überzeugung, daß
alles der Vorsorge eines weisen Gottes sich zu erfreun
habe, der mit seiner Kraft jeden erreicht und sein Licht
über alle leuchten läßt. So bewirkt auch die Anbetung
dieses Wesens im Dichter die höchste Klarheit und Ver-
nünftigkeit und zugleich eine Versicherung, daß jene Gedanken, jene Worte, mit denen er unendliche Eigenschaften
faßt und bezeichnet, nicht leere Träume noch Klänge sind,
ein Wonnegefühl eigener und allgemeiner Seligkeit, in
welcher alles Widerstrebende, Besondere, Abweichende
aufgelöst und verschlungen wird.

Wir haben bisher die sanfte, ruhige, gefaßte Natur
unseres Dichters mit sich selbst, mit Gott, mit der Welt
in Frieden gesehen; sollte denn aber nicht eben jene
Selbständigkeit, aus der sich ein so heiteres Leben nach
den inneren Kreisen verbreitet, öfter von außen bestürmt,
verletzt und zu leidenschaftlicher Bewegung aufgeregt
werden? Auch diese Frage läßt sich vollständig aus den
vorliegenden Gedichten beantworten.

Die Überzeugung, durch eigentümliche Kraft, durch
festen Willen aus beengenden Umständen sich hervor-
gehoben, sich aus sich selbst ausgebildet zu haben, sein
Verdienst sich selbst schuldig zu sein, solche Vorteile nur
durch ein ungefesseltes Emporstreben des Geistes erhalten
und vermehren zu können, erhöht das natürliche Unab-
hängigkeitsgefühl, das, durch Absonderung von der Welt
immer mehr gesteigert, in den unausweichlichen Lebens-
verhältnissen manchen Druck, manche Unbequemlichkeit
erfahren muß.

Wenn daher der Dichter zu bemerken hat, daß so
manche Glieder der höheren Stände ihre angeborenen
großen Vorrechte und unschätzbaren Bequemlichkeiten ver=
nachlässigen und hingegen Ungeschick, Roheit, Mangel an
Bildung bei ihnen obwaltet, so kann er einen solchen
Leichtsinn nicht verzeihen. Und wenn sie noch überdies
mit anmaßendem Dünkel dem Verdienst begegnen, ent=
fernt er sich mit Unwillen, verbannt sie launicht von
heiteren Gastmählern und Trinkzirkeln, wo offene Mensch=
lichkeit vom Herzen ins Herz strömen und gesellige Freude
das liebenswürdigste Band knüpfen soll.

Mit heiligem feierlichen Ernst zeigt er das wahre
Verdienst dem falschen gegenüber, straft ausschließenden
Dünkel bald mit Spott, bald sucht er den Irrungen mit
Liebe entgegenzuwirken.

Wo aber angeborene Vorteile durch eigenes Verdienst
erhöht werden, da tritt er mit aufrichtiger Achtung hinzu
und erwirbt sich die schätzenswertesten Freunde.

Ferner nimmt er einigen vorübergehenden Anteil an
jenem dichterischen Freiheitssinn, der in Deutschland im
Genuß zehnjährigen Friedens durch poetische Darstellungen
geweckt und unterhalten wurde. Mancher wohlgesinnte
Jüngling, der das Gefühl akademischer Unabhängigkeit
ins Leben und in die Kunst hinübertrug, mußte in der
Verknüpfung bürgerlicher Administration so manches
Drückende und Unregelmäßige finden, daß er, wo nicht
im besondern, doch im allgemeinen, auf Herstellung von
Recht und Freiheit zu sinnen für Pflicht hielt. Kein
Feind drohte dem Vaterlande von außen, aber man glaubte
sie zu Hause, auf dieser und jener Gerichtsstelle, auf
Rittersitzen, in Kabinetten, an Höfen zu finden; und da
nun gar Klopstock durch Einführung des Bardenchors in
den heiligen Eichenhain der deutschen Phantasie zu einer
Art von Boden verhalf, da er die Römer wiederholt mit
Hilfe des Gesanges geschlagen hatte, so war es natür=
lich, daß unter der Jugend sich berufene und unberufene
Barden fanden, die ihr Wesen und Unwesen eine Zeit=
lang vor sich hintrieben, und man wird unserem Dichter,

dessen reines Vaterlandsgefühl sich später auf so manche edle Weise wirksam zeigte, nicht verargen, wenn er auch an seinem Teil, um die Sklavenfessel der Wirklichkeit zu zersprengen, den Rhein gelegentlich mit Tyrannenblut färbt.

Auch ist in der Folge die Annäherung zum französischen Freiheitskreise nicht heftig, noch von langer Dauer; bald wird unser Dichter durch die Resultate des unglücklichen Versuchs abgestoßen und kehrt ohne Harm in den Schoß sittlicher und bürgerlicher Freiheit zurück.

Innerhalb des Kunstkreises läßt er denn auch manchmal seinen Unmut sehen; besonders äußert er sich kräftig, ja man kann sagen hart gegen jene vielfachen unsicheren Versuche, durch die das deutsche Dichterwesen eine Zeitlang in Verwirrung geriet. Hier scheint er nicht genugsam zu sondern, alles mit gleicher Verdammnis zu strafen, da doch selbst aus diesem chaotischen Treiben manches Schätzenswerte hervorging. Doch sind Gedichte und Stellen dieser Art wenige, gleichnisweise gefaßt und ohne Schlüssel kaum verständlich; deswegen man des Dichters sonstige billige Denkweise auch hier unterlegen darf.

Daß überhaupt eine so zarte, in sich gekehrte, von der Welt weggewandte Natur auf ihrem Lebenswege nicht durchaus gefördert, erleichtert und in heiterer Tätigkeit gekräftigt worden, läßt sich wohl vermuten. Doch wer kann sagen, daß ihm ein solches Los gefallen sei! Und so finden wir schon in manchen früheren Gedichten ein gewisses zartes Unbehagen, das durch den Jubel des Rundgesanges wie durch die heitere Feier der Freundschaft und Liebe unvermutet hindurchblickt und manches herrliche Gedicht stellenweis einer allgemeineren Teilnahme entzieht. Nicht weniger bemerken wir spätere Gesänge, in denen gehindertes Streben, verkümmerter Wachstum, gestörtes Erscheinen nach außen, Kränkungen mancher Art mit leisen Lauten bedauert und verlorene Lebensepochen beklagt werden. Dann aber tritt er mit Macht und Gewalt auf, kämpft hartnäckig wie um sein eigenes Dasein, dann läßt er es an Heftigkeit der Worte, am

Gewicht der Invektiven nicht fehlen, wenn die erworbene
heitre Geistesfreiheit, dieser aus dem Frieden mit sich
selbst hervorleuchtende ruhige Blick über das Weltall,
über die sittliche Ordnung desselben, wenn die kindliche
Neigung gegen den, der alles leitet und regiert, einiger=
maßen getrübt, gehindert, gestört werden könnte. Will
man dem Dichter dieses Gefühl allgemeinen heiligen Be=
hagens rauben, will man irgend eine besondere Lehre,
eine ausschließende Meinung, einen beengenden Grund=
satz aufstellen, dann bewegt sich sein Geist in Leidenschaft,
dann steht der friedliche Mann auf, greift zum Gewehr
und schreitet gewaltig gegen die ihn so fürchterlich be=
drohenden Irrsale, gegen Schnellglauben und Aber=
glauben, gegen alle den Tiefen der Natur und des mensch=
lichen Geistes entsteigenden Wahnbilder, gegen vernunft=
verfinsternde, den Verstand beschränkende Satzungen,
Macht= und Bannsprüche, gegen Verketzerer, Baalspriester,
Hierarchen, Pfaffengezücht und gegen ihren Urahn, den
leibhaftigen Teufel.

Sollte man denn aber solche Empfindungen einem
Manne verargen, der ganz von der freudigen Überzeu=
gung durchdrungen ist, daß er jenem heiteren Lichte,
das sich seit einigen Jahrhunderten, nicht ohne die größten
Aufopferungen der Beförderer und Bekenner, im Norden
verbreitete, mit vielen anderen das eigentliche Glück seines
Daseins schuldig sei? Sollte man zu jener scheinbar ge=
rechten, aber parteisüchtig grundfalschen Maxime stimmen,
welche, dreist genug, fordert, wahre Toleranz müsse auch
gegen Intoleranz tolerant sein? Keineswegs! Intoleranz
ist immer handelnd und wirkend, ihr kann auch nur durch
intolerantes Handeln und Wirken gesteuert werden.

Ja, wir begreifen um so mehr die leidenschaftlichen
Besorgnisse des Dichters, da ihm noch von einer anderen
Seite jene düsteren Übermächte drohen; sie drohen, ihm
einen Freund zu rauben, einen Freund in dem wichtigsten
Sinne des Wortes. Wenn unser Dichter, wie wir ge=
sehen, so liebevoll an allem hangen kann, was nicht ein=
mal seine Neigung zu erwidern vermag, wie muß er sich

erſt ans Teilnehmende, an Menſchen, an ſeinesgleichen,
an vorzügliche Naturen anſchließen und ſie zu ſeinen
koſtbarſten Gütern zählen!

Gebildete, nach Bildung ſtrebende Männer ſucht frühe
ſein Geiſt, ſein Gefühl auf. Schon ſchweben Hagedorn
und Kleiſt, die erſtverſchiedenen, gleichſam ſelig ge-
ſprochenen deutſchen Dichtergeſtalten, in die ätheriſchen
Wohnungen voraus; auf ſie iſt der Blick jüngerer Nachkömmlinge gerichtet, ihre Namen werden in frommen
Hymnen gefeiert. Nicht weniger ſieht man die lebendig
vorſtehenden, vorantretenden gebildeten Meiſter und
Kenner, Klopſtock, Leſſing, Gleim, Gerſtenberg,
Bodmer, Ramler, von den neu aufſprießenden, im
Hochgefühl eigenen Vermögens, mit kraftvoller Selbſt-
ſchätzung und würdiger Demut verehrt. Schon erſcheinen
die Namen Stolberg, Bürger, Boie, Miller,
Hölty in freundſchaftlicher Anerkennung des Ruhmes
wert, den ihnen das Vaterland bald beſtätigen ſollte.

In dieſem Chor von Freunden, von Verehrten ſetzt
der Dichter ohne bedeutenden Verluſt lange ſein Leben
fort; ja, es gelingt ihm, die Fäden akademiſcher Frühzeit, durch Freundſchaft, Liebe, Verwandtſchaft, ehliche
Verbindung, durch fortgeſetzte Teilnahme, durch Reiſen,
Beſuch und Briefwechſel in ſeinen übrigen Lebensgang
zu verweben.

Wie muß es daher den liebenswürdig Verwöhnten
ſchmerzen, wenn nicht der Tod, ſondern abweichende
Meinung, Rückſchritt in jenes alte, von unſeren Vätern
mit Kraft bekämpfte, ſeelenbedrückende Weſen ihm einen
der geliebteſten Freunde auf ewig zu entreißen droht!
Hier kennt er kein Maß des Unmuts; der Schmerz iſt
grenzenlos, den er bei ſo trauriger Zerſtückelung ſeiner
ſchönen Umgebungen empfindet. Ja, und er würde ſich
aus Kummer und Gram nicht zu retten wiſſen, verlieh'
ihm die Muſe nicht auch zu dieſem Falle die unſchätz-
bare Gabe, jenes bedrängende Gefühl am Buſen eines
teilnehmenden Freundes harmoniſch gewaltig auszu-
ſtürmen.

Wenden wir uns nun von dem, was unfer Dichter
als allgemeines und befonderes Gefühl ausfpricht, wieder
zurück zu feinem darstellenden Talent, fo drängen fich
uns mancherlei Betrachtungen auf.

Eine vorzüglich der Natur und, man kann fagen,
der Wirklichkeit gewidmete Dichtungsweife nimmt fchon
da ihren Anfang, wo der übrigens unpoetifche Menfch
dem, was er befitzt, dem, was ihn unmittelbar umgibt,
einen befonderen Wert aufzuprägen geneigt ift. Diefe
liebenswürdige Außerung der Selbftigkeit, wenn uns die
Erzeugniffe des eigenen Grundes und Bodens am beften
fchmecken, wenn wir glauben, durch Früchte, die in
unferm Garten reiften, auch Freunden das fchmackhaftefte
Mahl zu bereiten, diefe Überzeugung ift fchon eine Art
von Poefie, welche der künftlerifche Genius in fich nur
weiter ausbildet und feinem Befitz nicht nur durch Vor=
liebe einen befondern, vielmehr durch fein Talent einen
allgemeinen Wert, eine unverkennbare Würde verleiht
und fein Eigentum dergeftalt den Zeitgenoffen, der Welt
und Nachwelt zu überliefern und anzueignen verfteht.

Diefe gleichfam zauberifche Wirkung bringt eine tief=
fühlende, energifche Natur durch treues Anfchauen, liebe=
volles Beharren, durch Abfonderung der Zuftände, durch
Behandlung eines jeden Zuftandes in fich als eines
Ganzen fchaffend hervor und befriedigt dadurch die un=
erläßlichen Grundforderungen an inneren Gehalt; aber
damit ift noch nicht alles gefchehen, auch äußerer Mittel
bedarf es, um aus jenem Stoff einen würdigen Körper
zu bilden. Diefe find Sprache und Rhythmus! Und
auch hier ift es, wo unfer Dichter feine Meifterfchaft
aufs höchfte bewährt.

Zu einem liebevollen Studium der Sprache fcheint
der Niederdeutfche den eigentlichften Anlaß zu finden.
Von allem, was undeutfch ift, abgefondert, hört er nur
um fich her ein fanftes behagliches Urdeutfch, und feine
Nachbarn reden ähnliche Sprachen. Ja, wenn er ans
Meer tritt, wenn Schiffer des Auslandes ankommen,
tönen ihm die Grundfilben feiner Mundart entgegen,

und so empfängt er manches Eigene, das er selbst schon
aufgegeben, von fremden Lippen zurück und gewöhnt sich
deshalb mehr als der Oberdeutsche, der an Völkerstämme
ganz verschiedenen Ursprungs angrenzt, im Leben selbst
auf die Abstammung der Worte zu merken.

Diesen ersten Teil der Sprachkunde läßt sich unser
Dichter gewissenhaft angelegen sein. Die Ableitung führt
ihn auf das Bedeutende des Wortes, und so stellt er
manches gehaltvolle wieder her, setzt ein mißbrauchtes in
den vorigen Stand, und wenn er dabei mit stiller Vorsicht und Genauigkeit verfährt, so fehlt es ihm nicht an
Kühnheit, sich eines harten, sonst vermiedenen Ausdrucks
an rechter Stelle zu bedienen. Durch eine so genaue
Schätzung der Worte, durch den bestimmten Gebrauch
derselben entsteht eine gefaßte Sprache, die sich, von der
Prosa weg, unmerklich in die höheren Regionen erhebt
und daselbst poetisch für sich zu schalten vermögend ist.
Hier erscheinen die dem Deutschen sich darbietenden Wort-
fügungen, Zusammensetzungen und Stellungen zu ihrem
größten Vorteil, und man kann wohl sagen, daß sich
darunter unschätzbare Beispiele finden.

Und nicht bloß diesen ans Licht geförderten Reichtum einer im tiefsten Grunde edlen Sprache bewundern
wir, sondern auch, was der Dichter bei seiner hohen
Forderung an die Rhythmik durch Befolgung der strengsten
Regeln geleistet hat. Ihn befriedigte nicht allein jene
Gediegenheit des Ausdrucks, wo jedes Wort richtig gewählt ist, keines einen Nebenbegriff zuläßt, sondern bestimmt und einzig seinen Gegenstand bezeichnet; er verlangt zur Vollendung Wohllaut der Töne, Wohlbewegung
des Periodenbaues, wie sie der gebildete Geist aus seinem
Innern entwickelt, um einen Gegenstand, ein Empfun-
denes völlig entsprechend und zugleich bezaubernd anmutig auszudrücken. Und hier erkennen wir sein un-
sterbliches Verdienst um die deutsche Rhythmik, die er
aus so manchen schwankenden Versuchen einer für den
Künstler so erwünschten Gewißheit und Festigkeit ent-
gegenhebt. Aufmerksam horchte derselbe den Klängen des

griechischen Altertums, und ihnen fügte sich die deutsche
Sprache zu gleichem Wohllaute. So enthüllte sich ihm
das Geheimnis der Silbenmaße, so fand er die innigste
Vereinigung zwischen Poesie und Musik und ward, unter
dem Einflusse eines freundschaftlichen Zusammenlebens 5
mit Schulz, in den Stand gesetzt, solche Früchte einer
gemeinsamen Anstrengung seinem Vaterlande auf prakti=
schem und theoretischem Wege mitzuteilen.

Besonders angenehm ist das Studium jener Gedichte,
die sich der Form nach als eine Nachbildung der aus 10
dem Altertume geretteten ankündigen; belehrend ist es,
zu beobachten, wie der Dichter verfährt. Hier zeigt sich
nicht etwa nur ein ähnlicher Körper notdürftig wieder=
hergestellt; derselbe Geist vielmehr scheint eben dieselbe
Gestalt abermals hervorzubringen. 15

Wie nun der Dichter den Wert einer bestimmten
und vollendeten Form lebhaft anerkennt, die er bei seinen
letzten Arbeiten völlig in der Gewalt hat, so wendet er
eben diese Forderung auch gegen seine früheren Gedichte
und bearbeitet sie musterhaft nach den Gesetzen einer in 20
ihm später gereisten Vollkommenheit.

Haben daher Grammatiker und Techniker jene
Leistungen besonders zu würdigen, so liegt uns ob, daß
wir das übernommne Geschäft, den Dichter aus dem
Gedicht, das Gedicht aus dem Dichter zu entwickeln, mit 25
wenigen Zügen vollenden.

Auch innerhalb des geschloßnen Kreises der diesmal
anzuzeigenden vier Bände finden wir ihn, wie er sich
zum vorzüglichen Übersetzer jener Werke des Altertums
nach und nach ausbildet. 30

Durch den entschiedenen, oben gepriesenen Sieg der
Form über den Stoff, durch manches von äußerer Ver=
anlassung völlig unabhängige Gedicht zeigt uns der
Dichter, daß es ihm frei stehe, das Wirkliche zu verlassen
und ins Mögliche zu gehen, das Nahe wegzuweisen und 35
das Ferne zu ergreifen, das Eigene aufzugeben und das
Fremde in sich aufzunehmen. Und wie man zu sagen
pflegte, daß neben dem römischen Volke noch ein Volk

von Statuen die Stadt verherrliche, so läßt sich von
unserm Dichter gleichfalls aussprechen, daß in ihm zu
einer echt deutschen wirklichen Umgebung eine echt antike
geistige Welt sich geselle.

Ihm war das glückliche Los beschieden, daß er den
alten Sprachen und Literaturen seine Jugend widmete,
sie zum Geschäft seines Lebens erkor. Nicht zerstückeltes,
buchstäbliches Wissen war sein Ziel, sondern er drang
bis zum Anschauen, bis zum unmittelbaren Ergreifen
der Vergangenheit in ihren wahrsten Verhältnissen, er
vergegenwärtigte sich das Entfernte und faßte glücklich
den kindlichen Sinn, mit welchem die ersten gebildeten
Völker sich ihren großen Wohnplatz die Erde, den über-
gewölbten Himmel, den verborgenen Tartarus mit be-
schränkter Phantasie vorgestellt; er ward gewahr, wie
sie diese Räume mit Göttern, Halbgöttern und Wunder-
gestalten bevölkerten, wie sie jedem einen Platz zur
Wohnung, zur Wanderung den Pfad bezeichneten. Sodann, aufmerksam auf die Fortschritte des menschlichen
Geistes, der nicht aufhörte, zu beobachten, zu schließen, zu
dichten, ließ der Forscher die vollkommnere Vorstellung,
die wir Neuern von dem Erd- und Weltgebäude, so wie
von seinen Bewohnern besitzen, aus ihren ersten Keimen
sich nach und nach entwickeln und auferbauen. Wie sehr
dadurch Fabel und Geschichte gefördert worden, ist niemand mehr verborgen, und sein Verdienst wird sich immer
glänzender zeigen, je mehr dieser Methode gemäß nach
allen Seiten hin gewirkt und das Gesammelte geordnet
und aufgestellt werden kann.

Auf die Weise ward sein großes Recht begründet,
sich vorzüglich an den Urbarden anzuschließen, von ihm
die Dichterweihe zu empfangen, ihn auf seinen Wand-
rungen zu begleiten, um gestärkt und gekräftigt unter
seine Landsleute zurückzukehren. So, mit festhaltender
Eigentümlichkeit, mußte er das Eigentümliche jedes Jahrhunderts, jedes Volkes, jedes Dichters zu schätzen und
reichte die älteren Schriften uns mit geübter Meister-
hand dergestalt herüber, daß fremde Nationen künftig

die deutsche Sprache, als Vermittlerin zwischen der alten und neuen Zeit, höchlich zu schätzen verbunden sind.

Und so werde zum Schluß das Hochgefühl gelungener unsäglicher Arbeit und die Einladung zum Genusse des Bereiteten mit des Dichters eigenen Worten ausgesprochen:

> Mir trug Lyäos, mir der begeisternden
> Weinrebe Sprößling, als, dem Verstürmten gleich
> Auf ödem Eiland, ich mit Sehnsucht
> Wandte den Blick zur Hellenenheimat.

> Schamhaft erglühend nahm ich den heiligen
> Rebschoß und hegt' ihn, nahe dem Nordgestirn,
> Abwehrend Luft und Ungeschlachtheit,
> Unter dem Glas' in erkargter Sonne.

> Vom Trieb der Gottheit, siehe, beschleuniget
> Stieg Rankenwaldung, übergewölbt, mich bald
> Mit Blüte, bald mit grünem Herling,
> Bald mit geröteter Traub' umschwebend.

> Im süßen Anhauch träum' ich, der Zeit entflohn,
> Wettkampf mit altertümlichem Hochgesang.
> Wer lauter ist, der koste freundlich,
> Ob die Ambrosiafrucht gereist sei.

5. **Karlsruhe, bei Macklot: Allemannische Gedichte. Für Freunde ländlicher Natur und Sitten, von J. P. Hebel, Professor zu Karlsruhe. Zweite Auflage. 1804. VIII und 232 S. 8°.**

Der Verfasser dieser Gedichte, die in einem oberdeutschen Dialekt geschrieben sind, ist im Begriff, sich einen eigenen Platz auf dem deutschen Parnaß zu erwerben. Sein Talent neigt sich gegen zwei entgegengesetzte Seiten. An der einen beobachtet er mit frischem, frohem Blick die Gegenstände der Natur, die in einem festen Dasein, Wachstum und Bewegung ihr Leben aussprechen und die wir gewöhnlich leblos zu nennen pflegen, und nähert sich der beschreibenden Poesie; doch weiß er durch glückliche Personifikationen seine Darstellungen auf eine höhere Stufe der Kunst heraufzuheben. An der andern Seite neigt er sich zum Sittlich=Didaktischen und

zum Allegorischen; aber auch hier kommt ihm jene Per=
sonifikation zu Hilfe, und wie er dort für seine Körper
einen Geist fand, so findet er hier für seine Geister einen
Körper. Dies gelingt ihm nicht durchaus; aber wo es
ihm gelingt, sind seine Arbeiten vortrefflich, und nach
unserer Überzeugung verdient der größte Teil dieses Lob.

Wenn antike oder andere durch plastischen Kunstge=
schmack gebildete Dichter das sogenannte Leblose durch
idealische Figuren beleben und höhere, göttergleiche Na=
turen, als Nymphen, Dryaden und Hamadryaden, an die
Stelle der Felsen, Quellen, Bäume setzen, so verwandelt
der Verfasser diese Naturgegenstände zu Landleuten und
verbauert, auf die naivste, anmutigste Weise, durchaus
das Universum; so daß die Landschaft, in der man denn
doch den Landmann immer erblickt, mit ihm in unserer
erhöhten und erheiterten Phantasie nur Eins auszumachen
scheint.

Das Lokal ist dem Dichter äußerst günstig. Er hält
sich besonders in dem Landwinkel auf, den der bei Basel
gegen Norden sich wendende Rhein macht. Heiterkeit
des Himmels, Fruchtbarkeit der Erde, Mannigfaltigkeit
der Gegend, Lebendigkeit des Wassers, Behaglichkeit der
Menschen, Geschwätzigkeit und Darstellungsgabe, zudring=
liche Gesprächsformen, neckische Sprachweise, so viel steht
ihm zu Gebot, um das, was ihm sein Talent eingibt,
auszuführen.

Gleich das erste Gedicht enthält einen sehr artigen
Anthropomorphism. Ein kleiner Fluß, die Wiese ge=
nannt, auf dem Feldberg im Österreichischen entspringend,
ist als ein immer fortschreitendes und wachsendes Bauer=
mädchen vorgestellt, das, nachdem es eine sehr bedeutende
Berggegend durchlaufen hat, endlich in die Ebene kommt
und sich zuletzt mit dem Rhein vermählt. Das Detail
dieser Wanderung ist außerordentlich artig, geistreich und
mannigfaltig, und mit vollkommener, sich selbst immer
erhöhender Stätigkeit ausgeführt.

Wenden wir von der Erde unser Auge an den
Himmel, so finden wir die großen leuchtenden Körper

auch als gute, wohlmeinende, ehrliche Landleute. Die
Sonne ruht hinter ihren Fensterläden; der Mond, ihr
Mann, kommt forschend herauf, ob sie wohl schon zur
Ruhe sei, daß er noch eins trinken könne; ihr Sohn, der
Morgenstern, steht früher auf als die Mutter, um sein   6
Liebchen aufzusuchen.

Hat unser Dichter auf Erden seine Liebesleute vorzustellen, so weiß er etwas Abenteuerliches drein zu
mischen wie im Herrlein, etwas Romantisches wie im
Bettler. Dann sind sie auch wohl einmal recht freudig   10
zusammen, wie in Hans und Verene.

Sehr gern verweilt er bei Gewerb und häuslicher
Beschäftigung. Der zufriedene Landmann, Der
Schmelzofen, Der Schreinergesell stellen mehr
oder weniger eine derbe Wirklichkeit mit heiterer Laune   15
dar. Die Marktweiber in der Stadt sind am
wenigsten geglückt, da sie beim Ausgebot ihrer ländlichen
Ware den Städtern gar zu ernstlich den Text lesen.
Wir ersuchen den Verfasser, diesen Gegenstand nochmals
vorzunehmen und einer wahrhaft naiven Poesie zu vindi-   20
zieren.

Jahres- und Tageszeiten gelingen dem Verfasser
besonders. Hier kommt ihm zu gute, daß er ein vor-
zügliches Talent hat, die Eigentümlichkeiten der Zustände
zu fassen und zu schildern. Nicht allein das Sichtbare   26
daran, sondern das Hörbare, Riechbare, Greifbare und die
aus allen sinnlichen Eindrücken zusammen entspringende
Empfindung weiß er sich zuzueignen und wiederzugeben.
Dergleichen sind Der Winter, Der Jänner, Der
Sommerabend, vorzüglich aber Sonntagsfrühe,   30
ein Gedicht, das zu den besten gehört, die jemals in
dieser Art gemacht worden.

Eine gleiche Nähe fühlt der Verfasser zu Pflanzen,
zu Tieren. Der Wachstum des Hafers, bei Gelegenheit
eines Habermuses von einer Mutter ihren Kindern   35
erzählt, ist vortrefflich idyllisch ausgeführt. Den Storch
wünschten wir vom Verfasser nochmals behandelt und
bloß die friedlichen Motive in das Gedicht aufgenommen.

Die Spinne und Der Käfer dagegen sind Stücke,
deren schöne Anlage und Ausführung man bewundern muß.

Deutet nun der Verfasser in allen genannten Gedichten immer auf Sittlichkeit hin, ist Fleiß, Tätigkeit,
5 Ordnung, Mäßigkeit, Zufriedenheit überall das Wünschens-
werte, was die ganze Natur ausspricht, so gibt es noch
andere Gedichte, die zwar direkter, aber doch mit großer
Anmut der Erfindung und Ausführung auf eine heitere
Weise vom Unsittlichen ab und zum Sittlichen hinleiten
10 sollen. Dahin rechnen wir den Wegweiser, den
Mann im Mond, die Irrlichter, das Gespenst
an der Kanderer Straße, von welchem letzten man
besonders auch sagen kann, daß in seiner Art nichts
Besseres gedacht noch gemacht worden ist.

15 Das Verhältnis von Eltern zu Kindern wird auch
von dem Dichter öfters benutzt, um zum Guten und
Rechten zärtlicher und dringender hinzuleiten. Hieher
gehören Die Mutter am Christabend, Eine Frage,
Noch eine Frage.

20 Hat uns nun dergestalt der Dichter mit Heiterkeit
durch das Leben geführt, so spricht er nun auch durch die
Organe der Bauern und Nachtwächter die höheren Gefühle von Tod, Vergänglichkeit des Irdischen, Dauer des
Himmlischen, vom Leben jenseits mit Ernst, ja melan-
25 cholisch aus. Auf einem Grabe, Wächterruf, Der
Wächter in der Mitternacht, Die Vergänglichkeit
sind Gedichte, in denen der dämmernde, buvtle Zustand
glücklich dargestellt wird. Hier scheint die Würde des
Gegenstandes den Dichter manchmal aus dem Kreise der
30 Volkspoesie in eine andere Region zu verleiten. Doch
sind die Gegenstände, die realen Umgebungen durchaus
so schön benutzt, daß man sich immer wieder in den einmal beschriebenen Kreis zurückgezogen fühlt.

Überhaupt hat der Verfasser den Charakter der Volks-
35 poesie darin sehr gut getroffen, daß er durchaus, zarter
oder derber, die Nutzanwendung ausspricht. Wenn der
höher Gebildete von dem ganzen Kunstwerke die Einwirkung auf sein inneres Ganze erfahren und so in

einem höheren Sinne erbaut sein will, so verlangen
Menschen auf einer niederen Stufe der Kultur die Nutzanwendung von jedem Einzelnen, um es auch sogleich
zum Hausgebrauch benutzen zu können. Der Verfasser
hat nach unserem Gefühl das fabula docet meist sehr   6
glücklich und mit viel Geschmack angebracht, so daß, indem
der Charakter einer Volkspoesie ausgesprochen wird, der
ästhetisch Genießende sich nicht verletzt fühlt.

Die höhere Gottheit bleibt bei ihm im Hintergrund
der Sterne, und was positive Religion betrifft, so müssen   10
wir gestehen, daß es uns sehr behaglich war, durch ein
erzkatholisches Land zu wandern, ohne der Jungfrau
Maria und den blutenden Wunden des Heilands auf
jedem Schritte zu begegnen. Von Engeln macht der
Dichter einen allerliebsten Gebrauch, indem er sie an   15
Menschengeschick und Naturerscheinungen anschließt.

Hat nun der Dichter in den bisher erwähnten
Stücken durchaus einen glücklichen Blick ins Wirkliche
bewährt, so hat er, wie man bald bemerkt, die Haupt-
motive der Volksgesinnung und Volkssagen sehr wohl   20
aufzufassen verstanden. Diese schätzenswerte Eigenschaft
zeigt sich vorzüglich in zwei Volksmärchen, die er idyllenartig behandelt.

Die erste, Der Karfunkel, eine gespensterhafte
Sage, stellt einen liederlichen, besonders dem Kartenspiel   25
ergebenen Bauersohn dar, der unaufhaltsam dem Bösen
ins Garn läuft, erst die Seinigen, dann sich zu Grunde
richtet. Die Fabel mit der ganzen Folge der aus ihr
entspringenden Motive ist vortrefflich und eben so die
Behandlung.   30

Ein gleiches kann man von der zweiten, Der
Statthalter von Schopfheim, sagen. Sie beginnt
ernst und ahnungsvoll, fast ließe sich ein tragisches
Ende vermuten; allein sie zieht sich sehr geschickt einem
glücklichen Ausgang zu. Eigentlich ist es die Geschichte   35
von David und Abigail, in moderne Bauerntracht nicht
parodiert, sondern verkörpert.

Beide Gedichte, idyllenartig behandelt, bringen ihre

Gefchichte, als von Bauern erzählt, dem Hörer entgegen
und gewinnen dadurch fehr viel, indem die wackern naiven
Erzähler, durch lebhafte Profopopöien und unmittelbaren
Anteil als an etwas Gegenwärtigem, die Lebendigkeit
des Vorgetragenen zu erhöhen an der Art haben.

Allen diefen innern guten Eigenfchaften kommt die
behagliche naive Sprache fehr zu ftatten. Man findet
mehrere finnlich bedeutende und wohlklingende Worte,
teils jenen Gegenden felbft angehörig, teils aus dem
Französifchen und Italienifchen herübergenommen, Worte
von einem, von zwei Buchftaben, Abbreviationen, Kon-
traktionen, viele kurze leichte Silben, neue Reime,
welches, mehr als man glaubt, ein Vorteil für den
Dichter ift. Diefe Elemente werden durch glückliche
Konftruktionen und lebhafte Formen zu einem Stil zu-
fammengedrängt, der zu diefem Zwecke vor unferer
Bücherfprache große Vorzüge hat.

Möge es doch dem Verfaffer gefallen, auf diefem
Wege fortzufahren, dabei unfere Erinnerungen über das
innere Wefen der Dichtung vielleicht zu beherzigen und
auch dem äußeren technifchen Teil, befonders feinen
reimfreien Verfen, noch einige Aufmerkfamkeit zu fchen-
ken, damit fie immer vollkommener und der Nation angenehmer werden mögen! Denn fo fehr zu wünfchen
ift, daß uns der ganze deutfche Sprachfchatz durch ein
allgemeines Wörterbuch möge vorgelegt werden, fo ift
doch die praktifche Mitteilung durch Gedichte und Schrift
fehr viel fchneller und lebendig eingreifender.

Vielleicht könnte man fogar dem Verfaffer zu bedenken geben, daß, wie es für eine Nation ein Haupt-
fchritt zur Kultur ift, wenn fie fremde Werke in ihre
Sprache überfetzt, es eben fo ein Schritt zur Kultur der
einzelnen Provinz fein muß, wenn man ihr Werke der-
felben Nation in ihrem eigenen Dialekt zu lefen gibt.
Verfuche doch der Verfaffer aus dem fogenannten Hoch-
deutfchen fchickliche Gedichte in feinen oberrheinifchen
Dialekt zu überfetzen. Haben doch die Italiener ihren
Taffo in mehrere Dialekte überfetzt.

Nachdem wir nun die Zufriedenheit, die uns diese
kleine Sammlung gewährt, nicht verbergen können, so
wünschen wir nur auch, daß jenes Hindernis einer für
das mittlere und niedere Deutschland seltsamen Sprech-
und Schreibart einigermaßen gehoben werden möge, um 5
der ganzen Nation diesen erfreulichen Genuß zu verschaffen. Dazu gibt es verschiedene Mittel, teils durch
Vorlesen, teils durch Annäherung an die gewohnte
Schreib- und Sprechweise, wenn jemand von Geschmack
das, was ihm aus der Sammlung am besten gefällt, für 10
seinen Kreis umzuschreiben unternimmt — eine kleine
Mühe, die in jeder Sozietät großen Gewinn bringen
wird. Wir fügen ein Musterstück unserer Anzeige bei
und empfehlen nochmals angelegentlich dieses Bändchen
allen Freunden des Guten und Schönen.   15

Sonntagsfrühe.

Der Samstig het zum Sunntig gseit:
„Jez hani alli schlofe gleit;
sie sin vom Schaffe her und hi
gar sölli müed und schlöfrig gsi,
und 's gohtmer schier gar selber so, 20
i cha fast uf kei Bei meh stoh.“

So seit er, und wo's Zwölfi schlacht,
se sinkt er aben in d'Mitternacht.
Der Sunntig seit: „Jez isch's an mir!“
Gar still und heimli bschließt er d'Tür; 25
er düselet hinter de Sterne no,
und cha schier gar nit obsi cho.

Doch endli ribt er d'Augen us,
er chunnt der Sunn an Tür und Hus;
sie schloft im stille Chämmerli; 30
er pöpperlet am Lädemli;
er rüeft der Sunne: „D'Zit isch do!“
Sie seit: „J chumm enanderno!“ —

Und lisli uf de Zeche goht
und fründli uf de Berge stoht 35
der Sunntig, und 's schloft alles no;
es sieht und hört en niemes goh;

er chunnt ins Dorf mit stillem Tritt
unb winkt im Guhl: „Verrot mi nit!"

Unb wemmen enbli au verwacht
und gschlofe het die ganzi Nachi,
se stoht er do im Sunne-Schi'
unb luegt eim zu de Fenstern i
mit sinen Auge milb und gut
unb mittem Meyen uffem Hut.

Drum meint er's treu, unb was i sag,
es freut en, wemme schlofe mag
und meint, es seig no dunkel Nacht,
wenn b'Sunn am heitere Himmel lucht;
brum isch er au so lisli cho,
brum stoht er au so liebli bo.

Wie glitzeret uf Gras und Laub
vom Morgetau der Silberstaub!
Wie weiht e frische Maieluft,
voll Chriesi-Bluft und Schleche-Duft!
Unb d'Immli sammle flink und frisch,
sie wüsse nit, aß 's Sunntig isch.

Wie pranget nit im Garte-Land
der Chriesi-Baum im Maie-Gwand,
Gel-Beieli und Tulipa
unb Sterneblume nebe dra
und gfüllti Zinkli blau und witß,
me meint, me lueg ins Paredies!

Unb 's isch so still unb heimli bo,
men isch so rüethig und so froh!
me hört im Dorf kei Hüst und Hott;
e Gute Tagi und Dank der Gotti
unb 's git gottlob e schöne Tag!
isch alles, was me höre mag.

Und 's Vögeli seit: „Frili io!
Potz tausig, io, er isch scho bo
Er bringtmer scho im Himmels-Glast
dur Bluft unb Laub in Hurst und Rast!"
Unb 's Distelzwigli vorne dra
het 's Sunntig-Röckli au scho a.

Sie lüte weger 's Zeiche scho,
der Pfarer, schint's, well zitli cho.
Gang, brechmer eis Aurikli ab,
verwüschet mer der Staub nit drab,
und Chüngeli, leg di wetbli a,
be muesch derno ne Meje ha!

6. Nürnberg, Selbstverlag: Grübels Gedichte in Nürnberger Mundart. Erster Band 1798. 222 S. Zweiter
Band 1800. 222 S. 8°.
Die Einquartierung der Franzosen. Der sechzehn-
wöchige Aufenthalt der Franzosen in Nürnberg. 1801.
46 S. 8°.

Die Grübelschen Gedichte verdienen wohl neben den
Hebelschen gegenwärtig genannt zu werden; denn obgleich schon länger gedruckt, scheinen sie doch den Liebhabern nicht, wie sie verdienen, bekannt zu sein. Um
sie völlig zu genießen, muß man Nürnberg selbst kennen,
seine alten, großen städtischen Anstalten, Kirchen, Rat-
und andere Gemeinhäuser, seine Straßen, Plätze, und
was sonst Öffentliches in die Augen fällt; ferner sollte
man eine klare Ansicht der Kunstbemühungen und des
technischen Treibens gegenwärtig haben, wodurch diese
Stadt von alters her so berühmt ist, und wovon sich
auch noch jetzt ehrwürdige Reste zeigen. Denn fast nur
innerhalb dieser Mauern bewegt sich der Dichter, selten
ist es eine ländliche Szene, die ihn interessiert, und so
zeigt er sich in seinem Wesen und Gesinnung als das,
was er wirklich ist, als rechtlichen Bürger und Klempner-
meister, der sich freut, mit dem alten Meister Hans so
nahe verwandt zu sein.

Wenn der Dichter überhaupt vor vielen andern darin
einen Vorzug hat, daß er mit Bewußtsein ein Mensch
ist, so kann man von Grübeln sagen, er habe einen außerordentlichen Vorsprung vor andern seinesgleichen, daß er
mit Bewußtsein ein Nürnberger Philister ist. Er steht
wirklich in allen seinen Darstellungen und Äußerungen
als ein unerreichbares Beispiel von Geradsinn, Menschenverstand, Scharfblick, Durchblick in seinem Kreise da, daß

er demjenigen, der diese Eigenschaften zu schätzen weiß,
Bewunderung ablockt. Keine Spur von Schiefheit, falscher
Anforderung, dunkler Selbstgenügsamkeit, sondern alles
klar, heiter und rein, wie ein Glas Wasser.

Die Stoffe, die er bearbeitet, sind meist bürgerlich
oder bäuerisch, teils die reinen Zustände als Zustände,
da er denn durch Darstellung das Gedicht an die Stelle
des Wirklichen zu setzen und uns ohne Reflexion die
Sache selbst zu geben weiß, wovon Das Kränzchen ein
unschätzbares Beispiel geben kann. Auf diese Weise versteht er, die Verhältnisse der Männer und Frauen, Eltern
und Kinder, Meister, Gesellen und Lehrbursche, Nachbarn, Nachbarinnen, Vettern und Gevattern, so wie der
Dienstmägde, der Dirnen in Gesprächen oder Erzählungen auf das lebhafteste und anmutigste vor Augen zu
stellen.

Manchmal ergötzt er sich an mehr oder minder bekannten Bademecumsgeschichten, bei welchen aber durch-
gängig die Ausführung des Details im Hinschreiten zu
der letzten Pointe als das Vorzügliche und Eigentümliche anzusehen ist.

Andere Gedichte, wo er sein persönliches Behagen
bei diesem und jenem Genuß ausdrückt, sind höchst angenehm, und sehr gefällig ist es, daß der Dichter mit
dem besten Humor, sowohl in eigener als britter Person,
sich öfters zum besten gibt.

Daß ein so geradsehender, wohldenkender Mann
auch in das, was die nächsten Stände über ihm vornehmen, einen richtigen Blick haben und manchmal geneigt sein möchte, diese und jene Verirrungen zu tadeln,
läßt sich erwarten; allein sowohl hier als überhaupt,
wo sich seine Arbeiten demjenigen nähern, was man
Satire nennen könnte, ist er nicht glücklich. Die beschränkten Handelsweisen, die der kurzsinnige Mensch
bewußtlos mit Selbstgefälligkeit ausübt, darzustellen, ist
sein großes Talent.

Hat man nun so einen wackeren Bürger mit leiblicher Bequemlichkeit bald in, bald vor seinem Hause,

auf Märkten, auf Plätzen, auf dem Rathause immer
heiter und spaßhaft gesehen, so ist es merkwürdig, wie
er in schlimmen Tagen sich in gleichem Humor erhält
und über die außerordentlichen Übel, so wie über die
gemeineren, sich erhaben fühlt.   5

Ohne daß sein Stil einen höheren Schwung nähme,
stellt er den bürgerlichen Zustand während der Teuerung,
anhaltenden Frostes, Überschwemmung, ja während eines
Krieges vor; selbst die Spaltung der Meinungen, dieser
fürchterliche innere Krieg, gibt ihm Gelegenheit zu hei= 10
teren treffenden Schilderungen.

Sein Dialekt hat zwar etwas Unangenehmes, Breites,
ist aber doch seiner Dichtart sehr günstig. Seine Silben=
maße sind ziemlich variiert, und wenn er dem einmal
angegebenen auch durch ein ganzes Gedicht nicht völlig 15
treu bleibt, so macht es doch bei dem Ton der ganzen
Dichtart keinen Mißklang.

Als Beispiel setzen wir eins der kürzern hierher:

Der Rauchtoback.

Su bald ih fröih vom Schlauf derwach,
   Souch ih mei Pfeifla scho;
Und Oabends, wenn ih schlauf'n geh,   20
   So hob ih 's Pfeifla noh.
Denn wos ih deut und treib'n will,
   Und alles, wos ih tou,
Dös geiht mer alles niht so gout,   25
   Mei Pfeifla mouß derzou.

Ih brauch ka rara Pfeiff'n ih,
   Su eit'l bin ih niht.
A Pfeiff'n, döi su teuer iß,
   Wos tät ih denn nau mit?   30
Dau möist ih jo, su lang ih rauch,
   Ner immer puz'n droh;
Und zehamaul in aner Stund
   Nau wieder schaua oh.

Doch mouß mei Pfeifla reinlih sei,   35
   Und innawendi puzt;

A ſchöina Pfeiff'n, und verſtopft,
Döi ſich ih niht, wos nuzt.
Verlöihern kon ih ih kana niht,
Dös ko ſcho goar niht ſei;
Denn kamm iß leer und kolt a weng,
So ſüll ih's wieber eih.

Wenn ih a Böier trink'n ſollt,
Unb rauchet niht berzou,
Ih könut ka Mauß niht trink'n ih,
Su langa offt niht zwou.
Und wenn ih fröih mein Kaffce trink
Unb zünd mei Pfeiſla oh,
Dau glab ih, daß ka Menſch niht leicht
Wos Beſſers hob'u koh.

Unb wenn ih af der Gaſſ'n geth,
Su fröih und Oabends3zeit,
Rauch ih mei Pfeiſia a berzou,
Unb ſcher mi nix um b'Leut.
Denn kurz, wenn ih nihi rauch'n tou,
So wörb's mer angſt und bang.
Drum wörb's mer a, verzeih mer's Gott!
Offt in der Körich z'lang.

7. **Heidelberg,** bei **Mohr** und **Zimmer:** **Des Kuaben
Wunderhorn.** Alte deutſche Lieder, herausgegeben
von **Achim von Arnim** und **Clemens Brentano.**
1806. 470 S. gr. 8°. (2 Rtlr. 12 Gr.)
Die Kritik dürfte ſich vorerſt nach unſerem Dafür-
halten mit dieſer Sammlung nicht befaſſen. Die Herausgeber haben ſolche mit ſo viel Neigung, Fleiß, Geſchmack,
Zartheit zuſammengebracht und behandelt, daß ihre Landsleute dieſer liebevollen Mühe nun wohl erſt mit gutem
Willen, Teilnahme unb Mitgenuß zu banken hätten. Von
Rechts wegen ſollte dieſes Büchlein in jedem Hauſe, wo
friſche Menſchen wohnen, am Fenſter, unterm Spiegel,
ober wo ſonſt Geſang- und Kochbücher zu liegen pflegen,
zu finden ſein, um aufgeſchlagen zu werben in jedem
Augenblick der Stimmung oder Unſtimmung, wo man
denn immer etwas Gleichtönenbes oder Anregendes ſände,

wenn man auch allenfalls das Blatt ein paarmal um=
schlagen müßte.

Am besten aber läge doch dieser Band auf dem
Klavier des Liebhabers oder Meisters der Tonkunst, um
den darin enthaltenen Liedern entweder mit bekannten ₅
hergebrachten Melodien ganz ihr Recht widerfahren zu
lassen oder ihnen schickliche Weisen anzuschmiegen, oder,
wenn Gott wollte, neue bedeutende Melodien durch sie
hervorzulocken.

Würden dann diese Lieder, nach und nach, in ihrem ₁₀
eigenen Ton= und Klangelemente von Ohr zu Ohr, von
Mund zu Mund getragen, kehrten sie, allmählich, belebt
und verherrlicht, zum Volke zurück, von dem sie zum
Teil gewissermaßen ausgegangen, so könnte man sagen,
das Büchlein habe seine Bestimmung erfüllt und könne ₁₅
nun wieder, als geschrieben und gedruckt, verloren gehen,
weil es in Leben und Bildung der Nation übergegangen.

Weil nun aber in der neueren Zeit, besonders in
Deutschland, nichts zu existieren und zu wirken scheint,
wenn nicht darüber geschrieben und wieder geschrieben ₂₀
und geurteilt und gestritten wird, so mag denn auch
über diese Sammlung hier einige Betrachtung stehen,
die, wenn sie den Genuß auch nicht erhöht und verbreitet, doch wenigstens ihm nicht entgegen wirken soll.

Was man entschieden zu Lob und Ehren dieser ₂₅
Sammlung sagen kann, ist, daß die Teile derselben
durchaus mannigfaltig charakteristisch sind. Sie enthält
über zweihundert Gedichte aus den drei letzten Jahr=
hunderten, sämtlich dem Sinne, der Erfindung, dem Ton,
der Art und Weise nach dergestalt von einander unter= ₃₀
schieden, daß man keins dem andern vollkommen gleich=
stellen kann. Wir übernehmen das unterhaltende Geschäft, sie alle der Reihe nach, so wie es uns der Augenblick eingibt, zu charakterisieren.

Das Wunderhorn. (S. 13.) Feenhaft, kindlich, ₃₅
gefällig.

Des Sultans Töchterlein. (15.) Christlich zart,
anmutig.

Tell und sein Kind. (17.) Rechtlich und tüchtig.

Großmutter Schlangenköchin. (19.) Tief, rätselhaft, dramatisch vortrefflich behandelt.

Jesaias Gesicht. (20.) Barbarisch groß.

Das Feuerbesprechen. (21.) Räuberisch ganz
gehörig und recht.

Der arme Schwartenhals. (22.) Vagabundisch,
launig, lustig.

Der Tod und das Mädchen. (24.) In Toten-
tanz-Art, holzschnittmäßig, lobenswürdig.

Nachtmusikanten. (29.) Närrisch, ausgelassen,
köstlich.

Widerspenstige Braut. (30.) Humoristisch, etwas
fratzenhaft.

Klosterscheu. (32.) Launenhaft verworren, und
doch zum Zweck.

Der vorlaute Ritter. (32.) Im real-roman-
tischen Sinn gar zu gut.

Die schwarzbraune Hexe. (34.) Durch Uber-
lieferung etwas konfus, der Grund aber unschätzbar.

Der Dollinger. (36.) Ritterhaft tüchtig.

Liebe ohne Stand. (37.) Dunkel romantisch.

Gastlichkeit des Winters. (39.) Sehr zierlich.

Die hohe Magd. (40.) Christlich pedantisch, nicht
ganz unpoetisch.

Liebe spinnt keine Seide. (42.) Lieblich konfus und deswegen Phantasie erregend.

Husarenglaube. (43.) Schnelligkeit, Leichtigkeit
musterhaft ausgedrückt.

Rattenfänger von Hameln. (44.) Zuckt aufs
Bänkelsängerische, aber nicht unsein.

Schürz' dich Gretlein. (46.) Im Vagabunden-
Sinn. Unerwartet epigrammatisch.

Lied vom Ringe. (48.) Romantisch zart.

Der Ritter und die Magd. (50.) Dunkel
romantisch, gewaltsam.

Der Schreiber im Korb. (53.) Den Schlag
wiederholendes, zweckmäßiges Spottgedicht.

Erntelied. (55.) Katholisches Kirchen=Todeslied.
Verdiente protestantisch zu sein.

Überdruß der Gelahrtheit. (57.) Sehr wacker.
Aber der Pedant kann die Gelahrtheit nicht los werden.

Schlacht bei Murten. (58.) Realistisch, wahr=
scheinlich modernisiert.

Liebesprobe. (61.) Im besten Handwerksburschen=
Sinne, und auch trefflich gemacht.

Der Falke. (63.) Groß und gut.

Die Eile der Zeit in Gott. (64.) Christlich,
etwas zu historisch; aber dem Gegenstande gemäß und
recht gut.

Das Rautensträuchlein. (69.) Eine Art Trüm=
mer, sehr lieblich.

Die Nonne. (70.) Romantisch, empfindungsvoll
und schön.

Revelje. (72.) Unschätzbar für den, dessen Phan=
tasie folgen kann.

Fastnacht. (74.) Liebehaft, leise.

Diebsstellung. (75.) Holzschnittartig, sehr gut.

Wassersnot. (77.) Anschauung, Gefühl, Dar=
stellung, überall das Rechte.

Tambursgesell. (78.) Heitere Vergegenwärtigung
eines ängstlichen Zustandes. Ein Gedicht, dem der
Einsehende schwerlich ein gleiches an die Seite setzen
könnte.

David. (79.) Katholisch hergebracht, aber noch
ganz gut und zweckmäßig.

Sollen und Müssen. (80.) Vortrefflich in der
Anlage, obgleich hier in einem zerstückten und wunder=
lich restaurierten Zustande.

Liebesdienst. (83.) Deutsch romantisch, fromm=
sinnig und gefällig.

Geht dir's wohl, so denk' an mich. (84.) An=
mutiger, singbarer Klang.

Der Tannhäuser. (86.) Großes christlich=katho=
lisches Motiv.

Mißheirat. (90.) Treffliche, rätselhafte Fabel,

ließe sich vielleicht mit wenigem anschaulicher und für den Teilnehmer befriedigender behandeln.

Wiegenlied. (92.) Reimhafter Unsinn, zum Einschläfern völlig zweckmäßig.

Frau Nachtigall. (93.) Eine kunstlose Behandlung zugegeben, dem Sinne nach höchst anmutig.

Die Juden in Passau. (93.) Bänkelsängerisch, aber lobenswert.

Kriegslied gegen Karl V. (97.) Protestantisch, höchst tüchtig.

Der Bettelvogt. (100.) Im Vagabunden-Sinne gründlich und unschätzbar.

Von den klugen Jungfrauen. (101.) Recht großmütig, herzerhebend, wenn man in den Sinn einbringt.

Müllers Abschied. (102.) Für den, der die Lage fassen kann, unschätzbar, nur daß die erste Strophe einer Emendation bedarf.

Abt Neidhard und seine Münche. (103.) Ein Till-Streich von der besten Sorte und trefflich dargestellt.

Von zwölf Knaben. (109.) Leichtfertig, ganz köstlich.

Kurze Weile. (110.) Deutsch romantisch, sehr lieblich.

Kriegslied des Glaubens. (112.) Protestantisch derb, treffend und durchschlagend.

Tabakslied. (114.) Trümmerhaft, aber Bergbau und Tabak gut bezeichnend.

Das fahrende Fräulein. (114.) Tief und schön.

Bettelei der Vögel. (115.) Gar liebenswürdig.

Die Greuelhochzeit. (117.) Ungeheurer Fall, bänkelsängerisch, aber lobenswürdig behandelt.

Der vortreffliche Stallbruder. (120.) Unsinn, aber wohl dem, der ihn behaglich singen könnte.

Unerhörte Liebe. (121.) Schön, sich aber doch einer gewissen philisterhaften Proje nähernd.

Das Bäumlein. (124.) Sehnsuchtsvoll, spielend, und doch herzinniglich.

Lindenschmidt. (125.) Von dem Reuterhaften, Holzschnittartigen die allerbeste Sorte.

Lied vom alten Hildebrand. (128.) Auch sehr gut, doch früher und in der breiteren Manier gedichtet.

Friedenslied. (134.) Andächtig, bekannte Melodie, ans Herz redend.

Friedenslied. (137.) Gut, aber zu modern und reflektiert.

Drei Schwestern. (139.) Sehr wacker in der derben Art.

Der englische Gruß. (140.) Die anmutige, bloß katholische Art, christliche Mysterien ans menschliche, besonders deutsche Gefühl herüberzuführen.

Vertraue. (141.) Seltsam, tragisch, zum Grund ein vortreffliches Motiv.

Das Leiden des Herrn. (142.) Die große Situation ins Gemeine gezogen; in diesem Sinne nicht tadelhaft.

Der Schweizer. (145.) Recht gut. Sentimentaler, aber lange nicht so gut als der Tambursgesell (78).

Pura. (146.) Schöne Fabel, nicht schlecht, aber auch nicht vorzüglich behandelt.

Die kluge Schäferin. (149.) Gar heiter, frei- und frohmütig.

Ritter St. Georg. (151.) Ritterlich, christlich, nicht ungeschickt dargestellt, aber nicht erfreulich.

Die Pantoffeln. (156.) Schöne Anlage, hier fragmentarisch, ungenießbar.

Xaver. (157.) Sehr wacker, dem Charakter nach, doch zu wort- und phrasenhaft.

Wachtelwacht. (159.) Als Ton nachahmend, Zustand darstellend, bestimmtes Gefühl aufrufend unschätzbar.

Das Tod-Austreiben. (161.) Gar lustig, wohlgefühlt und zweckmäßig.

Gegen das Quartanfieber. (161.) Unsinnige Formel, wie billig.

Zum Festmachen. (162.) Glücklicher Einfall.

Aufgegebene Jagd. (162.) Fordert den Ton des Waldhorns.

Wer 's Lieben erdacht. (163.) Gar knabenhaft von Grund aus.

Des Herrn Weingarten. (165.) Liebliche Versinnlichung christlicher Mysterien.

Cedrons Klage. (166.) Nicht eben so glücklich. Man sieht dieser Klage zu sehr den Gradus ad Parnassum an.

Frühlingsbeklemmung. (172.) Besser als das vorige. Doch hört man immer noch das Wort- und Bildgeklapper.

Lobgesang auf Maria. (174.) Auch diesem läßt sich vielleicht ein Geschmack abgewinnen.

Abschied von Maria. (178.) Interessante Fabel und anmutige Behandlung.

Ehestand der Freude. (181.) Derb lustig, muß gesungen werden wie irgend eins.

Amor. (182.) Nieblich und wunderlich genug.

Vom großen Bergbau der Welt. (183.) Tief und ahnungsvoll, dem Gegenstande gemäß. Ein Schatz für Bergleute.

Husarenbraut. (188.) Nicht eben schlimm.

Das Straßburger Mädchen. (189.) Liegt ein lieblich Begebnis zum Grund, zart und phantastisch behandelt.

Zwei Röselein. (190.) Ein Ereignen zwischen Liebesleuten, von der zartesten Art, dargestellt, wie es besser nicht möglich ist.

Das Mädchen und die Hasel. (192.) Gar natürlich gute und frische Sittenlehre.

Königstochter aus Engelland. (193.) Nicht zu schelten; doch spürt man zu sehr das Pfaffenhafte.

Schall der Nacht. (198.) Wird, gesungen, herzerfreulich sein.

Große Wäsche. (201.) Feenhaft und besonders.

Der Palmbaum. (202.) So recht von Grund aus herzlich.

Der Fuhrmann. (203.) Gehört zu den guten
Vagabunden=, Handwerks= und Gewerbsliedern.

Pfauenart. (204.) Gute Neigung, bescheiden aus=
gedrückt.

Der Schildwache Nachtlied. (205.) Ans Quod=
libet streifend, dem tiefen und dunkeln Sinne der Aus=
druck gemäß.

Der traurige Garten. (206.) Süße Neigung.

Hüt' du dich. (207.) Im Sinn und Klang des
Vaudeville sehr gut.

Die mystische Wurzel. (208.) Geistreich, wobei
man sich doch des Lächelns über ein falsches Gleichnis
nicht enthalten kann.

Rätsel. (209.) Nicht ganz glücklich.

Wie kommt's, daß du so traurig bist. (210.)
Streift ans Quodlibet, wahrscheinlich Trümmern.

Unkraut. (211.) Quodlibet von der besten Art.

Der Wirtin Töchterlein. (212.) Höchst lieblich,
aber nicht so recht ganz.

Wer hat dies Liedlein erdacht. (213.) Eine Art
übermütiger Fratze, zur rechten Zeit und Stunde wohl
lustig genug.

Doktor Faust. (214.) Tiefe und gründliche Motive,
könnten vielleicht besser dargestellt sein.

Müllertücke. (218.) Bedeutende Mordgeschichte,
gut dargestellt.

Der unschuldig Hingerichtete. (220.) Ernste
Fabel, lakonisch trefflich vorgetragen.

Ringlein und Fähnlein. (223.) Sehr gefällig
romantisch. Das Reimgeklingel tut der Darstellung
Schaden, bis man sich allenfalls daran gewöhnen mag.

Die Hand. (226.) Bedeutendes Motiv kurz ab=
gefertigt.

Martinsgans. (226.) Bauerburschenhaft, lustig
losgebunden.

Die Mutter muß gar sein allein. (227.) Nicht
recht von Grund und Brust aus, sondern nach einer schon
vorhandenen Melodie gesungen.

Der stolze Schäfersmann. (229.) Diese schöne Fabel, durch den Widerklang des Vaudeville ein sonderbarer, aber für den Gesang bedeutender Vortrag.

Wenn ich ein Vöglein wär'. (231.) Einzig schön und wahr.

An einen Boten. (232.) Einzig lustig und gutlaunig.

Weine nur nicht. (232.) Leiblicher Humor, aber doch ein bißchen plump.

Käuzlein. (233.) Wunderlich, von tiefem, ernstem, köstlichem Sinn.

Weinschröterlied. (234.) Unsinn der Beschwörungsformeln.

Maikäferlied. (235.) Desgleichen.

Marienwürmchen. (235.) Desgleichen, mehr ins Zarte geleitet.

Der verlorne Schwimmer. (236.) Anmutig und voll Gefühl.

Die Prager Schlacht. (237.) Rasch und knapp, eben als wenn es drei Husaren gemacht hätten.

Frühlingsblumen. (239.) Wenn man die Blumen nicht so entsetzlich satt hätte, so möchte dieser Kranz wohl artig sein.

Kuckuck. (241.) Neckisch bis zum Fratzenhaften, doch gefällig.

Die Frau von Weißenburg. (242.) Eine gewaltige Fabel, nicht ungemäß vorgetragen.

Soldatentod. (245.) Möchte vielleicht im Frieden und beim Ausmarsch erbaulich zu singen sein. Im Krieg und in der ernsten Nähe des Unheils wird so etwas greulich wie das neuerlich belobte Lied: Der Krieg ist gut.

Die Rose. (251.) Liebliche Liebesergebenheit.

Die Judentochter. (252.) Passender, seltsamer Vortrag zu konfusem und zerrüttetem Gemütswesen.

Drei Reiter. (253.) Ewiges und unzerstörliches Lied des Scheidens und Meidens.

Schlachtlied. (254.) In künftigen Zeiten zu singen.

Herr von Falkenstein. (255.) Von der guten zarten innigen Romanzenart.

Das römische Glas. (257.) Desgleichen. Etwas rätselhafter.

Rosmarin. (258.) Ruhiger Blick ins Reich der Trennung.

Der Pfalzgraf am Rhein. (259.) Barbarische Fabel und gemäßer Vortrag.

Vogel Phönix. (261.) Nicht mißlungene christliche Allegorie.

Der unterirdische Pilger. (262.) Müßte in Schächten, Stollen und auf Strecken gesungen und empfunden werden. Über der Erde wird's einem zu dunkel dabei.

Herr Olof. (261 b.) Unschätzbare Ballade.

Ewigkeit. (263 b.) Katholischer Kirchengesang. Wenn man die Menschen konfus machen will, so ist dies ganz der rechte Weg.

Der Graf und die Königstochter. (265 b.) Eine Art von Pyramus und Thisbe. Die Behandlung solcher Fabeln gelang unsern Voreltern nicht.

Moritz von Sachsen. (270.) Ein ahnungsvoller Zustand und großes trauriges Ereignis, mit Phantasie dargestellt.

Ulrich und Ännchen. (274.) Die Fabel vom Blaubart in mehr nördlicher Form, gemäß dargestellt.

Vom vornehmen Räuber. (276.) Sehr tüchtig, dem Lindenschmidt (125) zu vergleichen.

Der geistliche Kämpfer. (277.) „Christ Gottes Sohn allhie" hätte durch sein Leiden wohl einen besseren Poeten verdient.

Dußle und Babeli. (281.) Köstlicher Abdruck des schweizer=bäurischen Zustands und des höchsten Ereignisses dort zwischen zwei Liebenden.

Der eifersüchtige Knabe. (282.) Das Wehen und Weben der rätselhaft mordgeschichtlichen Romanzen ist hier höchst lebhaft zu fühlen.

Der Herr am Ölberg. (283.) Diesem Gedicht

geschieht Unrecht, daß es hier steht. In dieser, meist natürlichen Gesellschaft wird einem die Allegorie der Anlage, so wie das poetisch Blumenhafte der Ausführung, unbillig zuwider.

Abschied von Bremen. (289.) Handwerksburschenhaft genug, doch zu prosaisch.

Aurora. (291.) Gut gedacht, aber doch nur gedacht.

Werd' ein Kind. (291.) Ein schönes Motiv, pfaffenhaft verschoben.

Der ernsthafte Jäger. (292.) Ein bißchen barsch, aber gut.

Der Mordknecht. (294.) Bedeutend, seltsam und tüchtig.

Der Prinzenraub. (296.) Nicht gerade zu schelten, aber nicht befriedigend.

Nächten und Heute. (298.) Ein artig Lied des Inhalts, der so oft vorkommt: Cosi fan tutte und tutti.

Der Spaziergang. (299.) Mehr Reflexion als Gesang.

Das Weltende. (300.) Deutet aufs Quodlibet, läßt was zu wünschen übrig.

Bayrisches Alpenlied. (301.) Allerliebst, nur wird man vornherein irre, wenn man nicht weiß, daß unter dem Palmbaum die Stechpalme gemeint ist. Mit einem Dutzend solcher Noten wäre manchem Liede zu mehrerer Klarheit zu helfen gewesen.

Jäger Wohlgemut. (303.) Gut, aber nicht vorzüglich.

Der Himmel hängt voll Geigen. (304.) Eine christliche Cocagne, nicht ohne Geist.

Die fromme Magd. (306.) Gar hübsch und sittig.

Jagdglück. (306.) Zum Gesang erfreulich, im Sinne nicht besonders. Überhaupt wiederholen die Jägerlieder, vom Toue des Waldhorns gewiegt, ihre Motive zu oft ohne Abwechseln.

Kartenspiel. (308.) Artiger Einfall und guter Humor.

Für funfzehn Pfennige. (309.) Von der aller=
besten Art, einen humoristischen Refrain zu nutzen.

Der angeschossene Kuckuck. (311.) Nur Schall
ohne irgend eine Art von Inhalt.

Warnung. (313.) Ein Kuckuck von einer viel besseren
Sorte.

Das große Kind. (314.) Höchst süße. Wäre wohl
wert, daß man ihm das Ungeschickte einiger Reime und
Wendungen benähme.

Das heiße Afrika. (315.) Spukt doch eigentlich
nur der Halberstädter Grenadier.

Das Wiedersehn am Brunnen. (317.) Voll An=
mut und Gefühl.

Das Hasellocher Tal. (319.) Seltsame Mord=
geschichte, gehörig vorgetragen.

Abendlied. (321.) Sehr lobenswürdig, von der
recht guten lyrisch=episch=dramatischen Art.

Der Scheintod. (322.) Sehr schöne, wohlaus=
gestattete Fabel, gut vorgetragen.

Die drei Schneider. (325.) Wenn doch einmal eine
Gilde vexiert werden soll, so geschieht's hier lustig genug.

Nächtliche Jagd. (327.) Die Intention ist gut,
der Ton nicht zu schelten, aber der Vortrag ist nicht hin=
reichend.

Spielmanns Grab. (328.) Ausgelassenheit, un=
schätzbarer sinnlicher Bauernhumor.

Knabe und Veilchen. (329.) Zart und zierlich.

Der Graf im Pfluge. (330.) Gute Ballade, doch
zu lang.

Drei Winterrosen. (339.) Zu sehr abgekürzte
Fabel von dem Wintergarten, der schon im Bojardo vor=
kommt.

Der beständige Freier. (341.) Echo, versteckter
Totentanz, wirklich sehr zu loben.

Von Hofleuten. (343.) Wäre noch erfreulicher,
wenn nicht eine, wie es uns scheint, falsche Überschrift auf
eine Allegorie deutete, die man im Lied weder finden
kann noch mag.

Lied beim Henen. (345.) Köstliches Vaudeville, das unter mehreren Rezensionen bekannt ist.

Fischpredigt. (347.) Unvergleichlich, dem Sinne und der Behandlung nach.

Die Schlacht bei Sempach. (349.) Wacker und derb, doch nahe zu chronikenhaft prosaisch.

Algerius. (353.) Fromm, zart und voll Glaubenskraft.

Doppelte Liebe. (354.) Artig, könnte aber der Situation nach artiger sein.

Manschettenblume. (356.) Wunderlich romantisch, gehaltvoll.

Der Fähndrich. (358.) Mit Eigenheit; doch hätte die Gewalt, welche der Fähndrich dem Mädchen angetan, müssen ausgedrückt werden: sonst hat es keinen Sinn, daß er hängen soll.

Gegen die Schweizer Bauern. (360.) Tüchtige und doch poetische Gegenwart. Der Zug, daß ein Bauer das Glas in den Rhein wirft, weil er in dessen Farbenspiel den Pfauenschwanz zu sehen glaubt, ist höchst revolutionär und treffend.

Kinder still zu machen. (362.) Recht artig und kindlich.

Gesellschaftslied. (363.) In Tillen-Art kapital.

Das Gnadenbild. (366.) Ist hübsch, wenn man sich den Zustand um einen solchen Wallfahrtsort vergegenwärtigen mag.

Geh du nur hin. (371.) Frank und frech.

Verlorne Mühe. (372.) Treffliche Darstellung weiblicher Betulichkeit und täppischen Männerwesens.

Starke Einbildungskraft. (373.) Zarter Hauch, kaum festzuhalten.

Die schlechte Liebste. (374.) Innig gefühlt und recht gedacht.

Maria auf der Reise. (375.) Hübsch und zart, wie die Katholiken mit ihren mythologischen Figuren das gläubige Publikum gar zweckmäßig zu beschäftigen und zu belehren wissen.

Der geadelte Bauer. (376.) Recht gut gesehen und mit Verdruß launisch dargestellt.

Abschiedszeichen. (378.) Recht lieblich.

Die Ausgleichung. (379.) Die bekannte Fabel vom Becher und Mantel, kurz und bedeutend genug dargestellt.

Petrus. (382.) Scheint uns gezwungen freigeistisch.

Gott grüß' Euch, Alter. (384.) Modern und sentimental, aber nicht zu schelten.

Schwere Wacht. (386.) Zieht schon in das umständliche, klang= und sangreiche Minnesängerwesen herüber.

1) Jungfrau und Wächter. Gar liebreich, doch auch zu umständlich.

2) Der lustige Geselle. Ist uns lieber als die vorhergehenden.

3) Variation. Macht hier zu großen Kontrast; denn es gehört zu der tiefen, wunderlichen deutschen Balladenart.

4) Beschluß. Paßt nicht in diese Reihe.

Der Pilger und die fromme Dame. (396.) Ein guter, wohl dargestellter Schwank.

Kaiserliches Hochzeitlied. (397.) Barbarisch pedantisch, und doch nicht ohne poetisches Verdienst.

Antwort Mariä auf den Gruß der Engel. (406.) Das liebenswürdigste von allen christkatholischen Gedichten in diesem Bande.

Staufenberg und die Meerfeye. (407.) Recht lobenswerte Fabel, gedrängt genug vorgetragen, klug verteilt. Würde zu kurz scheinen, wenn man nicht an lauter kürzere Gedichte gewöhnt wäre.

Des Schneiders Feierabend. (418.) In der Holzschnittsart, so gut, als man es nur wünschen kann.

Mit dieser Charakterisierung aus dem Stegreife — denn wie könnte man sie anders unternehmen? — gedenken wir niemand vorzugreifen, denen am wenigsten, die durch wahrhaft lyrischen Genuß und echte Teilnahme einer sich ausdehnenden Brust viel mehr von diesen Gedichten fassen werden, als in irgend einer lakonischen

Beſtimmung des mehr oder minderen Bedeutens geleiſtet
werden kann. Indeſſen ſei uns über den Wert des Ganzen
noch folgendes zu jagen vergönnt.

Dieſe Art Gedichte, die wir ſeit Jahren Volkslieder
zu nennen pflegen, ob ſie gleich eigentlich weder vom
Volk noch fürs Volk gedichtet ſind, ſondern weil ſie ſo
etwas Stämmiges, Tüchtiges in ſich haben und begreifen,
daß der kern- und ſtammhafte Teil der Nationen dergleichen Dinge faßt, behält, ſich zueignet und mitunter
fortpflanzt — dergleichen Gedichte ſind ſo wahre Poeſie,
als ſie irgend nur ſein kann; ſie haben einen unglaub-
lichen Reiz, ſelbſt für uns, die wir auf einer höheren
Stuje der Bildung ſtehen, wie der Anblick und die Erinnerung der Jugend fürs Alter hat. Hier iſt die Kunſt
mit der Natur im Konflikt, und eben dieſes Werden,
dieſes wechſelſeitige Wirken, dieſes Streben ſcheint ein
Ziel zu ſuchen, und es hat ſein Ziel ſchon erreicht. Das
wahre dichteriſche Genie, wo es auftritt, iſt in ſich vollendet; mag ihm Unvollkommenheit der Sprache, der
äußeren Technik, oder was ſonſt will entgegenſtehen, es
beſitzt die höhere innere Form, der doch am Ende alles
zu Gebote ſteht, und wirkt ſelbſt im dunkeln und trüben
Elemente oft herrlicher, als es ſpäter im klaren vermag.
Das lebhafte poetiſche Anſchauen eines beſchränkten Zu-
ſtandes erhebt ein Einzelnes zum zwar begrenzten, doch
unumſchränkten All, ſo daß wir im kleinen Raume die
ganze Welt zu ſehen glauben. Der Drang einer tiefen
Anſchauung fordert Lakonismus; was der Proje ein un-
verzeihliches Hinterſtzuvörderſt wäre, iſt dem wahren
poetiſchen Sinne Notwendigkeit, Tugend, und ſelbſt das
Ungehörige, wenn es an unſere ganze Kraft mit Ernſt
anſpricht, regt ſie zu einer unglaublich genußreichen
Tätigkeit auf.

Durch die obige einzelne Charakteriſtik ſind wir einer
Klaſſifikation ausgewichen, die vielleicht künſtig noch eher
geleiſtet werden kann, wenn mehrere dergleichen, echte, bedeutende Grundgeſänge zuſammengeſtellt ſind. Wir können
jedoch unſere Vorliebe für diejenigen nicht bergen, wo

lyrische, dramatische und epische Behandlung dergestalt
in einander geflochten ist, daß sich erst ein Rätsel aufbaut und sodann mehr oder weniger und wenn man will
epigrammatisch auflöst. Das bekannte: Dein Schwert,
wie ist's vom Blut so rot, Eduard, Eduard! ist
besonders im Original das Höchste, was wir in dieser
Art kennen.

Möchten die Herausgeber aufgemuntert werden, aus
dem reichen Vorrat ihrer Sammlungen, so wie aus allen
vorliegenden schon gedruckten, bald noch einen Band
folgen zu lassen; wobei wir denn freilich wünschen, daß
sie sich vor dem Singsang der Minnesinger, vor der
bänkelsängerischen Gemeinheit und vor der Plattheit der
Meistersänger, so wie vor allem Pfäffischen und Pedan-
tischen höchlich hüten mögen.

Brächten sie uns noch einen zweiten Teil dieser Art
deutscher Lieder zusammen, so wären sie wohl aufzurufen,
auch was fremde Nationen, Engländer am meisten,
Franzosen weniger, Spanier in einem anderen Sinne,
Italiener fast gar nicht, dieser Liederweise besitzen, aus-
zusuchen und sie im Original und nach vorhandenen
oder von ihnen selbst zu leistenden Übersetzungen dar-
zulegen.

Haben wir gleich zu Anfang die Kompetenz der Kritik,
selbst im höheren Sinn, auf diese Arbeit gewissermaßen
bezweifelt, so finden wir noch mehr Ursache, eine sondernde
Untersuchung, inwiefern das alles, was uns hier gebracht ist, völlig echt oder mehr und weniger restauriert
sei, von diesen Blättern abzulehnen.

Die Herausgeber sind im Sinne des Erfordernisses
so sehr, als man es in späterer Zeit sein kann, und daß
hie und da seltsam Restaurierte, aus fremdartigen Teilen
Verbundene, ja das Untergeschobene ist mit Dank anzunehmen. Wer weiß nicht, was ein Lied auszustehen
hat, wenn es durch den Mund des Volkes, und nicht
etwa nur des ungebildeten, eine Weile durchgeht! Warum
soll der, der es in letzter Instanz aufzeichnet, mit anderen
zusammenstellt, nicht auch ein gewisses Recht daran

haben? Besitzen wir doch aus früherer Zeit kein poetisches
und kein heiliges Buch, als insofern es dem Auf- und
Abschreiber solches zu überliefern gelang oder beliebte.

Wenn wir in diesem Sinne die vor uns liegende
gedruckte Sammlung dankbar und läßlich behandeln, so
legen wir den Herausgebern besto ernstlicher ans Herz,
ihr poetisches Archiv rein, streng und ordentlich zu halten.
Es ist nicht nütze, daß alles gedruckt werde; aber sie
werden sich ein Verdienst um die Nation erwerben, wenn
sie mitwirken, daß wir eine Geschichte unserer Poesie
und poetischen Kultur, worauf es denn doch nunmehr
nach und nach hinausgehen muß, gründlich, aufrichtig
und geistreich erhalten.

8. **Berlin, bei Unger: Regulus, eine Tragödie in
fünf Aufzügen, von Collin. 1802. 184 S. mit den
Anmerkungen. 8°.**

Die lebhafte Sensation, welche dieses Stück bei seiner
Erscheinung erregte, ist zwar nach und nach verklungen,
doch möchte es nicht zu spät sein, noch ein ruhiges
kritisches Wort darüber auszusprechen.

Der Verfasser hat bei der Wahl dieses Gegenstandes
sich sehr vergriffen. Es ist darin Stoff allenfalls zu einem
Akt, aber keineswegs zu fünfen, und dieser eine Akt
ist es, der dem Stücke Gunst erweckt.

In dem ersten ist Aittlia, die Gattin des Regulus,
vorzüglich beschäftigt, die Lage der Sache und sich selbst
zu exponieren, jedoch weiß sie sich unsere Gunst nicht zu
verschaffen.

Wer den Entschluß des Regulus als groß und helden-
mütig anerkennen soll, muß den hohen Begriff von Rom
mit zum Stücke bringen: die Anschauung dieser ungeheueren spezifischen Einheit einer Stadt, welche Feinde,
Freunde, ja ihre Bürger selbst für nichts achtet, um der
Mittelpunkt der Welt zu werden. Und solche Gesinnungen
sind es, die den einzelnen edlen Römer charakterisieren;
so auch die Römerinnen. Wir sind die Lucretien und
Clölien, Poreten und Arrien und ihre Tugenden schon

so gewohnt, daß uns eine Attilia kein Interesse abge=
winnen kann, die als eine ganz gemeine Frau ihren
Mann für sich und ihre Kinder aus der Gefangenschaft
zurückwünscht. Indessen möchte das dem ersten Akt hin=
gehen, da von dem Kollisivfall, der nun sogleich eintritt,
noch nicht die Rede ist.

Der zweite Akt enthält nun den interessanten Punkt,
wo Regulus mit dem karthagischen Gesandten vor dem
Senat erscheint, die Auswechselung der Gefangenen
widerrät, sich den Todesgöttern widmet und mit seinem
ältesten Sohne Publius, der für die Befreiung des Vaters
arbeiten wollte, sich auf echt römische Weise unzufrieden
bezeigt.

Mit dem britten Akt fängt das Stück sogleich an, zu
sinken. Der punische Gesandte erscheint wirklich komisch,
indem er den Regulus durch kosmopolitische Argumente
von seinem spezifischen Patriotismus zu heilen sucht.
Hierauf muß der wackere Held durch Frau und Kinder
gar jämmerlich gequält werden, indessen der Zuschauer
gewiß überzeugt ist, daß er nicht nachgeben werde. Wie
viel schöner ist die Lage Coriolans, der seinem Vaterlande wieder erbeten wird, nachgeben kann, nachgeben
muß und darüber zu Grunde geht!

Der vierte Akt ist ganz müßig. Der Konsul Metellus
bringt erst einen Senator höflich beiseite, der sich des
Regulus annehmen will, ferner beseitigt er einen stock=
patrizisch gesinnten Senator, der zu heftig gegen Regulus
wird, und läßt zuletzt den Publius, man darf wohl sagen,
abfahren, als dieser ungestüm die Befreiung seines Vaters
verlangt und, da Überredung nicht hilft, auf eine wirklich
lächerliche Weise den Dolch auf den Konsul zuckt, welcher,
wie man denken kann, unerschüttert stehen bleibt und
den törichten jungen Menschen gelassen fortschickt.

Der fünfte Akt ist die zweite Hälfte vom zweiten.
Was dort vor dem Senat vorgegangen, wird hier vor
dem Volke wiederholt, welches den Regulus nicht fort-
lassen will, der, damit es ja an modern dringenden,
dramatischen Mitteln nicht fehle, auch einen von den

durchs Stück wandelnden Dolchen zuckt und sich zu durch-
bohren droht.

Wollte man dieses Sujet in einem Akt behandeln,
indem man auf geschickte Weise den zweiten und fünften
5 zusammenschmölze, so würde es ein Gewinn für die
Bühne sein; denn es ist immer herzerhebend, einen Mann
zu sehen, der sich aus Überzeugung für ein Ganzes auf-
opfert, da im gemeinen Lauf der Welt sich niemand
leicht ein Bedenken macht, um seines besonderen Vorteils
10 willen das schönste Ganze, wo nicht zu zerstören, doch
zu beschädigen.

Hätte dieser Gegenstand unvermeidlich bearbeitet
werden müssen, so hätte die große Spaltung der Plebejer
und Patrizier zu Einleitungs- und Ausfüllungsmotiven
15 ben Stoff geben können. Wenn Attilia, eine recht ein-
gefleischte Plebejerin, nicht allein Gatten und Vater für
sich und ihre Kinder, sondern auch für ihre Nächsten, für
Vettern und Gevattern einen Patron zu befreien und
aufzustellen im Sinne hätte, so würde sie ganz anders
20 als in ihrer jetzigen Privatgestalt auftreten. Wenn man
alsdann dem Regulus, der nur die eine große unteil-
bare Idee von dem einzigen Rom vor Angen hat, dieses
Rom als ein gespaltenes, als ein ben Patriziern hin-
gegebenes, als ein teilsweise unterdrücktes, seine Hilfe
25 forderndes Rom, in steigenden Situationen, dargebracht
hätte, so wäre doch wohl ein augenblicklich wankender
Entschluß, ohne Nachteil des Helben, zu bewirken gewesen. Anstatt dessen bringt der Verfasser diesen wechselseitigen Haß ber beiden Parteien als völlig unfruchtbar
30 und keineswegs in die Handlung eingreifend, weil er
ihm nicht entgehen konnie, durch das ganze Stück gelegentlich mit vor.

Wir können baher ben Verfasser weder wegen der
Wahl des Gegenstandes, noch wegen der bei Bearbeitung
35 desselben geäußerten Erfindungsgabe rühmen, ob wir
gleich übrigens gern gestehen, daß das Stück uebst ben
Anmerkungen ein unverwerfliches Zeugnis ablege, daß
er die römische Geschichte wohl studiert habe.

Unglücklicherweise aber sind eben diese historischen Stoffe mit der Wahrheit ihrer Details dem dramatischen Dichter das größte Hindernis. Das einzelne Schöne, historisch Wahre macht einen Teil eines ungeheueren Ganzen, zu dem es völlig proportioniert ist. Das historisch Wahre in einem beschränkten Gedicht läßt sich nur durch große Kraft des Genies und Talents dergestalt beherrschen und bearbeiten, daß es nicht dem engeren Ganzen, das in seiner Sphäre eine ganz andere Art von Anähnlichung verlangt, als störend erscheine.

So sieht man aus den Anmerkungen, daß der Verfasser zu dem unverzeihlichen Mißgriff des Publius, der den Dolch gegen den Konsul zuckt, durch ein geschichtliches Faktum verleitet worden, indem ein junger Römer schon einmal einen Tribunen, der einen Vater zur Klage gezogen, durch Drohung genötigt, seine Klage zurückzunehmen. Wenn nun ein Hauptargument dieser Klage war, daß der Vater den Sohn übel behandle, so steht diese Anekdote gar wohl in einer römischen Geschichte. Aber hier im Drama der junge Mensch, der gegen den Konsul Lucius Cäcilius Metellus den Dolch zieht, begeht doch wohl den albernsten aller Streiche!

Wie die Einsicht des Verfassers in die römische Geschichte, so sind auch seine geäußerten teils römischen, teils allgemein menschlichen Gesinnungen lobenswert. Sie haben durchaus etwas Rechtliches, meist etwas Richtiges; allein aus allen diesen einzelnen Teilen ist kein Ganzes entstanden.

So ist uns auch noch nicht bei dieser Beurteilung die Betrachtung der Charaktere dringend geworden; denn man kann wohl sagen, daß keine Charaktere in dem Stück sind. Die Leute stehen wohl durch Zustände und Verhältnisse von einander ab und meinen auch einer anders als der andere, aber es ist nirgends ein Zug, der ein Individuum, ja auch nur im rechten Sinn eine Gattung darstelle. Da dieses Stück übrigens Figuren hat, die den Schauspielern zusagen, so wird es wohl auf vielen deutschen Theatern gegeben werden, aber es wird sich auf keinem halten, weil es im Ganzen dem Publikum nicht zusagt, das die schwachen und leeren Stellen gar zu bald gewahr wird.

Wir wünschen daher, wenn das Stück noch eine Weile in dieser Form gegangen ist, daß der Teil, der dramatisch darstellbar und wirksam ist, für das deutsche Theater, das ohnehin auf sein Repertorium nicht pochen kann, gerettet werde, und zwar so, daß der Verfasser oder sonst ein guter Kopf aus dem zweiten und fünften Akte ein Stück in einem Akte komponierte, das man mit Überzeugung und Glück auf den deutschen Theatern geben und wieder geben könnte.

9. Dresden, bei Gerlach: Ugolino Gherardesca, ein Trauerspiel, herausgegeben von Böhlendorff. 1801. 188 S. gr. 8°.

Wenn das außerordentliche Genie etwas hervorbringt, das Mit- und Nachwelt in Erstaunen setzt, so verehren die Menschen eine solche Erscheinung durch Anschauen, Genuß und Betrachtung, jeder nach seiner Fähigkeit; allein da sie nicht ganz untätig bleiben können, so nehmen sie öfters das Gebildete wieder als Stoff an und fördern, welches nicht zu leugnen ist, manchmal dadurch die Kunst.

Die wenigen Terzinen, in welche Dante den Hungertod Ugolinos und seiner Kinder einschließt, gehören mit zu dem Höchsten, was die Dichtkunst hervorgebracht hat; denn eben diese Enge, dieser Lakonismus, dieses Verstummen bringt uns den Turm, den Hunger und die starre Verzweiflung vor die Seele. Hiermit war alles getan, und hätte dabei wohl bewenden können.

Gerstenberg kam auf den Gedanken, aus diesem Keim eine Tragödie zu bilden, und obgleich das Große der Dantischen Darstellung durch jede Art von Amplifikation verlieren mußte, so faßte doch Gerstenberg den rechten Sinn, daß seine Handlung innerhalb des Turms verweilt, daß er durch Motive von Streben, Hoffnung, Aussicht den Beschauer hinhält und innerhalb dieser stockenden

Masse einige Veränderung des Zustandes bis zur letzten
Hilflosigkeit hervorzubringen weiß. Wir haben ihm also
zu danken, daß er etwas gleichsam Unmögliches unter=
nommen und es doch mit Sinn und Geschick gewisser=
maßen ausgeführt.

Herr Böhlendorff war dagegen bei Konzeption seines
Trauerspiels ganz auf dem falschen Wege, wenn er sich
einbildete, daß man ein politisch=historisches Stück erst
ziemlich kalt anlegen, fortführen und es zuletzt mit dem
Ungeheueren enden könne.

Das Schlimmste bei der Sache ist, daß gegenwärtiger
Ugolino auch wieder zu den Stücken gehört, welche ohne
Wallensteins Dasein nicht geschrieben wären. In dem
ersten Akte sehen wir statt des zweideutigen Piccolomini
einen sehr unzweideutigen Schelmen von ghibellinischem
Erzbischof, der zwar nicht ohne Ursache, doch aber auf
tückische und verruchte Weise den Guelfen Ugolino haßt;
ihm ist ein schwacher Legat des Papstes zugesellt, und
der ganze erste Akt wird daranj verwendet, die Gemüter
mehr oder weniger vom Ugolino abwendig zu machen.

Zu Anfang des zweiten Akts erscheint Ugolino auf
dem Lande, von seiner Familie umgeben, ungefähr wie
ein stiller Hausvater, dessen Geburtstag man mit Versen
und Kränzen feiert. Sein ältester Sohn kommt siegreich
zurück, um die Familienszene recht glücklich zu erhöhen.
Man spürt zwar sogleich einen Zwiespalt zwischen Vater
und Sohn, indem der Vater nach der Herrschaft strebt,
der Sohn aber die sogenannte Freiheit, die Autonomie
der Bürger zu lieben scheint, wodurch man wieder an
Piccolomini und Max erinnert wird. Nun kommen die
Burgemeister von Pisa, um den auf dem Lande zaudernden,
hypochondrisierenden Helden nach der Stadt zu berufen,
indem ein großer Tumult entstanden, wobei das Volk
Ugolinos Palast verbrannt und geschleift. Sie bieten ihm
und den Seinigen das Stadthaus zur Wohnung an.

Im dritten Akte erscheint nun ein Nachbild vom
Seni, Marco Lombardo, der die ganze Unglücksgeschichte
voraussieht. Ugolino hat von dem Senatspalast Besitz

genommen und sucht einen Ritter Nino, einen wackern
Mann, auch Guelfen, doch in Meinungen einigermaßen
verschieden, aus der Stadt zu entfernen und beraubt sich,
indem er einen Halbfreund von sich stößt, des besten
5 Schutzes gegen seinen heimlichen Erzfeind, den Ghibellinen
Ruggieri. Eine Szene zwischen Vater und Sohn erinnert wieder an die Piccolomini, und damit wir ja
nicht aus diesem Kreise kommen, endigt der dritte Akt
mit einer geschmückten Tafel, wobei die Handlung um
10 nichts vorwärts kommt, als daß Ugolino seine Gesundheit
als Pisas Fürst zu trinken erlaubt. Der Freiheit atmende
Francesco tritt dagegen auf, wodurch ein widersprechend
Verhältnis zwischen Vater und Sohn sich lebhaft ausdrückt und wir uns zu der Mühe verdammt finden, disjecti
15 membra poetae abermals zusammenzulesen.
　　Im vierten Akt erzählt Ugolino dem Wahrsager
einen Traum, wird aber durch den Seher um nichts
klüger. Frau und Kinder kommen, die Geburtstagsszene
wird etwas trauriger wiederholt; endlich findet sich Ugolino
20 im Dom ein, um die Herrschaft zu übernehmen, wo er
gefangen genommen und von dem schwankenden Volke
verlassen wird.
　　Zu Anfang des fünften Akts treten auf einmal in
diese prosaische Welt drei Schicksalsschwestern und par-
25 odieren die Hexen des Macbeths. Dann werden wir
in den Hungerturm geführt, wo der Verfasser der Leitung
Gerstenbergs mehr oder weniger folgt, die Wirkung aber
völlig zerstört, indem er die Hungerszene zerstückt und
den Leser wechselsweise in den Turm und auf die Straße
30 führt. Zuletzt wird der Bischof, wunderlich genug, Mitter-
nachts in den Dom gelockt und ermordet, nachdem vorher
Ugolinos Geist hinten über das Theater gegangen.
　　Man darf kühnlich behaupten, daß man im ganzen
Stück auf keine poetische Idee treffe. Die historisch-
35 politisch-psychologischen Reflexionen zeigen übrigens von
einem mäßigen, geraden Sinn. Die Einleitung des tristen
Ugolinischen Charakters durch Erzählung seiner unglücklichen Jugend ist gut. Jene oben erwähnte Situation,

da sich ein vorzüglicher Mann dadurch ins Unglück stürzt, daß er, Versöhnung heuchelnden Feinden zuliebe, einen wenig dissentierenden Freund verstößt und sich des einzigen Schutzes beraubt, wäre dramatisch interessant genug, nur müßte die Behandlung viel tiefer gegriffen werden.

An Aufführung dieses Stücks ist gar nicht zu denken, um so weniger, als es nicht durch theatralische Vorstellung, sondern durch Lektüre Wallensteins eigentlich entstanden sein mag.

10. Leipzig, bei Sommer: Johann Friedrich, Kurfürst zu Sachsen, ein Trauerspiel. 1804. 8°.

Es ist ein großer Unterschied, ob der Verfasser eines dramatischen Stückes vom Theater herunter oder auf das Theater hinauf schreibe. Im ersten Falle steht er hinter den Coulissen, ist selbst nicht gerührt noch getäuscht, kennt aber die Mittel, Rührung und Täuschung hervorzubringen, und wird nach dem Maß seines Talentes, wo nicht etwas Vortreffliches, doch etwas Brauchbares leisten. Im andern Falle hat er als Zuschauer gewisse Wirkungen erfahren, er fühlt sich davon durchdrungen und bewegt, möchte gern seine passive Rolle mit einer aktiven vertauschen, und indem er die schon vorhandenen Masken und Gesinnungen bei sich zu beleben und in veränderten Reihen wieder aufzuführen sucht, bringt er nur etwas Sekundäres, nur den Schein eines Theaterstücks hervor.

Ein solches Werk, wie das gegenwärtige, könnte man daher wohl fulgur e pelvi nennen, indem die Wallensteinische Sonne hier aus einem nicht eben ganz reinen Gefäß zurückleuchtet und kaum eine augenblickliche Blendung bewirkt. Hier ist auch ein unschlüssiger Held, der sich aber doch, gestärkt durch seinen Beichtvater, mehr auf den protestantischen Gott als jener auf die Planeten verläßt. Hier ist auch ein Verräter, der mit mehreren Regimentern zum Feind übergeht, eine Art von Max, eine Sorte von Thekla, die uns aber doch, anfangs durch Bauernkleidung, dann durch Heldenrüstung, an eine geringere Abkunft, an den Stamm der Bayardischen Miranden, der Johannen von Montfaucon erinnert. Nicht weniger treten Bürger und Soldaten auf, die ganz unmittelbar aus Wallensteins Lager kommen. Ferner gibt es einige tückische Spanier, wie man sie schon mehr auf dem deutschen Theater zu sehen gewohnt ist, und Karl der Fünfte zeigt sich als ein ganz leiblicher Kartenkönig. Die Zweideutigkeit des nachherigen Kurfürsten Moritz kann gar kein Interesse erregen.

Ungeachtet aller dieser fremden Elemente liest man das Stück mit einigem Gefallen, das wohl daher kommen mag, daß wirkliche Charaktere und Tatsachen, auf die der Verfasser in der Vorrede so großen Wert legt, etwas Unverwüstliches und Unverpfuschbares haben. Nicht weniger bringt die Phantasie aus der bekannten Geschichte eine Menge Bilder und Verhältnisse hinzu, welche das Stück, wie es da steht, nicht erregen noch hervorbringen würde.

Noch einen Vorteil hat das Stück: daß es kurz ist. Die Charaktere, wenn gleich nicht recht gezeichnet, werden uns nicht lästig, weil sie uns nicht lange aufhalten; die Situationen, wenn gleich nicht kunstmäßig angelegt, gehen doch geschwind vorüber, und wenn sie an Nachahmung erinnern, so sind sie auch schon vorbei, indem sie ein Lächeln erregen.

Wie hohl übrigens das ganze Stück sei, würde sich bei der ersten Vorstellung deutlich zeigen. Wir zweifeln aber, daß irgend ein Theater diesen Versuch zu machen geneigt sein möchte.

11. **Hadamar, in der neuen Gelehrten-Buchhandlung:** Der Geburtstag, eine Jägeridylle in vier Gesängen. 1803. 107 S. 8°.

Dieses kleine Gedicht kann man als ein gedrucktes Konzept ansehen, und in diesem Sinne erregt es Interesse. Der Verfasser hat einen idyllischen Blick in die Welt; inwiefern er original sei, läßt sich schwer entscheiden: denn vorzüglich die zwei ersten Gesänge er-

innern im Ganzen wie im Einzelnen durchaus an Vossens
Luise.

Die Welt seiner Jäger und Förster kennt der Verfasser recht gut, doch hat er manche Eigentümlichkeiten
derselben nicht genug herausgehoben und sich dafür mit
den kleinen Lebensdetails, welche diese Klasse mit allen
anderen gemein hat, Kaffeetrinken, Tabakrauchen u. s. w.,
wie auch mit allgemeinen Familienempfindungen, die
allenfalls im Vorbeigehen berührt werden können, zu
sehr aufgehalten. Überhaupt möchte man sagen, er sei
nur mit den Augen und nicht mit dem Herzen ein Jäger.

Das Hauptmotiv, daß am Geburtstage eines Försters
der Geliebte seiner Tochter einen Wolf schießt und dadurch zur Versorgung gelangt, ist artig und durch Retar-
dationen interessant gemacht; doch bleibt immer die Charakteristik der Behandlung zu schwach. Der Verfasser
hätte durchaus bedenken sollen, daß es in der Familie
des Försters Waldheim lebhafter und rascher zugehen
müsse als bei dem Pfarrer von Grünau. Lobenswürdig
ist übrigens die Darstellung und Benutzung des felsigen
Lokals mit den Niederungen am Fuße und der bergigen
Umgebung. In den zwei letzten Gesängen, wo das Gedicht handelnder wird, ist ein gewisser epischer Sinn und
Schritt, eine glückliche Darstellung dessen, was geschieht,
nicht zu verkennen. Auch ist über das Ganze eine gewisse gemütliche Anmut verbreitet.

Aber — und leider ein großes Aber — die Verse
sind ganz abscheulich. Der Verfasser, indem er seine
Vorgänger in diesem Fache las, hat sich von der inneren
Form eines solchen Kunstwerks wohl manches zugeeignet,
über die letzte äußere Form aber und deren Vollendung
weder gedacht noch mit irgend einem Wissenden sich besprochen. Was ihm von den Versen im Ohr geblieben,
hat er nachgeahmt, ohne sich eines Gesetzes, einer Regel
bewußt zu sein.

Sollen wir also die in der Vorerinnerung getane
Frage, ob seine Muse Freunden der Dichtkunst wohl ein
ästhetisches Vergnügen gewähren könne, aufrichtig und

freundlich beantworten, so sagen wir: er lerne zuerst
Hexameter machen, welches sich dann wohl jetzt nach und
nach wird lernen lassen; wie viel Zeit es ihm auch kosten
sollte, so ist es reiner Gewinn; er arbeite alsdann das
5 Gedicht nochmals um, vermindere den beschreibenden Teil,
erhöhe den handelnden, ersetze das gleichgültige Allgemeine
durch bedeutendes Besondere — so wird sich alsdann deutlicher zeigen, ob er in diesem Fache etwas leisten kann;
denn jetzt muß man den besten Willen haben und eine
10 Art von Sonntagskind sein, um eine übrigens ganz wohlgebildete Menschengestalt durch eine von Warzen, Flecken,
Borsten und Unrat entstellte Oberhaut durchzusehen.

12. Mannheim, in Kommission bei Schwan und Götz:
Athenor, ein Gedicht in sechzehn Gesängen. Neue
15 verbesserte Ausgabe. 1804. VIII, übrigens mit den
Anmerkungen 286 S. 8°. (2 Rtlr. 12 Gr.)

Als wir dieses Gedicht mit Sorgfalt zu lesen anfingen, uns durch den jedem Gesang vorgesetzten Inhalt
mit dem Ganzen und seinen Teilen bekannt zu machen
20 und in der Ausführung selbst vorwärts zu bringen suchten,
haben wir eine ganz eigene Erfahrung gemacht. Wir
empfanden nämlich eine Art von Schwindel, wie sie den
zu überfallen pflegt, dem etwas ganz Inkongruentes und
also seiner Natur nach Unmögliches doch wirklich vor
25 Augen steht. Nach einigem Besinnen erinnerten wir uns
schon einer ähnlichen Empfindung: es war die, wie wir
den Garten und Palast des Prinzen Pallagonia be-
suchten, der nicht allein, wie bekannt, durchaus mit Un-
geheuern ausstaffiert ist, sondern wo auch, was weniger
30 bekannt, an der Architektur sorgfältig alle horizontalen
und vertikalen Linien vermieden sind, so daß alles im
Stehen zugleich einzustürzen scheint. Gestärkt durch diese
Reflexion wagten wir dem Helden Athenor nochmals ins
Gesicht zu sehen, fanden uns aber um nichts gebessert;
35 was wir jedoch zuletzt über ihn bei uns zusammenbringen
konnten, aber freilich für kein Urteil ausgeben, wäre ungefähr folgendes.

Wenn man Wielands poetische Schriften stückweise in eine Hexenpfanne neben einander setzte und sodann über einem gelinden Feuer so lange schmorte, bis Naturell, Geist, Anmut, Heiterkeit mit allen übrigen lebendigen Eigenschaften völlig abgeraucht wären, und man alsdann die überbliebene zähe Masse mit einem Löffelstiel einigermaßen durch einander zöge und einen solchen Brei, der fast für ein Caput mortuum gelten kann, völlig erstarren und erkalten ließe, so würde ungefähr ein Athenor entstehen. Da jedoch der Fall von der Art ist, daß wir nicht wissen können, ob unsere Empfindung bei diesem Werke nicht vielleicht idiosynkratisch sei, so wünschten wir, daß einer unserer kritischen Kollegen durch umständlichere Untersuchung unsere Meinung zu bestärken oder zu widerlegen geneigt wäre.

Am kürzesten und geratensten halten wir jedoch, daß jeder, der eine kleine Bibliothek deutscher Art und Kunst sich angeschafft hat, auch diesem Athenor einen Platz gönne; denn es ist doch auch kein geringer Genuß, wenn man sich nach Belieben beim Aufschlagen eines Buchs einen solchen ästhetischen Tragelaphen vergegenwärtigen kann. Zu diesem Behuf aber müßte der Verleger den Preis, der durch die artig punktierten Kupfer unverhältnismäßig erhöht sein mag, ein für allemal herabsetzen.

13. 1) Berlin, bei Unger: Bekenntnisse einer schönen Seele, von ihr selbst geschrieben. 1806. 384 S. gr. 8°.
2) Ebendaselbst: Melanie, das Findelkind. 1804. 252 S. kl. 8°.
3) Lübeck, bei Bohn: Wilhelm Dumont, ein einfacher Roman von Eleutherie Holberg. 1805. 340 S. kl. 8°. (1 Rtlr. 12 Gr.)

Nicht um diese drei Schriften, deren jede wohl eine eigene Betrachtung verdient, nur kurz beiseite zu bringen, nehmen wir sie hier zusammen, sondern weil sie manches Lobenswürdige gemein haben, und weil sich auch an ihnen einiges gemeinsam zu tadeln finden wird. Sie sind sämtlich mehr verständig als passioniert geschrieben;

keine heftigen Leidenschaften werden dargestellt; die Verfaffer wollen weder Furcht noch Hoffnung, weder Mitleiden noch Schrecken erregen, sondern uns Personen und
Begebenheiten vorstellen, welche uns interessieren und auf
eine angenehme Weise unterhalten. Die beiden ersten
Werke haben viel Ähnlichkeit in der Fabel. Alle sind
gut geschrieben, und es herrscht in allen, obgleich mehr
oder weniger, eine freie Ansicht des Lebens.

1) Der Heldin dieses Romans gebührt insofern der
Name einer schönen Seele, als ihre Tugenden aus
ihrer Natur entspringen und ihre Bildung aus ihrem
Charakter hervorgeht. Wir hätten aber doch dieses Werk
lieber Bekenntnisse einer Amazone überschrieben,
teils um nicht an eine frühere Schrift zu erinnern, teils
weil diese Benennung charakteristischer wäre. Denn es
zeigt sich uns hier wirklich eine Männin, ein Mädchen,
wie es ein Mann gedacht hat. Und wie jene aus dem
Haupte des Zeus entsprungene Athene eine strenge Erz-
jungfrau war und blieb, so zeigt sich auch in dieser Hirn-
geburt eines verständigen Mannes ein strenges, obgleich
nicht ungefälliges Wesen, eine Jungfrau, eine Virago im
besten Sinne, die wir schätzen und ehren, ohne eben von
ihr angezogen zu werden.

Hat man das einmal zugegeben, so kann man von
dem Buche nicht Gutes genug sagen. Das Ganze ist
durchaus tüchtig, vernünftig und verständig zusammen-
hangend; das Romaneske darin besteht in einer wenig
erhöhten, geläuterten Wirklichkeit; die Schilderungen zeigen
viel Einsicht in die Welt und ihr Wesen; die Reflexionen
sind meistens tief, geistreich, überraschend.

Hatte der Verfasser sich den Charakter, den er schildern wollte, fest vorgezeichnet, so hat er die Umgebungen
und Begebenheiten gehörig erfunden und klug gestellt,
daß teils durch Übereinstimmung, teils durch Konflikt
eine solche Natur sich nach und nach entwickeln und
bilden konnte.

Die Heldin ist unbekannten Ursprungs, wird einem
Geistlichen in der französischen Schweiz zur Pflege über-

geben, der unverheiratet ist und mit seiner Schwester lebt.
Diese halb fremden und halb nahen Verhältnisse, diese
Neigung ohne Innigkeit, womit die drei Personen zu-
sammen leben, ist so glücklich gedacht als ausgeführt. Die
Erziehung fängt von Reinlichkeit und Ordnung an, woraus 5
Schamhaftigkeit und Gesetztheit entstehen. Das Kleeblatt
wird in eine deutsche große Residenz versetzt, und der
Zögling wächst zum Frauenzimmer heran. Von der
Musik wird sie abgeschreckt, weil der Meister einen kriechen-
den, schmeichlerischen Charakter hat; vom Tanz, weil die 10
Art, wie der Meister ihren Körper technisch behandelt,
ihre Schamhaftigkeit verletzt. Die französische Sprache
tritt ein; Lafontaine, Corneille und Racine bemächtigen
sich ihrer; von Shakespeare will sie nichts wissen. Eine
stille Mildtätigkeit sieht man gern in der Nachbarschaft 15
des Religionsunterrichts. Sie wird konfirmiert und tritt
in die Welt ein.
     Ihre Verhältnisse zu Alten und Jungen sind sehr
gut geschildert. Sie wird ihre eigenen Vorzüge gewahr,
die man einer höheren Abkunft zuschreibt. Sie wird neu- 20
gierig, zu erfahren, woher sie entsprungen. Die Entdeckung gelingt ihr nicht; ja die Möglichkeit einer solchen
wird ihr abgeschnitten, und es gehört mit zu dem Charakter dieser Geschichte, daß ein so romanhaftes Motiv
nicht weiter gebraucht wird und weder die Heldin noch 25
der Leser über diesen Punkt aufgeklärt werden.
     Was unsere Neigung gegen die Heldin, ohne daß
wir es merken, erregt, ist, daß sie, ungeachtet ihrer Selbständigkeit, sich immer an Freundinnen anschließt und
sich ihnen gleichsam subordiniert. Sie findet sich mit 30
Adelaiden zusammen, einem von den Mädchen der neueren
deutschen Zeit, die an Talente und an ein Romantisches
im Leben Ansprüche machen. Ein sehnlich erwarteter,
hochgelobter Bruder dieser Freundin kommt an, die ganze
kleine Frauensozietät bewirbt sich um ihn; ihm ist keine 35
Neigung einzuflößen, sein Eigentümliches bleibt verschlossen; doch erweckt er in beiden Freundinnen die Lust
an italienischer Poesie. Sie werden hingerissen, und mit

viel Glück ist die Liebe durch das Element einer so liebevollen Dichtkunst eingeleitet. Doch können die Frauen
aus dem verschlossenen Jüngling nicht klug werden, bis
sich endlich zeigt, daß ihm Friedrich der Zweite als Idol
5 vorschwebt und daß er keinen Wunsch hat, als unter
einer so großen Natur mit tätig zu sein.

Der Siebenjährige Krieg, und wie der große König
in jener Epoche die Welt zu Neigung und Abneigung
aufregt, steht als ernstes Bild innerhalb des weiblichen
10 Kreises. Der junge Held und die Amazone nähern sich
auf eine würdige Art, erklären sich wechselseitig, machen
ein Bündnis auf die Zukunft und scheiden.

Nach kurzen Äußerungen aus der Ferne, nach ge-
drängter Darstellung der Kriegsbegebenheiten wird die
15 Schlacht bei Zorndorf geliefert, und der Geliebte fällt.
Die Gefühle der Amazone, die Entwickelung ihrer Äußerungen, die Folgen des Verlustes sind bedeutend und
befriedigend vorgetragen.

Zu Anfang des zweiten Buchs kehrt unsere Heldin
20 zur Gesellschaft zurück. Sie findet sich da in einigem
Mißverhältnis, weil sie etwas Besseres besessen. Adelaide, reich durch den Tod ihres Bruders, ist vielen Be-
werbungen ausgesetzt; ihre Gesinnungen bestimmen ihr
Schicksal. Wie sie irrt, fehlgreift und endet, ist flüchtig,
25 aber sicher gezeichnet.

Nun wird unsere Freundin an einen kleinen deutschen
Hof zu einer jungen Prinzessin berufen. Hier wird schon
merklicher, wie sie ihre Individualität durch alle Ausbildung hindurch zu erhalten sucht. Sie entfernt sich
30 von Tanz und Spiel, qualifiziert sich zur Unterhaltung
und wirkt auf die Prinzessin durch Gesinnungen und
Kenntnisse.

Das Hofwesen ist überhaupt sehr läßlich behandelt
und die Oberhofmeisterin mit wenigen Zügen lebhaft
35 dargestellt.

Der Pflegevater stirbt, und die Prinzeß wird verheiratet. Die Freundin folgt ihr an den neuen Hof.
Hier sieht es schon nicht so heiter aus als an dem ersten.

Vater und Mutter sind beide bigott und abergläubisch;
doch mit umgekehrten Tendenzen. Der Erbprinz hat eine
frühere Verbindung mit einem liebenswürdigen Frauen=
zimmer, die er nicht aufgibt. Die Charaktere und die
Stellungen derselben gegen einander zeigen von vieler 5
Welt= und Menschenkenntnis des Verfassers. Der Ur=
sprung des Mißklangs, der zwischen dem Erbprinzen und
seiner Gemahlin entsteht, ist wohl entwickelt. Eben so
glücklich ist das Motiv, daß die vertrauten Freundinnen
in einer Art von stiller Übereinkunft leben, über gewisse 10
Dinge nicht zu sprechen, wodurch sie aber, bei fortschrei=
tenden Verhältnissen, beide eingeklemmt werden.

Wir sehen hier einen kleinen deutschen Hof gerade
nicht fratzenhaft, doch von einer unerfreulichen Seite ge=
schildert. Der Hofkapellan und der Kammerherr des 15
Erbprinzen, Intrige und Intriganten, das Verhältnis
der jungen Eheleute, alles gut entwickelt und bedeutend
aufgestellt.

Die Freundinnen erklären sich, gewinnen Lust bei
einem einsamen Sommeraufenthalt auf dem Lande. Sie 20
führen eine Art Idyllenleben. Die spanische Literatur
gesellt sich zur italienischen. Sie werden zur Betrachtung
des Kunstschönen hingezogen. Sie suchen es sich anzu=
eignen. Es entsteht in der Seele der Erbprinzessin ein
idealer Zustand, der sich nicht mehr als billig gegen das 25
Phantastische hinneigt. Der Winter ruft sie zur Stadt
zurück.

Wohlmeinend, aber mit gewaltsamer und roher Hand,
entfernt der fürstliche Vater die erste Geliebte des Erb=
prinzen und verlangt nun die Annäherung der Prinzessin. 30
Die Amazone und der Kammerherr sollen dies bewirken.
Da aber jene eine höhere, dieser eine niedere Ansicht hat,
so versiehen sie sich einander nicht. Der Plan mißlingt,
die Schuld fällt auf die Amazone zurück. Alles Gemeine
und Niederträchtige setzt sich in Bewegung, und sie ent= 35
fernt sich. Die Darstellung dieser ganzen letzten Epoche
ist besonders gut gelungen.

Unsere Heldin bleibt auch in der Ferne mit ihrer

Freundin in Verbindung. Sie nimmt sich in ihrer Einsamkeit eines Kindes an und deutet im Vorbeigehen auf
einiges Erziehungstalent. Die Erbprinzessin nähert sich
ihrem Gemahl. Die Geburt eines jungen Prinzen erfreut den Hof. Der Herzog stirbt, die Amazone kehrt
zur jungen Herzogin zurück, schlägt eine Stelle als Oberhofmeisterin aus und entfernt sich wieder. Das Mißverhältnis zwischen dem jungen Herzog und seiner Gemahlin wächst, und diese weiß einen Reiseplan durchzu-
setzen.

Zu Anfang des dritten Buchs reisen die Freundinnen
nach der Schweiz. Wir erwarten eine Fortsetzung des
behaglichen Idyllenlebens und werden durch eine para-
doxe Invektive gegen die Schweizer überrascht. Nun geht
es nach Italien, und hier hat der Verfasser den glücklichen Gedanken, bedeutende wirkliche Menschen in Verhältnis zu seinen erdichteten Personen zu bringen; welches um so eher geschehen konnte, als er sich schon früher
dieses Mittels bedient hatte und überhaupt nicht so weit
aus der Wirklichkeit hinausgeschritten war, daß er sich
nicht mit wirklichen Personen, die etwas Romantisches
in ihrem Charakter und Lebensweise hatten, recht gut
begegnen konnte.

Alfieri tritt in seinem bekannten Charakter bedeutend
herein, und man mag ihn recht gerne auch in dieser Gesellschaft noch einmal leben und wirken sehen. Genuß
und Betrachtung wechseln ab. Nation, Kunst und besonders Raphael kommen an die Reihe. Die Herzogin
kränkelt und stirbt.

Unsere einsame Freundin macht in Pisa eine neue
weibliche Bekanntschaft. Man reist nach Wien, kommt
in ein gefährliches Verhältnis zu Emigrierten, zieht sich
glücklich aus der Schlinge, begibt sich auf einen Landsitz
und beschließt seine Bildung durch deutsche Literatur.

Einem Roman, der eigentlich romantisch geschrieben
und auf Überraschung berechnet wäre, würde man einen
schlechten Dienst erzeigen, wenn man seine Fabel aus-
zöge, wie wir es bei diesem getan. Wenn wir aber ver-

sichern können, daß dieser zwar einfache, doch kunstreiche
Kanevas mit verständigen, glücklichen, oft ungemeinen
Details von dem Verfasser belebt worden, so werden wir
das Verlangen derer, die dieses Buch noch nicht kennen,
gewiß aufregen und der Beistimmung solcher, die es ge- 5
lesen, nicht ganz ermangeln.

Da die Wirkung des Buches gar nicht pathologisch,
vielleicht auch nicht ganz ästhetisch sein kann, so ist um
desto mehr ein Wort über die verständige und sittliche
Wirkung dieser Arbeit am Platze. 10

Wenn man die Erfahrungen seines eigenen Lebens
durchgeht, so erinnert man sich wohl solcher Frauenzimmer, deren Bild man jener Amazone unterlegen könnte,
aber nur weniger. Die Hauptfrage, die das Buch behandelt, ist: wie kann ein Frauenzimmer seinen Charakter, 15
seine Individualität gegen die Umstände, gegen die Umgebung retten? Hier beantwortet ein Mann die Frage
durch eine Männin. Ganz anders würde eine geist-
und gefühlvolle Frau sie durch ein Weib beantworten
lassen. Aber das gegenwärtige Buch ist nun einmal da. 20
Die Mädchen, die Frauen werden es lesen. Was werden
sie daraus nehmen? — Gar manches werden sie daraus
nehmen. — Wozu sie es aber, nach des Rezensenten Rat,
nutzen könnten und vielleicht sollten, wäre, sich zu überzeugen, daß das Problem auf diese Weise nicht zu lösen 25
ist. Der Verfasser, um seine Amazone selbständig zu
erhalten, muß sie ohne Vater und Mutter entspringen
lassen. Er kann sie zu allem dem, wozu das Weib von
Jugend auf bestimmt ist, nur annähernd, nicht aber darin
zum Genuß, nicht zur Tätigkeit, zum Erlangen, zum 30
Leisten hinbringen. Sie ist weder Tochter, noch Schwester,
noch Geliebte, noch Gattin, noch Mutter, und so kann
man in ihr weder die Hausfrau, noch die Schwieger-
mutter, noch die Großmutter voraussehen. Da sie denn
aber doch zuletzt nicht allein sein kann, sich irgendwo 35
anschließen und ihrer Natur nach zugleich dienen und
herrschen muß, so läuft ihre ganze Existenz auf eine
Gesellschaftsdame und Hofmeisterin hinaus, auf ein Da-

sein, daß sich ein Frauenzimmer nicht leicht wünschenswert vorstellen möchte.

Scheinen wir durch diese Betrachtung ein Buch,
das wir bisher gepriesen, gleichsam zu vernichten, so
glauben wir durch folgende Erklärung die Sache wieder
ins Gleiche zu bringen. Jeder Mensch, das Weib so
gut als der Mann, will seine Individualität behaupten
und behauptet sie auch zuletzt, nur jedes auf seine Weise.
Wie die Frauen ihre Individualität behaupten können,
wissen sie selbst am besten, und wir brauchen sie es nicht
zu lehren. Es ist aber immer angenehm und nützlich
und gibt zu den interessantesten Vergleichungen Anlaß,
wenn uns einmal im Bilde gezeigt wird, wie eine Frau
jenen Zweck zu erreichen suchen würde, wenn sie männlich gesinnt wäre. Wir empfehlen also dieses Buch den
Frauen, nur um der Idee willen, um des Ziels willen,
welches zu erlangen jeder angelegen ist; aber keineswegs,
daß sie daraus die Mittel lernen sollen, um dazu zu
gelangen. Vielmehr mag sich jede nach diesem Bilde
selbst prüfen und examinieren; sie mag mit sich über
die Mittel ratschlagen, deren sie sich in ähnlichen Fällen
bedienen würde, und sie wird sich meist mit der Amazone
im Widerspruch finden, die eigentlich nicht als ein Muster,
sondern als ein Zielbild am Ende einer Laufbahn steht,
die wir alle zu durchlaufen haben.

2) Melanie hat in der Fabel Ähnlichkeit mit dem
vorhergehenden. Hier ist ein Findelkind. Das Geheimnis seiner Geburt wird aber zur Verwickelung gebraucht,
und die Entdeckung entwirrt den Knoten. Wir dürfen
daher die Fabel nicht erzählen, weil auf Unbekanntschaft
des Lesers mit derselben vorzüglich gerechnet ist.

Charaktere und Begebenheiten sind im guten Sinne
romanhaft. Jene sind immer in dem Zustande, in welchem sich die wirklichen Menschen selten befinden; diese
sind aus der Wirklichkeit ausgewählt und zusammenge-
drängt.

Das Dargestellte ist sich nicht durchaus gleich. Die
Charaktere der oberen Stände sind wie aus der Ferne,

mit einer Art von Respekt, doch ohne eigentlichen guten
Willen, weich und nebulistisch gezeichnet; dagegen die der
mittleren und unteren Stände scharf und ohne Neigung
umrissen sind, oft überladen, ins Häßlichste und Gemeinste
übergehend. Aus dieser Behandlung entsteht ein Zwie- 5
spalt in der Seele des empfindenden und teilnehmenden
Lesers.

Doch zeigt die Verfasserin im Ganzen genugsame
Weltkenntnis, und man kann nicht leugnen, daß ihr die
irdischen Dinge mitunter hinlänglich gegenwärtig sind. 10
Manche Figuren und ihr Betragen kann man als wohl-
geraten ansprechen, wie die alte Gräfin und ihr Benehmen
gegen Melanie ein Beispiel gibt. Unter den mehr poetischen Figuren findet sich auch eine zweite Philine, die
man nicht ungern sieht; nur fehlt es ihr an dem Ingre- 15
diens von Geist, durch den sich die erste eigentlich bei
uns einschmeichelt.

Das Ganze ist im Romanen=Sinne geschickt genug
aufgebaut und gefügt; die Exposition prägnant und viel-
versprechend; der Einschritt gefällig; das Interesse nimmt 20
zu, die Erwartung wird gespannt, und die Auflösung
überrascht. Als Buch ist es nicht ausgedehnt; man kann
es auf einmal auslesen; und es wird jeden, der diese
Art von Schriften liebt, unterhalten und vergnügen.

3) Dumont verdient den Namen eines Romans, 25
doch in einem anderen Sinne als das vorhergehende
Werk, auch nennt ihn die Verfasserin auf dem Titel
einen einfachen Roman. Die Figuren sind mehr ideell als
phantastisch, die Charaktere glücklich gezeichnet, mannigfaltig und einander gut entgegengesetzt. Egoismus in 30
einer nicht unangenehmen Hülle; Liebe, Ergebung, Auf-
opferung in anmutigen Gestalten. Der Hauptfiguren
sind drei. Die Umgebung ist nicht überhäuft und gut
in Abstufungen verteilt. Von der Fabel läßt sich so viel
sagen: 35
Ein Hof= und Weltmann, schon in gewissen Jahren,
fühlt Neigung zu einem wohlerzogenen einfachen Mädchen.
Sie nimmt seine Hand an, ohne recht zu wissen, was

sie tut. Ihr Hauptbewegungsgrund ist, eines Bruders
Glück zu befördern, für den allein sie bisher gelebt.
Unglücklicherweise macht in eben dem Augenblick ein
junger liebenswürdiger aufopferungsfähiger Mann ihre
Bekanntschaft. Das gute Herz des neuen Weibchens
findet nichts Arges darin, sich diesem Umgang hinzugeben.
Sie treiben es aber doch in aller Unschuld so weit, daß
der alte Herr verdrießlich wird, die Liebenden trennt
und bis an seinen Tod durch allerlei Künste aus einander
hält. Bruder und Liebhaber verlieren sich indessen in
der weiten Welt, und die Schöne macht sich auf, sie zu
suchen.

Schade, daß dieses glückliche Motiv nicht hinlänglich
genutzt worden! Adelaide reist zu ruhig, sie zieht fast
nur Erkundigungen ein und läßt sich die gehofften Freunde
mehr vom Schicksal und Zufall entgegen bringen, als
daß sie solche durch Bemühung und Tätigkeit erreichte
und erränge.

Darzustellen wäre gewesen ein leidenschaftliches Bemühen, ein Hin- und Widereilen, ein Verfehlen und
Vergreifen, ein unbewußtes Nahen, ein zufälliges Entfernen, und was sonst noch alles aus der Situation her-
fließt. Das ist aber leider nicht geschehen. Dessen ungeachtet begleitet man Adelaiden und ihre Reisegesellschaft,
so wie ihre neueren Bekanntschaften, recht gern und läßt
sich die Zeit nicht lang werden, bis der Bruder endlich
mit dem Geliebten erscheint.

Dieser Roman hat manchen Vorzug. Die Begebenheiten, besonders in der ersten Hälfte, entwickeln sich aus
den Charakteren; durchaus herrscht ein liebenswürdiger
Sinn, der nur nicht genug mit sich selbst einig ist und
also auch den Leser mitunter in Verwirrung setzt. —
Nachdem wir also manches Gute, das an diesen
Werken, teils gemeinsam, teils im besondern, zu rühmen
ist, angezeigt haben, so müssen wir zum Schluß eines
Mißgriffs erwähnen, dessen sich alle drei Verfasser schuldig
machen und der also wohl mehr auf Rechnung der Zeit
geschrieben werden muß, als daß man ihn den Judivi-

duen zur Last legte. Und gewiß werden sie künftig, wenn
sie nur einmal erinnert sind, diese Abwege gern vermeiden.

Seitdem wir in Deutschland Kunstromane schreiben,
das heißt solche, in welchen die Kunst, teils nach ihren
tieferen Maximen, teils nach ihrer Einwirkung aufs Leben, 5
symbolisch dargestellt wird, so haben die Romanschreiber
angefangen, Betrachtungen über Literatur und mitunter
wohl auch Kritiken durch ihre Personen aussprechen zu
lassen; und sie haben nicht wohl daran getan. Denn
ob wir gleich gern gestehen, daß die Literatur sich in 10
das Leben eines Deutschen mehr verwebt als in das
Leben anderer Nationen, so sollte doch der Romanschreiber
immer bedenken, daß er, als eine Art von Poeten, keine
Meinungen zu überliefern, ja, wenn er seinen Vorteil
recht kennt, nicht einmal darzustellen hat. 15

Wir tadeln daher unsere Amazone gar sehr, daß
sie auf ihrer Reise nach der Schweiz den Arm gerüstet
aufhebt und gewaltig ausholt, um einem wackern Eidgenossen im Vorbeigehen eins zu versetzen.

Wenn sie sodann am Ende die höchste Stufe ihrer 20
Bildung dadurch erreicht, daß sie sich von ihrer vaterländischen Kultur durchdrungen fühlt, sie zu schätzen und
zu genießen lernt, so ist dieses eine sehr glückliche Wendung
und, nach der Anlage des Ganzen, ein würdiger Schluß.
Daß aber der Verfasser Goethens Natürliche Tochter 25
gleichsam an die Stelle der ganzen Literatur setzt, können wir nicht billigen. Denn ob wir gleich eingestehen
müssen, daß gewisse Werke mehr als andere den Punkt
andeuten, wohin eine Literatur gelangt ist, und wenigstens
eine Epoche derselben symbolisch vorstellen, so hätte doch 30
der Verfasser zu seinem eigenen Vorteile sicherer gehan-
delt, wenn er den geistigen Sinn der Werke seiner Zeit
dargestellt und, wie die besseren selbst tun, auf einen
unendlichen Fortschritt hingedeutet hätte, als daß er sich
an ein besonderes Gedicht hält und dadurch den Wider- 35
spruch aufreizt, da er am Schlusse seines Werks jedermann befriedigen und, wo es nötig wäre, mit sich versöhnen sollte.

So haben wir denn auch nicht ohne Kopfschütteln
bemerken können, daß die anmutigen und liebevollen
Naturen, die in dem Roman unserer Freundin Eleutherie
ihr Spiel treiben, sich als Anti-Naturphilosophen ankündigen und bei dieser Gelegenheit immer außerordentlich
verdrießlich werden. „Sollte man sich mit so einem Ge-
sichtchen von Politik unterhalten?" sagte der Herzog
Regent zu einer seiner Geliebten, indem er sie vor den
Spiegel führte; und so möchte man auch zu Adelaiden
dieses Romanes sagen: Sollte man mit so viel Liebens-
würdigkeit, Gefühl und Lebenslust an Philosophie überhaupt, geschweige an Naturphilosophie, denken? Das Beste
bleibt dabei, daß sie selbst fühlt, wie wenig dergleichen
Äußerungen einer weiblichen Feder geziemen.

Eine Neigung, welche sie gegen Wilhelm Meister
gefaßt, wollen wir derselben weniger verargen; doch
wünschten wir, die Verfasserin hätte, anstatt des Buches
zu erwähnen, gedachten Romanhelden selbst, etwa mit
seinem größer gewordenen Felix, auftreten lassen, da sich
denn wohl Gelegenheit gefunden hätte, ihm etwas Liebes,
Gutes oder Artiges zu erzeigen.

Mit der Verfasserin der Melanie haben wir wegen
ähnlicher Punkte gleichfalls zu rechten. Sie ist überhaupt ein wenig ärgerlicher Natur und stört ihren wohlwollenden Leser ohne Not, wenn sie unversehens irgend
ein Gänschen von Leserin anredet, sich einen abgeschmackten
Einwurf machen läßt und ihn auf eine nicht freundliche
Weise beantwortet.

Aber das Schlimmste kommt zum Schlimmen, wenn
zuletzt bei Hofe über deutsche Literatur heftige De-
batten entstehen. Fürstin Aurora ist von der älteren
Schule. Uz, Hagedorn, Kleist, Matthisson und Hölty
werden ausschließlich mit Enthusiasmus genannt, wohl
gar gesungen; wobei denn freilich scheint, daß die gute
Fürstin in einer gewissen Epoche aufgehört hat, ihre
Handbibliothek zu komplettieren und ihre Musikalien an-
zufrischen. Zunächst nehmen ältliche Damen unseren
Wieland in Schutz, lesen Testimonia für ihn ab, und es

wird einer übrigens ganz hübſchen jungen Prinzeſſin,
weil ſie ihn nicht fleißig ſtudiert, ſehr übel mitgeſpielt.
Die Baroneſſe hingegen, ſeine Gönnerin, wird unmittel=
bar darauf zur Oberhofmeiſterin erklärt. — Den Dekan
des deutſchen Parnaſſes könnte es denn doch wohl freuen, 5
wenn er ſeinen großen Einfluß auf Beſetzung der erſten
Hofſtellen vernähme.

Sollten denn aber geiſtreiche und talentvolle Frauen
nicht auch geiſt= und talentvolle Freunde erwerben kön=
nen, denen ſie ihre Manuſkripte vorlegten, damit alle 10
Unweiblichkeiten ausgelöſcht würden und nichts in einem
ſolchen Werke zurückbliebe, was dem natürlichen Gefühl,
dem liebevollen Weſeu, den romantiſchen herzerhebenden
Anſichten, der anmutvollen Darſtellung und allem dem
Guten, was weibliche Schriften ſo reichlich beſitzen, ſich 15
als ein läſtiges Gegengewicht anhängen dürfte?

14. Berlin, bei Sander: La Gloire de Frédéric.
Discours prononcé à la Séance publique de l'Aca-
démie des Sciences, à l'occasion de l'anniversaire de
Frédéric II. le 29. Janvier 1807 par Jean de Muller, 20
historiographe. 1807. 16 S. 8°.

Fragte ſich ein gebildeter Redner deutſcher Nation:
wie würdeſt du dich benehmen, wenn du am 29. Jaunar
1807 in der Akademie der Wiſſenſchaften zu Berlin von
dem Ruhme Friedrichs zu ſprechen hätteſt? gewiß, er 25
würde unmittelbar empfinden, daß die ganze Kraft ſeines
Geiſtes, die Zartheit ſeines Gemüts, der Umfang ſeines
Talents und die Tiefe ſeiner Kenntniſſe ihm in einem
ſolchen Falle nötig ſein würden. Ließe er ſich dann von
der Vorſtellung des zu Leiſtenden hinreißen, würde er 30
aufgeregt, ſich zu prüfen, einen Verſuch zu machen, zu
erfinden, anzuordnen, ſo könnte ihn dieſe Beſchäftigung
wohl einige Zeit feſſeln; aber gar bald würde er, wie
aus einem ſchweren Traum erwachend, mit Zufrieden=
heit, daß ein ſolches Geſchäft ihm nicht obliege, gewahr 35
werden.

Teilen wir dieſe Empfindung mit ihm, ſo finden

wir uns desto angenehmer überrascht, wenn wir sehen,
daß einer von den Unsern diese Aufgabe so glücklich gelöst hat. Die kurze Rede, womit Johann von Müller
jenen Tag feierte, verdient in der Ursprache und in Übersetzungen von Ausländern und Deutschen gelesen zu
werden. Er hat in einer bedenklichen Lage trefflich gesprochen, so daß sein Wort dem Beglückten Ehrfurcht und
Schonung, dem Bedrängten Trost und Hoffnung ein-
flößen muß.

Nicht allein was gesagt ist, sondern auch wie es
gesagt ist, verdient ungeteilten Beifall, und indem wir
daher unseren Lesern jene Bogen selbst empfehlen, so
ziehen wir, um doch etwas zu liefern, einige Stellen
aus, die hier nicht bloß als einzelne tröstliche Worte abgesondert stehen, sondern auch zugleich den Gang der
Ideen und die Ordnung des Vortrags einigermaßen bezeichnen sollen.

„Mitten im Wechsel, in der Erschütterung, dem
Einsturz verlangen preußische Männer, die sich der alten
Zeiten erinnern, verlangen ausgezeichnete Fremde an
diesem Tage zu erfahren, was wir jetzt von Friedrich
zu sagen haben, ob die Empfindung seines glorreichen
Andenkens nicht durch die neueren Begebenheiten gelitten habe. — — Wenn mit jedem Jahre einer neuen
Prüfung unterworfen, der Glanz eines Verdienstes durch
keinen äußeren Wechsel, nicht durch den Ablauf der
Jahrhunderte gemindert wird . . . dann ist die Weihe voll-
bracht; ein solcher Mann gehört, wie die unsterblichen
Götter, nicht einem gewissen Lande, einem gewissen Volke
— diese können veränderliche Schicksale haben — der
ganzen Menschheit gehört er an, die so edler Vorbilder
bedarf, um ihre Würde aufrecht zu erhalten. — Ohne
Zweifel waltet ein zarter und unschätzbarer Bezug zwischen einem jeden Lande und den berühmten Männern,
die aus seinem Schoße hervorgingen. — An jedem Volke,
das großer Epochen und außerordentlicher Männer ge-
würdigt wurde, freut man sich, in der Gesichtsbildung,
in dem Ausdruck des Charakters, in den Sitten über-

bliebene Spuren jener Einwirkungen zu erkennen. —
Solche unzerstörliche, höchst achtungswerte Erinnerungen
an die Tugenden der Altväter sind es, um derentwillen
wir die Fehler der Nachkömmlinge verzeihen. — Also,
Preußen! unter allen Abwechselungen des Glücks und
der Zeiten, so lange nur irgend fromm die Erinnerung
an dem Geist und den Tugenden des großen Königes
weilt, so lange nur eine Spur von dem Eindrucke seines
Lebens in euren Seelen bleibt, dürft ihr nie verzweifeln.
Mit Teilnahme wird jeder Held Friedrichs Volk betrachten. — Das erste, was Friedrich mit einem heißen
Willen ergriff, wovon er nie abließ, war die Überzeugung, er müsse, weil er König sei, der erste unter den
Königen sein durch die Art, seine Pflichten zu erfüllen.
— Eine Krone, ein halbes Jahrhundert unumschränkter
Herrschaft geben, wer wird es leugnen, sehr große Vorzüge; aber der Sinn, sich zur ersten Stelle zu erheben,
liegt für jeden in seiner Laufbahn. Die moralische
Größe entscheidet; die Mittel, die Gelegenheiten verteilt
das Glück. — Das Geheimnis, sich immer seiner selbst
würdig zu erhalten, immer vorbereitet zu sein, lag in
der Art, wie er seine Zeit anwendete. — Die Ordnung,
die er beobachtete, war bewundernswürdig; jeder Gegenstand hatte seine Zeit, seinen Platz, alles hatte sein
Maß; nichts war unregelmäßig, nichts übertrieben. —
Indem er alle Seiten eines Gegenstandes und ihre Be-
züge zu kennen suchte, brachte er eben so viel Ruhe in
die Überlegung als Schnelligkeit und Nachdruck in die
Ausführung. — Er hörte nicht auf, sich an der Geschichte
zu bilden, die dem lebendigen Geist für Staatsverwal-
tung und Kriegskunst den Sinn aufschließt. — Eroberungen können verloren gehen, Triumphe kann man
streitig machen ... aber der Ruhm und der Vorteil
des Beispiels bleibt unzerstörlich, unverlierbar; der eine
seinem Urheber eigentümlich, der andere zugesichert denen,
die ihm nachahmen. Das Verdienst beruht in den Ent-
schließungen, die uns angehören, in dem Mut der Unternehmung, in der Beharrlichkeit der Ausführung. — Die

verschiedenen Nationen und die verschiedenen Klimaten müssen allmählich hervorbringen, was jede ihrer Natur nach Vollkommenstes haben können. — Niemals darf ein Mensch, niemals ein Volk wähnen, das Ende sei ge=
6 kommen. Der Zweck bei der Feier großer Männer ist: sich vertraut zu machen mit großen Gedanken, zu verbannen, was zerknirscht, was den Aufschwung lähmt. Güterverlust läßt sich ersetzen, über andere tröstet die Zeit; nur ein Übel ist unheilbar: wenn der Mensch sich
10 selbst aufgibt."

––––––

15. Gottlieb Hillers Gedichte und Selbstbiographie. Erster Teil 1805.

Indem wir uns an den Gedichten des Wunder= horns eines entschiedenen, mannigfaltigen Charakters
15 ohne ausgebildetes Talent erfreuten, so finden wir hier, in umgekehrtem Sinne, ein Talent auf einer hohen Stufe der Ausbildung, aber leider ohne Charakter. Jede frische Quelle, die aus dem Gebirg hervorsprudelt, jeder ursprüngliche Wasserfall, der ärmere wie der reichere,
20 hat seinen besondern Charakter; so auch jene Lieder, die uns mit einer unendlichen Mannigfaltigkeit ergötzen. Aber hier sieht man nur den Teil eines breiten Wassers, das ins Meer geht, einen schmalen Arm halb versandet, wie seine Gesellen, die irgend ein berühmtes Deita bilden.
25 Warum sollte man aber gegenwärtiges Büchlein ge= radezu von der schwächsten Seite, von der poetischen her, betrachten? Beseitigen wir doch den Dichtertitel, wenn er auch schon in Hillers Passe steht, und halten uns an die Person. Denn wie man sich sonst gegen den Men=
30 schen dankbar erzeigt, daß er uns treffliche Poesien liefert, so muß man es hier der Poesie recht lebhaft verdanken, daß sie uns mit einem wackern Menschen bekannt macht.

Geboren in einem engen, ja einem niedern Kreise,
35 zeichnet er sich aus durch technische Fähigkeit, ruhiges redliches Anschauen der Gegenwart, durch manches Ta= lent, das sich auf Wort und Rede bezieht, durch prak=

tischen Sinn, ein tiefes, sittliches Gefühl, durch ein à plomb
auf sich selbst, einen edlen Stolz, eine Leichtigkeit im
Leben, genug, von mehr als einer Seite als eine muster=
hafte Natur. Die Anmut, womit er seine Persönlichkeit,
sein Talent, seine Fortschritte gewahr wird, ist durchaus
liebenswürdig und kindlich, und wir fordern das Ge=
wissen aller Gebildeten auf, ob sie sich wohl in gleichem
oder ähnlichem Falle so viel Mäßigkeit des Selbstgefühls
und Betragens zutrauen dürften.

Die Skizze seiner Gesichtsbildung, die dem Bänd=
chen vorgeheftet ist, auch von einem Dilettanten und
Naturkinde radiert, kann als höchst interessant betrachtet
werden. Sie erinnert uns an die silenenhaften, Götter=
bilder enthaltenden Futterale, mit denen Sokrates ver=
glichen wird; und wir leugnen nicht, daß wir in dem
ganzen Menschen, wie ihn seine Lebensbeschreibung, seine
Gedichte darstellen, etwas Sokratisches zu finden glauben.
Der Gerad= und Rechtsinn, das derbe tüchtige Halten
auf einer verständigen Gegenwart, die Unbestechlichkeit
gegen jede Art von Umgebung, etwas Lehrhaftiges, ohne
schulmeisterlich zu sein, und was sich jeder selbst aus dem
Büchelchen entwickeln mag, dem diese Äußerung nicht ganz
paradox vorkommt, entschuldigen wenigstens diese Ansicht.

Kommt Hillern aber dies alles als Menschen zu
statten, so verliert er dagegen gerade hierdurch nur desto
mehr als Dichter. Wenn er vor einem großen Könige
sich auch ein kleiner König dünkt, wenn er der liebens=
würdigen Königin viertelstundenlang getrost in die schönen
Augen sieht, so soll er deshalb nicht gescholten, sondern
glücklich gepriesen werden. Aber ein wahrer Dichter
hätte sich ganz anders in der Nähe der Majestät gefühlt,
er hätte den unvergleichbaren Wert, die unerreichbare
Würde, die ungeheure Kraft geahnet, die mit der ruhigen
Persönlichkeit eines Monarchen sich einem Privatmann
gegenüberstellt. Ein einziger Blick aus solchen Augen
hätte ihm genügt; in ihm wäre so viel aufgeregt worden,
daß sein ganzes Leben sich in eine würdige Hymne ver=
loren hätte.

Betrachten wir die gute Aufnahme, die er überall
fand, in den untern Ständen, die sich durch ihn geehrt
fühlten, in den mittlern, die ihn ehrten, in den obern,
die ihn zu sich heraufzogen, so erfreut man sich an der
Humanität im besten Sinne des Wortes, die sich durchaus
im nördlichen Deutschland verbreitet hat. Eine gewisse
Kultur, die vom Herzen ausgeht, ist daselbst einheimisch
wie vielleicht nirgends; er selbst ist ein Kind, eine Aus-
geburt dieser Kultur, und es zeugt für die gute Natur
jener Gegenden, daß man ihn, unbewußt, was man eigentlich sagen wollte, einen Naturdichter nannte. Wir
glauben wenigstens hier einen Beweis zu finden, daß
eine Bildung, die über das Ganze geht, auch dem Einzelnen
zu gut kommt, ohne daß man begreift, wie sie ihn berühren kann. Ein Barometer beutet im verschlossensten
Zimmer genau den Zustand der äußern Luft an.

Wie dieser auf alle Fälle bedeutende Mensch in
Köthen wuchs und ward, und was er in einer Art von
Poesie geleistet, wird ein jeder Deutscher aus der Selbst-
biographie und aus den hinzugefügten Gedichten erfahren.
Es ist eins der Phänomene, von denen man nicht nur
reden hören, sondern die man selbst kennen sollte.

Erfuhr nun aber unser Poet eine verdiente und wün-
schenswerte Aufnahme in der Hauptstadt und in manchen
andern Orten, wozu man ihm allerdings Glück zu wünschen Ursache hat, so muß man doch bedauern, daß ihm
manche seiner Gönner dadurch den größten Schaden zu-
gefügt, daß sie, indem seine Produktionen freilich unzu-
länglich befunden wurden, ihn gleichsam der künftigen
Zeit widmeten, hofften und versprachen, daß es nun jetzt
erst recht angehen solle und daß ihr einmal gestempelter
und sogar obrigkeitlich anerkannter Naturdichter sich nun
gewiß auch als ein vorzüglicher und über allen Zweifel
erhobener Dichter durchaus zeigen werde.

Keineswegs im Geiste des Widerspruchs, sondern
aus wahrem Anteil an diesem bedeutenden Menschen, erklären wir uns hier für das Gegenteil und sprechen ganz
unbewunden aus, daß er nie etwas Besseres machen werde,

als er schon geliefert hat. Wir sagen dieses mit Wohl=
wollen gegen ihn voraus. Denn wenn er zwei oder drei
Jahre hindurch nur immer das, was seinem Talent gemäß
ist, hervorbringt und wieder hervorbringt und die falschen
Hoffnungen seiner Freunde nicht realisiert, so beschämt ₅
er sie und wird verlassen, ja vernichtet, ohne um ein
Haar schlimmer zu sein als jetzi. Dann, ehe man sich's
versieht, ist er, ohne seine Schuld, verschollen und hat
nicht einmal sich zu einer bürgerlichen Existenz herange=
bracht, innerhalb welcher er sich über einen verlornen ₁₀
Ruhm trösten könnte.

Wir sind in Deutschland sehr verständig und haben
guten Willen, beides für den Hausgebrauch; wenn aber
einmal etwas Besonderes zum Vorschein kommt, so wissen
wir gar nicht, was wir damit anfangen sollen, und der ₁₅
Verstand wird albern und der gute Wille schädlich. Es
ließen sich höchst traurige, ja tragische Beispiele anführen,
wie vorzügliche Menschen, aus einem niedern Zustande
durch verwundernde, betuliche und wohlwollende Gönner
hervorgezogen, in das größte Unglück geraten sind, bloß ₂₀
darum, weil man nur halb tat, was zu tun war. Wäre
es doch besser, die Schiffbrüchigen versinken zu lassen, als
sie ans Ufer schleppen, um sie dort der Kälte, dem Hunger
und allen tödlichen Unbilden preiszugeben.

Leider sehen wir uns in der eigentlichen deutschen ₂₅
wirklichen Welt vergebens nach einem Plätzchen um, wo
wir diesen besondern Mann unterbringen könnten; aber
unsre Einbildungskraft spiegelt uns in der Höhe und
Ferne zwei Zustände vor, in welchen unser Günstling ein
gemäßes, seinem Wesen behagliches Leben führen würde, ₃₀
wenn sie für ihn erreichbar wären.

Haben wir aber vielleicht einigen unserer Leser da=
durch Unmut erregt, daß wir den Mann beinahe zu hoch=
schätzten, daß wir ihn dem Sokrates verglichen, so können
wir unser Wort deswegen nicht ganz zurücknehmen, aber ₃₅
wir wollen es mildern, indem wir sagen, daß eine solche
Erscheinung der Rechtlichkeit, Sittlichkeit, der Unbestechlich=
keit, wenn sie aus dem gemeinen Volke hervortritt, am

liebsten mit etwas Lächerlichem und Fratzenhaftem begleitet aufgenommen wird.

Führte also der gute Genius unsern jungen Mann
so, daß er eine Art von Till werden könnte, so wäre er
5 geborgen. Sokrates-Till läßt sich vielleicht recht gut
verdeutscht für Sokrates-Mänomenos setzen. Ist auch
unser Kandidat für diesen Posten vielleicht ein wenig zu
zahm, so finden sich die erforderlichen Qualitäten nach
und nach, wenn nur die Anlage gründlich ist. Und wie
10 er sich bisher gezeigt, fehlt ihm keins der Erfordernisse
zu einem ernst-lustigen Rat.

Seine Gebnrt, sein Herankommen, sein Stand, seine
Beschäftigung, sein Wesen, seine Neigungen stehn ihm
durchaus entgegen, daß er irgend in ein Staatsgefuge
15 eingreifen oder sich zu einer Stelle im Adreßkalender qualifizieren sollte. Ihn dem Ackerbau widmen, der Scholle
zueignen, wäre unerlaubt, selbst wenn er aus Irrtum
zu einem solchen festen und sicher scheinenden Besitz einige
Neigung fühlte. Er ist eine Art von Hurone, der eben
20 deswegen und nur insofern gefällt. Dabei hat er richtigen
Sinn, Klarheit, Klugheit und nicht mehr Duldung, als
gerade nötig ist. Er sieht die Verhältnisse recht gut, und
wenn er auf seinen Reisen als ein Meteor glücklich in alle
Kreise eindringt, so muß er freilich für gute Bewirtung
25 und reichliche Pränumeration dankbar sein. Doch wenn
seine Wirte und Wirtinnen es ihm nicht ganz nach dem
Sinne machen, so schenkt er ihnen nichts und hat gewisse
platte Behandlungen ohne Bosheit in seiner Biographie
recht lebhaft dargestellt.

30 Man denke sich ihn als einen armen beifalls- und
hilfsbedürftigen Teufel, der als Pilgrim dem Halberstädter Parnasse entgegentritt, um daselbst in einer Dich-
tergilde aufgenommen zu werden; man denke sich ihn,
wie er von dem Dechanten und Patriarchen der deutschen
35 Reimkunst mit einem Lobgedicht empfangen wird, das
Lobgedicht anhört und sogleich, von frischem Herzen, aus
dem Stegreife, Vater Gleimen ins Gesicht sagt, was
Deutschland schon seit dreißig Jahren weiß, was aber

so viel gesellige Verehrer und so viel fuß- und bauch-
fällige Klienten des einflußreichen Mannes einander nur
fromm ins Ohr jagten, daß Vater Gleim sehr schlechte
Verse mache — so muß man denn doch bekennen, hier sei
Gottes Finger, und der erwählte Prophet, der dieses 5
öffentliche Geheimnis dem alten verstockten Sünder ans
Herz legen und dem ganzen Volke buchstäblich verkünden
sollte, sei kein gemeines Werkzeug.

Wenn nun ein solcher auf sich gestellter, rücksichtsloser
Mensch, indem er aus dem Staube hervortritt, von einer 10
glänzenden und mannigfaltigen Welt sich nicht geblendet
noch verwirrt fühlt, vielmehr immerfort alles nur nach
seiner eigenen Norm empfindet und aufnimmt, der sollte
doch wohl geeignet sein, eine Stelle zu bekleiden, die sonst
an Höfen nicht leicht ausgehen konnte und die in unsrer 15
Nachbarschaft, selbst ihrer äußern Form nach, bis auf die
letzten Zeiten nicht ganz unbesetzt blieb.

Wer erinnert sich nicht eines Gundling, Taubmann,
Morgenstern, Pöllnitz, d'Argens, Jcilius und mancher
andern, welche, mit mehr oder weniger äußerer Würde, in 20
guten Stunden dem Herrscher und dem Hofe zum Plastron
dienen und sich dagegen auch als wackere Klopffechter
etwas herausnehmen durften.

16. **Almanach für Theater und Theaterfreunde**, auf das Jahr 1807, von **August Wil-** 25
helm Jffland.

Herr Friedrich Nicolai — denn dieser unermüdliche
Greis zeigt sich auch als Mitarbeiter dieses Almanachs
tätig — läßt sich S. 48 also vernehmen: „Ich habe den
Hamlet von Brockmann und Schröder spielen sehen, von 30
beiden meisterhaft, und nur in den feinsten Nüancen verschieden. Durch solche lebendige Vorstellungen schaut man
heller in die Tiefen von Hamlets Charakter als durch
alle Abhandlungen darüber von Goethe und Garve an bis
zu Ziegler herunter, so viel Verdienst sie auch haben, 35
welches ich ihnen keineswegs absprechen will."

Wollten wir dem Beispiel dieses trefflichen Mannes

folgen, so würde unsre Rezension sehr kurz und zwar fol-
gendermaßen ausfallen.

Könnten wir die beiden liebenswürdigen Künstle-
rinnen, Friederike Bethmann und Luise Fleck, auf dem
Berliner Theater nur in einigen Vorstellungen sehen und
uns auch an dem gegenwärtigen Spiel des trefflichen Ifflands wenige Abende erfreuen, so wollten wir die zwölf
Kupfer und diesen ganzen Almanach, dem wir übrigens
sein Verdienst nicht absprechen, gern entbehren, besonders
wenn wir unsern Genuß mit jungen hoffnungsvollen
Schauspielern teilen könnten; denn diese würden an so
unschätzbaren lebendigen Darstellungen weit mehr lernen;
sie würden sich das Rechte der Kunst weit reiner eindrücken; sie würden zu dem Wahren und Schönen weit
lebhafter entzündet werden, als es hier durch mehr oder
weniger kümmerliche Nachbildungen, Raisonnements,
Aphorismen und Anekdoten geschehen kann.

Allein wir sind billiger und versichern vor allen
Dingen, daß dieser Almanach, wie er ist, in die Hände
aller Schauspieler und aller Theaterfreunde Deutschlands,
d. h. also doch wohl der größten Mehrzahl gebildeter Personen, zu gelangen verdient; verdient, daß das Publikum
eine Unternehmung begünstige, die von Jahr zu Jahr
bedeutender, erfreulicher und nützlicher werden kann.

Dabei ist es aber wohl der Sache gemäß und wird
dem Herausgeber gewiß angenehm sein, wenn man einige
Erinnerungen hinzufügt, welche den Zweck der Verbesserung
und Veredlung dieser Arbeit herbeiführen können.

Zuförderst also bleibe unverhohlen, daß wir die Por-
träte beider Frauenzimmer sehr angenehm und, insofern
wir sie beurteilen können, sehr ähnlich finden; nicht so
glücklich sind die ganzen Figuren der Thekla und Phädra,
welche eher als faltentragende Gliederpuppen anzusehen
sind. Die sechs Kupfer, welche Herrn Iffland dreimal
als Franz Moor und dreimal als Geheimerat im Hausfreunde vorstellen, haben eben so wenig unsern Beifall,
nur aus einer andern Ursache, die wir hier kürzlich andeuten, indem wir die Erklärung gedachter Kupfer und

den dritten Aufsatz S. 50, „über Darstellung boshafter
und intriganter Charaktere auf der Bühne", zusammen=
nehmen.

Daß Herr Iffland in seiner Jugend die Rolle des
Franz Moor zuerst auf dem deutschen Theater gespielt,
ja man kann sagen geschaffen, gereicht ihm zur Ehre,
um so mehr, als der Verfasser selbst in späterer Zeit von
jenen Darstellungen mit Enthusiasmus sprach.   Daß
Herr Iffland in der Folge, da mit dem Lauf der Jahre
seine Gestalt ein würdiges Ansehn erlangte, diese Rolle
fortspielte und sie nach seiner Persönlichkeit modifizierte,
auch das ist dankenswert; denn jeder wird sich mit Be=
wunderung an die Art erinnern, wie sich der weise Künst=
ler bei dieser Gelegenheit aus der Sache zieht.   Daß
man ferner diese Individualität in einem ihr nicht mehr
ganz angemessenen Charakter in Kupfer steche und für
künftige Zeiten bewahre, ist löblich und für einen Ge=
schichtschreiber des deutschen Theaters höchst interessant.

Wenn man aber Abhandlungen über Abhandlungen
schreibt, um zu zeigen, daß Franz Moor so gespielt werden
müsse, so kann man sich keineswegs den Beifall des
eigentlichen Theaterfreundes versprechen. Soll jene erste
Explosion des Schillerschen Genies noch ferner auf den
deutschen Theatern ihre vulkanischen Wirkungen leisten,
so lasse man dem Ganzen Gerechtigkeit widerfahren und
muntere die Schauspieler nicht auf, einzelne Teile gegen
den Sinn des Verfassers zu behandeln. Denn was einem
Iffland erlaubt ist, ist nicht jedem erlaubt; was ihm
gelingt, gelingt nicht jedem.

Denn eigentlich wird jene rohe Großheit, die uns
in dem Schillerschen Stücke in Erstaunen setzt, nur da=
durch erträglich, daß die Charaktere im Gleichgewicht
stehen. Nimmt man aber aus der Gruppe so vieler
fratzenhaft gezeichneten und grell gemalten Figuren die
Hauptfigur, deren Bildung und Kolorit alles andere
gleichsam überschreit, bedächtig heraus, entkleidet sie von
ihrer physischen Häßlichkeit, vertuscht ihre moralische Ab=
scheulichkeit, so fällt der Verdruß, der Haß auf die übrigen

Figuren, die neben ihr als Halbgötter erscheinen sollen; das Kunstwerk ist in seinem tiefsten Leben verletzt, die gräßliche Einstimmung verloren, und das, was uns Schauder erregen sollte, erregt nur Ekel.

Auch was die Figur selbst betrifft, was gewinnt man dabei? Gereicht's dem Teufel zum Vorteil, wenn man ihm Hörner und Krallen abfeilt, ja zum Überfluß ihn etwa englisiert? Dem Auge, das nach Charakter späht, erscheint er nunmehr als ein armer Teufel. So gewinnt man auch bei einer solchen Behandlung des Franz Moor nur das, daß endlich ein würdiger Hundsfott fertig wird, den ein ehrlicher Mann ohne Schande spielen kann.

Den Hausfreund haben wir nicht aufführen sehen; doch dünkt uns, der Charakter und die Situationen, in denen er erscheint, sind für die bildende Kunst keineswegs geeignet.

Anmerkungen

Die Einleitung verfolgt in erster Linie das Ziel, die Lehre von der „inneren Form" und vom „organischen Kunstwerk", in der man seit längerer Zeit den Mittelpunkt von Goethes Kunstanschauung erkannt hat, endlich einer zusammenhängenden Betrachtung zu unterwerfen. Ohne Zwang hat sich dem Gedankengang eine Skizze der wichtigsten ästhetischen Ansichten Goethes einfügen lassen. Eine vollständige Übersicht, wie sie von Wilhelm Bode (Goethes Ästhetik, Berlin 1901) angestrebt wird, war von vornherein nicht beabsichtigt. Nicht Hermann Siebecks Buch „Goethe als Denker" (Stuttgart 1902), sondern die Hinweise R. M. Meyers und J. Minors (Goethe-Jahrbuch XIII, 229 ff. XIV, 296; XVI, 190 f. Euphorion IV, 205 ff. 445 f. Herrigs Archiv XCVI, 7 ff.) gaben mir die erste Anregung, jenes Problem zu erforschen, das auch in Erwin Kirchers Freiburger Dissertation „Volkslied und Volkspoesie in der Sturm- und Drangzeit" (Straßburg 1902) einige Erhellung findet (vgl. indes Göttinger gelehrte Anzeigen 1903, Nr. 12, S. 965). Weitaus am förderlichsten aber erwies sich W. Diltheys exakte und zugleich weitumblickende Darlegung „Aus der Zeit der Spinoza-Studien Goethes" (Archiv für Geschichte der Philosophie 1894, VII, 317 ff.). Auf sie ist in der Einleitung mehrfach Bezug genommen worden, und für die ihr entstammende Belehrung sei hier der wärmste Dank ausgesprochen. Die Bedeutung, die Shaftesbury für die historische Ergründung des Problems hat, war schon durch M. Dessoirs Schrift „Karl Philipp Moritz als Ästhetiker" (Berlin 1889) mir klar geworden. Dessoirs „Geschichte der neueren deutschen Psychologie" (2. Aufl. Berlin 1902, Bd. 1, S. 586 f.) näherte sich noch mehr dem Ziel, das ich jetzt erreicht zu haben glaube, während J. C. Hatchs Aufsatz „Der Einfluß Shaftesburys auf Herder" (Studien zur vergleichenden Literaturgeschichte 1901 I, 68 ff.) die entscheidenden Fragen sorgsam meidet. G. Spicker („Die Philosophie des Grafen v. Shaftesbury", Freiburg i. B. 1872, S. 196 ff.) wiederum

stellt den Engländer wohl mit Lessing, aber nicht mit Goethe
zusammen. Bemerkenswerte Parallelstellen aus Shaftesburys, Herders und Goethes Schriften buchte Suphan
(Vierteljahrschrift für Literaturgeschichte II, 453 f. Anmerkung). Auf die Bedeutung, die Lenz in dem Zusammenhang zufällt, hat mich Gustav Keckeis aufmerksam gemacht;
Näheres bringt seine Monographie über Lenzens „Anmerkungen". Theodor Gomperz („Griechische Denker" 2. Aufl.
1903, Bd. 2, S. 574) stellt Platon und Goethe als Vertreter der Lehre vom organischen Kunstwerk zusammen;
wie weit der Weg von Platon zu Goethe ist, dürfte durch
meine Ausführungen erhellen.

Dankbar nenne ich hier noch Otto Harnacks „Klassische
Ästhetik der Deutschen" (Leipzig 1892, S. 159 ff.), Erich
Heyfelders „Ästhetische Studien" (Heft 2, Freiburg i. B.
1904) und J. Minor, „Goethes Faust" (Stuttgart 1901, Bd. 2,
S. 24 ff.).

Shaftesburys Schriften sind, soweit nicht der englische
Wortlaut unbedingt zu berücksichtigen war, nach der Übersetzung zitiert, die 1776—79 (Leipzig, in der Weygandschen
Buchhandlung) unter dem Titel „Des Grafen v. Shaftesbury
philosophische Werke" erschienen ist.

Die auf Literatur und Theater im weitesten Sinne be-
züglichen Schriften Goethes bilden eine Einheit, deren Anschauung und Verständnis in den bisherigen Ausgaben durch
Verteilung in mehr oder minder künstliche Rubriken gestört
wurde. Der Herausgeber der Jubiläums-Ausgabe hat daher die ganze Masse in chronologischer Folge geordnet und
auf drei Bände verteilt: 1771—1807, 1808—24, 1825—32.

Für die Stellung der einzelnen Arbeiten war die Zeit
der ersten Veröffentlichung maßgebend; auf die Entstehungs-
zeit wird in den Daten des gründlich revidierten und vielfach
berichtigten Textes wie in den Anmerkungen nur ausnahms-
weise Bezug genommen. Denn in der Regel fand die erste
Veröffentlichung bald nach der Abfassung statt, worüber die
Tagebücher Goethes genaue Angaben enthalten: der Fach-
mann wird sie dort leicht auffinden, zumal mit Hilfe des zur
Zeit noch nicht vorliegenden Registers zu den dreizehn Tage-
buchbänden der Weimarer Ausgabe (1887—1903).

Der in Band 1, Seite V ausgesprochene Grundsatz der
Jubiläums-Ausgabe hat auf die „Schriften zur Literatur"
eine besonders weitgehende Anwendung gefunden indem

hier mit den wenigen von Goethe selbst in die „Werke"
aufgenommenen Arbeiten fast alles vereinigt wurde, was
in den „Nachgelassenen Werken" und ferneren Veröffent-
lichungen aus dem Nachlaß hinzugekommen ist. Einige
kleine Stücke, die im Texte keinen sicheren Platz fanden,
werden innerhalb der Anmerkungen mitgeteilt.

Diese konnten nur an wenigen Stellen über die Vorarbeiten v. Biedermanns, Düntzers, Ellingers, Heinemanns
und Witkowskis hinausgehen, zum Teil gestützt durch den
Apparat der Weimarischen Ausgabe. Durch sorgfältige Nach-
prüfung und mannigfache Berichtigung der von diesen früheren Bearbeitern beigebrachten Daten glaubten wir unfern
Dank am besten zu bezeugen.

Zum Schäkespears Tag (S. 3—7).

Am 14. Oktober 1771, dem Tage, der in manchen protestantischen Kalendern den Namen Wilhelm führt, wollte
Goethe in Frankfurt eine Shakespearefeier veranstalten (vgl.
Weimarische Ausgabe der Briefe Bd. 2, S. 3 und 5; Cotta-
sche Auswahl Bd. 1, S. 106 f.). Herders nachmals in den
Blättern „Von deutscher Art und Kunst" (1773) nach mannig-
fachen Umarbeitungen abgedruckter Aufsatz über Shakespeare
sollte einen Teil der „Liturgie" ausmachen, ebenso wie der
vorliegende Panegyrikus, der, zum Vorlesen bestimmt, trotz
allem rhetorischen Schwung den Charakter einer Rede nicht
streng wahrt, vielmehr zweimal (S. 4, 6. 5, 31) sich als geschrieben, nicht als gesprochen darstellt. Auf Luft gebaut sind
indes Vermutungen, die den Aufsatz dem Programm eines
„Ehrentags des edlen Schakspears" zuweisen, den Goethe bei
der Salzmannschen Gesellschaft zu Straßburg angeregt hatte
(vgl. an Röderer, 21. September 1771), und der wirklich
durch eine Rede von Goethes Freund Lerse gefeiert wurde.
Denn in „Des Herrn Rat Haushaltungsbuch" hat sich unter
dem 14. Oktober 1771 die Eintragung gefunden: Dies ono-
masticus Schackspear fl. 6, 24. Musicis in die onom. Schackp.
3 fl. (Weimarer Festgrüße zum 28. August 1899, S. 80), und
mit Recht hat man aus ihr abgeleitet, daß die Feier tatsächlich stattgefunden hat und Goethes Skizze vorgetragen
worden ist. Vielleicht hat Goethe, weil eine von auswärts
gesandte Abhandlung über Shakespeare auf dem Programm

stand, ein Versteckspiel getrieben und absichtlich seinen Worten
den Charakter eines ihm übergebenen, zum Vorlesen be=
stimmten Aufsatzes geliehen (vgl. K. Heinemann, Neue
Jahrbücher für das klassische Altertum u. s. w. 1902, Abt. 1,
Bd. 9, S. 154 ff.). Die Handschrift befindet sich jetzt im Be=
sitze des Freien Deutschen Hochstiftes zu Frankfurt a. M.
Erster Druck durch Otto Jahn in der „Allgemeinen Monats=
schrift für Wissenschaft und Literatur" (Braunschweig, April
1854) S. 247 ff.

Der Reiz des Aufsatzes liegt in der ungebrochenen
Frische, mit der Goethe eine neue, ihm kurz vorher, ja
während des Schreibens geschenkte Offenbarung von Shake=
speares Wesen vorträgt. Auf den Standpunkt, von dem aus
er in Shakespeares Kunst einzudringen sucht, hatte ihn
Herder in Straßburg gestellt; Herder selbst aber war durch
Gerstenbergs „Briefe über Merkwürdigkeiten der Literatur"
(1766 f.) zu der Ansicht gelangt, in Shakespeare weniger
den tragischen Dichter als den Verlebendiger der Geschichte
(vgl. 5, 34 ff.) zu suchen, und hatte diese Anschauung in
einem für Gerstenberg bestimmten Briefe vom Juni 1771
dargelegt (Scufferts Vierteljahrschrift für Literaturgeschichte
II, 446 ff. und Suphan Bd. 5, S. 232 ff.). Goethe leistete
ihm nicht nur in dem Aufsatz „Zum Schäkespears Tag"
Gefolgschaft, sondern ließ sich von Herders Auffassung auch
leiten, als er den „Götz" schuf. Eben darum darf der Auf=
satz als eine Vorrede zum „Götz" betrachtet werden (vgl.
Bd. 10, S. VI). Schon in den Blättern „Von deutscher Art
und Kunst" ist Herder dem Künstler Shakespeare gerechter
geworden und hat in ihm, Lessings Auffassung sich nähernd,
einen Bruder des Sophokles erkannt. Wahrscheinlich war
er durch Goethes ersten „Götz", in dem er Goethe durch
Shakespeare „ganz verdorben" fand, belehrt worden, wie
weit von Shakespeares Kunst ein Dramatiker abkommen
köune, der nur die „Geschichte der Welt vor unsern Augen
an dem unsichtbaren Faden der Zeit vorbeiwallen" lasse.
Wie Herder 1773 theoretisch, so hat Goethe im selben Jahr
praktisch durch seine Umgestaltung des „Götz" die Anschau=
ungen des Jahres 1771 überwunden und die spezifisch tra=
gischen Qualitäten der Dramen Shakespeares anerkannt.
Vgl. auch die Einleitung S. XXV und XXXV f.

Wie sehr indes Goethe bemüht war, in der Skizze die
ihm bekannten Anschauungen Herders zu vertreten, bezeugt

schon die jetzt klargestellte Entstehungsgeschichte. Mit Unrecht hat man diese Tendenz angezweifelt, und zwar mit Berufung auf Goethes Autobiographie, die allerdings Herders Einfluß auf Goethes tieferes Erfassen von Shakespeares Wesen nur wenig erkennen läßt. Auch die Überwindung der drei Einheiten wird dort sehr früh und vor der Bekanntschaft mit Herder festgesetzt (Bd. 22, S. 126, 12 ff.). Dennoch ist mindestens die extreme Formulierung dieser Ablehnung, ebenso wie die höhnische Kritik der tragédie classique (4, 20—35), nicht weniger auf Herders Impuls zurückzuführen als die historische Betrachtung Shakespeares (4, 36 ff.), die Betonung der Natur (6, 15 f.) und des Schöpferhaften (6, 19 ff.) in Shakespeare. Vgl. Herder an Gerstenberg: „O Shakespear, der Sohn der Natur"; Shakespeare-Aufsatz: „Dolmetscher der Natur in all' ihren Zungen"; „Diener der Natur"; „Hier ist kein Dichter! ist Schöpfer!"; „ein Sterblicher mit Götterkraft begabt . . . Glücklicher Göttersohn".

Seite 3, Zeile 13 ff. Die Worte Goethes sind erkenntnistheoretisch gemeint, wenn sie auch an den titanischen Trotz seines Prometheus anklingen („Hast du nicht alles selbst vollendet, Heilig glühend Herz" Bd. 2, S. 60) und mit der „Wanderer"-Vorstellung arbeiten, deren Bedeutung für den jungen Goethe aus „Dichtung und Wahrheit" (Bd. 24, S. 89, 11—31) erhellt. 23 und 26. „Fußtapfen", „Tapf": vgl. 109, 11. „Iphigenie auf Tauris", Prosafassung von 1781, Akt 2, Auftritt 1: „die Topfen unsrer Ahnherrn". Auch Bd. 18, S. 375, 29.

S. 4, Z. 14. Vgl. zu „Faust" 1770 (Bd. 13, S. 296). 17. „erkenntlich": sicher nicht im Sinne von „offenbar", sondern entweder von „erkennend" oder von „dankbar".

5, 4—7. Vorklänge des Briefes an Herder von Mitte Juli 1772 über Pindar und seine Wirkung auf Goethe; ebenso nimmt Z. 8—10 die Pointe von „Götter, Helden und Wieland" (Bd. 7, S. 125 ff.) vorweg. 15. „in genere": im allgemeinen. 17 f. „Haupt- und Staatsaktionen": nicht an die politisch-geschichtlichen „Aktionen" der Wandertruppen vom ausgehenden 17. ins 18. Jahrhundert (vgl. zu „Faust" 583 ff.; Bd. 13, S. 281) denkt Goethe hier, sondern an politische Vorgänge von der Art, die Shakespeares „Historien" zu Grunde liegt. Auch Schiller spricht in gleichem Sinne von „Staatsaktion". Herder mußte 1773, daß Shakespeare

„Staatsspiele" schon vorgefunden hatte (Suphan Bd. 5,
S. 218). 29. „Delphos" für Delphi, wie noch in den ersten
Bearbeitungen der „Iphigenie" und in der „Italienischen
Reise". 33. Der Ausdruck „schöner Raritäten-Kasten"
(vgl. Bd. 7, S. 345 zu V. 5 ff. des „Prologs zum Puppen-
spiel" und E. A. Boucke, Wort und Bedeutung in Goethes
Sprache, 1901, S. 246 f. 294 f.), wenn auch von dem jungen
Goethe und von seinen Zeitgenossen gern als Symbol des
Treibens der Welt verwertet, weist hier unzweideutig auf
die oben betonte Unterschätzung von Shakespeares Kunst hin.
37 bis 6, 3. Goethe sieht das Wesen des tragischen Konflikts
in dem Gegensatze individueller Willensfreiheit und des notwendigen Entwicklungsganges des Alls.

6, 7 ff. Vgl. Bd. 7, S. 332 ff. zu „Götter, Helden und
Wieland", insbesondere S. 134, 18, wo Goethe gleichfalls
gegen die nörgelnden, Voltaire nachgesprochenen Anmerkungen von Wielands Shakespeare-Übersetzung (Zürich 1762
bis 1766) eifert. 11 f. Ilias II, 212—277. 19 ff. Suphan (Vierteljahrschrift II, 453, Anm. 24) weist auf Shaftesbury (Bd. 1, S. 268 f.): „... der Mann, der den Namen
des Dichters wahrhaftig ... verdient, ... ist in der Tat ein
zweiter Schöpfer; ein Prometheus unter einem Jupiter."
Vgl. auch „Von deutscher Baukunst" (Bd. 33, S. 13, 5 f.).
Anklänge auch bei Lessing und bei Herder (an Gerstenberg
und oben S. 305); vgl. Einleitung S. XXXIV f. 37 bis 7, 4.
Die Relativität des Guten und des Bösen betont Goethe
ähnlich in einem Briefe an Sophie v. La Roche vom Juni
1774. An Spinoza ist kaum schon zu denken.

7, 3. „Zona torrida": die heiße Zone. 14 f. Vgl.
„Elysium" 49 (Bd. 3, S. 70). Noch das Gedicht „Deutscher
Parnaß" (1798; Bd. 2, S. 14 ff.) versetzt satirisch die An-
hänger der französierenden Dichtung Deutschlands unter
„Lorbeerbüsche" (Vers 2) und in „Myrtenhaine" (Vers 82).

Rezensionen in die Frankfurter gelehrten Anzeigen
(S. 8—82).

Die Frage nach Goethes Anteil an den Frankfurter
gelehrten Anzeigen zählt zu den schwierigsten und ver-
worrensten Problemen der Goethe-Philologie. Die seit dem
6. Juli 1736 erscheinenden, von verschiedenen Verlegern her-
ausgegebenen „Franckfurtischen gelehrten Zeitungen" gingen
Ende 1771 in den Besitz des Hofrats Deinet über und er-

standen Anfang 1772 neu unter dem Titel „Frankfurter gelehrte Anzeigen". Geistiger Leiter war in der ersten Hälfte des Jahres Goethes Freund Johann Heinrich Merck (1741—91; vgl. Bd. 24, S. 70, 27 ff. 279 f.). Wichtigste Mitarbeiter waren Goethe, Herder und Goethes späterer Schwager Johann Georg Schlosser, der vom Juli bis November 1772 Hauptredakteur war. Selbst Deinet kannte — wie er am 18. Januar 1772 an Raspe schreibt — nicht alle Mitarbeiter: „Ein geistvoller Mann in Darmstadt [Merck] führt das Direktorium und sendet von verschiedenen Händen Richtersprüche und Anzeigen ein. Von mir bekommt er, auf der andern Seite, auch wieder verschiedene Handschriften zu sehen, die ich sammle, und von deren Verfassern er eben so wenig weiß, als ich von den seinigen."

Schon dieses unanfechtbare Zeugnis läßt erkennen, daß die Frage nach der Verfasserschaft der einzelnen Beiträge niemals reinlich zu lösen sein wird. Noch schlimmer stünde es, wenn Goethes spätem Bericht im 12. Buche von „Dichtung und Wahrheit" durchaus zu trauen wäre (Bd. 24, S. 125, 15—39): er meldet von Referenten und Korreferenten, von gemeinsamer Besprechung, von Redaktion der Ergebnisse durch einen einzelnen: er selber habe diese Protokollführerrolle sehr oft gespielt, auch innerhalb der Arbeiten seiner Freunde „gescherzt" ... Allein mehr als vierzig Jahre trennen die „Anzeigen" von dem 3. Teile der Autobiographie, und in der Zwischenzeit hat Goethe jene nicht wiedergesehen (an Fritz Schlosser, 1. Februar 1812). 1812 und 1813 suchte er zwar, nachdem ihm die Jahrgänge 1772 und 1773 zugegangen waren, zum Zwecke biographischer Darstellung sich ein Bild seiner Beiträge zu machen (vgl. Annalen 1813; Bd. 30, S. 276, 9—12) und beschloß, „Auszüge von Stellen", an denen er sich „wiedererkannte", künftig erscheinen zu lassen. Aber erst nach 10 weiteren Jahren, am 11. Juni 1823, erhielt Eckermann die beiden Jahrgänge, damit er Goethes Anteil heraussuche und entscheide, ob ein solcher in eine künftige Ausgabe der Werke aufzunehmen sei. Eckermann schrieb über die Bedeutung der Frankfurter Rezensionen einen Aufsatz, der mit einem Vorwort Goethes (Bd. 38, S. 41) in „Kunst und Altertum" V, 3 (1826), 160 ff. erschien. 1828 lieferte noch Nicolovius' Buch „Über Goethe" (S. 17 f.) ein Verzeichnis der angeblich von Goethe verfaßten 35 Rezensionen. 1830 erschienen sie endlich im 33. Bande

der Ausgabe letzter Hand, im wesentlichen nach diesem Verzeichnis; nur in einer Nummer (24) weichen Verzeichnis und
Druck von einander ab. Wie ganz fremd Goethe die Rezensionen nach nunmehr fast sechzig Jahren geworden waren
und wie er die Auswahl, die andere besorgt hatten, als
etwas Authentisches hinnahm, das erhellt aus dem Briefe
an Boifferée vom 3. Juli 1830: „Ich komme mir selbst darin
oft wunderbar vor, denn ich erinnere mich ja nicht mehr,
daß ich diesem oder jenem Werke, dieser oder jener Person
zu seiner Zeit eine solche Aufmerksamkeit geschenkt; ich er-
fahre es nunmehr als eine entschiedene Neuigkeit und freue
mich nur über die honette, treue Weise, womit ich früher
oder später dergleichen Dinge genommen."

Mit vollem Recht also hat die Forschung längst die Unzuverlässigkeit der Auswahl festgestellt. Ja es kann als
Grundsatz angenommen werden, daß keine der 35 Rezensionen Goethe mit Sicherheit zuzuschreiben ist, wenn für
seine Autorschaft kein anderer Beweis als die Aufnahme in
den 33. Band der Ausgabe letzter Hand vorliegt.

Leider indes sind äußere Zeugnisse, die der Lösung des
Problems dienen können, trotz der emsigsten Bemühungen
zahlreicher Forscher nur in relativ sehr geringem Umfange
gefunden worden. Immerhin bezeugen auch diese wenigen
Dokumente die Unzuverlässigkeit der Auswahl; denn sie
weisen Nr. 1, 2 und 17 Merck zu und offenbaren, daß drei Besprechungen (Nr. 36—38), die Goethe nicht „wiedererkannt"
hat, auf seine Rechnung zu stellen sind. Von den 35 Rezensionen hingegen sind nur drei (Nr. 11, 25, 33) als Arbeit Goethes
bezeugt. Ferner können mit gutem Grunde alle Artikel ge-
strichen werden, die dem Jahrgang 1773 entstammen (Nr. 5,
18, 19, 20, 21, 26); schon aus Goethes Brief an Kestner vom
Ende Dezember 1772 geht hervor, daß Goethe an dem Jahrgang 1773 nicht mitgearbeitet hat, so wenig wie seine Genossen. Die Redaktion ging vielmehr in die Hände von
Goethes Antipoden K. F. Bahrdt (1741—92; vgl. Bd. 7,
S. 339 f.) über. Andre Zeugnisse für diese Tatsache f. Weim.
Ausg. Bd. 38, S. 303 ff.

Von 35 Artikeln kommen also nur drei sicher Goethe
zu, neun gehören ihm sicher nicht an. 23 Anzeigen bleiben
fraglich, und ebenso fraglich ist, ob nicht noch andere, von
Goethe und Eckermann nicht berücksichtigte Rezensionen des
Jahrgangs 1772 Eigentum Goethes sind. An die Lösung

dieser beiden Fragen ist von W. v. Biedermann, Düntzer,
Minor, Scherer, Seuffert, Burdach, Witkowski, Collin u. a.
viel Scharfsinn gewendet worden. Die Ergebnisse ihrer
Bemühungen überblickt man am bequemsten in dem von
Witkowski zusammengestellten Apparat der Weim. Ausg.
(Bd. 38, S. 296—398); hinzu kommt Düntzers Rezension
dieser Ausgabe in der Zeitschrift für deutsche Philologie
Bd. 31, S. 100 ff. und C. Ritters Studie „Anwendung der
Sprach-Statistik auf die Rezensionen in den Frankfurter
gelehrten Anzeigen von 1772" (Goethe-Jahrbuch XXIV, 185
bis 203). Leider ist diesen Bestrebungen ein unbestreitbares
Resultat nicht entwachsen. Eine Zusammenstellung der Ver-
mutungen, die sich an die einzelnen Rezensionen knüpfen,
ergibt ein Wirrsal widersprechender Annahmen. So wurde
Nr. 3 von Minor, Witkowski und ursprünglich auch von
Scherer als Herders Arbeit bezeichnet, von Biedermann,
Collin und später von Scherer Goethe zugeschrieben, während
Düntzer sie Goethe abspricht und Ritter Goethes Autorschaft
„verdächtig" findet. Nr. 16 wurde bald Merck, bald Schlosser,
bald Goethe zugeteilt, Nr. 22 diesen dreien und Herder.
Man hat Kriterien verwertet, die der ungewöhnlich schwie-
rigen Aufgabe gegenüber viel zu unzuverlässig sind. Goethes
Sprache und Stil zunächst sind 1772 noch lange nicht genug
eigentümlich entwickelt, als daß sie seinen Anteil von dem
Herders reinlich scheiden ließen. Offenbar herberisiert er
mit oder ohne Absicht; denn Herders Neigung zu ruckartiger
Rhetorik, zu Häufungen, deren Glieder unverbunden hingeworfen werden, findet sich ohne weiteres in Besprechungen,
die Goethe sicher angehören.

Andrerseits ist von den 85 Rezensionen der Auswahl
Goethes keine in Suphans Ausgabe von Herders Werken
(Bd. 5, S. 423—474) übergegangen; denselben Standpunkt
vertritt Reinhold Steig, der — übrigens auch zumeist mit
inneren Gründen arbeitend — „Herders Anteil an den Frankfurter gelehrten Anzeigen vom Jahr 1772" (Vierteljahrschrift für Literaturgeschichte V, 223 ff.) untersucht hat. Freilich ist auch mit der Differenzierung, die Herder selbst vor-
genommen hat, dem Chorizonten gar nicht geholfen. Er
schreibt im Oktober 1772 an Merck: „In Ihren Zeitungen
sind Sie immer Sokrates-Addison, Goethe meist ein junger
übermütiger Lord mit entsetzlich scharrenden Hahnenfüßen
und wenn ich denn einmal komme, so ist's der irländische

Dechant mit der Peitsche [Swifts Dechant von St. Patrick].
Über die hat nun Sokrates sehr Acht zu geben, und Sie haben
von Anfang an volles Recht bekommen, zu ändern und auszustreichen, was Ihnen gefällt; insonderheit auszustreichen."
Die „entsetzlich scharrenden Hahnenfüße" Goethes wird heute
wohl niemand noch mit Biedermann (Goethe-Forschungen
S. 328) in übermäßigen Ausrufungs- und Fragezeichen
suchen. Doch auch seinere Interpretationen der Worte Herders fördern so wenig wie die bisher versuchte Verwertung
sprachlicher Differenzen. Ist doch der neueste Versuch,
Ritters Anwendung der Sprachstatistik, schon durch die Tatsache gerichtet, daß er äußeren Zeugnissen zu widersprechen
nicht scheut, etwa (S. 191 und 203) die Rezension von J. G.
Jacobis Schrift über Hausen (Nr. 37) Goethe abspricht.
Zwecklos ist es auch, an Mercks ausdrücklich bezeugter Verfasserschaft von Nr. 2 zu rütteln, weil Merck Gellerts Vorlesungen nicht gehört und deshalb das 9, 23—29 abgedruckte
Urteil nicht in solcher Form habe abgeben können. Allein
erstens liegt hier möglicherweise wirklich ein Einschub Goethes
vor, zweitens ist Gellerts Kolleg von so ungemein vielen
Hörern besucht worden, daß Goethe nicht unbedingt als
Zeuge hier angerufen werden mußte. Ebensowenig ist mit
den beiden Rezensionen über Schummel anzufangen (Nr. 7
und 18), deren zweite sich ausdrücklich auf die erste bezieht
und dem Jahre 1773 angehört, also doch wohl nicht von
Goethe herrührt. Denn eben diese Berufung ist so allgemein
gehalten, daß sie nichts beweist. Auch ein neuer Redakteur
konnte sehr wohl von dem Artikel eines einstigen Mitarbeiters
generalisierend sagen: „Der gute Herr Präzeptor, dem w i r
im abgewichenen Jahr eine ganz andere Beschäftigung auftrugen ..." Die Rezension von Münters „Bekehrungsgeschichte" (Nr. 24) wiederum stimmt gedanklich genau mit
einem jüngst bekannt gewordenen Briefe Herders überein;
ein unsicheres Zeugnis weist sie Schlossern zu. Überhaupt
dürfte es kaum angehen, die ins religiöse Gebiet fallenden
Anzeigen einzelnen Mitarbeitern zuzuteilen. Nicht alle, aber
sehr viele dieser Rezensionen vertreten denselben Standpunkt; die Genossen scheinen da durchaus e i n e r Ansicht zu
huldigen. Und diese Anschauung ist wiederum den Gedanken,
die Goethe im „Brief des Pastors" und in den „Zwo bibli-
schen Fragen" vertritt, so nahe verwandt, daß Übereinstim-
mungen zwischen diesen Schriften und einzelnen Frankfurter

Anzeigen nichts besagen (vgl. auch J. Minor, Goethes Fragmente vom ewigen Juden 1904, S. 39 f.). Unzweifelhaft
indes herrscht innerhalb der 23 Rezensionen, deren Verfasser
nicht durch äußere Zeugnisse festgestellt sind, ein bemerkenswerter Unterschied der Tonart. Merkwürdig, daß weder
Eckermann noch Goethe selbst ihn gefühlt haben sollen. Wie
lahm ist die Rezension von Sonnenfels (Nr. 29) und vollends
die von Denis (Nr. 21)! Wie nahe steht hingegen die Besprechung des „Cymbeline" (Nr. 12), nicht nur den Anschauungen, sondern auch dem Tone nach, der Rede „Zum
Schäkespears Tag", mit der sie auch im Gegensatz zu anderen Rezensionen die Orthographie von Shakespeares Namen teilt. Die Rezension von Wielands „Goldenem Spiegel"
(Nr. 16) hat man philisterhaft genannt; manche andre ist's
nicht minder. Wahrscheinlich hat Schlosser an den 23 Rezensionen einen starken Anteil; wer aber wagte es, ihn zu
bestimmen?

Endlich bleibt eine offene Frage, welche der Anzeigen,
die Goethe nicht aufgenommen hat und die nicht nachweis-
bar ihm angehören, auf seine Rechnung kommen. Ganz
unsicher ist die Zusammenstellung solcher „Paralipomena"
in der Weimarischen Ausgabe (Bd. 38, S. 332—395). Wer
sicher Goethes ganzen Anteil an dem Jahrgang 1772 besitzen
will, der hält sich am besten an den von W. Scherer eingeleite-
ten, von B. Seuffert besorgten Neudruck (Deutsche Literatur-
denkmale des 18. Jahrhunderts, Nr. 7 und 8. Heilbronn 1883).
Der Textabdruck und die Lesarten der Weim. Ausg. sind
so fehlerreich, daß sie keiner Untersuchung zu Grunde gelegt
werden können.

Unsere Ausgabe legt das ganze Korpus der von Goethe
in Anspruch genommenen Rezensionen vor, mit einziger
Ausnahme der unbestritten Merck angehörigen Nr. 1. Sie
fügt ferner die fast unbestritten Goethe zugebilligten, im
Korpus nicht enthaltenen Nummern 36—38 an. Sie ver-
zichtet somit ausdrücklich auf alle kritischen Eingriffe, selbst
auf eine Ausscheidung der Artikel des Jahrgangs 1773; der
Stand der kritischen Behandlung des Problems, der oben
dargelegt ist, rechtfertigt solche Zurückhaltung.

2. (S. 8—10.) 21. Februar 1772. Verfasser des besprochenen Buches sind Jakob Mauvillon (1743—94) und
Ludwig August Unzer (1748—74); das 2. Stück (1772) ist in
den „Anzeigen" S. 781 f. erwähnt. Die Rezension nahm

Merck (Briefe aus dem Freundeskreise von Goethe, S. 54) für sich in Anspruch.

9, 8. Thomas Warton (1728—90) schied in seinem Essay on the genius and writings of Pope (1756) den man of rhymes und das Genie; im gleichen Sinn wird Zeile 17 „Bel Esprit" dem Genie gegenübergestellt. 9. Epistle from Eloisa to Abelard (1716). 23—29. Vgl. „Dichtung und Wahrheit" Buch 6 und 7. 35 ff. Biedermann gibt eine reiche Sammlung verwandter Stellen aus Wielands Werken, ohne indes eine schlagende Parallele nachweisen zu können.

10, 11. Abraham Gotthelf Kästner (1719—1800), Professor der Mathematik in Göttingen, der populärste Epigrammatiker der Epoche. 13. „Wielands ... Musarion": 1768. 14 f. Johann Jakob Dusch (1725—87), verspäteter Gottschedianer; Johann Peter Uz (1720—96), Anakreontiker und Odendichter.

3. (S. 10—14.) 11. September 1772. David Christian Seybold (1747—1804), seit 1770 Professor der Philosophie in Jena.

11, 10. „neologisch": vielleicht im Hinblick auf die verständnislose, ja absichtlich mißverstehende Kritik gesagt, die des Gottschedianers Christoph Otto v. Schönaich „Neologisches Wörterbuch" (1754) an den Werken Klopstocks und seiner Mitstreiter geübt hatte.

12, 18—27. Epistula ad Pisones (Ars poetica) 147 ff.:
Nec gemino bellum Troianum orditur ab ovo,
Semper ad eventum festinat et in medias res,
Non secus ac notas, auditorem rapit.

13, 4. „inventieren": das Inventar aufnehmen. 11 bis 13. Ähnlich polemisieren spätere Zusätze von Herders Fragmenten „Über die neuere deutsche Literatur" gegen Clodius' „Versuche aus der Literatur und Moral" (1767—69); vgl. Suphan Bd. 2, S. 52 ff. 145 ff. Auch die Polemik gegen Klotz im zweiten der „Kritischen Wälder" bewegt sich im gleichen Fahrwasser (Suphan Bd. 3, S. 272 ff.). 32 ff. Ebenda hatte Herder im Sinne Winckelmanns und Lessings den Brauch Klotzens, Vergil gegen Homer auszuspielen, abweisend charakterisiert.

4. (S. 14 f.) 15. September 1772. Verfasser des Büchleins ist Johann Justus Herwich (1742—1801), Professor der Literatur in Würzburg.

14, 28. „960 Jahren": Methusalems Alter. 34 bis 37. Ilias XXIV, 414 f. 424 f.

5. (S. 15—17.) 23. April 1773. Robert Wood (1716 bis 1771) hatte die Stätten der homerischen Dichtung besucht und 1768 A comparative view of the ancient and present state of the Troad; to which is added an essay on the original genius of Homer veröffentlicht; 1775 bot Jakob Bryant eine vervollständigte Ausgabe. „Dichtung und Wahrheit" erzählt, welche Vertiefung der Erkenntnis Homers dem nach Natur rufenden Zeitalter durch Wood erstanden und wie sein Buch nach Deutschland gelangt ist (Bd. 24, S. 109 f.). Auch Guys ist dort genannt (Voyage littéraire en Grèce ou lettres sur les Grecs anciens et modernes 1771).

15, 17. René Le Bossu (1631—80), Traité du poème épique (1675), eine Hauptstütze Gottscheds. 18 f. Hugh Blair (1718—1800), Critical dissertation on the poem of Ossian (1762); Elizabeth Montagu, Essay on the writings and genius of Shakespear (1769), deutsch von Eschenburg (1771).

16, 24. In Alexander Popes Homerübersetzung (1715 bis 1725). 26. Kleine Insel vor der Landzunge Ägyptens, wo nachmals Alexander der Große Alexandria anlegte (Odyssee IV, 355).

17, 8. Christian Gottlob Heyne (1729—1812), der Göttinger Philolog und Archäolog, besprach Wood in den Göttinger „Gelehrten Anzeigen" 1770, S. 257—270. 13. Johann David Michaelis (1717—91), Theolog und Orientalist, Vater Karoline Schlegel-Schellings, stand mit Wood in brieflichem Verkehr.

7. (S. 17—21.) 3. März 1772. Verfasser der 1771—72 erschienenen Nachahmung von Lawrence Sternes Sentimental journey through France and Italy (1767) ist der Schulmann Johann Gottlieb Schummel (1748—1813); vgl. unten Nr. 18 (39, 17 ff.).

17, 26. „Alas, poor Yorick," ruft Hamlet (Akt 5, Szene 1) bei der Betrachtung des Schädels des toten Hofnarren Yorick; denselben Namen trägt auch der Held von Sternes Sentimental journey, an deren Anfang Lorenzo (27), der Mönch, eine wichtige Rolle spielt. Die Empfindsamen der Zeit trieben mit Pater Lorenzo einen sentimentalen Kult. 34. Vgl. Schummel S. 11: „Ein Urteil von den Ufern der Elbe ist mir so günstig gewesen, daß ich auf der Stelle mein moralisches Steckenpferd bestieg und darauf einen Exritt aller Ritte tat."

18, 3. Vgl. Schummel S. 12: „... und so werde ich

ohne Gnade und Barmherzigkeit neben Peter Pennyleß hingehangen." Das Spottgedicht von Thomas Nash Pierce Pennilesse, his supplication to the devil (1592) scheint nicht gemeint zu sein. 17. „vorzulesen": wie „vordeuken" oder das von Goethe gern gebrauchte „vorfühlen", „vorempfinden" (vgl. 31, 37); der junge Herder braucht zu gleichem Zwecke „vorkosten". 19. „Imitationibus Ciceronianis et Curtianis": schulmäßige Nachbildung des Stiles von Cicero und Curtius. 21. Franz. paillasse, Hanswurst.

18, 36 bis 19, 15: Schummel S. 18, ungenau zitiert. 19, 17 bis 20, 24: ebenda S. 24—28. 20, 30—35: ebenda S. 50. 20, 36 bis 21, 3: ebenda S. 67. (19, 16. In einem Teil der Auflage Druckfehler „sich" statt „sie".)

8. (S. 21.) 31. März 1772. Verfasser des Gedichts ist Karl Friedrich Kretschmann (1738—1809), der Barde „Rhingulph". Ein abfälliges Urteil über ihn in Goethes Brief an Friederike Oeser vom 13. Februar 1769. Vgl. 38, 26—35 (Merck über Kretschmann) und Herders Urteil bei Suphan Bd. 5, S. 334 ff. Der Hinweis (21, 30) auf den französischen Maler Antoine Watteau (1684—1721) will Kretschmann nahelegen, die Bardenpoesie aufzugeben und die ihm gemäßere Schäferpoesie zu pflegen.

9. (S. 21—23.) 9. Juni 1772. Joachim Christoph Blum (1739—90), ein Märker, schrieb Idyllen.

22, 19. „nachgeahmte Kopien": Herderisch! 33. „Donec gratus eram": Horaz, Oden III, 9; von Christian Ewald Kleist unter dem Titel „Damoet und Lesbia" übersetzt (Werke, herausgegeben von A. Sauer, Bd. 1, S. 84 f.).

10. (S. 23 f.) 1. Mai 1772. Heinrich Braun (1732—92), theologischer und pädagogischer Schriftsteller in München.

23, 22 ff. Wohl bekämpfte Herber in der geplanten Umarbeitung der zweiten Sammlung seiner „Fragmente" Lessings Fabeltheorie (Suphan Bd. 2, S. 188 ff.); allein die hier vorgetragene Anschauung hätte ihm ebensowenig genügt, da er das Poetische der Fabel gegen Lessing verfocht, der sie (mit dem Philosophen Wolff) lediglich zu einem Mittel sittlicher Belehrung machte. Lessings Ansicht ist hier nur historisch gefaßt und die Entstehung der Fabel einer Zeit zugewiesen, da man den logischen Grundsatz: „was der Gattung zukommt oder widerspricht, kommt zu oder widerspricht auch allen ihren Arten und Individuen" (das „dictum de omni et nullo" Z. 26) noch nicht kannte, sondern nur Schlüsse

vom Besonderen auf das Allgemeine („Induktion" Z. 25),
die dann in Fabelform vorgetragen wurden.

24, 22 f. „liceat perire poetis": Horaz, Ad Pisones 466.
11. (S. 24—27.) 1. September 1772. Höpfner an Raspe
(Weimarisches Jahrbuch III, 66) und an Nicolai (Goethe-
Jahrbuch VIII, 125) bezeugt Goethes Autorschaft. Verfasser
der Gedichte ist Jsaschar Falkensohn Behr (1746—81) aus
Litauen; vgl. über ihn Karl Lessing an Gotthold Ephraim,
11. Juli 1771.

25, 33. „volage": flatterhafter Mensch.
26, 1 bis 27, 6. Ein Programm von Goethes eigner Ju-
gendlyrik, niedergeschrieben in der Zeit erwachender leidenschaftlicher Liebe zu Lotte Buff. Der Zusammenhang wurde
alsbald erkannt; vgl. Schriften der Goethe-Gesellschaft XVI, 338.

27, 12—14. Freies Zitat aus Klopstocks Ode „An Cidli".
12. (S. 27 f.) 15. September 1772. Verfasser des Dramas ist J. G. Sulzer (siehe oben Nr. 1 und 6, S. 8 und 17).

27, 37 f. Samuel Johnson (1709—84), der Führer der
englischen Shakespearekritik des 18. Jahrhunderts.

28, 18. „Zendel": leichter Seidenstoff. 25. Vgl. 5, 34.
Herderisch gedacht! 28 ff. „Abhandlung vom Trauerspiel":
von Lessings Jugendfreund Friedrich Nicolai (Bibliothek der
schönen Wissenschaften 1757 Stück 1, S. 17 ff.) — ein von
Lessing und Mendelssohn alsbald überholter Versuch, die
Technik der Tragödie zu bestimmen.

13. (S. 28—30.) 17. April 1772. Die Sammlung wurde
von 1771—75 in 12 Bänden fortgeführt.

29, 6. „Die Kriegsgefangnen": von Gottlieb Stephanie
dem Jüngeren (1741—1800). 12. „Gräfin Tarnow": von
Johann Heinrich Friedrich Müller (1738—1815). 21. „Hannchen": von Christoph v. Keßler (geb. 1739). 28 f. „Man
betrachtete die Ehe als vollzogen, wann das Bett beschritten
ist, wann die Decke Mann und Frau beschlägt" (Grimms
Wörterbuch II, 885, 7). 35. „Der ungegründete Verdacht":
von P. M. v. Brahm (geb. 1744). 38. „Der Tuchmacher
von London": nach Falbaires Fabricant de Londres von
Johann Andreas v. Wieland (1736—1801).

14. (S. 30.) 29. September 1772. Verfasser der „Märlein" ist — trotz Z. 24 — der Professor Just Friedrich Wilhelm
Zachariae (1726—77), der Dichter des „Renommisten" (1744);
an ihn hatte Goethe in Leipzig eine begeisterte Ode gerichtet,
s. Bd. 3, S. 198 f. Die Rezension spielt echten Volksliedton

gegen die burlesk-tragikomische Manier der Pseudoromanzen aus, die Gleim (1719—1803, in Halberstadt: Z. 37) in die deutsche Dichtung eingeführt hatte. Freilich weiß auch der Rezensent zwischen Bänkelsang und Volkslied nicht zu unterscheiden; die Anspielung auf Shakespeare (Z. 34) liegt weitab von der ahnungsvollen Erfassung, die den Aufsatz „Zum Schäkespears Tag" trägt.

15. (S. 31 f.) 14. Februar 1772. Verfasserin des Romans ist Sophie v. La Roche, geb. Gutermann (1731—1807), die Jugendfreundin Wielands und Großmutter von Bettina und Clemens Brentano. Goethe lernte sie im April 1772 kennen und schätzen; vgl. Bd. 24, S. 131 ff. 289.

31, 15. „Clarissa": Samuel Richardsons Roman Clarissa Harlowe, or the history of a young lady (1748).

32, 2 ff. „Lord Rich" ist ein Abbild des Domherrn Christoph Willibald Freiherrn v. Hohenfeld, des intimsten Hausfreundes der Familie La Roche (Loeper). 21. „Lovelace": der Verführer Clarissas.

16. (S. 32—36.) 27. Oktober 1772. Vgl. Bd. 10, S. 269.

32, 37. „Sie stieg herunter zu den Menschen": vielleicht ein bewußter Anklang an den epigrammatisch spitzen Eingang von Lessings 63. Literaturbrief.

33, 16 f. „Agathon": 1766 f. „Musarion": s. o. zu 10, 13. „Entratiten": asketische christliche Sekte; schon Hagedorn wendet den Namen auf die Moralisten seiner Zeit an. 20. Ungenaues Zitat aus Wielands „Grazien" (1770) Buch 1.

34, 11 f. „Schwabacher Schrift": die Type, in der die Drucker des 18. Jahrhunderts hervorzuhebende Wörter oder Stellen setzten. 18. „Ah quel Conte": Roman des Erotikers Crébillon (1707—77), vgl. Bd. 3, S. 322 zu „An Personen" Nr. 67. 30. Lord Clive (1725—74), Begründer der englischen Macht in Ostindien. 33 f. Karl Eisen (1722—78) und Hubert Franz Gravelot (1699—1773), französische Zeichner und Kupferstecher. Giulio Romano (1498—1546), Charles Lebrun (1619—90).

35, 34 f. Herders Lehrer und Freund Johann Georg Hamann (1730—88). 37. „Eblis": vgl. Bd. 5, S. 144. 431. 38 ff. Die Vermutung scheint zuzutreffen.

17. (S. 36—39.) 13. November 1772. Verfasser der Rezension ist Merck. Vgl. Briefe an Joh. Heinr. Merck (Darmstadt 1835) Bd. 1, S. 42, und Aus Herders Nachlaß Bd. 3, S. 369.

36, 36. Heinrich Christian Boie (1744—1806) hatte den Göttinger „Musenalmanach" begründet, deſſen vierter Jahrgang der Rezenſion zu Grunde liegt.

37, 10. Schmidts (1746—1824) Gedicht „An meine Minne, nach der 26ſten Canzone des Petrarca" war in der Nummer vom 20. Oktober 1772 beſprochen, dabei auf ſeine „Sammlung Petrarchiſcher Verſuche" hingewieſen worden. 17. „Minnelied", ſpäter „Winterlied" betitelt: „Der Winter hat mit kalter Hand ꝛc." Die Ausgabe der ſogenannten Maneſſiſchen Handſchrift, die Bodmer und Breitinger unter dem Titel: „Sammlung von Minneſingern aus dem Schwäbiſchen Zeitpuncte" (Zürich 1758—59) beſorgt hatten, und das neuerwachte Intereſſe für altgermaniſche Dichtung und für das Volkslied hatten die Dichter des Göttinger Hains, zunächſt Bürger, Hölty und Miller, veranlaßt, Minnepoeſie des Mittelalters nachzuahmen; vgl. F. Mühlenpfordt, Einfluß der Minneſinger auf die Dichter des Göttinger Hains (1899). Bürgers Gedicht „Minne" (Z. 34) „Ich will das Herz mein lebelang ꝛc." hat ſpäter den Titel mehrfach gewechſelt und hieß zuletzt „Der Liebesdichter". Die „Geſänge Kaiſer Heinrichs und Markgraf Heinrichs von Meißen" (Z. 30 f.) bei Bodmer und Breitinger Bd. 1, S. 1. 5 f. 36. Matthias Claudius (1740—1815), der Wandsbecker Bote. 38. Friedrich Wilhelm Gotter (1746—1797), Goethes Wetzlarer Freund.

38, 4. „Unter dem Zeichen O. und Y." verbarg ſich der Anakreontiker Joh. Nikolaus Götz (1721—81). 9. „Verſe": zwölf Epigramme Klopſtocks. 14. „Dunciaden": An den Titel von Alexander Popes Dunciade (1742), eine literariſche Satire gegen die donces („Dunſe"), die aufgeblaſenen, eingebildeten, geiſtloſen Gelehrten (vgl. Grimms Wörterbuch II, 1557 f.), knüpfte 1755 Wieland ſeine „Ankündigung einer Dunciade für die Deutſchen" an. „Kritiſche Wälder": Herders Schrift von 1769. 27. Kretſchmann: ſ. o. zu Nr. 8. 30. „Telynhard": Gottlob David Hartmann (1752—75). 34. Klopſtock und Heinrich Wilhelm v. Gerſtenberg (1737 bis 1823), die Begründer der Bardenpoeſie. 35. „O." = Herder. 38 ff. Unzers (ſ. o. zu Nr. 2) Elegie „Bou-ti bei Tſin-nas Grabe" miſcht chineſiſche Worte ein.

39, 3. Karl Friedrich Cramer (1752—1807), Klopſtocks Panegyriker; vgl. Bd. 7, S. 356. 5 f. Gleim: ſ. o. zu Nr. 14. Johann Benjamin Michaelis (1746—72). „Freih. v. R.": Eberhard Friedrich Freiherr v. Gemmingen (1726

bis 1791). 12. Johann Wilhelm Meil (1733—1805), Kupferstecher in Berlin.

18. (S. 39 f.) 15. Januar 1773. Verfasser der „Lustspiele" ist Schummel; vgl. zu Nr. 7 (17, 23 ff.), auf die sich
der Eingang (Z. 20—23) ausdrücklich bezieht.

19. (S. 40 f.) 16. Februar 1773.

40, 7. „Der geschäftige Müßiggänger", Lustspiel von
Johann Elias Schlegel (1719—49), im 4. Bande von Gottscheds „Schaubühne" (1743). 23. Matthew Prior (1664
bis 1721), in Deutschland vielfach nachgeahmter englischer
Dichter. 26 ff. „Kirchhofselegie" von Thomas Gray (1716
bis 1771), von Gotter (f. o. zu 37, 38) unter dem Titel
„Der Dorfkirchhof" übertragen. 30 f. Nach Geoffrey
Chancer († 1400) hatte Daniel Schiebeler (1741—71) sein
Märchen „Der Hahn und der Fuchs" verfaßt. 35 f. Die
1745 von Christlob Mylius (1722—54), dem Vetter Lessings,
herausgegebene Zeitschrift.

41, 10. „Versuch in Gedichten" (1755) des Leipziger
Bürgermeisters Karl Wilhelm Müller (1728—1801).

20. (S. 41—44.) 9. April 1773. Herausgeber des Almanachs sind Theaterdirektor Franz Heufeld (1731—95) und
Ch. G. Klemm (1736 bis nach 1810) in Wien.

41, 18. „Lampeduse": in Diderots Gespräch Dorval et
moi erwähnte, von Wielands Verserzählung „Clelia und
Sinibald oder Die Bevölkerung von Lampeduse" (1784) verwertete unbewohnte Insel zwischen Sizilien und Tunis.
26 f. Gemeint sind wohl die beiden bedeutendsten Künstler
des Hamburger Unternehmens, dessen Ergebnis Lessings
„Dramaturgie" war: Konrad Ekhof (1720—78) und Frau
Sophie Friederike Hensel=Seyler (1738—89). 27 f. Tobias
Philipp v. Gebler (1726—86), Christian Gottlob Stephanie
(1733—98) und sein Bruder Gottlieb (vgl. zu 29, 6). 33 f.
„Ugolinos": von Gerstenberg (1768); „Hermannsschlachten":
von Klopstock (1769). 36. Louis Sébastien Mercier (1740
bis 1814), der von den Stürmern und Drängern geschätzte
Dramatiker und Dramaturg, veröffentlichte 1771 die satirische
Utopie L'an 2440. Rêve s'il en fût jamais.

42, 11. Johann Friedrich Müller, Genaue Nachrichten
von beiden Kaiserl. Königl. Schaubühnen in Wien ꝛc. 2. Teil
(1773), besprochen in der Nr. vom 5. Februar 1773. 28 f.
„Sulzers Theorie": vgl. oben Nr. 1 und 6. 34 f. „nugas
canoras": wohlklingendes Geschwätz (Horaz, Ad Pisones 322).

43, 1. Jean Georges Noverre (1727—1810), Begrün-
der des Balletts als selbständiger Kunstform.　4—7. Höltys
Gedicht „An Teutharb" V. 11—14; nach „Muse" ist ein
Komma zu setzen.　18 ff. Karl Franz Romanus (1731 bis
1787), Lustspieldichter, in Lessings „Hamburgischer Dramaturgie" Stück 70 und 96 besprochen; Christoph Friedrich
v. Derschau (1714—99), „Orest und Pylades" (1757); Ludwig
Friedrich Hudemann (1703—70); Benignus Pfeufer († 1797),
„Karl und Eleonore" (1772), „Vendelino" (1771).　Johann
Adolf Scheibe (1708—76); seine Übersetzung der „Lustspiele" der dänischen Dichterin Charlotte Dorothea Biehl
(nicht Biel) erschien in Kopenhagen 1769.　Helferich Peter
Sturz (1736—79) war bis 1772 Direktor des dänischen Ge-
neralpostamts, dann Rat in der oldenburgischen Regierung.

44, 5. Gottlob Benedikt Schirachs (1743—1804) „Maga-
zin der deutschen Kritik", ein Blatt der Partei Klotzens.　7.
Christian Felix Weißes (1726—1804) „Haushälterin" (1763).
8. „Romeo und Julie": in Weißes Bearbeitung (1767);
vgl. Goethes Briefe an Behrisch, 17. und 24. Okt. 1767.
13. Joseph v. Sonnenfels (1733—1817), Wiener Aufklärer;
vgl. unten Nr. 29.　18. „Sternheim": s. oben Nr. 15.
22 f. Aus Gotters „Epistel an Madam Hensel, jetzt Seyler";
vgl. zu 37, 38.
21. (S. 44—48.) 20. Juli 1773.　Johann Nepomuk
Michael Denis (1729—1800), der Führer der österreichischen
Barden.

44, 34 f. Johann Wilhelm Ludwig Gleim (1719—1803),
„Preußische Kriegslieder in den Feldzügen 1756 und 1757 von
einem Grenadier" (1758); die markigsten Sänge, die zum
Ruhme Friedrichs des Großen im 18. Jahrhundert erklangen.

45, 21 f. „Minnegesänge": vgl. zu 37, 17.　22 ff. Die
Bitte beruht nach Düntzer auf Mißverständnis einer Wendung von Klopstocks „Fragmenten vom Sylbenmaße" (1770).

46, 8. „alter Barden": der Edda und des Saxo Gram-
maticus.　35. „Oberdruide an der Ruhr" war H. J.
v. Kerens, Bischof von Roermond.　36. „Bardenfreund"
Freiherr v. Krestel; „das Haupt der Starken": Feldmarschall Laudon.

47, 3. Rhingulph: s. zu Nr. 8 (21, 7 ff.).　26. Ca-
tulls Lugete, o Veneres Cupidinesque und Karl Wilhelm
Ramlers (1725—98) Nachahmung „Nänie auf den Tod einer
Wachtel".

48, 4. Schirach: f. zu 44, 5.   **9.** Karl Mastalier (1731 bis 1795), Denis' Amts= und Sanggenosse.

22. (S. 48—50.) 3. April 1772. Herausgeber oder rich= tiger Verfasser des Romans „Usong" ist Albrecht v. Haller (1708—77), der im Alter von freieren Ansichten mehr und mehr zu zelotischer Ascefe weitergeschritten war. Die Zitate sind nicht ganz genau; vgl. Bd. 10, S. 302. Zur Tendenz der Rezension vgl. zu 85, 22. 86, 10 f.

48, 23. „Präsident": der Göttinger Akademie der Wissen= schaften.

49, 14. „Philosophin": ein Blick in Hallers Buch lehrt, daß diese Lesart des ersten Drucks (im Gegensatz zu späterem „Philosophie") allein richtig ist. Ist Madame de Sévigné gemeint?

50, 11. Das „Warum?" ist vom Rezensenten eingesetzt.

23. (S. 51—53.) 19. Juni 1772. Verfasser des Buchs ist (nach Meusel) der „gelehrte Sonderling" Jakob Heinrich v. Gerstenberg (1712—76).

51, 22. Ikonoklasten hießen die Bekämpfer des Bilder= dienstes in Byzanz während des 8. und 9. Jahrhunderts. **25.** „Teufel": Diese Stelle kann gegen die Annahme von Goethes Autorschaft nicht unbedingt ausgespielt werden, da hier nicht dogmatisch der Teufelsglaube als solcher, son= dern philologisch die biblische Lehre vom Teufel betrachtet wird. Die Tendenz der Rezension berührt sich durchaus mit der der Farce gegen Bahrdt (Bd. 7, S. 140. 339).

24. (S. 53—56.) 8. September 1772. Balthasar Münter (1735—93), seit 1765 Prediger in Kopenhagen, bereitete den Grafen Johann Friedrich v. Struensee, der am 28. April 1772 hingerichtet wurde, zum Tode vor. Die Rezension wurde von der Frankfurter Geistlichkeit beanstandet, vor allem wegen des Schlusses (55, 33 bis 56, 6); vgl. Goethe= Jahrbuch X, 182 ff. Die Rezension stimmt in auffallender Weise mit dem Brief Herders an den Prinzen Peter Friedrich Wilhelm von Holstein=Gottorp vom 15. November 1772 überein (Deutsche Revue 1901, Jahrg. 26, IV, 368 f.): „... so dünkt's mich, ist's doch aus des Bekehrers eigener Erzählung von Anfange zu Ende teils offenbar, daß dem armen Sünder seine wahren Zweifel, sein Materialismus gar nicht benommen sei, sondern derselbe habe sich, in seiner gegenwärtigen Situation, da ihn Münters System und sein Elend niederschlug, nur gleichsam aufgeopfert, und Münter muß ja nur immer, wenn eine Verlegenheit kommt, auf den Saiten seines guten Herzens, daß er Freunde unglück- lich gemacht ꝛc., spielen. Überdem aber, alle Liebe zur Wahrheit und alle Hoffnung, alle Juden und Materialisten zu belehren, mitgerechnet, weiß ich nicht, ob je ein Prediger nicht bloß genötigt sei (davon ist die Frage nicht), sondern ob's ihm je erlaubt sei, die Sache seiner Belehrten so der Welt vorzulegen und zum Zeitungs- und Pränumerations- artikel zu machen, und ich für meine Person weiß, daß ich in solchem Falle es nie bloß von meinem guten Herzen erlangen würde, so zu handeln. Vielleicht urteile ich hierin zu strenge als Geistlicher, aber lieber zu strenge als zu lax mit dem garstigsten Verdacht unter allen — der Eitelkeit! der Selbstsucht!" Merkwürdigerweise behauptet G. W. Pe- tersen (an Nicolai, 6. November 1772, vgl. Seufferts Neu- druck S. LXXXIII), daß die Rezension „einen Rechtsgelehrten in Frankfurt zum Verfasser haben soll". An Goethe ist da- bei sicher nicht gedacht. So wäre wohl Schlosser gemeint?

53, 20. „ebene": geläufiger ist „nicht uneben".

54, 15. „Maschine": im Sinne des französischen Ma- terialisten Julien de Lamettrie (1709—51) und seines Haupt- werks L'homme machine (1748).   27. Abt J. Fr. W. Je- rusalem (1709—89) in Braunschweig, der Vater des Ur- bildes von Goethes „Werther": „Betrachtungen über die vornehmsten Wahrheiten der Religion" (1. Teil 1768).

56, 5. Der Schluß mit seinem, auf gewisser Verkennung des französischen Mystikers Blaise Pascal (1623—62) be- ruhenden Angriffe gegen einen Religionsphilosophen, der ähnlich wie Hamann und seine Anhänger das religiöse Ge- fühl gegen intellektuelle Gottesanschauung ausspielte, miß- fiel besonders den Frankfurter geistlichen Behörden. Stellen aus Pascals Pensées, die das Urteil des Rezensenten be- stätigen sollen, brachte J. G. Schlosser (Goethe-Jahrbuch X, 187 f.) in seiner Rechtfertigungsschrift bei.

25. (S. 56—60.) 3. November 1772. Die beiden ersten Bände von J. C. Lavaters (1741—1801) „Aussichten" er- schienen 1768 f. Lavater schrieb am 4. Mai 1778 an Zimmer- mann: „Die Rezension des dritten Teils der Aussichten in den Frankfurter Anzeigen halte ich für eine der besten, die gemacht sind. Unfehlbar werde ich mir Erinnerungen daraus zu nutze machen; aber daß Rezensent den Zweck dieser Briefe durchaus, und so sehr wie möglich verfehlt, ist so

klar als zweimal zwei vier. Es ist nicht Herder, sondern Goethe, der auch Geßners Jdyllen [Nr. 36] rezensiert hat." Vgl. auch Bd. 25, S. 101, 8 ff. 103, 13 ff. Über Zimmermann f. Bd. 23, S. 301 zu 75, 14; Bd. 24, S. 308 zu 250, 19.

56, 17. „Der Norde": vgl. zu „Fauſt" 1796 (Bd. 13, S. 296).

57, 3. Des Schweizer Phyſiologen und Pſychologen Charles Bonnet (1720—93) Werk La palingénésie philosophique ou idées sur l'état passé et sur l'état futur des êtres vivants (1769; deutſch von Lavater) nimmt die Fortdauer der denkenden Subſtanz in einem wiedererweckten Leibe an. 17. „mikromegiſch": kleingroß, wohl in Erinnerung an Voltaires Erzählung Micromégas.

58, 11 f. „den großen Hanſen": vgl. zu „Fauſt" 2727 und 7711 (Bd. 13, S. 311 und Bd. 14, S. 347).

59, 14 f. Das geplante „Gedicht" von der Seligkeit der verklärten Chriſten kam nie über Bruchſtücke hinaus. 35 bis 60, 5. Die Stelle wird jetzt gewöhnlich nicht auf Klopſtock, ſondern auf Emanuel v. Swedenborg (1688 bis 1772) bezogen; vgl. zu „Fauſt" 418 ff. (Bd. 13, S. 275) und Goethe an Lavater, 14. November 1781: „Ich bin geneigter als jemand, noch eine Welt außer der ſichtbaren zu glauben, und ich habe Dichtungs= und Lebenskraft genug, ſogar mein eigenes beſchränktes Selbſt zu einem Schwedenborgiſchen Geiſteruniverſum erweitert zu fühlen." Dann folgen Ein= wände gegen Lavater, die ſich im weſentlichen mit den hier vorgebrachten decken.

60, 4. ἀῤῥητα ῥηματα: unſagbare Worte (2. Korinth. 12,4).

26. (S. 60—63.) 7. Mai 1773. Rezenſent iſt Bahrdt; vgl. Briefe an Bahrdt (1798) Bd. 2, S. 157. 161. Goethes „Werther" erwähnt die „Predigten" (Bd. 16, S. 35 Fußnote).

60, 30. „Genie ... Original": im Sinne von Edward Youngs (1681—1765) Schrift On original composition (1759), die durch Herder den Stürmern und Drängern zu einer Programmſchrift wurde.

61, 34. „Malzeichen": Kennzeichen, häufig im 16. Jahrhundert, im 18. bei Jean Paul zu finden.

63, 4. „des Rezenſenten", aber nicht Goethes.

27. (S. 63—66). 25. Dezember 1772.

63, 31. „Gegitter": der Sprache des jungen Goethe geläufig.

28. (S. 66 f.) 17. Auguſt 1773. Georg Jonathan Frei

Herr v. Holland (1742—84), Reflexions philosophiques sur le système de la nature (1772). Über das Système de la nature des Enzyklopädisten und Materialisten Baron P. H. D. Holbach (1723—89) vgl. Bd. 24, S. 52, 16 ff.

66, 26 f. Sulzer: f. Nr. 1 und 6. Christian Garve (1742 bis 1798), Popularphilosoph. 35. Voltaire: in seinem Dictionnaire philosophique unter den Schlagwörtern Dieu und Style. 36. Markus Herz (1747—1803), „Betrachtungen aus der spekulativen Weltweisheit" (1771).

29. (S. 67—70.) 22. Mai 1772. Sonnenfels: f. zu 44, 13.

67, 30—35. Die Stimmung dieser Zeilen gemahnt an Goethes Dialoggedicht „Der Wandrer" (Bd. 2, S. 91 ff.); vgl. auch an Kestner, 15. September 1773. Auch im „Werther" findet sich Verwandtes.

68, 11 f. Johann Georg Zimmermann (1728—95), „Von dem Nationalstolze" (1758); Thomas Abbt (1738—66), „Vom Tode fürs Vaterland" (1761). Das hier angedeutete abfällige Urteil über beide steht in schroffem Gegensatz zu Herders Ansicht; vgl. z. B. Suphan Bd. 2, S. 269: die „ganze Schrift vom Tode fürs Vaterland ist ... von einem Manne, der als Mensch fühlte, als Bürger dachte, als Untertan schrieb". 26. „glebae adscriptus": an die Scholle gefesselt, Höriger. 27—30. Vgl. Plutarch, Themistokles 11.

70, 8. Schlüssel: Petrus; Schwerter: Paulus; Krenz: Philippus; Säge: Simon Zelotes.

80. (S. 70 f.) 27. Oktober 1772. Übersetzer ist Christian Heinrich Schmid (1746—1800) in Gießen, zwar Mitarbeiter der „Anzeigen", aber nicht als voll anerkannt; vgl. Bd. 24, S. 121, 10 ff. 153, 2 ff. 292.

71, 4. „Isaschar": einer der Söhne Jakobs; vgl. 1. Mose 49, 14 f. 16. Samuel v. Pufendorf (1632—94), Begründer des Naturrechts, „Einleitung zur Historie der vornehmsten Staaten und Reiche" (1682). 18 ff. Vgl. 88, 16 f. 37. „Marionettenspiel": bei dem jungen Goethe und seinen Zeitgenossen beliebter Vergleich; vgl. zu 5, 33.

81. (S. 72 f.) 13. April 1773. Moser: schwäbischer Publizist und Staatsrechtslehrer (1701—85).

72, 12. Friedrich Wilhelm v. Pestel (1724—1805). 15 f. „Reichsusualmatrikul": Verzeichnis der zur Reichsstandschaft Berechtigten.

73, 2. Karl Renatus Hausen (1740—1805), erst Freund, dann erbitterter Gegner von Christian Adolf Klotz (1738—71), dem Widersacher Lessings und Herders (vgl. Nr. 33 und 37). Hausen gab 1772—75 in Lemgo die „Auserlesene Bibliothek" und 1772 in Frankfurt a. O. die „Gelehrte Zeitung" (72, 32) heraus.

32. (S. 73 f.) 15. September 1772.

73, 14. Leibnizens „Theodicee": die bestehende Welt als beste der möglichen Welten. **28.** Fortpflanzungssystem.

33. (S. 74 f.) 29. Mai 1772. Vgl. zu 73, 2 und Nr. 37. Goethes Autorschaft bezeugen Höpfners Briefe an Raspe und Nicolai (vgl. zu Nr. 11).

74, 20. „diffundierte": zerstreute. **24 f.** „Acta literaria": die von Klotz (1764—72) herausgegebene Zeitschrift.

34. (S. 75.) 23. Juni 1772. Den von Haller angeregten Dichter Creutz (1724—70) hat Herder 1772 in der „Allgemeinen deutschen Bibliothek" (Snphan Bd. 5, S. 290 ff.) charakterisiert.

75, 22. „Parentation": Leichenpredigt. Vgl. Bd. 1, S. 373.

35. (S. 75 f.) 20. März 1772. Verfasser des Schriftchens ist Wieland; vgl. Bd. 37, S. 11 ff. Goethes Satire „Götter, Helden und Wieland" legt am Schlusse Wieland diese (auch im fünften der Briefe Wielands über die „Alceste" zitierten) Worte in den Mund (Bd. 7, S. 139, 20 f.; vgl. S. 338). Die „Aufschrift" entstammt J. J. Winckelmanns (1717—68) „Nachrichten von den neuesten Herculanischen Entdeckungen" (1764, S. 45).

76, 13. „Musarion" und „Agathon": vgl. 33, 16 f.

36. (S. 76—79.) 25. August 1772. Von Goethe; vgl. zu Nr. 25 und Höpfner an Nicolai a. a. O. Über die Wirkung der Rezension und über die von ihr hervorgerufenen Gegenstimmen vgl. „Neue Bibliothek der schönen Wissenschaften" XIV, 80 ff. und Goethe-Jahrbuch VIII, 125. 128; auch „Dichtung und Wahrheit" Buch 7 (Bd. 23, S. 69, 25 ff.). Heinrich Meister (1744—1826) von Zürich hatte Salomon Geßners „Neue Idyllen" ins Französische übersetzt. „Bei dieser Gelegenheit freute sich Diderot, der Welt einen auffallenden Beweis seiner zärtlichen Freundschaft und Hochschätzung für Geßnern zu geben. Er ließ ihm durch ihren gemeinschaftlichen Freund, Herrn Meister, in den verbindlichsten Ausdrücken den Vorschlag machen, ein paar von ihm verfertigte Erzählungen zugleich mit den Idyllen herauszugeben. Dieser Vorschlag war so rein von Stolze, als von aller selbstsüchtigen Absicht. Denn Geßner bedurfte es nun schon so wenig, durch Diderot, als Diderot durch Geßner empfohlen zu werden. Es machte ihm herzliche Freude, mit Geßnern in einem Bande zu erscheinen. Geßner nahm diesen Vorschlag mit eben den Empfindungen auf, mit welchen er gemacht war, und so begleiteten einander die Idyllen und Erzählungen in beiden Sprachen" (K. H. Jördens, Lexikon deutscher Dichter und Prosaisten 1807 II, 127). Die französische Ausgabe: Contes moraux et nouvelles Idylles de D... et Salomon Gessner (Zuric 1773) wurde in den Frankfurter gelehrten Anzeigen vom 2. Juni 1772 vom Verleger angekündigt. Als Übersetzer ist hier „der verdiente Herr [Michael] Huber" (1727—1804) genannt; dann aber heißt es auch hier: „Herr Diderot, als er Geßners Intention erfuhr, überschickte demselben einige seiner bisher ungedruckten Erzählungen, um sie den Idyllen anzuhängen."

76, 33 f. Geßners „Brief über die Landschaftsmalerei; an Herrn Fueßlin" (Johann Kaspar, 1706—82) stand zuerst in der Vorrede des 3. Bandes der „Geschichte der besten Künstler in der Schweiz" (1769—79) von Füeßli, dann in der „Neuen Bibliothek der schönen Wissenschaften" XI, 75 ff.

77, 9. „pis aller": hier soviel wie schlimmer Zufall. 15. „Lessingen": „Laokoon" (1766).

78, 20. „Schwehervaters": Heinrich Heidegger. 38. „mißt": vermißt.

79, 19. „Das hölzerne Bein": Nr. 22 der „Neuen Idyllen" (1772), mit patriotischer Verwertung der Schlacht von Näfels (1388).

87. (S. 79 f.) 18. Dezember 1772. Vgl. zu Nr. 83 und F. H. Jacobi an Wieland, 10. Juli 1773 (Goethe-Jahrbuch II, 377). Verfasser des Schriftchens ist Johann Georg Jacobi (1740—1814), der Anakreontiker. Mit seinem Freunde Gleim (s. zu Nr. 14 u. 21), der wie er Kanonikus zu Halberstadt war, hatte er in einem läppischen Liebesbriefwechsel gestanden, dessen Veröffentlichung (1768) den Spott der Zeitgenossen wachrief. In Lessings Augen waren sie (an Mendelssohn, 9. Januar 1771) „ein alter witziger Kopf und eine alte Jungfer". Wahrscheinlich besagt der Gedankenstrich 80, 18 ähnliches. Vgl. das Gedicht „Flieh, Täubchen, flieh" Bd. 3, S. 231 u. Anm.

80, 7. „Frau"₂ Sophie v. La Roche, s. zu Nr. 15.

88. (S. 80—82.) 29. Dezember 1772. Goethe an Kestner, Ende Dezember 1772: „Da ist's denn zu Ende, unser

kritisches Streifen. In einer Nachrede hab' ich das Publikum und den Verleger turlupiniert. Laßt euch aber nichts merken. Sie mögen's für Balsam nehmen."

80, 25 ff. Vgl. zu Nr. 24 und 36.

82, 22 ff. Im Jahrgang 1772 waren derartige Mitteilungen auf besonderen Blättern von Zeit zu Zeit zusammengestellt worden.

Brief des Pastors zu *** an den neuen Pastor zu *** (S. 83—95).

Über die Genesis der 1773 zuerst gedruckten Schrift gibt Goethes Autobiographie (Bd. 24, S. 78, 12 ff.) Aufklärungen, die den „Brief" als herrnhutisch gedacht erscheinen lassen könnten. Vielmehr wendet sich der „Brief" gegen die von den Herrnhutern vertretene Lehre von der Erbsünde, vertritt den Standpunkt, auf dem eine große Zahl der Frankfurter „Anzeigen" von 1772 (f. oben S. 310 f.) stehen, und zählt neben den großen Frankfurter Fragmenten Goethes, vor allem neben dem „Ewigen Juden" (Bd. 3, S. 232 ff.) zu den wichtigsten religiösen Kundgebungen aus Goethes Frühzeit. Offen bleibt freilich die Frage, wieweit die von Goethe gewählte Maske eines französischen Pastors (doch wohl etnes Schweizers?) Ursache geworden ist, den Brief im Sinne eines Dorfpfarrers positiver und offenbarungsgläubiger zu machen, als Goethe selbst es war. Durch Hamann und Herder in seiner Abneigung gegen Orthodoxie und religiösen Rationalismus bestärkt, kommt Goethe in jener Zeit dem gefühlvollen Deismus am nächsten, den Rousseaus Émile (1762, Buch 4) in der Profession de foi du vicaire Savoyard vertreten hat. Die Maske des „Pastors", ebenso wie die des „Landgeistlichen" in den „Zwo Fragen" deutet schon auf diese Quelle hin. Stärker indes als Rousseau, wenn auch in toleranter Weise, tritt Goethe hier für die Offenbarung ein (vgl. J. Minor, Ewiger Jude, S. 125). Darum hat der Brief Lavater auch so „sehr eingeleuchtet" („Dichtung und Wahrheit" Buch 14, Bd. 24, S. 192, 13). Allein eben Lavaters Briefe an Goethe vom 19. November und 28. Dezember 1773 (Schriften der Goethe-Gesellschaft XVI, 8, 14 f.; 10, 15 ff.; vgl. 22, 17) bezeugen, daß Goethe selbst eine völlige Gleichstellung seiner Ansichten und der des „Pastors" sofort abgelehnt hat: „Sag' mir doch," schreibt Lavater, „wie kannst du Einheit — zwei

sein? Ich kann's nicht. Ich bin sehr vielfach — und doch
eiusach — aber meine Vielfachheit ist nicht heterogenisch —
deine, wollt's mir ein paarmal auffallen — scheints! Nimmermehr hätt' ich — so gern ich sonst mit Schwachen Mitleiden habe — den Pastorbrief schreiben, und deinen Glauben
haben können." Hat ja doch überhaupt Lavaters bekehrungs-
frohes Drängen Goethe zu eindeutigeren Glaubensbekennt-
nissen geführt und ihn die Grenze, die zwischen seinen eigensten Überzeugungen und der Religiosität der Lavater, Hamann, Jung-Stilling, wohl auch Herders innerlich bestand,
begreifen lassen. Eine abschließende, trotz der vielen Bearbeitungen des Themas noch ungeschriebene Geschichte von Goethes
Verhältnis zur Religion wird an den Briefen, die Lavater
und Goethe gewechselt haben, ihre beste Orientierung finden
und auch die Lösung der Frage bringen, wieweit Goethe
mit seinem „Pastor" übereinstimmt und wo er von ihm abweicht. Unzweifelhaft kommt Fausts Erguß in der „Katechi-
sationsszene" dem vicaire Savoyard näher als der „Brief".
Was in dem Schreiben Goethe von Rousseau trennt, hat
durchaus Herderische Färbung und weist über Herder auf
Hamann zurück (vgl. J. Minor und A. Sauer, Studien zur
Goethe-Philologie 1880, S. 103 ff.).

Der „Brief" ist im allgemeinen von der Kritik freundlich aufgenommen worden. Wo Toleranz vertreten wurde,
hat man auch dieser „Toleranzermahnung", die „so aus der
Fülle des Herzens" geschrieben sei, Beifall gespendet. Nur
Nicolais „Allgemeine deutsche Bibliothek" blieb wohlwollend
kühl, weil sie irrigerweise den Verfasser zu den Orthodoxen
zählte. Schubarts „Deutsche Chronik" (21. November 1774,
S. 643) bekannte dagegen rückhaltlos: „Diese 2 Bogen sind
schwerer an Inhalt, reicher an gemeinnützigen großen Gedanken, als ganze große Werke über die Pastoraltheologie.
Was er vom Systemdrechseln, von der Seligkeit der Heiden und
der Verträglichkeit schreibt, ist besonders vortrefflich und denjenigen Leuten sehr zu empfehlen, die von diesen 3 wichtigen
Artikeln nichts wissen wollen" (vgl. Jahrbuch XXIII, 121).

83, 5. „leidsam": geduldig, verträglich, wohl beabsich-
tigter Archaismus. 22 f. Anklang an Joh. 10, 1—16.

84, 30. Der antike Philosoph Pyrrho (um 360—270
vor Chr.) als Typus des Skeptizismus.

85, 6 f. Vgl. Apostelgesch. 9, 1 ff. 13, 9. 8. „erwischt":
betroffen, ergriffen. Wie Goethe selbst vom Saulus ein

Paulus geworben, bezeugt der Brief an Limprecht vom
12. und 19. April 1770.　　22. „Erbsünde": vgl. Bd. 24,
S. 227. 304 und J. Minor, Ewiger Jude, S. 40 ff.

86, 5 f. „Wiederbringung": Apokatastase, Annahme einer
endlichen Wiederherstellung der Welt in ihren ursprünglichen
Zustand, mit der zugleich eine allgemeine Bekehrung und
Begnadigung aller Sünder, auch des Teufels, verbunden
sein wird. Origenes vertrat diese Lehre; sie wurde im
6. Jahrhundert als Ketzerei verworfen.　　10 f. Die Ewigkeit der Höllenstrafen wird aus Marc. 9, 48 und Matth. 25, 41
abgeleitet; vgl. J. Minor, Ewiger Jude, S. 73.　　23—27. Herderisch; vgl. Snyhan Bd. 2, S. 236 f.

87, 4. Voltaire. Vgl. 6, 9 ff. und J. Minor, Ewiger
Jude, S. 81 f.　　14. Die zitierten Worte enthalten nicht
die Meinung des Vikars (s. o. S. 326 f.). Vielmehr heißt es
bei Rousseau: Nous avons mis à part toute autorité humaine;
et sans elle, je ne saurais voir comment un homme en peut
convaincre un autre en lui prêchant une doctrine déraison-
nable. Mettons un moment ces deux hommes aux prises, et
cherchons ce qu'ils pourront se dire dans cette âpreté de
langage ordinaire aux deux partis. Im Laufe dieses Gesprächs sagt l'inspiré: O cœur endurci, la grace ne vous parle
point; und le raisonneur antwortet: Ce n'est pas ma faute;
car, selon vous, il faut avoir déjà reçu la grace pour savoir
la demander.　　22—27. Matth. 8, 28—34. Luc. 8, 32—37.
Zu 36 bis 88, 1 vgl. 1. Korinth. 15, 53 f.

88, 12. Sully schreibt Heinrich IV. von Frankreich den
Plan einer allgemeinen europäischen Republik zu: fünfzehn
Staaten mit einem obersten Friedenssenat an der Spitze.
Sein Hauptzweck sollte Schutz gegen Russen und Türken
und Vertreibung der Türken sein. Vgl. Th. Kükelhaus, Der
Ursprung des Planes vom ewigen Frieden in den Memoiren
des Herzogs von Sully (Berlin 1893).　　13. Augsburgische
Konfession (lutherisch) 1530; Dordrechter Beschlüsse (kalvi-
nistisch) 1618 f.　　16 ff. Vgl. 71, 18 ff.　　23. Robert Bellarmin (1542—1621), Jesuit, gewandter Verteidiger des
Katholizismus; Veit Ludwig v. Seckendorff (1626—92), Apo-
loget des Luthertums.　　35—38. Vgl. Goethes Fragmente
vom ewigen Juden 270 ff. (Bd. 3, S. 240 f.).

90, 17 ff. Luc. 22, 50 f.　　19. Matth. 7, 7 f.　　30—32.
2. Petri 3, 15 f.

91, 1 f. Galat. 2, 11 ff. und Apostelgesch. 15.

92, 12—15. Seitdem Goethe unter dem Einflusse des Fräulein v. Klettenberg begonnen hatte, sich mit den Proble-men der Religion zu befassen, mußte er immer wieder diese Erfahrung machen, vor allem an Lavater. 30 f. 2. Korinth. 12, 4. 31 ff. 1. Korinth. 14. 36. Schneider war Goethes Freund Jung-Stilling gewesen. Johann Lorenz v. Mos-heim (1694—1755), Aufklärungstheolog, von Goethe in Straß-burg gelesen.

93, 9. „Unnamen": viele Goethesche Neubildungen mit dem produktiven Präfix „un-" stellt E. A. Boucke a. a. O. S. 209 ff. zusammen. 16 f. Matth. 7, 15. 27. 2. Joh. 9 f. und 3. Joh. 11. 31 f. 1. Korinth. 12, 3.

94, 19 f. So haben Goethes Mutter und er selbst in der Jugend es gehalten; später dachte Goethe anders: vgl. J. Minor, Ewiger Jude, S. 108. 26 ff. Anders: Goethes Gespräche Bd. 1, S. 12. 31. „Salomons Diskurse": die Sprüche Salomonis und der Prediger Salomo. 37 ff. Bgl. Bd. 38, S. 98, 23 bis 99, 2.

Zwo wichtige bisher unerörterte Biblische Fragen
(S. 95—105).

Erster Druck (mit der fingierten Angabe „Lindau am Bodensee") 1773. Die Aufnahme des Schriftchens war im allgemeinen nicht günstig. In den Frankfurter gelehrten Anzeigen (15. Okt. 1773) wird der „Traum" des „launigten" Verfassers ironisch (von Bahrdt?) abgelehnt. Dagegen La-vater an Goethe (1. Sept. 1773): „Wie ich vermutete — sind die Zwo Fragen von Ihnen ... Ich kann nicht aussprechen, wie meine Seele dürstet, von einem Doktor Juris — Theologie zu lernen — warum haben wir Theologen keinen Sinn?" u. f. w. — Bgl. Bd. 24, S. 77 f. 281.

96, 35. „er sticht ... auf einen Professor": er hat es darauf abgesehen, Professor zu werden. Wohl dialektisch, während „auf einen stechen" sonst (so bei Jean Paul) im Sinne von „zur Zielscheibe des Witzes machen" gebraucht wird. Bgl. Bd. 15, S. 362.

97, 2 ff. Herderisch. 37 ff. Röm. 11, 17; Jer. 11, 16; Jes. 11, 1.

98, 8. „bekleibend": kleben bleibend, einwurzelnd; vgl. zum „Urfaust" 316 (Bd. 13, S. 344). 23 ff. Die „Erste Frage" scheint ein Problem wieder aufzugreifen, das Goethe in seiner ersten, von der Fakultät zurückgewiesenen Disser-

tation erörtert hatte. Wenigstens meldet Böttiger (Literarische Zustände und Zeitgenossen, 1838, Bd. 1, S. 60) nach
einer Mitteilung von Goethes Straßburger Freund Lerse,
Goethe habe darin behauptet, daß die zehn Gebote nicht
eigentlich die Bundesgesetze der Israeliten gewesen wären.
Z. 19 ff. dürften auf diesen Zusammenhang hindeuten. Auch
Spinozas Theologisch-politischer Traktat (Kap. 1 und 4 f.)
versicht, im wesentlichen mit Goethes Anschauungen überein-
stimmend, die Ansicht, daß die alttestamentlichen religiösen
Gebräuche nur für die Hebräer bestimmt, also partikularer
(98, 7 f. 101, 10 f.) Natur waren, daß die zehn Gebote nicht
die eigentlichen Gebote Gottes, sondern nur ihren Sinn enthalten und daß ein späterer Bearbeiter die Gesetze aufgestellt
habe. Vgl. R. Hering, Spinoza im jungen Goethe, 1897,
S. 13 f. Von einer Lösung des Problems durch Goethe kann
keine Rede sein; allein an richtigem Orte setzt seine Kritik
ein und nimmt Beobachtungen vorweg, von denen aus die
theologische Wissenschaft neuerer Zeit die Überlieferung der
mosaischen Gesetzgebung in ganz neues Licht gestellt hat.
Sicher hat Herder in Goethe die Fragestellung angeregt.

101, 26. 5. Mof. 5, 22.

102, 8. Marc. 16, 17; Apostelg. 10, 46. 19, 6; 1. Kor. 14.
12 f. 32—34. Diodorus Siculns aus Argyrion in Sizilien
schrieb zur Zeit Cäsars und Augustus' seine „Historische
Bibliothek", eine Universalgeschichte von den ältesten Zeiten
bis auf das Jahr 60 vor Chr. Jo. Alberti Fabricii Biblio-
theca graeca. Hamburgi 1708, Bd. 1, S. 24 unter dem
Schlagworte Daphne sive Manto: Addit Diodorus Daphnen
istam propter oracula quae numine afflata funderet Sibyllam
appellatam τὸ γὰρ ἐνθεάζειν κατὰ γλῶσσαν ὑπάρχειν σιβυλλαίνειν.
Non optime vertit interpres eruditus verba κατὰ γλῶσσαν
quadam Graecorum dialecto, rectius: veteri sive insolentiore
vocabulo, id enim notat glossa, unde glossaria, ceu de Lexicis
agentis diximus. Die Stelle des Diodor: 4, 66. Goethes
Interpretation würde zwar dem γλώσσαις λαλεῖν von Paulus' 1. Brief an die Korinther (14) gerecht, nicht aber dem
ἑτέραις γλώσσαις λαλεῖν der Apostelgeschichte (2, 4), also der
Stelle, die er selbst im Auge hat. Herderische Ansichten
stehen auch diesem Versuche Goethes nahe. Mitte Oktober 1793
schrieb Goethe über Herders Schrift „Von der Gabe der
Sprachen am ersten christlichen Pfingstfest" (Suphan Bd. 19,
S. 1 ff.) an den Verfasser: „Wie sehr ich deiner Meinung

wegen der Gloffen im allgemeinen bin, weißt du von alters,
da ich etwas Ähnliches als Poffe vortrug." Herder felbft
aber fagt in der Vorrede des 1793 gedruckten Auffaßes, der
Inhalt habe vor zwanzig Jahren bereits einer anderen
Schrift einverleibt werden follen; mithin dürfte Herder zur
Zeit der Entftehung der „Zwo Fragen" fchon eine der An-
ficht Goethes verwandte Interpretation verfochten haben.
14. Matth. 13, 9.   16. Ev. Joh. 3, 8. 20 f. Luc. 16, 29.
103, 3 f. Apoftelgefch. 2, 9.   10 ff. Ebenda 2, 13.
27 f. 1. Korinth. 14.
    104, 2 f. 1. Mof. 1, 2.   15. Goethe hat fchwerlich an
Herders Vermutungen über den „erften wilben Urfprung"
der Sprache gedacht, der fich auf „Töne und Gebärden" be-
fchränkte (1. Sammlung der Fragmente „Über die neuere
deutfche Literatur" II, 2 „Von den Lebensaltern einer Sprache" (Suphan Bd. 1, S. 151 f.).   24—31. 1. Korinth. 14.
105, 2. Ebenda 4, 1.   10 ff. Herderifch.

Parabeln (S. 106—108).

Dem Berichte der Bibel (1. Könige 4, 33: „Und er redete
von Bäumen, von der Ceber an zu Libanon bis an den
Pfop, der aus der Wand wächft") legte Goethe in kongenialer
Erfaffung biblifcher Gleichnisrede feinen Text unter, einmal
(Nr. 10) freilich von biblifchem Toue (wie G. Witkowski bemerkte) zu Leffings Fabelftil abfchweifend; vgl. den zor-
nigen Ausruf Werthers Bd. 16, S. 93, 31 ff. Das Manu-
fkript übergab er Frau v. La Roche. Ihm entnahm 1808
Arnim die Parabeln 2—6 für feine „Zeitung für Einfiedler"
(Nr. 4). Vollftändig wurde es 1861 in einem Privatdruck
zum erften Male abgedruckt. Morris (Zeitfchrift für ver-
gleichende Literaturgefchichte 1904 IV, 248 f.) meint, Goethe
fei zu den „Parabeln" durch J. G. Jacobis Auffaß „Dicht-
kunft. Von der poetifchen Wahrheit" („Iris", Oktober 1774)
angeregt worden, und möchte die Entftehungszeit zwifchen
Oktober 1774 und Oktober 1775 anfeßen.
    107, 6. 1. Könige 10, 11. 22.

Das Hohelied Salomos (S. 108—114).

Der allegorifch-myftifchen Deutung des Hohenlieds war
zuerft Michaelis (vgl. oben zu 17, 18) entgegengetreten. Seiner
rationaliftifch-unhiftorifchen Deutung widerfprach Herder und
fand in der biblifchen Dichtung eine Reihe von Liedern, die

er 1776 in verschiedenen Vers- und Strophenformen wiederzugeben suchte, 1778 in freien Rhythmen verdeutscht vorlegte.
Goethe nahm Herders Liedertheorie auf und kounte am
7. Oktober 1775 Merck melden: „Ich hab' das Hohelied Salomons übersetzt, welches ist die herrlichste Sammlung Liebes-
lieder, die Gott erschaffen hat." Er ließ Kap. 3, 5. 7—11.
4, 6. 6, 4b—6. 11. 7, 3. 8, 3. 4. 8—14 der lutherischen Übersetzung aus, meist Wiederholungen. Dem Urtext ist er aus
eigner Sprachkenntnis und dank selbständigen Studien mehrfach näher gekommen als die Vulgata und Luther; vgl.
B. Badt, Neue Jahrbücher für Philologie und Pädagogik
CXXIV, 346 ff. Sein dauerndes Interesse für das Hohelied
bezeugt der „Divan" (Bd. 5, S. 150, 10—33) und die Rezension von Umbreits Übersetzung (Bd. 37, S. 117 f.). Vgl.
O. Pniower, Goethe-Jahrbuch XIII, 181 ff. Die Handschrift
der Übertragung (jetzt im Weimarer Archiv) hatte v. Loeper
aus dem Nachlaß der Frau v. Stein erworben und in den
„Briefen Goethes an Sophie v. La Roche" (Berlin 1879,
S. 127 ff.) zum ersten Abdruck gebracht.

109, 11. „Tapfen": f. o. zu 3, 26.   16. „Pöcklein":
Verkleinerung von Pockel = Buckel.   20. „Kopher":
Cyperntrauben.

111, 10 f. Vgl. „Faust" 3336 f.

112, 8 f. „mich überlief's": vgl. „Fanst" 3187 „Mich
überläuft's". Die Vulgata lautet: et venter meus intremuit
ad tactum eius.   22 ff. Vgl. Goethes Gedicht „Flieh, Täubchen, flieh ꝛc." (Bd. 3, S. 231).

Aus Goethes Brieftasche (S. 115 f.).

Diderots naturalistischer Anhänger Louis Sébastien
Mercier (s. oben zu 41, 36) bekämpfte in Dichtung und Betrachtung die französische klassische Tragödie. Die Stürmer
und Dränger suchten den willkommenen Mitstreiter dem
deutschen Publikum nahezubringen. Heinrich Leopold Wagner
(1747—79), der Verfasser des naturalistischsten Dramas der
Sturm- und Drangzeit, veröffentlichte 1775 eine Übersetzung
von Merciers „Essighändler". Auf Goethes Rat übertrug
er auch 1775 Merciers Kampfschrift Du théâtre ou nouvel
essai sur l'art dramatique (1773). Ehe die Übersetzung (1776
in Leipzig bei Schwickert) erschien, mußte Goethe gegen
Wagners Unredlichkeit öffentlich protestieren. Im Stil der
Farcen Goethes hatte Wagner, zwar zu Gunsten von Goethes

„Werther", aber indiskret private Beziehungen Goethes be-
rührend, im Februar 1775 eine Satire „Prometheus, Deu-
kalion und seine Rezensenten" in die Welt gesandt, dabei
obendrein den Anschein erweckt, als sei Goethe der Verfasser. Goethe sah sich zu einer Erklärung gezwungen, die
er als gedrucktes Blättchen versandte und die außerdem
unter dem Titel „Gelehrte Nachricht" in den „Frankfurter
gelehrten Anzeigen" (21. April 1775) erschien:

„Nicht ich, sondern Heinrich Leopold Wagner hat
den Prometheus gemacht und drucken lassen, ohne mein
Zutun, ohne mein Wissen. Mir war's, wie meinen Freunden, und dem Publiko, ein Rätsel, wer meine Manier, in
der ich manchmal Scherz zu treiben pflege, so nachahmen,
und von gewissen Anekdoten unterrichtet sein konnte, ehe
sich mir der Verfasser vor wenig Tagen entdeckte. Ich
glaube diese Erklärung denen schuldig zu sein, die mich lieben und mir aufs Wort trauen. Übrigens war mir's ganz
recht, bei dieser Gelegenheit verschiedne Personen, aus ihrem
Betragen gegen mich, in der Stille näher kennen zu lernen.
Frankfurt, am 9. April 1775.   Goethe."

Vielleicht ist Goethe wegen dieses Handels „die Lust vergangen" (115, 3), der Übersetzung Anmerkungen anzufügen,
wie in der „Neuen Bibliothek der schönen Wissenschaften"
(XVII, 343) und in anderen Zeitschriften angekündigt worden war; vielleicht geht die Bemerkung, „daß jedermann
gerne die Mühe auf sich nimmt", „Anmerkungen zu machen"
(3. 3 ff.) auf Jakob Michael Reinhold Lenz (1751—92) und
seine „Anmerkungen übers Theater nebst angehängtem über-
setzten Stück Shakespeares" (Leipzig 1774), die — ebenso
wie Wagners Farce — Goethe zugeschrieben worden sind
(vgl. Almanach der deutschen Musen 1775, S. 11). Jedenfalls
konnte Wagners Übersetzung (S. 483—508) einen „Anhang
aus Goethes Brieftasche" vorlegen, der dem oben S. 115 f.
abgedruckten Eingange die Aufsätze „Nach Falconet und über
Falconet" und „Dritte Wallfahrt nach Erwins Grabe" (Bd. 33,
S. 35—44; vgl. S. 297 ff.) und die Gedichte „Brief" (Bd. 2,
S. 105 ff.), „Guter Rat auf ein Reisbret auch wohl Schreib-
tisch ꝛc." (ebenda S. 105), „Kenner und Künstler" (S. 103),
„Wahrhaftes Märchen" (S. 103 ff.), „Künstlers Morgenlied"
(S. 97 ff.) folgen läßt.

115, 23 f. „innern Form": über die ganze Auseinander=
setzung, ihre Bedeutung und ihre Grundlagen vgl. die Ein=
leitung S. XXXVIII ff.   25. „anekeln" = mit Ekel be=
trachten (auch bei J. H. Voß und Schiller).
116, 10. Vgl. „Fauſt" 534.   18 f. Abkehr von na=
turaliſtiſcher Technik, Anerkennung beſonderer Bühnen=
geſetze und einer naturfernen Bühnenwelt; vgl. J. Minor,
Goethe=Jahrbuch IX, 177 und Einleitung S. LXV.

Diesſeitige Antwort auf Bürgers Anfrage wegen Überſetzung des Homers (S. 116 f.).

Das „Deutſche Muſeum" wurde (Januar 1776) eröffnet
mit „Homers Jliade.   Fünfte Rhapſodie, verdeutſcht von
Gottfried Auguſt Bürger".   Ein „Prolog ans deutſche Publi=
kum" verſpricht, den ganzen Homer in gleicher Form
(Jamben) zu übertragen, aber nur, wenn Bürger von der
„Begierde und Erkenntlichkeit" des Publikums „vollkommen
verſichert" wäre.   „Ich müßte mein Leben haſſen, wenn ich
für deinen Kaltſinn, oder gar Undank, Kraft und Saft
meiner Jugend aufopfern wollte. Die bloße Gier nach dem
Namen, bei Kennern der Manu zu heißen, der im ſtande
war, den Homer zu verdeutſchen, kann mich nicht ſpornen,
das mühſelige Werk zu vollenden." Er ſchließt: „Ich er=
warte demnach aus dem Munde deiner Edlen und Weiſen
Antwort auf meine Frage. Werden dieſe meine ſernere
Bemühung verbitten, oder gar ſchweigen, die Therſiten aber
kreiſchen, ohne daß die Edlen, die Ulyſſe, ihre güldnen
Zepter auf die Höcker der Schreier herabſchwingen, ſo bin
ich keineswegs der Manu, der ungebeten ſich zudrängen
wird." Vielmehr werde er ſeine Arbeit dann vernichten.
Die „Antwort" erſchien in Wielands „Teutſchem
Merkur" 1776 I, 193 f. (Februar) mit der Unterſchrift „G.",
ebenſo wie Gedichte Goethes im ſelben Heft. Angefügt iſt
eine Perſonenliſte (abgedruckt in der Weim. Ausg. Bd. 38,
S. 416). Am 20. April 1778 überſandte Goethe Bürgern
51 Louisdor (vgl. auch an Karl Auguſt, 23. Dezember 1823
und an Staatsrat Schultz, 16. Mai 1829). Bürger verlor
indes bald die Freude an der Fortſetzung, nur 1784 ließ er
noch, angeſpornt durch Voſſens „Odyſſee", Fragmente der
„Ilias" in hexametriſcher Übertragung abdrucken.
Vgl. Bd. 38, S. 254, 9 ff.

Über Italien.   Fragmente eines Reisejournals
(S. 118—138).

Volksgesang (S. 118—134).

In Wielands „Teutschem Merkur" 1789 I, 229 ff. (März)
unter dem Titel „Fortgesetzte Auszüge aus dem Taschenbuche
des Herrn ***" zum erstenmal gedruckt.

118, 1 bis 121, 3.   Knapper stellt Goethes Tagebuch
und in engem Anschluß daran die „Italienische Reise" (Venedig, den 7. Okt.; Bd. 26, S. 93 ff.) das Erlebnis dar. Vgl.
auch „Wanderjahre" II, 7 (Bd. 19, S. 272, 3 ff.).   10. Les
consolations des misères de ma vie ou recueil d'airs, romances
et duos par J. J. Rousseau (Paris 1780); vgl. an Kayser,
10. Sept. 1781 (Brief-Auswahl II, 76 f.).

121, 4—32.   Auch B. G. Niebuhr (1776—1831) sagt
von den Römern: „Kein Volk kann unmusikalischer sein;
sie haben nur eine Ritornellmelodie, die ganz abscheulich
klingt, und gar keine Volkslieder" (Lebensnachrichten II,
399). Anders: Wilhelm Müller, „Rom, Römer und Römerinnen" (1820) I, 52 f. und Müllers, von O. L. B. Wolff
fertiggestellte Sammlung Egeria. Raccolta di poesie italiane
popolari (1829) Nr. 1. 4. 26—30.   33. „Vaudevilles": satirische Volkslieder über ein Tagesereignis nach bekannter
Melodie, Gassenhauer; vgl. 155, 25. 254, 10.   33 ff. „Mori-
brough": vgl. „Italienische Reise", Verona, den 17. Sept.
(Bd. 26, S. 52, 10 f.) und „Römische Elegien" II, 9 f. (Bd. 1
S. 155 und Anmerkung S. 351).

122, 3 ff.   Dasselbe Gedicht wird auch von K. Ph. Moritz (1757—93), der mit Goethe zu Rom in vertrautem Verkehr stand, erwähnt („Reisen eines Deutschen in Italien in
den Jahren 1786 bis 1788. In Briefen." 1792, f. III, 59 f.).
26 ff. Moritz a. a. O. II, 165 f.: „Die italienischen Volkslieder
haben nicht das mindeste von Hexen, Gespenstern, Geister-
erscheinungen. Ein Hexenlied, das wir einmal von einem
Buben in Rom auf der Straße singen hörten, fiel uns
deshalb sehr auf. — Das Lied schien nordischen Ursprungs
zu sein." Goethe und Moritz haben das Lied mißverstanden; es ist tatsächlich ein scherzhaftes Gespräch zwischen
einem spielenden Kind und einer gurrenden Taube; vgl.
Xanthippus-Sandvoß, Nationalzeitung vom 29. Juni 1887
(Nr. 364). Auch Wilhelm Müllers „Egeria" (s. o.) S. 19 f.
und August Kopisch, „Agrumi" (1838) S. 168 ff. nahmen das

Lied auf; Kopisch lehnte Goethes Auffassung ab, ohne indes selbst das Rechte zu treffen.

124 f. Der erste Druck bringt (am Schluſſe des Quartals) die Melodie im Diskantſchlüſſel, für den in den ſpäteren der Violinſchlüſſel eingetreten ist.

125, 5 ff. Auch in der „Egeria" (Nr. 65).

126, 2. „Intermezzo": Zwiſchenſpiel, zwiſchen den Aufzügen einer Oper oder eines Schauſpiels aufgeführt.

134, 8 f. Johann Hermann v. Riedeſel, Winckelmanns Freund. In ſeiner „Reiſe durch Sizilien und Großgriechenland. Zwei Sendſchreiben an Winckelmann" (1771) S. 251 ff. bemerkt er — im Gegenſatz zu Goethes Mitteilung —, daß die von der Spinne Tarantula gebiſſenen Perſonen ſich mit Tauzen nach der Muſik heilen, die auch Tarantula heiße: ein Vorurteil, da der Biß der Spinnen ungefährlich ſei.

Frauenrollen auf dem römiſchen Theater durch Männer geſpielt (S. 134—138).

„Teutſcher Merkur" 1788 II 97 ff. (November) unter dem Titel „Auszüge aus einem Reiſe-Journal".

Gegen die Darſtellung der Frauenrollen durch Männer eifern und die Unzukömmlichkeiten dieſes Brauches betonen immer wieder die in Italien reiſenden Ausländer des 18. Jahrhunderts, ſo Archenholz und Volkmann. Um ſo bemerkenswerter iſt Goethes Verteidigung; ihre Vorausſetzung iſt das ſtärker und ſtärker in ihm erwachende Gefühl, daß die Bühne nicht naturaliſtiſch zu wirken beſtimmt ſei. Vgl. zu 116, 18 f. „Lehrjahre" V, 7 (Bd. 18, S. 36, 11—26) und Einleitung S. LXV f. Goethes Brief an Fritz v. Stein vom 4. Januar 1787 erzählt von dem Beſuche der Locandiera Carlo Goldonis (1707—93); vgl. 137, 20 ff. Sie war Goethe längſt geläufig; vgl. Tagebuch, 8. Jan. und 15. Febr. 1777.

135, 13. Vgl. Moritz a. a. O. II, 213 ff.

136, 2. „Tireſias": nach Ovids „Metamorphoſen" III, 323—331. 36 f. Durch Auguſt Wilhelm Iffland (1759 bis 1814); vgl. Goethes Aufſatz „Beſuch von Iffland ꝛc." Bd. 25, S. 231 f.

137, 13. Daß „einfache Nachahmung" die unterſte Stufe künſtleriſcher Tätigkeit ſei, behauptete 1789 Goethes Aufſatz „Einfache Nachahmung der Natur, Manier, Stil" (Bd. 33, S. 54 ff.); vgl. Einleitung S. XLVI f.

138, 28. „Zeugniſſe der alten Schriftſteller": Goethe

konnte sie in Abbé Barthélémys Voyage du jeune Anacharsis en Grèce dans le milieu du quatrième siècle avant l'ère vulgaire (1788 Bd. 4, S. 20 Noie d) angeführt finden.

Literarischer Sansculottismus (S. 139—144).

Der von Goethe 139, 1 ff. zitierte Aufsatz erschien in der angeführten Zeitschrift: 1795 März, S. 249—254; April S. 373—377 mit der Unterschrift: „Dr. v. R—n." Goethes Antwort, in den „Horen" 1795 Stück 5, S. 50—56 abgedruckt, eröffnet die in den „Xenien" gipfelnde Kritik Goethes und Schillers an den Zeitschriften, die dem großgedachten Unternehmen der „Horen" teils verständnislos gegenübertraten, teils bornierten Widerstand leisteten. Im Septemberhefte des „Archivs" (S. 239—245) erfolgte unter dem Titel „Berichtigung eines auffallenden Mißverständnisses in den Horen" eine lahme Replik, gezeichnet: „J. B. v. R—n." Wilhelm v. Humboldt an Schiller, 23. Oktober 1795: „... daß der Herr v. R—n, der Verf. des Aufsatzes, gegen den sich G. erhoben hat, und der Antwort, niemand anders als Jenisch ist, ist ganz ausgemacht ... Jenisch gesteht es selbst, ohne allen Rückhalt, zu." Daniel Jenisch (1762—1804), Dichter einer „Borussias" (1794) in zwölf Gesängen, schrieb später gegen die Xenien, die ihn nicht geschont hatten (vgl. Bd. 4, Anm. zu den Xenien Nr. 240 f. und 265), und wurde von den Romantikern noch schlimmer verspottet. Vgl. auch Bd. 37, S. 262, 2 ff.

Der Begriff des Sansculottismus, den Goethe 140, 14 ff. genau umschreibt, kehrt später häufig in Goethes Urteilen über seine Zeitgenossen wieder. Am 29. Mai 1798 rühmt sein Brief an C. G. Voigt von Schelling: „Es ist ein sehr klarer, energischer und nach der neusten Mode organisierter Kopf; dabei habe ich keine Spur einer Sansculotten-Tournure an ihm bemerken können, vielmehr scheint er in jedem Sinne mäßig und gebildet."

140, 23. „klassischer Autor": mannigfach abweichend, in der Beurteilung des Zeitalters aber ebenso streng, hatte Schiller kurz vorher in den „Horen", im Eingang der „Briefe über die ästhetische Erziehung des Menschen" die Bedingungen festgestellt, unter denen ein Künstler entstehen könne. Vgl. insbesondere Brief 9 (Säkular-Ausgabe Bd. 12, S. 30 f. und Anmerkung S. 365).

142, 33. Smelfungus: in Lawrence Sternes „Empfind-

famer Reife" (f. o. S. 313 zu Nr. 7 der Frankf. gel. Anzeigen)
ein Wanderer, der alles tadelt. Vgl. Bd. 37, S. 15, 1 ff.
144, 1. Kants kritifche Philofophie.

Plato als Mitgenoffe einer chriftlichen Offenbarung
(S. 144—149).

"Über Kunft und Altertum" V, 3 (1826), 79 ff. mit dem
Titelzufatz: "Im Jahre 1796 durch eine Überfetzung veranlaßt." — Ende 1795 erfchien der erfte Band von Friedrich
Leopold Graf Stolbergs (1750—1819) Überfetzung "Aus-
erlefener Gefpräche des Platon". Die "Blößen", die fich der
Überfetzer in der "abfcheulichen" Vorrede gibt, erwedten in
Goethe (an Schiller, 21. Nov. 1795) große Luft "drein zu
fahren und ihn zu züchtigen". Er fendete am 25. Nov. die
"neuefte Sudelei des gräflichen Saalbaders" an Schiller,
der zuftimmend antwortete: Die "Vorrede ift wieder etwas
Horribles. So eine vornehme Seichtigkeit, eine anmaßungs-
volle Impotenz, und die gefuchte, offenbar nur gefuchte
Frömmelei — auch in einer Vorrede zum Plato Jefum
Chriftum zu loben!" (29. Nov.) Einem intimen Kenner der
Antike wie Wilhelm v. Humboldt gegenüber formulierte
Goethe fein Verdikt genauer (3. Dez.): "Es ift recht fchade
daß er kein Pfaff geworden ift, denn fo eine Gemütsart
gehört dazu, ohne Scham und Scheu, vor der ganzen gebildeten Welt ein Stückchen Oblate als Gott zu elevieren
und eine offenbare Perfiflage, wie z. B. Jon ift, als ein
kanonifches Buch zur Verehrung darzuftellen." Vgl. Xenion
Nr. 90 (Bd. 4, S. 165). Über Stolbergs fpätere Wandlungen
vgl. Bd. 30, S. 347, 6 ff. 420 ff. Alte Skizzen: Weim. Ausg.
Bd. 41 II, S. 488 f.

Die Deutung, die Goethe dem vielumftrittenen, fchon
damals mehrfach Platon abgefprochenen Dialog "Jon" leiht,
deckt fich mit keiner der Interpretationen, die von philologi-
fcher und philofophifcher Seite ihm vorgelegen haben können. Goethe, der in der Zeit fowohl der erften Konzeption
wie der Veröffentlichung "Sibyllen, die unter der Erde weis-
fagen," befonders abgeneigt war (in der Zwifchenzeit hätte
er ihnen gelegentlich mehr Beifall gefpendet), faßt die ent-
fcheidende Stelle (p. 533 f.), Sokrates' Rede vom Befeffen-
fein der Dichter, zwar ebenfo wie G. G. Nitzfch (Platonis
Jon, Lipsiae 1822) als Jronie auf; allein Nitzfch meint, die
Spitze richte fich gegen Poefie und der Dialog verherrliche

im Gegensatz zur Dichtung strenges philosophisches Wissen. Goethe indes möchte aus den Worten des Sokrates nur Ironie gegen die Annahme herauslesen, daß der Dichter göttlicher Inspiration bedürfe. In der Auffassung des ganzen Dialogs nähert sich Karl Steinhart (Platons sämt. liche Werke, übersetzt von H. Müller, Bd. 1, 1850, S. 3 ff.) der Interpretation Goethes; allein er sieht in der Rede des Sokrates „heiligen und erhabenen Ernst". Die älteren Deu. tungen und Hypothesen sind bei Steinhart übersichtlich zu. sammengestellt.

144, 23 ff. Vgl. den oft zitierten Bekenntnisbrief Goethes an Pfenninger (26. April 1774): „Und so ist das Wort der Menschen mir Wort Gottes, es mögen's Pfaffen oder Huren gesammelt und zum Kanon gerollt oder als Fragmente hin. gestreut haben. Und mit inniger Seele fall' ich dem Bruder um den Hals. Moses! Prophet! Evangelist! Apostel, Spi. noza oder Machiavell."

145, 13. „theurgisch": göttlich machend, heiligend, dann zauberisch, wundertätig.   25. Wielands Übersetzungen des Horaz („Briefe" 1782, „Satyren" 1786) sind mit Einleitungen und Erläuterungen ausgestattet.   29 ff. Vgl. den derben Entwurf (aus dem Nov. 1795) zu diesen Ausführungen unter den Lesarten der Briefe, Weim. Ausg. Bd. 10, S. 425.

146, 30 f. „ein Naturalist, ein bloßer Empiriker": im Gegensatz zu systematischer Ausbildung.

147, 5 f. Fast wörtlich wiederholt 149, 11 f.

148, 12 ff. Vgl. Schillers Xenion „Dilettant", Säkular. Ausg. Bd. 1, S. 150, Nr. 48.

Über epische und dramatische Dichtung (S. 149—152).

Die Skizze ist das Ergebnis der Diskussionen, in denen Goethe und Schiller schriftlich und mündlich im Frühjahr 1797 die Grenzen der beiden Dichtungsarten zu finden sich be. strebten. Goethe meldete am 28. April dem Freunde, daß er über die „bisherigen Verhandlungen einen kleinen Auf. satz" aus Schillers Briefen gemacht habe. Am 23. Dez. sandte er ihn an Schiller mit der Bitte, ihn „zu beherzigen, anzuwenden, zu modifizieren und zu erweitern". Im Brief. wechsel wie in der Zeitschrift „Über Kunst und Altertum" VI, 1 (1827), 1—26 lautet der Titel wie in unserem Text; seine nähere Erklärung und Begründung findet der Aufsatz in den dort zum Abdruck gebrachten Briefen Goethes vom

23. und 27. und Schillers vom 26. und 29. Dez. 1797. Vgl. Einleitung S. XIV f. und Säk.-Ausg. Bd. 12, S. 321 ff. 401 f.

150, 2. Goethe möchte ergründen, wie „eigentlich die Kunstwerke innerhalb ihrer reinen Bedingungen" hervorgebracht werden können (an Schiller, 23. Dez. 1797). Darum stellt er dem Schauspieler den Rezitator einer epischen Dichtung gegenüber, hat dabei aber lediglich homerische Dichtung im Auge, die er mit dem Philologen Friedrich August Wolf (1759—1824; Prolegomena ad Homerum 1795) von „Rhapsoden" vorgetragen denkt. 26 f. Im Sinne der antiken Tragödie und im Gegensatz zu Shakespeare. Der Standpunkt entspricht den dramaturgischen Anschauungen, zu denen Schiller 1797 gelangt war; vgl. Säk.-Ausg. Bd. 7, S. IX.

151, 22—25. Die „besondere Schwierigkeit" beklagen Schillers „Götter Griechenlands"; einen Ersatz suchten zu jener Zeit Herder und die Romantiker.

152, 12 f. „bei sinnlicher Gegenwart": vgl. die von der Ästhetik des 18. Jahrhunderts vielfach verwertete Beobachtung des Horaz: Segnius irritant animos demissa per aurem Quam quae sunt oculis subiecta fidelibus (Ad Pisones 180 f.).

Grübels Gedichte in Nürnberger Mundart (S. 152—157).

Allgemeine Zeitung, 23. Dez. 1798. — Schiller war erfreut, daß Goethe für den „letzten Abkömmling der Nürnberger Meistersänger", Johann Konrad Grübel (1736—1809), ein Wort der Empfehlung sagte: „Denn hier ist der Fall, wo keiner das Herz hätte, auf Risiko des eignen Geschmacks zu loben, weil man auf keine modische Formel fußen kann." Doch wäre die Anzeige nach seiner Ansicht besser an einer weniger öffentlichen Stelle, etwa in der Jenaischen Literaturzeitung hervorgetreten. — Goethe scheint die Absicht verfolgt zu haben, tendenzlosen Humor gegen ein Publikum zu schützen, das auf moralische Nutzanwendung erpicht war (153, 26 ff.). Von einer Spitze gegen die Romantik ist in dem Aufsatze nichts zu verspüren; vielmehr bekämpft er, was auch den Romantikern ein Stein des Anstoßes war. Vgl. den Briefwechsel mit Schiller vom 31. Jan. und 2. Febr., 12.—19. Dez. 1798. Im Jahre 1805 kehrte Goethe nochmals als Rezensent zu Grübel zurück (S. 244), dessen Dialektdichtung ihm wohl auch den Weg zu Hebel gewiesen hat.

152, 26 ff. In England seit 1215, in Frankreich während der Revolution.

154, 22 ff. Ovid, Metamorphosen VII, 20 f.

155, 16. Abrian van Ostabe (1610—85), Schüler von Franz Hals, niederländischer Bauernmaler. Vgl. Bd. 23, S. 128, 14 ff. u. ö.   25. Vgl. zu 121, 33.

Weimarischer neudekorierter Theatersaal. Dramatische Bearbeitung der Wallensteinischen Geschichte durch Schiller (S. 157—161).

Allgemeine Zeitung, 12. Okt. 1798. — Die Umgestaltung des Theaters zu Weimar und die Eröffnung des neuen Hauses besprechen Goethes „Annalen" 1798 (Bd. 30, S. 59, 28 bis 60, 20). Über Nikolaus Friedrich Thouret (1767 bis 1845), den Stuttgarter Hofbaumeister, vgl. ebenda S. 57, 4 ff. sowie Bd. 29, S. 76, 4 ff. und 346. Schillers „Prolog" zum Wallenstein (5—9) gedenkt der Umwandlung. Der Aufsatz wurde am 26. und 27. Sept. 1798 geschrieben, am 29. an Cotta gesandt.

157, 26. „Cipollin": glimmerreicher körniger Marmor, mehr oder weniger deutlich geschichtet.

158, 21—36. Über die Entstehung und allmählich sich herausstellende Notwendigkeit der Teilung des „Wallenstein" vgl. Säk.-Ausg. Bd. 5, S. VI ff., insbesondere XII ff. Ebenda über die „kurzen gereimten Verse" des Vorspiels (159, 22 f. 160, 25 f.).

161, 4. August Wilhelm Iffland (1759—1814) war in Weimar vom 28. März bis 25. April 1796 und vom 24. April bis 4. Mai 1798 als Gast aufgetreten; vgl. „Annalen" 1796 und 1798 (Bd. 30, S. 48, 7 ff. 59, 21 ff.).

Eröffnung des weimarischen Theaters (S. 161—169).

Beilage zur Allgemeinen Zeitung, 7. Nov. 1798. — Am 6. Okt., also sechs Tage vor der Aufführung, konnte Goethe schon an Schiller schreiben, daß eine „Vorrezension der Aufführung so wie des Effekts, den das Stück gemacht hat, schematisiert" sei und „in einigen guten Stunden fertig werden könne" (vgl. Weim. Ausg. Bd. 40, S. 398 f.). „Da ich mich einmal auf das Element der Unverschämtheit begeben habe, so wollen wir sehen, wer es mit uns aufnimmt." Schiller an Körner, 29. Okt.: „Goethe hat sich den Spaß gemacht, diese Relationen selbst zu machen, daß er sie Böttiger aus den Zähnen reiße." Vgl. Goethe an Böttiger, 20. Okt., und sein Konzept vom 8. an Cotta (Weim. Ausg. der Briefe Bd. 13, S. 415 f.).

Die zitierten Verse haben wir bei diesem und dem folgenden Aufsatze im allgemeinen nur durch die Verszahlen der Säkular-Ausgabe kenntlich gemacht, ohne auf Verschiedenheilen von dem endgültigen Texte der Dichtung einzugehen. Offenbar benutzte Goethe ein Theatermanuskript, das von Schiller für den Druck nachträglich verbessert worden ist.

162, 11. Heinrich Vohß: jugendlicher Held und Liebhaber, erster Darsteller des Mortimer, vgl. Bd. 30, S. 15, 9 und Anmerkung S. 430.   22. Über die „allgemeine Rhythmophobie" der Schauspieler des Zeitalters, der auch. Iffland verfallen war, weiß A. W. Schlegel Erstaunliches zu berichten (Sämtl. Werke Bd. 7, S. 67 f.).

163, 1. Das „Soldatenlied" Bd. 2, S. 227 f. 345 f. 22. Johann Christoph Beck: vgl. Bd. 30, S. 18, 7 f. und Anmerkung S. 431.   22 ff. Vgl. die „Regeln für Schauspieler" unten S. 197 ff.

165, 30. „Pater Abraham": vgl. Säk.-Ausg. Bd. 5, S. 379 ff.

166, 1. „das Tempo": die rechte Zeit und Gelegenheit, nicht das Zeitmaß (Grimm, Wörterbuch XI, 252).

168, 32—36. Madame Beck, Gattin des 163, 22 Genannten; vgl. Bd. 30, S. 23, 1 und 431. Weyrauch, Opernbuffo. Auch Christian August Joachim Leißring (1777 bis 1852) wurde hauptsächlich in der Oper verwendet. Regisseur Heinrich Becker (ca. 1760—1822), Gatte Christiane Neumanns, der „Euphrosyne" (Bd. 1, S. 354 f.). Regisseur Anton Genast: vgl. Bd. 30, S. 114, 23 und 446. Haide, der erste Darsteller des Don Cesar und Tell: ebenda S. 18, 17 und 431. Friedrich Wilhelm Hermann Hunnius (1762 bis 1835).

Die Piccolomini (S. 169—184).

Allgemeine Zeitung, 25.—31. März 1799. — In Goethes Tagebuch erwähnt am 17. Jan. 1799; die Abfassung ebenda 16.—18. Febr. Schiller berührt am 8. Mai 1799 Körner gegenüber die „Anzeige der Piccolomini ...", die G. und ich in Gemeinschaft, obgleich etwas eilfertig, aufgesetzt". Am 17. Jan. bittet Goethe Schiller um das „Aperçu über Piccolomini", am 17. Febr. schickt er „die erste Lage, mit der Bitte, die politische Möglichkeit, sich zum König von

Böhmen zu machen, kürzlich auszuführen ... Man kann dieses, und was sonst noch einzuschalten nötig wäre, auf besondere Blätter schreiben und einlegen". Eine im Goethe- und Schillerarchiv befindliche Handschrift Schillers umfaßt nur die in der Säk.-Ausg. Bd. 16, S. 115 ff. abgedruckten Schlußbemerkungen über die Darstellung. Ebenda S. 365 wird 172, 3—11 unseres Textes, die von Goethe gewünschte Auseinandersetzung der „politischen Möglichkeit", auf Schillers Rechnung gesetzt. Wahrscheinlich hat indes Schiller auch noch weiteres beigesteuert oder daran mitgewirkt; wenigstens deutet die zweimalige Verwertung des Wortes „wirklich" im Sinne von „augenblicklich" (172, 16. 175, 18) auf Schiller, der diesen schwäbischen Idiotismus nicht nur in der Jugend („Räuber" Akt 4, Szene 2, Säk.-Ausg. Bd. 3, S. 100, 24), sondern auch noch spät (so an Goethe, 30. Nov. 1803) gebraucht.

177, 11. „statistische Notizen" im Sinne des 18. Jahrhunderts: Beschreibung von Land und Leuten; status im Gegensatz zur Geschichte.

178, 18 ff. Bei der ersten Aufführung bildeten Akt 1 und 2 von „Wallensteins Tod" noch den Schluß der „Piccolomini"; vgl. Säk.-Ausg. Bd. 5, S. XVIII. XXI.

179, 4 bis 180, 9. Über Schillers Bemühen, Wallenstein zu einer „dramatischen Person" zu machen, vgl. a. a. O. S. XXIII ff. Als Historiker schildert Schiller die hier verwerteten Züge Wallensteins Bd. 15, S. 140 f. (vgl. S. 456).

180, 11. „die Achse des Stückes": s. Einleitung S. XLIII f. und Goethe an Boisserée, 19. Jan. 1827.

182, 6. „Wallensteins Tod" 897—942.

184, 9 f. Einen „gewissen Kreis der Menschheit" zu vollenden, war Schiller bemüht, weil es ihm als „Begriff der Poesie" erschien, „der Menschheit ihren möglichst vollständigen Ausdruck zu geben" (Säk.-Ausg. Bd. 12, S. 188, 20 f.).

Dem Jahre 1799 gehört auch das große Schema über den Dilettantismus an, gemeinsame Vorarbeiten Goethes und Schillers zu einem unausgeführten Aufsatze. In der Weimarischen Ausgabe Bd. 47, S. 299—326 sind zum ersten Male die „von Riemer in den Nachgelassenen Werken willkürlich angeordneten und zugestutzten Papiere" von O. Harnack und B. Suphan „in der ursprünglichen Gestalt und zwar in der chronologischen Reihenfolge des Entstehens ihrer

einzelnen Teile" abgedruckt worden. Zur Geschichte des unausgeführten Planes vgl. Goethes Briefe, Weim. Ausg.
Bd. 13, S. 165, 9; Bd. 14, S. 81, 11. 92, 6. 94, 13. 98, 23.
105, 20. 118, 11. 174, 18; Schiller an Goethe 29. u. 31. Mai,
25. Juni, 15. Juli 1799; „Annalen" 1798 und 1799 (Bd. 30,
S. 62, 17 ff. und 64, 25 ff.); zu Eckermann, 6. Mai 1824.
S. auch Säk.-Ausg. Bd. 12, S. 324 f. 402.

Einige Szenen aus Mahomet nach Voltaire (S. 184 f.).

Propyläen III, 1 (1800), 169 f. — Seine Übertragung
von Voltaires Tragödie (Bd. 15, S. 181 ff.) zu rechtfertigen,
führt Goethe ungefähr dieselben Gründe ins Feld, die
Schillers Gedicht „An Goethe, als er den Mahomet von
Voltaire auf die Bühne brachte" (Säk.-Ausg. Bd. 1, S. 199 ff.
338 f.) in Versform geltend machte. Die in den „Propyläen"
als Proben mitgeteilten Szenen 1 und 5 des zweiten Auf-
zugs f. Bd. 15, S. 196 ff. 203 ff.

184, 12 f. Der Aufsatz Wilhelm v. Humboldts stand in
demselben Stück der „Propyläen" S. 66 ff. 17 ff. Iffland
(f. zu 161, 4) hatte 1796 den Oberpriester in Kotzebues
„Sonnenjungfrau" und 1798 den Pygmalion in Rousseau-
Bendas Melodram gespielt. 26 ff. Vgl. zu 162, 22.
„Drama": das Schauspiel in ungebundener Rede, das in
Schröders, Ifflands, Kotzebues Familienrührstücken die
Bühne der Zeit beherrschte. 29 bis 185, 3. In Berlin
wurden aufgeführt: „Die Piccolomini" 18. Februar, „Wallensteins Tod" 17. Mai, Eschenburgs Übertragung von Voltaires „Zaïre" 3. August, A. W. Schlegels „Hamlet" 15. Oktober 1799. Voltaires „Merope" in Gotters Übertragung
scheint damals in Berlin nicht dargestellt worden zu sein.

Dramatische Preisaufgabe (S. 185—187).

Propyläen III, 2 (1800), 169—171. — Vgl. Säk.-Ausg.
Bd. 16, S. 304—306. Das Programm ruht durchaus auf
Schillers Anschauungen, die der „reinen Komödie" einen
höheren künstlerischen Wert zumaßen als der Tragödie; vgl.
Säk.-Ausg. Bd. 12, S. 389 zu 197, 8 bis 199, 4. Ein Er-
folg ward dem Preisausschreiben nicht zu teil. Zwar wur-
den mehrere Stücke eingereicht, keines aber genügte den
Preisrichtern.

Weimarisches Hoftheater (S. 187—196).
Journal des Luxus und der Moden, 3. März 1802. —
Notizen und Schemata: Weim. Ausg. Bd. 40, S. 402 ff.
Schiller gegenüber nannte Goethe den Aufsatz „eine Schnurre";
er mache dabei „ein erstaunt ernsthaft Gesicht; da wir die
reelle Leistung im Rücken haben, so ist es gut, ein wenig
dämisch auszusehen und sich auf jede Weise alle Wege frei
zu halten" (19. Jan. 1802). Von der widrigen Sensation,
die dieses „Theateredikt" in Weimar erregte, und von der
Mißstimmung der Schauspieler wußte Böttiger zu berichten.

187, 31. Die Truppe Abel Seylers, des Gatten der
großen Tragödin Hensel (oben zu 41, 26 ff.), spielte in Weimar zur Zeit der Regierung Anna Amalias seit 1771.

188, 2. „Schloßbrand": 6. Mai 1774. 3 f. „Liebhaber-
gesellschaft": deren spiritus rector Goethe war. 13 ff. „Ifflands Ankunft": Frühjahr 1796, vgl. zu 161, 4. Die architektonische Einrichtung des Schauspielsaales: Herbst 1798,
f. S. 157 ff. Die Aufführung der „Brüder" nach Terenz:
24. Okt. 1801; vgl. „Annalen" 1801 (Bd. 30, S. 91).

189, 17. „rhythmische Deklamation": vgl. zu 162, 22.
19. Vgl. oben S. 161 ff. 169 ff. 23 ff. „Mahomet" und
„Tancred" von Voltaire in Goethes Übersetzung: 30. Jan.
1800, 31. Jan. 1801. Vgl. oben S. 184 f. „Macbeth" in
Schillers Bearbeitung, 14. Mai 1800. „Octavia" und
„Bayard" von Kotzebue, 10. Jan. 1801 und 5. April 1800.
„Maria Stuart", 14. Juni 1800. 33. „Paläophron und
Neoterpe" (Bd. 9, S. 183 ff.), Privataufführung bei der
Herzogin-Mutter 31. Okt. 1800; öffentlich: 1. Jan. 1801.
36. „Brüder": f. o. 188, 15.

190, 1 ff. Friederike Unzelmann, geb. Flittner (1760
bis 1815), die „allerliebste Künstlerin" („Annalen" 1801 f.
Bd. 30, S. 92, 6 ff. 99, 25); vgl. an Sartorius, 10. Okt. 1801.
20. „Nathan" in Schillers Bearbeitung, 28. Nov. 1801.
33 ff. Schluß einer Vorrede zum „Nathan", von Lessing
nicht veröffentlicht: „Noch kenne ich keinen Ort in Deutschland, wo dieses Stück schon itzt aufgeführt werden könnte.
Aber Heil und Glück dem, wo es zuerst aufgeführt wird!"

191, 1 f. Die sorgsame Vorbereitung und Inszenierung
von Wilhelm Schlegels „Jon" (2. Jan. 1802) ist eine der
unzweideutigsten Kundgebungen von Goethes Wohlwollen
für die Frühromantik. Der hier gegebene Bericht verschweigt

— abermals ein Zeichen von Goethes Gunst — die starke Opposition, die dem Stück aus persönlichen Gründen, vor allem durch Böttiger, erwachsen ist. Vgl. u. a. Goethes nicht abgesandten Brief an den Autor vom Anfang Febr. 1802 (Weim. Ausg. der Briefe, Bd. 16, S. 419), „Annalen" 1802 (Bd. 30, S. 93 f. 443 f.), Schriften der Goethe-Gesellschaft XIII, 341—343, G. Waitz, „Caroline" Bd. 2, S. 154 f. 159 f. 163 ff. über die Dekorationen vgl. außerdem Vierteljahrschrift für Literaturgeschichte VI, 619 ff. Die „bedeutende abwechselnde Kleidung" (Z. 11) wurde im ersten Drucke des Aufsatzes durch eine beigegebene Tafel bunter Kostümabbildungen illustriert.

192, 2 ff. Die Zuschauer des weimarischen Theaters treten hier ausdrücklich in Gegensatz zu der „bunten Menge" des „Vorspiels auf dem Theater" („Faust" 90 ff. 113 ff.), der durchaus die Züge eignen, die an unsrer Stelle dem „Pöbel" zugeschrieben werden. 10. „Legegeld": Eintrittsgeld. 20. „Jon" wurde auch in Berlin aufgeführt und zu Hamburg 1803 gedruckt.

193, 2. „Wirrwarr": Posse von Kotzebue, in Weimar aufgeführt 13. Jan. 1802. 23 ff. „noch mehrere antike Lustspiele" — zwei von Terenz, zwei von Plautus — wurden tatsächlich auf die Bühne gebracht; vgl. Schriften der Goethe-Gesellschaft VI, 229. Ebenda S. 227 f. über den Versuch, antike Maskenspiele wieder aufleben zu lassen.

194, 1. Als vergangenes „goldenes Zeitalter" der deutschen Literatur galt dem Kreise Herders und Wielands die Periode etwa von 1750 bis 1780. In solchem Sinne sammelte Herders „Adrastea" (1801—03) Stück 3: „Früchte aus den sogenannt-goldenen Zeiten des achtzehnten Jahrhunderts." In Goethes Briefen wird diese Anschauung, die ihre Spitze gegen ihn und Schiller richtet, vielfach bespöttelt; vgl. Erich Schmidt zu Xenion 392—401 (Schriften der Goethe-Gesellschaft VIII, 164 f.), dazu Goethe an Wilhelm Körte, 13. Sept. 1805 (Brief-Auswahl Bd. 4, S. 251). 25. „Turandot": von Schiller, 30. Jan. 1802. 27 ff. „jener Freund": Caroline Schlegel; vgl. G. Waitz a. a. O. Bd. 2, S. 163, Anm. 2. — „rezensiert" = rezensiert hat; vgl. zu Bd. 21, S. 137, 30. 36 ff. Vgl. oben 186, 12 ff. und Bd. 37, S. 19, 17 f.

195, 31 und 196, 15. „Rätsel": Schiller dichtete zu jeder Aufführung neue, auch Goethe lieferte eines; vgl. Bd. 2, S. 169. 324; Säk.-Ausg. Bd. 1, S. 277 ff. 357 ff.

zu Seite 191—213 347

196, 18. Die aus Gozzi übernommenen Charakter-
masken der italienischen Komödie: Pantalon, Tartaglia,
Brigella, Truffaldino; vgl. Säk.-Ausg. Bd. 9, S. XX.

Regeln für Schauspieler (S. 197—214).
Paralipomena und eine eingehende Darlegung der
Entstehungsgeschichte: Weim. Ausg. Bd. 40, S. 420 ff. An-
geregt wurden diese „Didaskalien" durch die Schauspiel-
eleven Pius Alexander Wolff und Karl Franz Grüner (vgl.
„Annalen" 1803; Bd. 30, S. 114, 30 ff. 446 f.). Goethe „dik-
tierte" ihnen diese „ersten Elemente". Die Papiere, „die
Regeln und Studien enthaltend, die Goethe mit Wolff und
Grüner durchgemacht", erhielt Eckermann am 2. Mai 1824,
stellte sie zusammen und bildete daraus „eine Art von
Theaterkatechismus". Also eine „Bearbeitung Eckermanns,
aber mit Goethes Erlaubnis und Beirat angefertigt", mit
Wiederholungen und anderen redaktionellen Flüchtigkeiten.
Ausführliche Analyse und Würdigung bei Wahle, Schriften
der Goethe-Gesellschaft VI, 162 ff.: „Unausgesprochen ist die
französische Kunst, wie sie Goethe aus Humboldts Brief
[vom 18. August 1799 = „Propyläen" III, 1, S. 66; vgl. oben
zu 184, 12 f.] kannte, der Wegweiser." Daher der Gegensatz zu Lessings und Schröders Anschauung! Zur Erläuterung des Einzelnen sei bündig auf J. Petersen, „Schiller
und die Bühne", Berlin 1904, verwiesen.

198, 34 f. „Braut von Messina" 269; Petersen S. 368 f.
199, 10 f. Ebenda 152 f.
200, 12 ff. Petersen S. 431 f. und „Lehrjahre" Buch 5,
Kap. 6 (Bd. 18, S. 29, 1 f.).   35 ff. Wahle führt (S. 166 f.)
aus, wie Goethes Methode, die Deklamation einzustudieren,
sich an Formen und Gepflogenheit der Musik anlehnte.
202, 14 ff. „Braut von Messina" 283 ff.   21 f. Ebenda
695 f.   32 ff. Ebenda 416 ff.
203, 16 f. Ebenda 264.
204, 3 f. Ebenda 224 f.   29 ff. Vgl. § 15.
208, 32 ff. „Braut von Messina" 328 ff.
209, 10 f. Ebenda 610 f.
211, 29. „Wohlstand": Anstand. Vgl. Bd. 16, S. 13, 17;
Bd. 38, S. 18, 24.
213, 32. „Kasen": italien. casa, Haus; vgl. Bd. 30,
S. 237, 34.

Erwähnt sei an dieser Stelle die Beilage eines Briefes
an C. G. Voigt vom 9. Dez. 1808 über den Vorschlag, das
Schauspiel von der Oper zu trennen. Über den Theater-
konflikt von 1808, dem dieser Aufsatz entstammt, vgl. J. Wahle
a. a. O. S. 312 ff., ferner die in der Weim. Ausg. der Briefe
Bd. 20, S. 385 zu Nr. 5627) angeführten Briefstellen, endlich
„Annalen" 1808 und 1809 (Bd. 30, S. 240, 26 ff. 247, 1 ff.
465 f.).

Rezensionen in die Jenaische Allgemeine Literaturzeitung
(S. 215—297).

Nach den „Frankfurter gelehrten Anzeigen" hat Goethe
in der vorliegenden Gruppe von Rezensionen zum ersten
Male wieder in größerem Umfang als Tageskritiker sich versucht. Ein äußerer Anlaß führte ihn nach einer Pause von
mehr als einem Menschenalter zur Rezensententätigkeit
zurück: die Übersiedlung der alten, 1785 gegründeten Jenaischen „Allgemeinen Literaturzeitung" nach Halle. Die
„Annalen" 1803 (Bd. 30, S. 118 ff.) erzählen knapp, aber
fast erschöpfend den Hergang und legen dar, wie notwendig
es im Interesse der Universität Jena war, an Stelle des
fahnenflüchtigen Unternehmens ein neues zu begründen.
Nicht erwähnt ist in Goethes Bericht, daß in dem ganzen
Handel die Romantiker eine wichtige Rolle gespielt haben.
W. Schlegel, zur Zeit, da die „Allgemeine Literaturzeitung"
mit allen Kräften für den Klassizismus eintrat, der eifrigste
Mitarbeiter des Unternehmens, hatte sich mit dem Herausgeber, seinem Jenenser Kollegen Chr. G. Schütz, über-
worfen und war 1799 ausgeschieden. Eine unerquickliche
Fehde voll schlimmster persönlicher Invektiven knüpfte sich
an und zog immer weitere Kreise. Schelling, unter den
romantischen Genossen mit Goethe in besten Beziehungen,
wurde in den Streit verwickelt, Goethe selbst aber nahm
für die Romantiker Partei. Wirklich wurde die Verlegung
des alten Organs nach Halle von Kotzebue (in dem an
jener Stelle der „Annalen" erwähnten Artikel des „Frei-
mütigen") als Folge des in Jena allzu sichtbaren „literarisch-
despotischen Einflusses" Goethes bezeichnet. Um der Gegen-
partei den Triumph nicht zu gönnen, setzte Goethe alle
seine Energie an die Organisation des neuen Unternehmens.
Schiller verhielt sich teilnahmlos. Der neue Redakteur
Professor Eichstädt beschränkte sich zunächst auf die Rolle

eines Gehülfen. Goethe traf selbst bis ins Kleinste alle Maß-
regeln, so daß am Anfang des Jahres 1804 ohne Unter-
brechung auf die letzte Nummer der alten die erste der neuen
Zeitung folgen konnte. Daß Goethe als Hauptredakteur
„manchmal 50 Rezensionen zu allerhöchster Stempelung bei
sich liegen" hatte, berichtet Böttiger an Bertuch am 5. Februar 1805. Den besten Einblick in die Mühen, denen sich
Goethe unterzog, bietet sein Briefwechsel mit Eichstädt (herausgegeben von W. v. Biedermann, Berlin 1872), wozu eine
weitere ausgedehnte Korrespondenz trat (s. Weim. Ausg.
der Briefe Bd. 16). Als er das Unternehmen hinreichend
gekräftigt sah, zog er sich mehr und mehr von seiner Leitung
zurück. Es hat bis zum Jahre 1832 bestanden. Auch die
Romantiker, voran W. Schlegel, sind nur in den ersten
Jahren Mitarbeiter gewesen (vgl. Schriften der Goethe-
Gesellschaft Bd. 13, S. LXXIV f. und R. Haym, „Die romantische Schule", S. 746).

Goethe ließ im 33. Bande der Ausgabe letzter Hand
unmittelbar auf die Rezensionen aus den Frankfurter gelehrten Anzeigen eine Sammlung seiner Beiträge für die
Jenaische Lit.-Ztg. folgen. Diese von Riemer nicht ohne
Willkür redigierte Sammlung enthielt unsere Nummern 1
bis 13 sowie eine Anzeige von A. v. Humboldts „Ideen
zu einer Physiognomik der Gewächse". Wir behalten die
von Goethe hergestellte nicht chronologische Anordnung der
13 Nummern bei und schließen als Nr. 14—16 drei in diesen
Kreis gehörige Arbeiten an, verzichten dagegen auf eine im
wesentlichen von Heinrich Meyer verfaßte Rezension von
Füeßlis „Vorlesungen über die Malerei" und einige kleinere
Beiträge, Notizen und Ankündigungen, die im 40. Bande
der Weim. Ausg. in chronologischer Folge zwischen den
Hauptstücken wieder abgedruckt wurden.

1. (S. 215 f.) 21. Januar 1804.

Johann Friedrich Reichardt (1752—1814) hat als Komponist der „Claudine" und zahlreicher Lieder Goethes sich
bedeutende Verdienste um dessen Popularität erworben.
Seine Vorliebe für die französische Revolution und seine
Rezensionen der „Horen" störten die ergebnisreichen Beziehungen und riefen scharfe Angriffe in den „Xenien"
hervor (vgl. Bd. 4, S. 163 ff. die Xenien Nr. 72, 118—120,
180—201 und 223 sowie Schriften der Goethe-Gesellschaft
VIII, 113 f.).

215, 15 f. Panem et circenses (Juvenal X, 81).

216, 26 ff. Mit Absicht ging Goethe „den Druckern zu Leibe" und nannte deshalb auch die Druckoffizin (215, 4 f.). „Wir werden uns um die deutsche Literatur ein großes Verdienst erwerben, wenn wir gegen dieses unerträgliche Unwesen zu Felde ziehen" (an Eichstädt, 11. Jan. 1804).

2. (S. 217 f.) 27. März 1804.

Verfasser ist der in Paris patriarchenhaft und doch einsiedlerisch lebende Philanthrop Graf Gustav v. Schlabren- dorf (1750—1824), Herausgeber Reichardt. Über den Autor und das Werk vgl. K. A. Varnhagen v. Ense in Raumers Historischem Taschenbuch (1832) Bd. 3, S. 247 ff.

Die Inhaltsangabe 217, 25 ff. ist sehr summarisch ge- halten und in den Zahlangaben nicht zuverlässig (263 statt 267; 435 statt 434).

218, 2. Neckers Dernières vues de politique etc. werden S. 178 ff. besprochen; schon in der Lit.-Ztg. trat der hart- näckig fortgepflanzte Druckfehler „Redner" statt „Necker" ein.

3. (S. 218—222.) 26. Februar 1806.

Vgl. „Annalen" 1806, Bd. 30, S. 203, 8 ff. Goethes Interesse für den Schweizer Historiker Johannes v. Müller (1752—1809) bewährt sich auch 284, 18 f. 286 ff. (Nr. 14).

219, 22—33. In „Dichtung und Wahrheit" ist Goethe dem hier gegebenen Programm nachgekommen.

220, 3. „Alphabet" nannten die Buchdrucker nach dem älteren Brauche, die Bogen nicht mit Zahlen, sondern mit den Buchstaben außer V und W zu beziffern, ein Buch von 23 Bogen. 13—15. Müllers Lehrer Johann Peter Miller (1725—89), Göttinger Theolog; der bahnbrechende Historiker August Ludwig v. Schlözer (1735—1809); Müllers Gönner Martin Ernst v. Schliessen (1732—1825), Feldherr und Diplomat; Friedrich Karl Joseph v. Erthal, Kurfürst von Mainz (1719—1802), in dessen Dienste Müller gestanden hatte. 28. Paoli (1726—1807) leitete die revolutionäre Bewegung der Korsen gegen Genua und, nachdem die Insel 1768 abgetreten worden war, gegen Frankreich. 1769 mußte er nach England fliehen, 1790 aber versuchte er abermals umsonst Korsika zu befreien. Vgl. Bd. 25, S. 49, 28 ff. 31. „Genfer Begebenheiten": Seit dem Anfang der Sech- zigerjahre bekämpften sich in Genf Rat und Demokraten. Frankreich leistete dem Rat nach Kräften Vorschub. Als er im April 1782 dem demokratischen Ansturm erlag, belagerte

Frankreich mit Sardinien und Bern die Stadt und setzte
nach der Kapitulation die alten Behörden wieder ein. Die
Führer der Demokraten flohen nach Frankreich und wurden
in der Revolutionszeit Mitarbeiter Mirabeaus.

221, 15 ff. Weber Friedrich II. (1781) noch die Berner
Regierung (1783) boten Müller die angestrebte Stellung.
17. Die „Berner Besten" = Optimaten, Aristokraten; kein
terminus technicus! Riemer änderte in „Obern".

4. (S. 222—236.) 16. und 17. April 1804.
Teile der Rezension stammen von dem Sohne des Be-
sprochenen, Heinrich Voß dem Jüngeren, der in einem
Briefe an H. Chr. Boie vom 9. April 1804 die Stelle
„über die höheren Stände" und „den letzten Teil über
Sprache, Rhythmik und Mythologie" für sich in Anspruch
nimmt. (Vgl. Gräf „Goethe und Schiller in Briefen von
H. Boß dem Jüngeren", S. 33. 132 f.) Da Goethe nach Boß'
Zeugnis Unterschiede des Tones und Stils ausgeglichen
hat, ist eine genauere Scheidung nicht durchzuführen. —
Die Romantiker, seit Jahren mit Boß in erbitterter Fehde,
konnten den wohlwollenden Ton der Anzeige nicht begreifen.
1828 suchte W. Schlegel ihn auf Ironie zurückzuleiten, ohne
zu entscheiden, „ob sich diese Ironie wider den Willen des
Beurteilers von selbst eingefunden, indem er wohlwollend
alles zum Besten kehrte, oder ob eine selbstbewußte Schalk-
heit im Hintergrunde gelauscht" (Sämtl. Werke Bd. 12,
S. 90). Vielmehr sollte die Besprechung dem Dichter, der
damals nach Jena zu übersiedeln dachte, einen Willkomm-
gruß bieten. Ganz gewiß war deshalb Goethe bestrebt, die
Eigenheiten von Boß' Dichtung, an denen die Romantiker
schärffste Kritik geübt hatten, begreiflich, ja berechtigt erscheinen zu lassen. Die Absicht ist ihm geglückt und macht
die Rezension zu einem Muster liebevoll in Heterogenes
sich einfühlender Charakteristik. Vgl. auch W. Herbst, Joh.
Heinr. Boß (1876) Bd. 2, Abt. 2, S. 73 ff.

225, 25. „Land": gegen die in diesem Falle sehr unzu-
verlässigen Handschriften und Drucke (vgl. Weim. Ausg.
Bd. 40, S. 453 ff.) ist das überlieferte „Lied", in dem schon
Hecker einen Schreibfehler für „Land" vermutete, von uns
beseitigt worden.

226, 10. Die Gedichte „bei Gelegenheit ländlicher
Vorfälle" hatten W. Schlegels Spott herausgefordert, vor
allen hatte er „Die Kartoffelernte" („Kindlein, sammelt mit

Gesang Der Kartoffeln Überschwang ꝛc.") im „Athenäum"
(1800) aufs Korn genommen (Sämtl. Werke Bd. 12, S. 74 f.).
Daß Goethe sie „ausdrücklich in Schutz nahm", wurde ihm
von Schlegel besonders verdacht (a. a. O. S. 88 ff.).

227, 7. „mit allem Guten": anders „Faust" 11820.
18. Riemer schob vor „ein" ganz unnötig die Worte „und
daraus entspringt" in den Text.

228, 8. „verbannt sie": in der Ausgabe letzter Hand
dafür „verbannt sich". Das „Trinklied für Freie" (Strophe 3)
und der „Rundgesang beim Rheinwein" (Strophe 4), Gedichte, auf die Goethe hier anspielt, lassen die ursprüngliche
Lesart als die richtige erscheinen (Seuffert).   21. „zehnjährigen Friedens": 1763—73, vom Frieden zu Hubertus-
burg bis zur ersten Teilung Polens.

229, 4. „Tyrannenblut": die ganze Darlegung trifft
weniger Voß als die beiden Stolberge, deren „poetischen
Tyrannenhaß" Goethe im 18. Buch von „Dichtung und
Wahrheit" (Bd. 25, S. 64, 31 ff.) von seiner Mutter durch
das „wahre Tyrannenblut" des Weins stillen läßt.   22 f.
„zarte ... Natur" und 28 „zartes Unbehagen": schon W.
Schlegel spöttelt a. a. O. S. 90: „wo das Wort ,zart' vorkommt, wird man wohl überall einen Druckfehler für ,zähe'
annehmen dürfen."

230, 32 bis 231, 38. Die hier berührte Kontroverse
zwischen Voß und Friedrich Leopold Graf Stolberg bespricht
Goethe ausführlich Bd. 30, S. 420 ff., vgl. S. 502.

231, 16 f. Die Genossen des Göttinger „Hains".

232, 5 ff. Vgl. folgende in den „Nachgelassenen Werken"
Bd. 6, S. 368 ff. (1833) unter dem Titel „Individualpoesie" veröffentlichte Skizze:

„Ganz nahe an das, was wir Volkspoesie nennen,
schließt sich die Individualpoesie unmittelbar an. Wenn die
einzelnen werten Personen, denen eine solche Gabe ver-
liehen ist, sich selbst und ihre Stellung recht kennen lernen,
so werden sie sich ihres Platzes im Reiche der Dichtkunst
erfreuen; anstatt daß sie jetzt meist nicht wissen, woran sie
sind, indem sie sich in der Masse der vielen Dichter verlieren und, indem sie Anspruch machen, Poeten zu sein,
niemals zu einer allgemeinen Anerkennung gelangen können,
wie sie solche wünschen. Um mich hierüber deutlich zu
machen, will ich mich an Beispiele halten.

„Ein Geistlicher auf einer nördlichen Landzunge der

Infel Ufedom, auf einer Düne geboren, diefe Düne mit
ihrem geringen vegetabilifchen Behagen und fonftigen Zu=
ftänden liebend, fein geiftliches Amt auch mit Wohlwollen
verübend, hat eine gar liebenswürdige Art, feine Zuftände
poetifch darzuftellen.

„Voß hat in feiner ‚Luife‘ diefen häuslichen Ton an=
gegeben, in ‚Hermann und Dorothea‘ habe ich ihn aufge=
nommen, und er hat fich in Deutfchland weit verbreitet.
Und es ift wohl keine Frage, daß diefe dem Sinne des
Volks fich nähernde Dichtart den individuellen Zuftänden
am beften zufagt.

„Ein folcher Mann muß fich anfehen wie ein Mufik=
freund, der bei angebornen Talenten und Neigungen den
Beruf gerade nicht findet, Kapellmeifter zu werden, aber
für fich und feine Hauskapelle genugfames Gefchick hat, um
eine folche wünfchenswerte Kultur in feinem Kreife zu ver=
breiten.

„Da man nicht aufhören kann, Chreftomathien drucken
zu laffen und das Bekannte wieder bekannt zu machen,
wogegen doch auch nichts zu fagen ift, weil man das Be=
kannte w e i t e r bekannt macht oder in der Erinnerung der
Menfchen auffrifcht, fo wäre es, aber freilich für einen
Mann von höherem Sinn und Gefchmack, eine fchöne Auf=
gabe, wenn er gerade von folchen individuellen Gedichten,
welche gar nicht in den Kreis des größern Publikums ge=
langen oder vom Tage verfchlungen werden, eine Samm=
lung veranftaltete und fo das Befte, was aus dem indivi=
duellen Zuftande, aus einem eigens beftimmten und ge=
ftimmten Geifte hervorgegangen, billigerweife aufbewahrte;
wobei denn zum Beifpiel eben diefer Geiftliche, fo wie
mancher andere, zu verdienten Ehren gelangen und mit
dem alles verzehrenden Weltlauf einen mäßigen Kampf
beginnen könnte.

„Die Bemerkung muß ich hinzufügen, daß folche Indi=
vidualitäten, denen man ein dichterifches Talent nicht ab=
fprechen kann, fich gewöhnlich ins Weitläuftige verlieren.
Das wird aber einem jeden Talent begegnen, das fich nicht
durch entwickelten Gefchmack, entweder durch fich felbft oder
durch Anleitung, nach und nach zu der Höhe erhebt, um zu
dem äfthetifchen Lakonismus zu gelangen, wo nur das Not=
wendigfte, aber auch das Unerläßliche gehörig faßlich dar=
gebracht wird. Ein jeder kann aus feiner Jugend der=

gleichen Beispiele vorführen, wo er nicht fertig werden konnte, und die deutsche Nation hat schöne Talente aufzuweisen, welche, selbst ausgebildet, diesen Vorwurf nicht ablehnen können."

233, 7—13. Abermals eine von den Romantikern verspottete Eigenheit, glücklich parodiert in A. W. Schlegels meisterhaftem „Wettgesang" (Sämtl. Werke Bd. 12, S. 80 ff.; vgl. S. 91 f.). 35. „deutsche Rhythmik": auf diesem Felde erkannten die Romantiker nach anfänglichem Widerstreben allmählich, wenn auch nicht uneingeschränkt, Voß' Verdienst an; vgl. W. Schlegels Sämtl. Werke Bd. 10, S. 188 ff.

234, 6. Der Komponist Johann Abraham Peter Schulz (1747—1800).

235, 31. „Urbarden": Homer.

236, 6—21. Schluß der Ode „Der Rebensproß"; sie steht am Eude der „Oden und Elegien" in der besprochenen Ausgabe. „Lyäos": Beiname des Bacchus = „der Löser, Befreier, Sorgenbrecher". „Herling": die unreife, herbschmeckende Traube.

5. (S. 236—244.) 13. Februar 1805.

Unzufrieden mit einer Rezension Falks, und da er sich selbst für Hebel interessierte (an Eichstädt, 16. Jan. 1805), zeigte Goethe selbst die Gedichte an, die ihm noch 1811 den „angenehmen Eindruck gaben, den wir bei Annäherung von Stammverwandten immer empfinden" (Bd. 30, S. 265, 26 ff.). Vgl. Bd. 37, S. 141, 2 f. 142, 10 f. und besonders, mit Hinblick auf die „Sonntagsfrühe" (238, 30 ff.), Bd. 24, S. 8, 25.

238, 16 und 36. „Die Marktweiber in der Stadt" und den „Storch" hat Hebel später stark überarbeitet.

239, 34 ff. Etwas anders über Nutzanwendung: oben S. 153, 26 ff. Klaus Groth, „Über Mundart und mundartige Dichtung" (Berlin 1873) S. 16 und 20 f. bekämpfte heftig die vorliegende Stelle, ohne indes den Absichten Goethes ganz gerecht zu werden.

240, 36. 1. Samuelis 25.

241, 3. „Prosopopöien" = Personifikationen. 37 f. Vgl. oben S. 118 ff.

6. (S. 244—247.) 13. Februar 1805.

Vgl. S. 152 ff. u. Anm. S. 340. Goethe setzte die Gedichte Grübels „caeteris paribus den allemanischen wohl an die Seite" (an Eichstädt, 16. Jan. 1805).

244, 29. Hans Sachs. Vgl. Bd. 1, S. 263 ff. 372.

245, 9 ff. Vgl. 155, 10 ff. 18. Anekdoten, wie sie
etwa in dem auch von Hebel benützten „Vademecum für
lustige Leute" zusammengetragen wurden.

7. (S. 247—263.) 21. und 22. Januar 1806.
Der erste Band des „Wunderhorns" war Goethe gewidmet und die Hoffnung auf seinen Beifall dabei ausdrücklich ausgesprochen worden. Am 5. Jan. 1806 nannte er es
F. A. Wolf gegenüber eine „recht verdienstliche Sammlung",
am 9. März bezeugte er Arnim die „lebhafte und dauernde
Freude", die ihm das Werk gemacht. Die auch in den „Annalen" 1806 (Bd. 30, S. 201, 24 ff.) gebuchte Rezension fand
bei den Herausgebern dankbarste Aufnahme. „Wie muß
dir", schrieb Brentano, „das Herz gehüpft haben? Das
liebe, musikalische Herz ist wohl nicht leicht in adlicheren
Takten eines frohen Selbstgefühls getanzt. Zimmer hat
eine kindische Freude." Arnim erwiderte, er habe das Urteil „mit einer eigenen Demut gelesen. Ich verehre seinen
herrlichen Willen für alles an sich Lobenswerte, und wenn
er in diesem Willen uns besser sieht, so hebt er uns an sein
Auge, an dessen Glanz wir unsre Straße weiter erhellt
sehen. Er ist der einzige Feuerwurm in dieser kimmeri-
schen Nacht der Gelehrsamkeit, und genauer betrachtet wird
es ein hoher Wandelstern." (R. Steig, „A. v. Arnim und
C. Brentano" S. 160. 163). Ähnlich schrieb Arnim an Goethe
(20. Febr. 1806; Schriften der Goethe-Gesellschaft XIV, 04).
Goethes Zustimmung mußte den Freunden wichtig sein, da
er die starken redaktionellen Eingriffe, die „Ipsefakten und
Restaurationen" billigte, durch die sie die gesammelten Lieder
ihren Zeitgenossen näherrückten (vgl. 262, 30 bis 263, 3).
J. H. Voß, der darin ein betrügerisches Vorgehen sah, erklärte im Morgenblatt, die Kritik sei „durch geheuchelte Ein-
faltsmiene erschlichen" (vgl. W. Herbst, J. H. Voß Bd. 2,
Abt. 2, S. 124); die Fehde, die durch diese Anklage wach-
gerufen wurde, mag Goethe veranlaßt haben, die Anzeige
des 2. und 3. Bandes (1808) dem Germanisten v. d. Hagen
zu überlassen (1810, Nr. 35 bis 38). Vgl. Bd. 18, S. 340 f.
Im selben Jahre brachte die Literaturzeitung (1810, Intelligenzblatt Nr. 21) noch eine Erklärung „An die Leser
des Wunderhorns", in der Arnim und Brentano dankend
bekannten, wie wertvoll ihnen Goethes Rezension für die
Ausgestaltung des 2. und 3. Bandes gewesen sei. Vgl.
C. Jenny, Goethes altdeutsche Lektüre (1900) S. 50 ff.

Zur Vorgeschichte der Rezension: Arnim an Brentano, 16. Dez. 1805 (Steig S. 152 f.): Goethe „grüßt dich, dankt für unsere Sammlung, findet sie sehr angenehm, hat sie gegen viele in Weimar gelobt und wird vielleicht selbst einige Worte darüber in der Jenaer Literaturzeitung sagen. Er hat ... fast über jedes Lied gesprochen, er läßt dir viel Schönes über des Schneiders Feierabend (260, 31 f.) sagen. Die Fischpredigt (259, 3 f.), die Mißheirat (250, 38 ff.), der Stauffenberg (260, 27 ff.), das von Procop (259, 35 ff.), zwei Nachtigallen (251, 5 f. 253, 34 f.), der Lindenschmidt (252, 1 f.), der Neidhart mit seinen Mönchen (251, 19 f.) schienen ihm am besten". Auch den 262, 16 ff. ausgesprochenen Wunsch hat Goethe schon Arnim gegenüber vorgebracht.

Die Überschriften der Lieder wurden von Goethe zum Teil verändert, erweitert oder verkürzt.

248, 35 ff. Eine ähnliche „Charakterisierung aus dem Stegreife" (260, 33) widmete Goethe später den serbischen Volksliedern (Bd. 38, S. 9, 3 ff.). Fr. Schlegel parodierte die charakterisierenden Schlagworte Goethes in seiner An= zeige von Büschings und v. d. Hagens „Sammlung deutscher Volkslieder" (Heidelbergische Jahrbücher 1808, I, 134 ff.; bei Kürschner Bd. 143, S. 361 ff.).

249, 30 f. Goethes „Rattenfänger" (Bd. 1, S. 116. 341). 35 f. Auch von Goethe im Elsaß aufgezeichnet, ebenso wie 252, 1 f. 256, 1 f. 7 f. 35 ff. Vgl. Weim. Ausg. Bd. 38, S. 241 ff. 246 ff. 236 f. 237 ff. 240 f.

251, 16 ff. Nah verwandt mit „Schäfers Klagelied" (Bd. 1, S. 55. 320).

254, 10. „Vaudeville": vgl. zu 121, 33.

257, 18. „Così fan tutte": Titel einer Oper Mozarts, von Goethe durch den Zusatz „und tutti" erweitert. 31. Cocagne: Schlaraffenland.

258, 11. Gleim als Dichter der „Preußischen Kriegs= lieder von einem Grenadier" (1758), vgl. 30, 37. 44, 34 f. Unter dem Titel „Das heiße Afrika" verbirgt sich Schubarts „Kaplied". 31. Matteo Maria Bojardo (1434—94), Orlando innamorato (1486—95).

259, 20. „Pfauenschwanz": vgl. Schiller, Säk.=Ausg. Bd. 7, S. 362 f.

261, 4 ff. Vgl. Bd. 37, S. 257, 19 ff.; Bd. 38, S. 270, 13 ff.

262, 4 ff. Von Herder („Volkslieder" Bd. 2, S. 207 ff.) nach Percys Reliques of ancient English poetry (Bd. 1,

S. 57) übertragen; vgl. Goethe an Herder, 7. Juni 1793.
Briefauswahl Bd. 3, S. 116 Anm.   20. Zum Genetiv
„dieser Liederweise" und 30 f. zur Wendung „Die Herausgeber sind im Sinne des Erfordernisses so sehr …" wurde
wohl mit Unrecht in der Weimarischen Ausgabe ein Fragezeichen gesetzt. „Erfordernis" bedeutet hier entweder Bedürfnis oder Fortschritt (wie auch bei Wieland; vgl. Grimms
Wörterbuch III, 805).

8. (S. 263—267.) 14. Februar 1805.

Schon Schiller hatte am 17. März 1802 das Werk des
strebsamen Wieners Heinrich Joseph v. Collin (1771—1811)
in einem Briefe an Goethe scharf verurteilt, im selben
Jahre A. W. Schlegel an die äußerst erfolgreiche Berliner
Aufführung eine ablehnende Kritik angeknüpft (Sämtl. Werke
Bd. 9, S. 180 ff.). Collin blieb trotz dieser ungünstigen Aufnahme ein treuer Anhänger der Klassiker und wurde bald
darauf ein Schildknappe der Romantik in Österreich. „Regulus" wurde 1805, zuerst am 23. März, in Weimar aufgeführt.

263, 36 f. Lucretien: Livius 1, 57 ff.; Clölien: ebenda
2, 13; Porcien: die Gattin des M. Junius Brutus; Arrien:
die Gattin des Cäcina Pätus, wegen angeblicher Verschwö-
rung gegen Kaiser Claudius (42) zum Tode verurteilt.

264, 21. Collins Trauerspiel „Coriolan", durch Beet-
hovens Ouvertüre bekannt, erschien 1804.

265, 36 ff. Ähnlich bei Schlegel a. a. O. S. 181.

266, 1 ff. Die Rezension wurde drei Vierteljahre nach
der Aufführung des „Götz" (vgl. Bd. 10, S. XXI ff.) veröffentlicht; vielleicht schrieb Goethe die Bemerkungen über
das Verhältnis von Geschichte und Drama unter dem neuen
Eindruck seiner Jugenddichtung, die dem Historischen breiten
Spielraum gewährt hatte.

9. (S. 267—270.) 14. Februar 1805.

Kasimir Ulrich v. Böhlendorff (1775—1825) sandte am
18. Febr. 1801 das Manuskript seines Stückes an Goethe;
vgl. dessen Briefe an Schiller vom 11. März 1801, an Eichstädt vom 21. März 1804 und zu Bd. 38, S. 255, 12 ff.

267, 24—30. Inferno XXXIII.   31. Über H. W.
v. Gerstenberg, den Verfasser des „Ugolino" (1768), s. Bd. 23,
S. 66, 34 ff. Die Erwähnung des Dramas veranlaßte
Goethe, am 25. Mai 1805 in der „Literaturzeitung" den Abdruck von Lessings Brief an Gerstenberg vom 25. Febr. 1768

über den „Ugolino" anzukündigen (Weim. Ausg. Bd. 40,
S. 335. 464). Er wurde im „Intelligenzblatt" der Literaturzeitung 1805, Nr. 56—58, nach der Abschrift, die F. H. Jacobi
gesandt hatte, veröffentlicht.

269, 14 f. Horaz, Satirae I, 4, 62; ein Hinweis auf
Schillers Octavio und Max Piccolomini.

10. (S. 270 f.) **14. Februar 1805.**

Verfasser ist Benjamin Silber (1772—1821), ein sächsi-
scher Offizier, der unter den Pseudonymen Eduard Blum
und Karl Sebald schrieb. Goethe hatte das Stück als
Theaterleiter lesen müssen.

270, 28. „fulgur e pelvi": Blitz aus der Schüssel.

271, 1 f. Kotzebues Schauspiel „Bayard" (1801) und sein
„romantisches Gemälde" „Johanna von Montfaucon" (1800).

11. (S. 271—273.) **14. Februar 1805.**

Der unbekannte Verfasser erwiderte schroff. Goethes
„Antwort" im Intelligenzblatt vom 3. Febr. 1806 schließt
mit den Worten: „Das Werkchen ... nochmals im Detail
durchzuprüfen, und zwar bloß um die schlimme Seite desselben herauszukehren, kann wohl niemand zugemutet werden, der bei seinen Arbeiten sich selbst und andere zu fördern wünscht." Vgl. Einleitung S. V ff.

272, 19. „Pfarrer von Grünau": in Voß' „Luise" (1795).

12. (S. 273 f.) **14. Februar 1805.**

Der Exjesuit Anton v. Klein (1748—1810) sandte das
Gedicht am 17. April 1802 an Goethe, der sich am 9. Mai
zu Schiller brieflich über „diese gereimte Tollhauspro-
duktion", diesen „Wahnsinn" aussprach. Auf Goethes Rezension wurde als Antwort eine Lobpreisung des Gedichtes
eingesandt, die auf Goethes Vorschlag ohne Zusatz im Intelligenzblatt vom 22. Mai erschien.

273, 27. Pallagonia: vgl. Italienische Reise, Palermo
9. und 12. April 1787 Abends (Bd. 26, 285 ff. 294 f.).

274, 1—10. Unzweideutiger Anklang an das Xenion 35
(Bd. 4, S. 159). 21. „Tragelaphen": Bockhirsch, ein von
Goethe und Schiller auf uneinheitliche dichterische Produkte
gern angewendetes Wort; vgl. Boncke S. 333.

13. (S. 274—286.) **16. Juli 1806.**

Der erste dieser Romane hat Friedrich Buchholz (1768
bis 1843) zum Verfasser, der zweite Friederike Helene Unger
(1751—1813), Gattin des Berliner Buchhändlers, der „Goethes
neue Schriften" 1792 ff. verlegt und mit der Frühromantik

in Beziehungen gestanden hatte; der dritte Karoline Paulus
(1767—1844), Gattin des rationalistischen Theologen.

275, 14. An das 6. Buch der „Lehrjahre".

277, 33. „läßlich": das Wort bewegt sich in Goethes
Sprache zwischen den Bedeutungen „leiblich, passabel" und
„bequem, nachlässig" (Boucke S. 115 f.).

279, 14 f. Was Buchholz S. 270 ff. gegen die Schweizer
sagt, die „immer und ewig auf demselben Punkte blieben
und die Entwicklung des übrigen Europa kaum im Wider-
schlage teilten" (vgl. auch 284, 18 f.), widersprach durchaus
Goethes besseren Erfahrungen und tieferer Einsicht.   24. Der
Tragiker Vittorio Graf Alfieri (1749—1803) drängte, ungestüm
und heißblütig, sein Land fast gewaltsam zum pathetisch Männlichen und Ernsten.

284, 18 f. „einem wackern Eidgenossen": Johannes
v. Müller; vgl. S. 218 ff. und Anmerkung; dann S. 286 ff.

285, 4. „Anti-Naturphilosophen": für Schelling und
seine Schule trat Goethe um jene Zeit noch voll ein, bewußt, selbst in engstem Zusammenhang mit der Naturphilosophie zu stehn.   18 ff. Der Vorschlag Goethes fand durch
Eichendorff u. a. seine Erfüllung.

14. (S. 286—289.) 28. Februar 1807.

Goethe hat diese Rezension in die „Werke" nicht aufgenommen. — Müller (vgl. 218, 35 ff.) lebte 1804—07 als
Mitglied der Akademie und Historiograph des hohenzollern-
schen Hauses in Berlin, wo er die Geschichte Friedrichs II.
studierte. Die Rede wurde heftig angefochten; um zu beweisen, daß sie nichts Tadelnswertes enthalte, übersetzte sie
Goethe mit Riemer und ließ die vollständige Übertragung
im „Morgenblatt", 3. und 4. März 1807, abdrucken (Weim.
Ausg. Bd. 41 I, S. 5 ff. 380 ff.). Vgl. „Annalen" 1807 (Bd. 30,
S. 230, 16 ff. und 463); Goethe an Müller, 17. April 1807;
Jahrbuch XIII, 133. Die in der Literaturzeitung mitgeteilten Stücke der Übersetzung (287, 18 ff.) sind für das
Morgenblatt wesentlich überarbeitet worden.

Die beiden folgenden Rezensionen waren für die Literaturzeitung bestimmt, wurden aber nicht darin, sondern erst
im 9. Bande der „Nachgelassenen Werke" 1833 veröffentlicht.

15. (S. 289—294.)

Über Hiller (1778—1826) vgl. Goedekes Grundriß V², 543.
Durch Wielands Schriften zum Dichten angeregt, fand er

überschätzende Bewunderer, ließ sich aber doch von seinem Berufe, dem Ziegelstreichen, nicht abbringen. Über die Genesis der Rezension vgl. die Briefe an Eichstädt vom 24. Jan., 19. Febr., 19. April 1806, 21. Febr. 1807 und die „Annalen" 1806 (Bd. 30, S. 201, 27 ff.), die gleichfalls den Gegensatz dieser „Naturdichtungen" und des „Wunderhorns" hervorheben (vgl. oben S. 247 ff.).

289, 16 f. „Talent ... ohne Charakter": das später gegen Heine ausgespielte Schlagwort.

292, 17. Vgl. „Faust" 1976. 18 ff. Ähnlich erging es dem Modell von Goethes „Natürlicher Tochter" (vgl. Bd. 12, S. XXVII f.).

293, 7. Der rasende Sokrates, Beiname des Kynikers Diogenes, durch Wielands „Sokrates Mainomenos oder Die Dialogen des Diogenes von Sinope" (1770) Goethe nahegelegt. 16. Die „Adreßkalender" Weimars verzeichneten nur die Beamten des Hofes sowie der Militär- und Zivilbehörden. 20. „Hurone": in Voltaires philosophischem Roman L'Ingénu; vgl. „Dichtung und Wahrheit" Buch 16 (Bd. 25, S. 16, 13 und 285). 32. Über den Halberstädter Parnaß und seinen Mittelpunkt Gleim s. o. S. 319 zu 44, 34 f. sowie Bd. 2, S. 14 ff. 274 f. und Xenion Nr. 298 f. (Bd. 4, S. 187 nebst Anm.).

294, 15 ff. „eine Stelle": die eines Hofnarren, die Gundling, Taubmann, Morgenstern tatsächlich bekleideten, während Pöllnitz, Quintus Icilius (Karl Gottlieb Guichard), Marquis d'Argens zur Tafelrunde Friedrichs des Großen zählten. Goethe stellte die Namen aus K. F. Flögels Geschichte der Hofnarren (1789) zusammen. 22. „Plastron": vgl. „Faust" 7135 und Anmerkung (Bd. 14, S. 338).

16. (S. 294—297.) Über Iffland s. o. S. 341 zu 161, 4.

294, 31. Brockmann (1745—1812) spielte den Hamlet seit 1776, sein Lehrer Friedr. Ludw. Schröder (1744—1816) seit 1778. 35 f. Goethe: in den „Lehrjahren" Buch 4 (Bd. 17, S. 251 ff. 346 f.); Christian Garve (1742—98), der Popularphilosoph, „Versuche über verschiedene Gegenstände ꝛc." Bd. 2 (1796), S. 431 ff.; F. J. W. Ziegler (1750—1827), Wiener Schauspieler, „Hamlets Charakter nach psychologischen und physiologischen Grundsätzen ... zergliedert" (1803).

295, 5. Friederike Unzelmann (s. zu 190, 1) und Luise Fleck (1777—1846), Mitglieder des Berliner Hoftheaters. 36 f. „Die Hausfreunde", Schauspiel von Iffland (1805).

296, 11. Euphemismus für Jfflands zunehmende Korpulenz. Jffland hatte schon bei der ersten Aufführung der „Räuber" zu Mannheim am 13. Jan. 1782 den Franz gespielt. 31. „rohe Großheit": vgl. Bd. 30, S. 388, 20 ff.

———

Entwürfe zu einem „Gespräch über die deutsche Literatur", das Goethe gegen Friedrich des Großen Schrift De la littérature allemande (1780) auszuspielen gedachte, sind verloren gegangen. Schroff hatte der Verehrer französischer klassischer Poesie über die deutsche Literatur seiner Zeit abgesprochen, mit Worten schärfster Ablehnung insbesondere des „Götz von Berlichingen" gedacht, den er freilich nur in einer elenden Theaterbearbeitung kannte (vgl. Bd. 10, S. XX). Justus Möser, Abt Jerusalem u. a. veröffentlichten Gegenschriften. Goethe wollte vermittelnd eingreifen; seine Arbeit fällt in den Januar und Februar 1781 (vgl. das Tagebuch vom 6., 7. und 16. Jan., die Briefe an Karl August vom 18. und 25. Jan., an Frau v. Stein vom 6., 10., 18. und 19. Febr. und 10. März, an Herder vom 23. März und an den Prinzen August von Gotha vom 2. April). Der Standpunkt, den er eingenommen hat, ist zu erkennen, wenn man zwischen dem gelassenen Schreiben an Justus Mösers Tochter, Fran v. Voigts, vom 21. Juni und dem derber zupackenden an Merck vom 14. Nov. 1781 die Mitte sucht; auch diesmal war Goethe gewiß stärker bemüht, zu begreifen als zu urteilen. In Gesprächsform ließ er einen Deutschen und einen Franzosen die Voraussetzungen ergründen, aus denen Friedrichs Mißurteil erwachsen war. Das erhellt aus Herders Briefe an Hamann vom 11. Mai 1781, dem ausführlichsten der erhaltenen Berichte über das „Gespräch". Herdern mißfiel die „Einfassung" des „Gesprächs". Sein Urteil mag Goethe veranlaßt haben, es nicht drucken zu lassen. Vgl. auch die Anmerkungen der Briefauswahl Bd. 2, S. 45 und 51 und im allgemeinen: B. Suphan, „Friedrichs des Großen Schrift über die deutsche Literatur", Berlin 1888.

———◆———

Inhalt des sechsundbreißigsten Bandes

Lightning Source UK Ltd.
Milton Keynes UK
UKHW021251070119
335137UK00014B/715/P